우루과이라운드

농산물 협상 5

우루과이라운드

농산물 협상 5

한국학술정보

| 머리말

우루과이라운드는 국제적 교역 질서를 수립하려는 다각적 무역 교섭으로서, 각국의 보호무역 추세를 보다 완화하고 다자무역체제를 강화하기 위해 출범되었다. 1986년 9월 개시가 선언되었으며, 15개 분야의 교섭을 1990년 말까지 진행하기로 했다. 그러나 각 분야의 중간 교섭이 이루어진 1989년 이후에도 농산물, 지적소유권, 서비스무역, 섬유, 긴급수입제한 등 많은 분야에서 대립하며 1992년이 돼서야 타결에 이를 수 있었다. 한국은 특히 농산물 분야에서 기존 수입 제한 품목 대부분을 개방해야 했기에 큰 경쟁력 하락을 겪었고, 관세와 기술 장벽 완화, 보조금 및 수입 규제 정책의 변화로 제조업 수출입에도 많은 변화가 있었다.

본 총서는 우루과이라운드 협상이 막바지에 다다랐던 1991~1992년 사이 외교부에서 작성한 관련 자료를 담고 있다. 관련 협상의 치열했던 후반기 동향과 관계부처회의, 무역협상위원회 회의, 실무대책회의, 규범 및 제도, 투자회의, 특히나 가장 많은 논란이 있었던 농산물과 서비스 분야 협상 등의 자료를 포함해 총 28권으로 구성되었다. 전체 분량은 약 1만 3천여 쪽에 이른다.

2024년 3월

한국학술정보(주)

| 일러두기

· 본 총서에 실린 자료는 2022년 4월과 2023년 4월에 각각 공개한 외교문서 4,827권, 76만여 쪽 가운데 일부를 발췌한 것이다.

· 각 권의 제목과 순서는 공개된 원본을 최대한 반영하였으나, 주제에 따라 일부는 적절히 변경하였다.

· 원본 자료는 A4 판형에 맞게 축소하거나 원본 비율을 유지한 채 A4 페이지 안에 삽입하였다. 또한 현재 시점에선 공개되지 않아 '공란'이란 표기만 있는 페이지 역시 그대로 실었다.

· 외교부가 공개한 문서 각 권의 첫 페이지에는 '정리 보존 문서 목록'이란 이름으로 기록물 종류, 일자, 명칭, 간단한 내용 등의 정보가 수록되어 있으며, 이를 기준으로 0001번부터 번호가 매겨져 있다. 이는 삭제하지 않고 총서에 그대로 수록하였다.

· 보고서 내용에 관한 더 자세한 정보가 필요하다면, 외교부가 온라인상에 제공하는 『대한민국 외교사료요약집』 1991년과 1992년 자료를 참조할 수 있다.

| 차례

머리말 4
일러두기 5

UR(우루과이라운드)-농산물 협상, 1992. 전4권(V.2 4-8월) 7

UR(우루과이라운드)-농산물 협상, 1992. 전4권(V.3 9-11월) 249

정리보존문서목록					
기록물종류	일반공문서철	등록번호	2020030101	등록일자	2020-03-12
분류번호	764.51	국가코드		보존기간	영구
명 칭	UR(우루과이라운드) / 농산물 협상, 1992. 전4권				
생 산 과	통상기구과	생산년도	1992~1992	담당그룹	
권 차 명	V.2 4-8월				
내용목차	* 4.10. 한국 국별 이행계획서 GATT 사무국 제출 - 사절단 대표: 김영욱 농림수산부 통상협력 2담당관 5.21. EC CAP(공동농업정책) 개혁안 타결 11.20. 미.EC oilseed 및 UR 농업보조금 협상 타결 12.7.-23. 농산물 협상 - 수석대표: 김광희 농림수산부 기획관리실장				

0001

02(2)

외 무 부

종 별 :

번 호 : ECW-0458 일 시 : 92 0401 1730

수 신 : 장 관 (통삼,통기,경기원,농림수산부) 사본:주제네바대사-직송필

발 신 : 주 EC 대사

제 목 : EC/농업이사회 결과

3.30-31 개최된 표제이사회 결과를 아래 보고함

1. CAP 개혁

가. 동 이사회는 CAP 개혁촉진 필요성에 대해 논의한바, 대부분의 회원국들은 6.1. 까지 동 개혁문제를 마무리 한다는데에 의견을 같이 함.다만 벨지움, 덴마크, 화란은 마무리 시한을 설정하는 것에 반대함

나. MACSHARRY 집행위원은 동 이사회 결과에 대해 CAP 개혁추진의 전환점이 되었다고 평가함. 그러나 GUMMER 영국 농무장관은 대농에 대해 차별적인 조치를 포함하는 개혁안은 수락할수 없다는 입장을 재차 천명하였으며,벨지움은 지지가격 인하와 소득 보조제 도입이라는 개혁 기본방향에 대해 불만을 표시하였음

다. CUNHA 이사회의장은 차 기이사회 (4.28-29) 에 CAP 개혁문제에 대한 제 4차타협안을 제출하겠다고 밝힘

2. 92/93 농산물 가격안

가. 91/92 가격수준과 현행 협정등을 유지한다는 집행위의 제안설명을 청취하였으며, CAP개혁 추진상황과 연계하여 재검토키로 함

나. 동건에 대한 최종 결정은 5-6월 이사회에서 이루어 질것임

3. OILSEEDS/갓트 패널결과

0 동 이사회는 만장일치로 상기 패널결과는 수락할수 없다는 입장을 결정함. 끝

(대사 권동만-국장)

통상국 통상국 경기원 농수부 2차보

PAGE 1

92.04.02 05:26 DS

외신 1과 통제관

0002

분류번호	보존기간

발 신 전 보

번 호 : WGV-0504 920401 1918 CJ 종별 :

수 신 : 주 제네바 대사, 총영사

발 신 : 장 관(통 기)

제 목 : UR 농산물 국별 이행 계획표

아국 C/S 작성 업무에 참고코자 하니 최소 시장접근(MMA) 증량 문제와 관련, 아래 사항 파악 보고바람.

1. 일본의 C/S에 MMA 약속에 관한 table 2가 결여되어 있으며, 이씨의 경우 최초 년도 물량과 최종 년도 물량이 동일한바 일본과 이씨의 MMA에 대한 입장(UR 농산물 협정안 part B 5항에도 불구하고 증량에 반대하는 것인지, 혹은 양자협상을 통해 품목별 증량문제를 협상하겠다는 것인지 여부등)

2. 또한 MMA에 적용될 관세율과 관련 UR 농산물 협정안 part B Annex 3 제14항에 규정된 low or minimal rate가 구체적으로 어느정도의 관세율을 의미하는지 (예컨대 특정 품목의 실행세율이 50%인 경우 이를 MMA에 적용할 수 있을 것인지 여부등)

끝. (통상국장 김 용 규)

보안 통제	

앙 고 재	92년 4월 1일	통기과	기안자 성명		과 장	심의관	국 장		차 관	장 관
			안명수				전결			

외신과통제

0003

관리번호	92-266

원 본

외 무 부

종 별 :

번 호 : GVW-0736　　　　일 시 : 92 0402 1600

수 신 : 장관(통기,농림수산부)

발 신 : 주 제네바 대사

제 목 : UR 농산물 국별이행 계획표

대: WGV-0504

1. 대호 1 항 MMA 약속관련 일본은 TOBLE 3 를 제시 하지 않음으로서 MMA 약속을 하지 않았고, 이씨의 경우는 TABLE 3 를 제시하였으며 최초년도는 소비량의 3% 최종년도는 소비량의 5%를 기준으로 TQ 물량을 제시하였음.

- 일본의 MMA 대한 입장은 시장접근 분야 약속의 여러대안중 하나로서 동 개념을 인정하고 있으나, 설정수준, 확대약속등을 획일적으로 적용하는데 반대하는 입장임. 그러나 향후 협상을 통하여 일부 품목에 대한 MMA 설정 및 확대 약속가능성이 있음.

- 이씨의 MMA 에 대한 입장은 던켈 초안에 제시된 내용과 거의 차이가 없는바, 이행초기년도에는 소비량의 3%를 기준으로 하되 이행기간중 점차 확대시켜 최종년도에는 5% 수준이 되도록 한다는 것임.(동 사항은 91 년 미-이씨간 양자 협의시 관세화의 한 요소로서 대체적인 합의가 있었던 것으로 이해되고 있음)

2. 대호 2 항 관련 갓트 농업국 ROGERSON 참사관은 "LOW OR MINIMUM RATE"에 대한 갓트의 일반적인 해석 기준은 0-5%의 관세 수준을 의미한다고 함.

- 그러나 대호에 제시된 예처럼 비양허 품목의 경우 실행 관세가 50%이고 TQ 외의 수입물량에 대한 TE 가 높은 수준이라면 TQ 내 수입물량에 대하여 실행관세 50%를 적용 하여도 무방하다고 봄.(동인도 이점에 대하여 긍정적으로 답변함.)끝

(대사 박수길-국장)

예고: 92.6.30 까지

통상국　장관　차관　1차보　2차보　분석관　청와대　안기부　농수부

PAGE 1

92.04.02　23:47
외신 2과　통제관 FK

0004

원 본

외 무 부

종 별 :

번 호 : FRW-0714 일 시 : 92 0406 1630

수 신 : 장 관(통기)

발 신 : 주 불 대사

제 목 : UR 협상 동향

연:FRW-0271

1. 당지 4.6자 언론보도에 의하면,지난 4.3 당지개최 국제상공회의소 회의에 참석한 J.MOLLEMANN 독일 경제장관은 4.21-23간 워싱턴 개최예정인 미-EC 간 정상회담에서 UR 협상의 교착상태가 타개될수도 있을 것으로 전망하나,만약 동 회담도 별다른성과가 없을시,연호 동장관이 92.1. 주장한 G-7 특별정상회담의 개최를 통한 UR 협상 타결 필요성을 재강조 하였다 함.

2. MOLLEMANN 독일 경제장관은 P.BEREGOVOY 불신임수상의 임명이 유럽-미국간 농업보조금 분쟁해결에 도움이 되기를 희망하면서,미 BUSH대통령은 농업문제에 관해 타협할 준비가 되어있으며 일본의 쌀시장 개방 거부는 협상의 단순한 전술에 불과하기때문에 불란서가 양보할 경우 UR 협상 타결의 다른 장애요소는 없다고 강조하였음.

3. MOLLEMANN 독 경제장관의 특히 독일측으로서는 불란서를 제외한채 미측과 농업분야 협상을 추진할수 없는
관계로 불란서측의 자발적 양보를 완곡히 촉구한 것으로보임.끝.

(대사 노영찬-국장)

통상국 2차보 구주국 외정실 분석관

PAGE 1

92.04.07 00:54 FN

외신 1과 통제관

0005

외 무 부

110-760 서울 종로구 세종로 77번지 / (02)720-2188 / (02)725-1737 (FAX)

문서번호 통기 20644-

시행일자 1992. 4. 7.( )

수신 내부결재

참조

취급		장 관
보존		
국 장	전 결	
심의관		
과 장		
기안	안 명 수	협조

제목 UR/농산물 협상 국별 이행계획서 제출관련 정부대표 임명 (사절단)

UR 농산물 협상과 관련, 아국의 국별 이행계획서 제출을 위한 정부대표를 (사절단을) "정부대표 및 특별사절의 임명과 권한에 관한 법률"에 의거 하기와 같이 임명할것을 건의 합니다.

- 아 래 -

1. 목 적 : UR 농산물 협상관련 아국의 국별 이행계획서 제출
2. 기간 및 장소 : 92.4.10(금), 제네바
3. 정부대표 :

   o 농림수산부 통상협력 2담당관 김 영 욱

   " 국제협력과 주사 최 대 휴
4. 출장기간 : 92.4.8-12
5. 소요경비 : 농림수산부 자체예산
6. 훈 령 : 별 첨. 끝.

외 무 부 장 관

0006

훈 령

1. 아국의 농산물 이행계획서를 갓트 사무국에 제출함.

2. 기제출 국가의 농산물 이행계획서를 수집함.

3. UR 농산물 협상 동향을 파악함. 끝.

0007

농 림 수 산 부

우 427-760 / 주소 경기 과천 중앙동 1번지 / 전화 (02)503-7227 / 전송 503-7249

문서번호 국협 20644- 358
시행일자 1992. 4. 7 (1 년)
(경유)
수신 외무부장관
참조 통상국장

선결			지시		
접수	일자 일시	1992. 4. :	결재·공람		
	번호				
처리과					
담당자					

제목 UR/농산물협상 국별이행계획서 제출

1. UR농산물협정 초안과 '92. 1. 13 TNC 회의에서 채택된 던켈 GATT 사무총장의 협상일정에 따라 협상 참가국이 GATT에 제출하여야 할 국별이행계획과 관련 아국의 농산물 협정 이행계획(안)이 확정됨에 따라 이의 제출을 위한 당부대표단을 다음과 같이 파견 코자 하오니 협조하여 주시기 바랍니다.

가. UR농산물협정 국별이행계획서 제출

1) 예정일시 : '92. 4. 10 (금)

2) 제 출 처 : GATT 사무국

3) 제출자료 및 제출부수

① 이행계획서 전문 (Cover Note) 및 농산물협정 문안에 대한 우리의 기본 입장 : 180부

② Draft Lists of Commitments on Agriculture : 180 부

※ 주제네바대표부에 200부 전달 (당부대표단 지참전수)

나. 국별이행계획서 제출을 위한 정부대표단 파견

1) 대 표 단

소 속	직 위	성 명	비 고
농림수산부 농업협력통상관실	통상협력 2 담당관	김 영 욱	
"	행 정 주 사	최 대 휴	

0008

우 427-760 / 주소 경기 과천 중앙동 1번지 / 전화 (02)503-7227 /전송 503-7249

2) 출장일정 및 출장지 : 92. 4. 8(수) ~ 4. 12(일) (5일간) 스위스 제네바

3) 출장목적

① UR농산물협상 아국 이행계획서 제출

② 기 제출국가의 이행계획서 인수

③ 아국 이행계획에 대한 GATT 사무국의 예비적인 평가및 최근의 협상 동향과 전망파악

4) 소 요 경 비

○ 국외여비 : $ 5,093 (지변과목 : 1113 -213)

○ 자료운송비 : 출장자 조달후 추후정산 (지변과목 : 1113 - 221)

첨부 1. 이행계획서 전문 및 농산물협정 문안에 대한 우리의 기본입장 1부.

2. Draft List of Commitments or Agriculture 1부.

3. 출장일정 및 소요경비 내역 1부.

농 림 수 산 부 장 관

0009

출장일정 및 소요경비 내역

1. 출장일정

o '92. 4. 8 (수)	12:55	:	서울 발 (KE 901)
	19:10	:	파리 착
	20:45	:	파리 발 (SR 729)
	21:50	:	제네바 착
4. 9 (목)		:	아국이행계획서 제출협의
4. 10 (금)		:	이행계획서 GATT 제출
4. 11 (토)	18:45	:	제네바 발 (SR 544)
	20:05	:	프랑크푸르트 착
	21:10	:	" 발 (KE 906)
4. 12 (일)	16:35	:	서울 착

0010

2. 소요경비 내역

가. 국외여비 : $ 5,093 (1113 - 213)

	김영욱 과장	최 대 휴
o 항 공 료	$ 2,109	$ 2,109
o 체 재 비	$ 466	$ 409
- 일 비	$ 20 X 5일 = $ 100	$ 16 X 5일 = $ 80
- 숙 박 비	$ 66 X 3일 = $ 198	$ 59 X 3일 = $ 177
- 식 비	$ 42 X 4일 = $ 168	$ 38 X 4일 = $ 152
o 합 계	$ 2,575	$ 2,518

나. 자료운송비 : 출장자 조달후 추후정산 (지변과목 : 1113 - 221)

0011

Cover Note on the Draft Lists of Commitments

1. Korea has prepared the attached Lists of Commitments on the basis of the relevant provisions of the draft Text on Agriculture and, for certain aspects where Korea's position is not consistent with the provisions, in line with its standing position in the agricultural negotiations.

2. Korea takes the view that the draft Text failed to balance the interests of net agricultural importing and exporting countries. Accordingly, the draft Text should be modified through negotiation under the Track 4 which have yet to be activated. Korea's view on the draft Text on Agriculture is attached to this Note.

3. In line with this position, Korea submits the attached Lists with the understanding that further improvements would be achieved in the draft Text through the Track 4 negotiation.

4. At the same time, with regard to a certain number of products for which specific commitments are not provided, Korea reaffirms its statement made at the 15 January 1991 TNC meeting that Korea will table a more flexible offer depending upon further developments in the agricultural negotiations.

5. The outlines of Korea's Lists of Commitments are as follows :

a. Market Access

- 1988~1990 are taken as the base period in the belief that it would be reasonable to take the most recent years and the most recent data available in calculating reduction commitments.

I

0012

- Because of Korea's serious difficulties with regard to the idea of comprehensive tariffication of basic foodstuffs and other items covered by the GATT Article XI. 2(c), specific commitments are not provided for a certain number of products.

- However, Korea is prepared to enter into negotiations which might lead to the reduction of the number of those products in the context of Track 4 negotiation and bilateral negotiations with interested parties.

- In determining the level of reduction commitments and the minimum market access, the element of Special and Differential treatment was incorporated.

- For certain number of products which have been liberalized since 1986, the base rates are bound at ceiling level rather than those applied in September, 1986.

- Current market access is guaranteed at the annual average level during the period 1988~1990.

b. Domestic support

- 1989~1991, the most recent years for which statistics are available, are used as base period for the same reasons stated above under Market Access.

- While reduction commitments on soybean, corn and rapeseed are provided, other products are exempt from these commitments since the AMS for these products and non-product-specific AMS are well below 10% of the total value of production

c. Export competition

- As Korea does not maintain export subsidy programmes which fall under the reduction commitments as defined in Article 9 of Part A of the draft Text on Agriculture, no schedule of reduction commitments on export competition is provided.

II

0013

Korea's view on the draft Text on Agriculture

1. Comprehensive Tariffication

- Korea continues to have serious difficulties with regard to the idea of comprehensive tariffication because it tends to ignore the specific characteristics of agriculture in the individual food importing countries and further fails to safeguard the fragile agricultural production base against collapse.

- Since export subsidies practiced by certain countries are widely recognized as the major factor distorting agricuitural trade, it is less than fair that the draft Text has put unjustifiably strong commitments in the area of market access by prescribing comprehensive tariffication.

- For these reasons, it is Korea's considered view that carefully defined exceptions from tariffication for the basic foodstuffs vital for food security should be established. In addition, products subject to production controls under the Article XI. 2(c) of the General Agreement should not be tariffied.

2. Special and Differential Treatment

- In line with the basic guideline of Special and Differential treatment, and in consideration of the disadvantageous situations in which developing countries find themselves, minimum access opportunities as well as rates of reduction should be set at the rates, two thirds of that specified in paragraph 5 of Part B of the draft Text.

3. Base Period

- Under the Mid-term Agreement, the commitment on standstill of domestic support and market access did not apply to developing countries.

- Therefore, flexibility should be allowed for developing countries in selecting their own base period.

III

0014

4. Minimum Market Access

- Korea believes that Special and Differential treatment should be explicitly provided for in the draft Text on Agriculture with regard to the minimum market access requirements applying 2/3 of the commitments specified in paragraph 5 of Part B of the draft Text.

- Korea also has serious difficulties in permitting the minimum market access to all products across the board.

5. Binding of Ordinary Customs Duties and Tariff Equivalents

- The draft Text provides that all ordinary customs duties and tariff equivalents should be bound. Due to the special characteristics of agricultural products, however, it is extremely difficult for developing countries to bind all ordinary customs duties and tariff equivalents. In this regard, it is to be pointed out that even the customs duties of the manufactured products are not fully bound.

6. Credits for Measures Implemented since the Punta del Este Declaration

- According to the Mid-term Review agreement, credits should be given for measures implemented since the Punta del Este declaration which have contributed positively to agricultural reform. The draft Text should be revised to introduce concrete methods which would reflect these credits.

7. Green Box

- Because the criteria for the Green Box is set according to the policies of developed countries, many criteria are too strict for developing countries to observe. In public stockholding for food security purposes, the government purchase prices should be either the current market prices or the administered prices, and sales prices should not be restricted to the current domestic market prices as long as the sales would not affect the domestic market prices.

8. Inflation

- Not just excessive inflation, but all inflation rates should be reflected in determining the level of annual commitment. Unless inflation is reflected, the real rates of reduction will be much higher than the nominal rates.

我國 UR農産物協商 履行計劃 提出에 따른 협조요청 사항

1. UR農産物協商 履行計劃 要旨

o 當部의 UR農産物協定 履行計劃은 '91.12.20일의 던켈 協定草案과 그동안 協商課程에서 아국이 제기해온 주요 입장을 반영, 다음과 같은 基本方針下에 작성되었음.

가. 基本方針

o UR/農産物分野 國家別 履行計劃에 관한 協商에는 '91. 1. 9 對外協力委員會에서 決定하고 '91. 1. 15 TNC以後 계속적으로 견지해온 政府基本方針에 따라 대응하기로 함.

o 關稅化例外 對象品目은 同 對外協力委의 決定 및 '92. 2. 26 關係長官會議에서 합의된바에 따라 UR協商 進行狀況을 勘案하여 對外協商에 지장이 없도록 可能한한 조속한 시일내에 關係部處間 協議 確定토록 함.

o 다만, 美國, EC, 日本등 主要協商對象國 30여개국이 이미 同計劃書를 提出한 상황이므로 현 단계에서는 조속한 履行計劃書 提出의 必要性과 協商戰略的 측면을 勘案, 일단, 쌀등 15개 主要品目의 關稅相當值(TE)를 제외한 履行計劃書를 제출하되, 同計劃書 前文 (Cover Note)에 "앞으로의 兩者 및 最終協定文案 修正協商 過程을 통하여 同品目에 대한 縮小 調整이 가능함"을 明示하도록 함.

0016

나. 國別履行計劃書의 主要內容

(1) 構　成

- ㅇ 우리의 履行計劃書는「前文(Cover Note)」,「農産物協定文案에 대한 우리의 基本立場」및「品目別 履行計劃書」의 3部門으로 構成
  - -「前文(Cover Note)」에는 國別履行計劃書의 基本作成 指針 및 15개 主要品目에 대한 우리의 立場을 明示
  - -「農産物 協定文에 대한 우리의 基本立場」에는 最終 協定文에 반영되어야 할 農産物 協商에 있어서의 우리의 입장을 상세히 서술
  - -「品目別 履行計劃書」에는 15개 主要品目의 關稅相當値(TE)를 제외한 個別品目別 市場接近 및 補助金 減縮計劃을 提示

(2) 主要內容 (細部內容 別添)

- 쌀은 關稅化, 最少市場접근 및 國內補助 減縮對象에서 除外
- 開途國優待 및 基準年度를 最近年度로 적용하여 '93년부터 10년간 關稅引下幅을 平均 24% 減縮
- 國內補助에 있어서는 콩, 옥수수, 유채의 3個品目에 한정하여 10년간 13.3% 減縮 (실제 減縮負擔은 유채 1개품목만 해당)
- 輸出補助는 해당사항이 없으므로 減縮計劃을 提出치 않음.

0017

2. GATT 提出計劃과 向後對策

1) 履行計劃書를 國内履行計劃 提出發表전 當部代表團을 통하여 주제네바 대표부에 傳達(4.8)

2) 履行計劃書는 對外協力委員會 書面審議(4.7), 黨政協議(4.8), 農水産物 輸入開放 補完對策 實務委員會(4.9)등 일련의 필요절차를 통하여 最終確定하고 GATT제출은 國内 發表와 동시이 GATT에 提出

3) 15개 NTC 품목중 關稅化 例外 대상품목의 確定作業推進

4) 我國立場 관철을 위한 Track 4 協商對策 講究

3. 履行計劃提出에 따른 協助要請 事項

1) 我國 履行計劃 수립의 기본방침과 向後對策을 주제네바대표부에 정확히 전달하여 協商對策 推進에 차질이 없도록 조치 (구체사항은 對外協力委 안건참조)

2) 履行計劃의 사전 주제네바대표부 전달과 국내 發表와 同時에 GATT에 提出可能하도록 當部代表의 파견과 향후 국내발표시기 확정시 이를 주제네바대표부 通報하여 GATT에 提出토록 措置

3) 주제네바대표부는 GATT에 提出할 必要節次를 사전준비하고 GATT제출에 따른 GATT 事務局의 예비적인 評價를 把握報告

4) 履行計劃書 제출에 다른 各國의 동향과 이에 대처하기 위한 協商戰略의 講究

0018

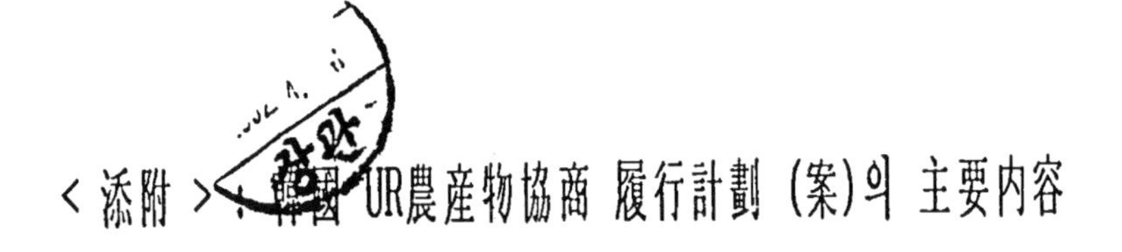

< 添附 > : 韓國 UR農產物協商 履行計劃 (案)의 主要內容

1. 市場接近分野

區　分	던켈 草案	國別履行計劃書
(1) 基準年度	'86 ~ '88	'88 ~ '90
(2) 關稅化 例外 適用	예외없는 關稅化	食糧安保, 11조 2C는 關稅化 例外
(3) 讓許範圍	전품목의 關稅및 關稅相當値 讓許	74% 讓許
(4) 履行期間	'93~'99 (開途國은 '93~2002)	'93~2002 (開途國 優待適用)
(5) 減縮率	單純平均 36% (개도국은 2/3)	單純平均 24% (開途國優待適用)
(6) 品目別 最低 減縮率	15%	10% (開途國 優待適用)
(7) 現行市場接近	'86~'88 平均 輸入量	'88~'90 平均 輸入量
(8) 最少市場接近 (MMA)	初期年度 3%에서 5%까지 增量	初期年度 2%에서 3.3%까지 增量 (개도국 우대적용) ㅇ 쌀은 MMA 不許

2. 國內補助分野

區　分	던켈 草案	國別履行計劃書
(1) 基準年度	'86 ~ '88	'89 ~ '91
(2) 履行期間	'93~'99 (개도국은 '93~2002)	'93~2002 (개도국 우대적용)
(3) 減縮率	20% (개도국은 2/3)	13.3% (개도국 우대적용)
(4) 最少許容補助 (De Minimis)	5% (개도국은 10%)	10% (개도국 우대적용)
(5) 許容政策	1) 政府의 一般서비스 2) 許容對象 直接補助	協定草案에 따르되 최대한 許容對象으로 분류

5

0019

외 무 부

110-760 서울 종로구 세종로 77번지 / (02)720-2188 / (02)725-1737 (FAX)

문서번호 통기 20644-130

시행일자 1992. 4. 7.( )

수신 농림수산부장관

참조

취급		장 관
보존		
국 장	전 결	
심의관		
과 장		
기안	안 명 수	협조

제목 UR/농산물 협상 국별 이행계획서 제출관련 정부대표 임명 통보

UR 농산물 협상과 관련, 아국의 국별 이행계획서 제출을 위한 정부대표가 "정부대표 및 특별사절의 임명과 권한에 관한 법률"에 의거 하기와 같이 임명되었음을 통보합니다.

- 아 래 -

1. 목 적 : UR 농산물 협상관련 아국의 국별 이행계획서 제출
2. 기간 및 장소 : 92.4.10(금), 제네바
3. 정부대표 :
   - ㅇ 농림수산부 통상협력 2담당관 김 영 욱
   - " 국제협력과 주사 최 대 휴
4. 출장기간 : 92.4.8-12
5. 소요경비 : 농림수산부 자체예산.

끝.

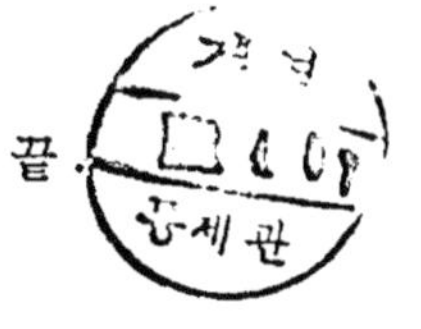

외 무 부 장 관

0020

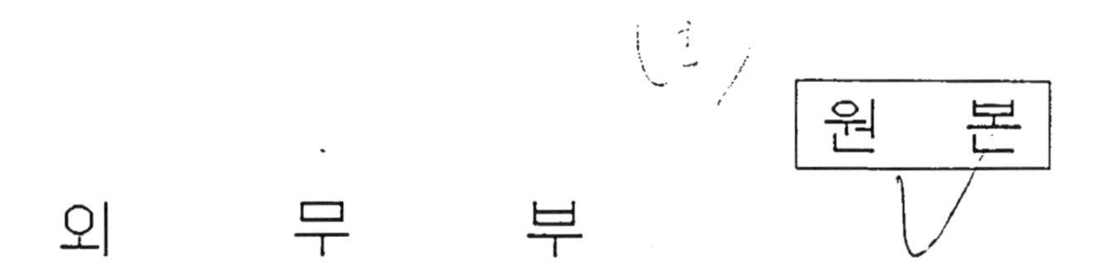

외 무 부

종 별 :

번 호 : ECW-0476 일 시 : 92 0407 1600

수 신 : 장 관 (통기,경기원,농수산부,상공부)

발 신 : 주 EC 대사 사본: 주미,제네바대사-중계요망:중계필

제 목 : UR 협상

1. EC 일반이사회는 4.6. 룩셈부르그에서 표제관련 회의를 가진후 발표한 성명에서 UR협상에서 미국과의 균형된 타협을 마련하기위한 집행위의 새로운 노력을 촉구함

2. ANDRIESSEN 대외담당 부위원장은 UR협상은 돌이킬수 없는 단계로 접어들었다(THE POINT OF NO RETURN HAS BEEN CROSSED) 라고 현시점의 협상의 현황을 설명하면서UR 협상타결을 위한 결정적인 돌파구를 마련하기 위하여 4.22. 워싱톤에서 BUSH 미국 대통령, DELORS EC 집행위원장 및 CAVACO SILVA 폴투갈 수상(EC 의장국) 간 3자 회담이 개최될 예정이며,동 회담준비를 위한 실무협상이 내주중에 개최될 것이라고 언급함

3. 동 회의에서 EC 각료들은 UR 협상이 교착상태에 빠져있는 상황에서 미국이 해운및 금융등 써비스 협상의 주요분야에 대한 제외를 주장하고 나온데 대하여 깊은 우려를 표명함

4. 한편 동 회의에 참석한 GUIGOU 불란서 EC담당장관은 UR 협상에서 보다 신축적인 자세를 보이고 있는 BEREGOVOY 신임수상의 취임에도 불구하고 농산물관련 불란서의 입장이 변화된 것은 없으나, 지난주에 미.EC 간 항공기 보조금 문제가 해결되므로서 양측간의 분쟁이 원만하게 타결되는 좋은 선례를 남기게되어 UR 협상에서도 희망을 포기해서는 안될 것이라고 말함

5. CAVACO SILVA EC 이사회 의장은 상기 4.22.워싱톤 3자 회담에 앞서 회원국간이견조정을 위해 EC 통상장관 회의를 소집할 것이라고 말함. 끝

(대사 권동만-국장)

통상국 2차보 경기원 농수부 상공부

PAGE 1

92.04.08 04:10 DS

외신 1과 통제관

0021

0Lh

외 무 부

종 별 :

번 호 : ECW-0492 일 시 : 92 0409 1530

수 신 : 장 관(통상,통기,정보,경기원,재무부,농수산부,상공부)

발 신 : 주 EC 대사 사본:주미,주제네바대사-중계필

제 목 : EC/바나나 수입제도 개편과 갓트/UR 협상(자료응신 92-21)

연: ECW-0325, 0388

1. 4.7. 저녁에 개최된 EC 집행위원회는 EC 시장통합및 갓트/UR 협상과 관련하여검토해온 바나나 수입제도 개편문제에 대해 아래와같이 결정함

가. 일정량의 바나나 수입에 대하여는 관세(독일을 제외한 회원국의 현행 관세율은 20프로) 를 부과하고 그이상 수입량에 대하여는 고율관세 부과 방법등을 검토함

나. 갓트/UR 농산물협상과 관련하여 관세화 대상에서 예외인정을 요구하며, WAIVER 획득방법을 강구함

다. 수입쿼타량, 관세율등 세부사항에 대한 집행위 제안을 조속히 마련하여 관계이사회및 갓트에 제출함

2. 집행위 대변인은 동건 관련한 성명을 통해 비록 일부 집행위원들의 반대의견이있었으나, EC 시장통합, EC 바나나 생산국가및 ACP 국의 농민보호와 갓트규정에 합치될수 있는 방안을 강구한다는 측면을 종합하여 내려진 결정이라고 설명하고 세부사항에 대하여는 수주이내에 마련할 것이라고 발표함. 끝

(대사 권동만-국장)

통상국 2차보 통상국 외정실 분석관 안기부 경기원 재무부 농수부
상공부

PAGE 1 92.04.10 00:45 DS

외신 1과 통제관

0022

관리번호 92-280

외 무 부

종 별 :

번 호 : SZW-0185 일 시 : 92 0408 1700

수 신 : 장관(통삼,통기,구이,상공부)

발 신 : 주 스위스 대사

제 목 : 경제성 대외교섭담당 대사 면담 보고

1992.12.31. 에 예고문에 의거 일반문서로 재분류됨

본직은 이강웅 참사관 대동 4.7. 오전 주재국 경제성 대외교섭(GATT 포함)담당대사 P.L. GIRARD 를 예방함. 동 대사와의 면담내용 다음 보고하니 참고바라며, 적의 필요조치 취해 주시기 바람.

1. 지난 3 월초 DELAMURAZ 경제장관 명의의 한봉수 상공장관 금년 후반기중스위스 공식방문 초청장을 주한 서서대사관을 통해 보낸바 있음을 알리면서 이는 작년 4 월의 DELAMURAZ 장관 방한중 논의된 제반 사항의 후속협의를 위한 것임을 언급함.(동 초청장 사본 차파편 송부하겠음)

이어 동 대사는 자신이 금년중 한국, 일본, 대만 방문계획임을 밝히면서 동계획이 확정되는 대로 당관 협조를 구할것이라고 말함.

2. 본직은 동 대사가 주재국의 UR 교섭담당 책임자임을 감안, UR 관련 주재국측 입장을 타진한바 동대사는 농업이 주재국민들에게는 역사적, 정서적 그리고감정면에서 중요한 비중을 차지하고 있고 언제나 강렬한 국민적 반발을 받고 있다고 지적함. 특히 역사적 교훈인 식량안보 차원에서도 던켈안에는 동조할수 없음을 말하고 이런면에서 한국과 같은 처지라고 설명함. 또한 동대사는 농산물 시장개방에는 최소한 10 년이상의 유예기간이 있어야 하며 이와관련 앞으로 한국측과 긴밀히 협조할것을 희망함.

3. 동대사는 한국이 대 미, 대 EC 와 지적소유권 협정을 체결하고 있음에 언급, 특히 의약품 관련 스위스에 불평등 대우를 하지 않을것을 희망함. 본직은 의약품 혹은 화학제품의 경우 지적소유권 한계가 모호할때가 있어 미측으로 부터도 간혹 불만표시가 있는 것으로 안다고 말하고 동 요청을 본국정부에 전달하겠다고 부언했음. 끝

(대사 강대완-국장)

검토필(1992.6.30.)

통상국	장관	차관	1차보	2차보	구주국	통상국	분석관	청와대
안기부	상공부							

PAGE 1

92.04.09 08:16

외신 2과 통제관 BZ

0023

예고:92.12.31. 까지

PAGE 2

0024

06

관리번호	92-283

원 본

외 무 부

종 별 : 긴 급

번 호 : GVW-0778 일 시 : 92 0408 2400

수 신 : 장관(통기,경기원,재무부,농림수산부,상공부,특허청)

발 신 : 주 제네바대사

제 목 : 농산물 C/S 제출

1992.12.31.에 예고문에 의거 일반문서로 재분류됨

대: WGV-0534

연: GVW-0679

대호 농산물 C/S 제출 관련 당관의 의견을 아래와 같이 보고하니 회시바람.

1. UR 협상 성공여부가 기본적으로 미.EC 간 타결에 달려있고 그전망이 불투명하여 UR 협상이 전반적으로 부진한 현상황하에서 던켈총장은 협상참가국들의냉소주의와 위선을 거론해 가면서 말과 행동에 괴리가 있는점을 지적하고 협상참가국들이 기존입장만 고집하고 있는 점을 강하게 비판하고 있으며 상당수 국가도 협상결렬에 대한 비난을 받지 않기위하여 적어도 형식적으로는 협력적 자세를 보일려고 노력하고 있는 상황임.(일본의 C/S 가 내용불실로 인하여 그간 공식. 비공식 기회를 통하여 강한 비판의 대상이되고 있음을 참고 : GVW-0768 참조)

2. 아국의 농산물 C/S 는 공산품 C/S 제출후 1 개월이 경과한 시점에 제출하는 것인 만큼 연호 보고와 같이 품목별 정부 입장을 확정, 가능한한 던켈 TEXT에 맞추는 것이 바람직스럽다고 생각되나, 현싯점에서 더이상 실기하지 않는다는 관점에서 완전하지는 못한 내용이라하더라도 일단 제출하는 것이 긴요하다고 판단됨.

3. 이러한 관점에서 볼때 아국 C/S 작성 설명을 위한 COVER NOTE 는 필요하다고 보나, 농산물 TEXT 에 대한 아국입장 PAPER(KORE'S VIEW ON THE DRAFT TEXTON AGRICULTURE) 는 던켈 TEXT 의 많은 부분이 개정되어야 한다는 아국입장을 조목조목 제시하고 있어 일응 아국의 관심사항과 DUNKEL TEXT 의 개정 방향을 재삼 명시한다는 점에서 또 국내적 고려에서도 장점이 있으나 아국의 농산물에 관한 구체적인 입장을 현재까지 당지에서 공식 또는 비공식적으로 강력하게 충분히표명되어 왔으므로 이를 문서로 현싯점에서 재 강조함으로써 아국이 마치 UR 타결에 소극적이라는 인상을 부식할 필요는 없다고 사료됨.

통상국	장관	차관	2차보	분석관	청와대	안기부	경기원	재무부
농수부	상공부	특허청						

PAGE 1 검 토 필(1992.6.30.) 92.04.09 07:32

외신 2과 통제관 BZ

0025

4. 따라서 현지 분위기를 감안한 전체적인 이해득실을 고려할때 C/S 제출시COVER NOTE 만 제출하고, KOREA'S VIEW ON THE DRAFT TEXT ON AGRICULTURE 는 제출하지 않는 것이 좋다고 판단함(이경우 아국 COVER NOTE 의 구조가 일본과 달리한다는데도 장점이 있음) 다만 당관으로서는 지금까지 협상에 임해온 바와같이앞으로도 동 PAPER 에 제시된 입장에 따라 계속 교섭에 임해 나가겠음.

5. COVER NOTE 의 내용은 아래와 같이 수정할 것을 건의함.

가. 2 항 삭제(DUNKEL TEXT 가 균형을 잃는것은 사실이나 이를 직설적 표현으로 COVER NOTE 에 강조할 필요는 없다고 보며, 1 항에서 3 항으로 바로 이어져도 우리의 입장과 관심은 그대로 표현됨)

나. 3 항중 "IN LINE WITH THIS POSITION" 삭제

다. 3 항 서두 "AT THE SAME TIME" 삭제

라. 3,4,5 항은 2,3,4 항으로 RENUMBERING.. 끝

(대사 박수길-장관)

예고:92.12.31. 까지

관리 번호	

분류번호	보존기간

발 신 전 보

번 호 : WGV-0555 920409 1909 FO 종별 : 지급

수 신 : 주 제네바 대사. 총영사

발 신 : 장 관 (통 기)

제 목 : 농산물 C/S 제출

대 : GVW-0778

1. 대호 아국 농산물 C/S 제출과 관련한 귀관의 검토 의견 및 건의사항에 관하여 농림수산부, 경제기획원 등 관계부처와 깊이 협의하였음. 그러나 농산물 협정문에 대한 아국 입장을 Cover Note에 첨부하여 제출하는 방침은 이미 대외협력위 위원 각료 전원의 서면 결의를 득하고 상부에도 보고하고 당정 협의도 하였으며 농림수산부 장관이 직접 언론에도 설명하였음.

2. 상기에 비추어 Cover Note만 제출하고 농산물 협정안에 대한 아국 입장을 제출치 않는것은 국내 절차적인 문제점뿐 아니라 아국 농산물 C/S 제출과 결부하여 아국의 기존 입장을 분명히 해두는 것이 필요하다는 국내 분위기를 감안할때 매우 어려운 상황임.

3. ~~이러한 사정을 감안하여 하기에 따라~~ 귀관은 하기와 같이 일부 수정하여 4.10일중 아국의 농산물 C/S를 갖트사무국에 제출하고 ~~아국이 UR 협상 타결에 소극적이라는 인상을 주지 않도록 귀관에서~~ 이러한 어려운 사정을 감안하여 적의 대처하기 바람.

검토필(1992.6.30.)

제2차관보

보안 통제	

앙고재	92년 4월 9일	통기과	기안자 성명	과장	심의관	국장	차관보	차관	장관
			안명수						

외신과통제

0027

- 아 래 -

o ~~가~~. Cover Note는 부정적인 인상을 다소라도 완화하기 위해 아래와 같이 수정, 제출해도 무방함.

GV-0555 920409 1909 FO

1) 2 항

"2. Korea takes the view that the draft Text should be modified through negotiations under Track 4 taking into consideration the vital interests of the net agricultural importing countries. (Korea's view on the draft Text on Agriculture is attached to this Note.")

2) 4 항 : "At the same time," 삭제 끝

~~나. 제출시기~~

o ~~아국의 농산물 C/S (Cover Note 및 농산물 협정안에 대한 아국 입장 포함)를 4.10중 갓트사무국에 제출.~~

(장 관)

0028

관리 번호	92-284

	분류번호	보존기간

발 신 전 보

WGV-0556 920410 1242 DU

번 호 : 종별 : 긴급

수 신 : 주 제네바 대사. 총영사

발 신 : 장 관 (통기)

제 목 : 농산물 C/S 제출

대 : GVW-0778

연 : WGV-0555

대호 귀관 건의에 대해 재차 관계부처와 협의 검토하였는 바, 귀관건의의 취지와 내용은 충분히 공감하나 국내 제반 절차와 여건상 부득이 연호대로 시행키로 하였으니 이행 바람. 끝.

(장 관)

보안 통제	

앙 고 재	92년 4월 10일	통기과	기안자 성명	안명수	과 장	심의관	국 장	차관보	차 관	장 관

외신과통제

0029

관리번호	92-286

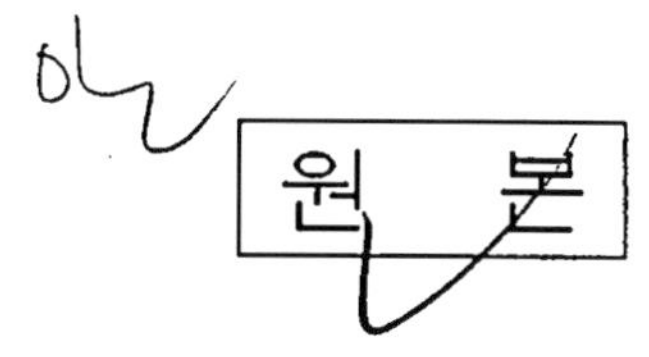

외 무 부

종 별 :

번 호 : ECW-0505　　일 시 : 92 0410 1630

수 신 : 장관(통기,경기원,재무부,농림수산부,상공부)

발 신 : 주 EC 대사 사본: 주 미,제네바대사(중계필)

제 목 : 갓트/UR 협상

4.10. 당관 이관용농무관은 EC 집행위 농업총국의 OLSEN 담당관을 면담 표제협상 관련 협의한바 아래보고함

1. 미.EC 양자협상

가. 4.14. 런던에서 개최될 미.EC 고위협상의 목적은 미.EC 정상회담(4.22워싱턴) 시 논의될 의제중 표제협상과 관련한 양측의 입장을 정리하는데 있으며, 구체적인 성과를 기대하기는 어려움. 동 고위협상의 EC 측 대표는 아직 결정된바 없으나, LEGRAS 총국장, LAMY 보좌관, PAEMEN 부총국장이 될것으로 봄

나. 농산물협상과 관련하여 미.EC 간에 BLUE BOX 설정등 국내보조 분야에 관한 합의가 이루어진 것같이 언론에 보도되고 있는것은 사실과 다르며, 미측도 EC 의 CAP 개혁에따른 직접 소득보조가 당분간 감축대상에서 제외되어야 할 필요성에는 공감하고 있으나 BLUE BOX 의 세부내용에대한 합의는 없었음. 양측간의가장 어려운 미해결 과제는 수출보조금 감축문제임

다. 4.22. DELORS-BUSH 회담에서도 표제협상의 완전합의에 이를 전망은 희박하며, 협상추진 경과에따라 미측은 FAST TRACK AUTHORITY 의 재연장문제를 검토해야 할 것으로 봄

2. 바나나문제

가. 집행위는 바나나 수입제도를 재설정하고 갓트규정과 합치시키는 방안에대한 세부계획을 작성중이며, 특히 갓트관련 문제에 대해서는 EC 농업이사회의 방침이 결정된후에 제출할 것임

나. EC 는 바나나 수입 제한문제를 갓트규정에 합치시키는 방안으로서 갓트제 25 조에 의한 WAIVER 를 받는 방법과 DUNKEL 협상안중 TARIFFICATION 의 예외를 요구하는 두가지 방법을 검토하고 있음

통상국	차관	1차보	2차보	외정실	분석관	청와대	총리실	안기부
경기원	재무부	농수부	상공부					

PAGE 1　　92.04.11 09:05

외신 2과 통제관 BX

0030

다. EC 는 EC 또는 ACP 국들의 영세농 보호를 이유로 WAIVER 또는 TARIFFICATION 의 예외취급을 요구할 것이나, 이경우 달라 바나나 생산국의 농민문제가 제기될 것이라는 어려운 문제가 있어 갓트에서 인정받기는 매우 어려울 것으로 봄. 끝

(대사 권동만-국장)

예고: 92.6.30 까지

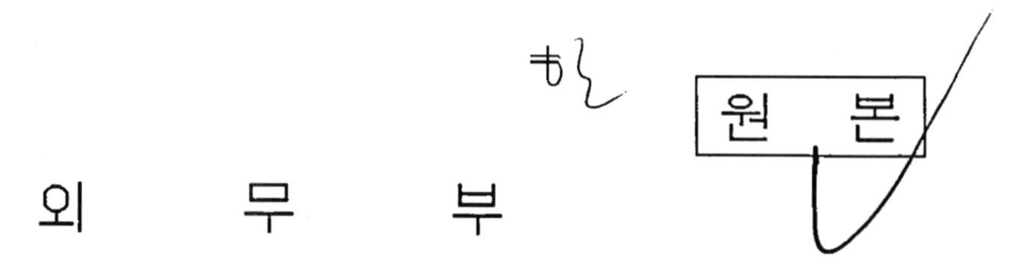

외 무 부

종 별 :

번 호 : ECW-0504 일 시 : 92 0410 1630

수 신 : 장 관 (통기,경기원,재무부,농림수산부,상공부)

발 신 : 주 EC 대사

제 목 : 갓트/UR 협상

표제협상 관련한 최근 당지의 동향을 아래보고함

1. 미.EC 고위급 양자협상

0 4.9. EC 집행위 대변인은 UR 농산물 협상에서의 미.EC 간 의견조정을 위한 고위급 협상을 4.14. 런던에서 개최할것이라고 발표함

2. 불란서 동향

가. 4.8. 개최된 FNSEA (불란서 농민연맹)총회는 농업보조금문제는 FAO 에서 취급되어야하며 따라서 동 문제는 UR 협상 대상에서 제외하여야 한다는 내용의 성명서를 채택함

나. 한편, MERMAZ 불란서 농무장관은 동총회에서 가진 연설에서 갓트협상과 CAP개혁은 불란서 농업경쟁력을 제고할 것이라고 주장한바, 동 총회에 참석한 농민대표들은 이에 크게 반발함. 끝

(대사 권동만-국장)

통상국 2차보 경기원 재무부 농수부 상공부

PAGE 1 92.04.11 01:17 FN

외신 1과 통제관

0032

외 무 부

110-760 서울 종로구 세종로 77번지 / (02)720-2188 / (02)725-1737 (FAX)

문서번호 통기 20644-136
시행일자 1992. 4. 11( )

수신 수신처 참조
참조

15766

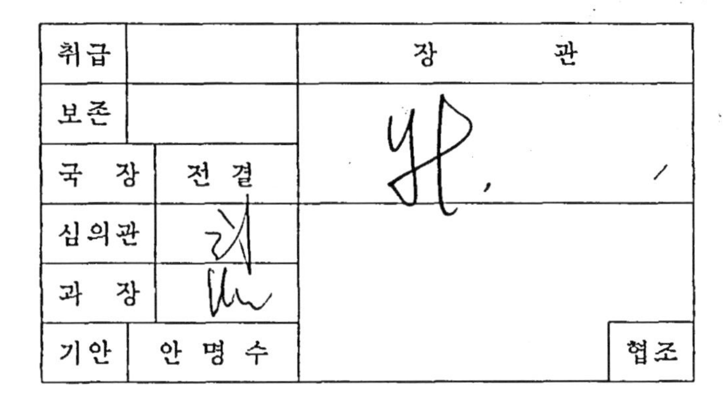

취급		장 관
보존		
국 장	전 결	
심의관		
과 장		
기안	안 명 수	협조

제목 아국의 UR 농산물 이행계획서 송부

아국은 UR 농산물 이행계획서를 4.10 별첨과 같이 갓트 사무국에 제출 하였는바 귀업무에 참고하시기 바랍니다.

첨 부 : 아국의 UR 농산물 이행계획서 1부. 끝.

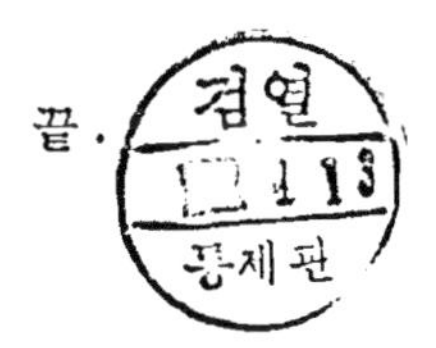

수신처 : 주 미, 일본, 이씨, 카나다 대사.

외 무 부 장 관

0033

발 신 전 보

	분류번호	보존기간

번 호 : WUS-1686 920411 1435 FO 종별 :

수 신 : 주 미 대사. 총영사

발 신 : 장 관 (통 기)

제 목 : 아국의 UR 농산물 이행계획서 갓트 제출

1. 아국은 UR 농산물 이행계획서를 4.10 갓트 사무국에 제출함 (동 계획서 파편송부)

2. 상기 계획서와 함께 제출한 Cover Note 및 Korea's View on the draft Text on Agriculture를 별첨 FAX 편 송부하니 참고바람.

첨 부(FAX) : 상기 자료 1부. 끝.

WUS(F)-224

(통상국장 김 용 규)

보안통제	

앙고재	92년 4월 11일	통상기구과	기안자 성명		과 장	심의관	국 장		차 관	장 관
			안명수				전결			

외신과통제

0034

원 본

외 무 부

종 별 :

번 호 : GVW-0821 일 시 : 92 0413 1900

수 신 : 장관(통기,경기원,재무부,농림수산부,상공부)

발 신 : 주제네바대사

제 목 : UR/농산물 C/S 제출

4.13(월) 현재 아국 포함 29개국이 시장접근 분야 C/S 를 제출, G-8을 비롯한 협상주요 참가국 대부분이 C/S를 제출하였는바, 제출국 명단별첨 FAX 송부하니, 갓트사무국으로 부터 수령한 각국별 C/S가 각 1부 차파편 송부하겠음.끝

첨부: C/S 제출국명단(GVW(F)-0256).끝

(대사 박수길-국장)

통상국 경기원 재무부 농수부 상공부

PAGE 1 92.04.14 05:50 DW

외신 1과 통제관

0035

주 제 네 바 대 표 부

번 호 : GVW(F) -0256 년월일 : 20413 시간 : 1800

수 신 : 장 관 (통기, 경기원, 재무부, 농수산부, 상공부)

발 신 : 주 제네바대사

제 목 : GVW-821 관련

보 안	
통 제	

총 2 매(표지포함)

외신과	
통 제	

256-2-1

0036

COUNTRY: KOREA

LIST OF PARTICIPANTS IN THE URUGUAY ROUND

Distribution of Offers

Algeria
Antigua and Barbuda
✓ Argentina 76-77
✓ Australia 71-72
✓ Austria
Bangladesh
Barbados
Belize
Benin
Bolivia
Botswana
✓ Brazil
Burkina Faso
Burundi
Cameroon
✓ Canada 77-78
Central African Rep.
Chad
✓ Chile 75-76
China
✓ Colombia 66-67
Congo
✓ Costa Rica 76-77
✓ Côte d'Ivoire
Cuba
Cyprus
Czechoslovakia
Dominican Republic
✓ El Salvador 76-77
Egypt
✓ European Community and its member States 73-74
Belgium
Denmark
France
Germany, Fed.Rep. of
Greece

Ireland
Italy
Luxembourg
Netherlands
Portugal
Spain
United Kingdom
Fiji
✓ Finland 76-77
Gabon
Gambia
Ghana
Guatemala
Guyana
Haiti
Honduras
✓ Hong Kong 75-76
✓ Hungary
✓ Iceland 79-80
India
✓ Indonesia
Israel
Jamaica
✓ Japan 76-77
Kenya
✓ Korea, Rep. of
Kuwait
Lesotho
Macau
Madagascar
Malawi
✓ Malaysia 76-77
Maldives
Malta
Mauritania
Mauritius

✓ Mexico 77-78
✓ Morocco 77-78
Myanmar
✓ New Zealand 75-76
✓ Nicaragua
Niger
Nigeria
✓ Norway 78-79
Pakistan
✓ Paraguay 78-79
✓ Peru 74-75
✓ Philippines 78-79
Poland
✓ Romania 79-80
Rwanda
✓ Senegal
Sierra Leone
✓ Singapore 75-76
South Africa
Sri Lanka
Suriname
✓ Sweden 73-74
✓ Switzerland 76-77
Tanzania
✓ Thailand 78-79
Togo
Trinidad and Tobago
Tunisia
Turkey
Uganda
✓ United States 78-79
✓ Uruguay 75-76
✓ Venezuela 80-81
Yugoslavia
Zaire
Zambia
✓ Zimbabwe

0037

주 제 네 바 대 표 부

번 호 : GVW(F) - 0259 년월일 : 20413 시간 : 2310

수 신 : 장 관 (통기, 경기원, 재무부, 농림수산부, 상공부, 특허청)

발 신 : 주 제네바대사 사본: 주미, 주EC 대사

제 목 : 첨부

보 안	
통 제	

총 15 매(표지포함)

외신과	
통 제	

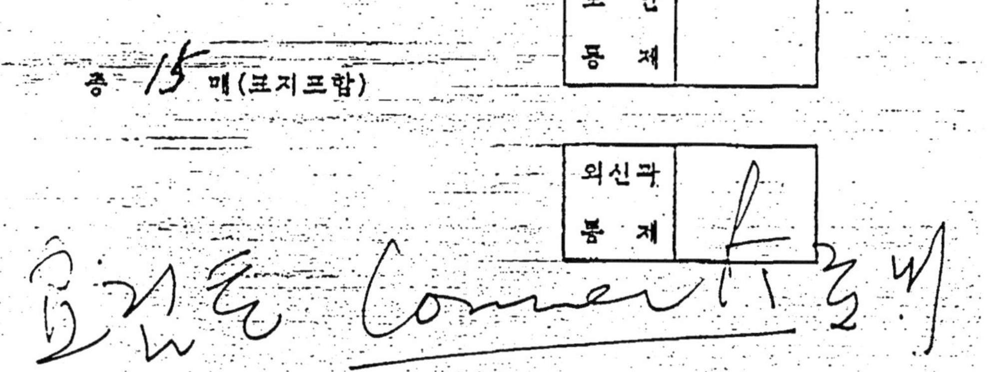

251-15-1

0038

680

13.4.1992

INFORMAL TRADE NEGOTIATIONS COMMITTEE

Heads of Delegation

Monday 13 April 1992 - 15.30 - Room D

I have convened this meeting to give an opportunity to the chief Geneva negotiators to collectively take stock of the situation in the Uruguay Round negotiations.

The need for such a stock-taking has arisen because of the convergence of three factors:

(i) our collective commitment to ensure transparency in the negotiating process;

(ii) the widespread perception that work under tracks one, two and three is losing momentum after a promising start; and

(iii) the general desire to stop the drift and to tackle the problems confronting a successful and speedy conclusion of this Round.

To deal with the first two factors - transparency and an assessment of where we are in tracks one, two and three - Mr. Germain Denis, Ambassador Felipe Jaramillo and Mr. M.G. Mathur have each established, on my request,

2TP-15-2 0039

evaluations of the stage reached in their respective Groups. They have also, as far as possible, tried to identify the main obstacles to an early conclusion of work in their respective areas. These reports are informal and prepared on their own responsibility. They are available in the room in the three working languages.

I suggest that you and your authorities examine these reports very carefully. I intend to have bilateral, plurilateral and multilateral consultations with you soon after the Easter recess on the basis of these reports. My aim will be to set the scene for what I hope will be the last leg of our negotiating process.

To achieve this aim, your governments will have to use these reports to clearly identify the steps they must take in order to bridge the gap between their general policy statements calling for the successful conclusion of the negotiations and their national positions on specific points which continue to defeat this objective.

Since we are in an informal meeting, let me try to make my own contribution to the process I have just described.

The Draft Final Act has been rightly considered an essential but not the only element on which governments can determine their acceptance of the overall package of the results of the Round. In other words, success in the negotiations under tracks one and two are as important for a successful conclusion as the Draft Final Act itself. The fact

2-5-1-15-3

0040

that governments have entered into substantive negotiations under these two tracks pending a final reading of the Draft Final Act document is specially relevant. It is an indication that what we need is an acceptable balance among and between all elements of this Round - rule-making, market opening and the institutional aspects.

As far as I can assess, negotiations under tracks one and two face two kinds of difficulties. The first kind is related to linkages between the access negotiations and certain fundamental concepts contained in the Draft Final Act document. The second kind are in-built difficulties within the negotiating process under these two tracks.

One example of the first kind of difficulty, as it emerges from the Chairman's informal report on track one, is the way some participants have found it difficult to provide agricultural offers based on tariffication across the board. For these participants, it means that they will either have to modify their offers to bring them into conformity with the approach contained in the Draft Final Act or to convince their trading partners to revisit the relevant concepts in the Draft Final Act itself. I leave you with this thought.

But let me add that the very useful work done since January this year under tracks one and two has brought out a number of points on which choices of the same nature will have to be considered in order to conclude the Round.

0041

An example of the second type of difficulty, the in-built one, is the failure of participants who appear to be principal suppliers in each other's markets to concretize their bilateral market access negotiations. The consequent delay in the start of genuine negotiations between these key countries and their other trading partners, given the rule of the m.f.n. application of results amongst all participants, is a major factor behind the loss of momentum of the market access negotiations in general.

Another example in this category - this time in track two - is the major hurdle resulting from what appears to be the trade-off being sought between m.f.n. exemptions - in particular the scope and nature of one major participant's intended exemptions - and initial commitment offers being made.

A brief word about track three would be appropriate. A great deal of technical work has been carried out. Discussions have had to take into account the view that the Draft Final Act itself recognizes a need for further work and elaboration of existing texts in certain areas. This is true, for example, in the case of the MTO Agreement and issues like non-violation.

But I shall go no further in detail. The three reports bear the stamp of professionalism and objective analysis by the respective Chairmen.

2ff-15-5

0042

I have always suggested that our stock-taking be as objective, professional and constructive as possible. I should, therefore, point out that there is no report on track four; and this for the simple reason that, given the situation in tracks one, two and three, I see no evidence to suggest that work under track four would be meaningful in terms of carrying the work under tracks one, two and three to fruition. To the contrary, opening track four would bring us back to where we were before December. I do not therefore see any reason to change the global approach we have followed so far.

A final point - and one that does not appear specifically in any of the papers before us - is the question of those contracting parties and potential signatories of the Uruguay Round agreements who, while members of the GATT community, have not, for very understandable reasons, ever been in a position to present schedules. I would like to take up this question with you in the not too distant future.

This concludes my remarks. The floor is, of course, open for those of you who might wish to take it. I do, however, feel that a meaningful and constructive discussion would be better engaged after you have all had time to examine the reports, make your own assessment of the situation and to prepare yourselves to make shifts in positions which are indispensable for consensus. I would like, once again, to remind you that the Trade Negotiations Committee remains on call. I shall, of course, have no hesitation in convening it at short notice when there is need to do so.

2+f_ 1f_1

0043

661

13 April 1992

INFORMAL REPORTS BY THE CHAIRMEN OF THE NEGOTIATING GROUP ON MARKET ACCESS, THE GROUP OF NEGOTIATIONS ON SERVICES, AND THE LEGAL DRAFTING GROUP

The following three informal reports have been submitted by the respective Chairmen of the Negotiating Group on Market Access, the Group of Negotiations on Services and the Legal Drafting Group on their own responsibility.

0044

REPORT BY CHAIRMAN OF THE NEGOTIATIONG GROUP ON MARKET ACCESS

1. Since the TNC meeting on 13 January 1992, the Negotiating Group has sought to complete the negotiations on all aspects of market access on goods, including the commitments on domestic support and export competition in the area of agriculture. Its activities have been conducted within the framework of the draft Final Act (DFA) and the process set out in my report of 20 December 1991 (MTN.TNC/W/93).

2. The negotiating process envisaged that each participant would submit, by 1 March 1992, complete line-by-line draft Schedules of concessions and commitments for all products in HS chapters 1 to 97, together with supporting data required by the DFA in respect of agriculture. These draft Schedules would constitute the basis for the final balancing of concessions in the overall market access area. Unfortunately, despite continuous bilateral and plurilateral negotiations supplemented by regular multilateral stocktaking sessions during the January-March period, the task of completing the submission of draft Schedules has been slower than expected.

Status of submission of draft schedules

3. As of 9 April 1992, the Secretariat has received 37 submissions; some are incomplete in terms of the substantive content concerning agricultural or non-agricultural products as well as the precision of information provided. Some 14 other participants have indicated intentions to table submissions shortly.

- Agricultural products

4. With regard to agricultural products, 23 participants have tabled their draft Schedules reflecting the various elements of the DFA, i.e., those relating to market access, domestic support and export competition, and the provisions for special and differential treatment for developing countries. There have been a number of deviations from the DFA on certain specific issues, but also some departures of a more fundamental nature.

5. Some participants have submitted base data in the areas of market access, on domestic support and export competition without applying any rate of reduction. A few participants have applied lower rates of reduction than those specified in the DFA, and in one case a longer implementation period has been proposed. Some participants have used base periods which differ from those specified in the DFA.

6. Most participants have converted into customs duties all existing non-tariff measures. In a few instances, participants have indicated that the calculation of tariff equivalents is still pending, but they have generally indicated the products to which tariffication would apply. While applying tariffication to a range of products, one participant has proposed to tariffy without any exception by the end of the implementation period only; this would involve greater minimum access opportunities than those

0045

indicated in the DFA for the products for which tariffication would not take place until the end of the implementation period. Some other participants have excluded a number of products from tariffication because of their perception of the relationship to GATT rights and obligations.

7. Several participants have not always followed the modalities for calculating tariff equivalents, resulting for the products in question in tariff equivalents that are higher than would otherwise have been the case. Most participants have claimed the application of the special safeguard provisions in connection with tariffied products, but some have interpreted this provision also to be applicable to some products currently subject to ordinary customs duties only.

8. The current and minimum access elements set out in the DFA have generally been provided although in some cases without all required details. In several cases the amount of current access to be consolidated does not equate to current access used to establish new minimum access. The interpretation of what would constitute low or minimal in-quota tariff rates differs among participants. One participant has not provided any quantitative commitment on the maintenance of current access opportunities nor the basis on which minimum access opportunities should be undertaken.

9. Concerning the binding of agricultural tariffs, almost all participants have followed the approach set out in the DFA. One participant has made the implementation of this element of its draft Schedule, especially in relation to tariffs at less than 5 per cent, subject to reciprocal efforts. Another participant has indicated that only products subject to tariff reductions should be bound. One participant maintains that some adjustments to bound customs duties on products not subject to tariffication are necessary to balance the level of protection across certain agricultural product sectors.

10. A number of developing countries have offered ceiling bindings on agricultural products subject only to unbound ordinary customs duties, in accordance with a flexibility envisaged in the DFA. In addition, several developing country draft Schedules contain ceiling bindings over the whole tariff Schedule (both agricultural and non-agricultural products).

11. The basic elements of the DFA related to domestic support commitments have generally been provided. The policy coverage of domestic support for which exemption from the reduction commitments is claimed in the submissions (the "green box") differs in some respects among participants. Some participants put in the green box also policies they believe appropriate rather than only those fulfilling the criteria set out in the DFA. With respect to domestic support subject to reduction commitments, some participants have made claims for credit for actions taken since 1986. A few participants have claimed credit for supply control measures. In some cases, equivalent commitments are offered while the use of an AMS may have been practicable. Most developing countries have resorted to the provisions for special and differential treatment in the DFA to claim exemptions from reduction commitments for a range of domestic support measures.

2-5-P-15-P

0046

12. With regard to export competition, the information provided covers data on both budgetary outlays and quantities of subsidized exports. In two cases, the flexibility for implementing the reduction commitment has been applied in a manner not envisaged in the DFA. Participants which do not maintain measures relevant to these commitments have generally stated so. In terms of additional commitments in this area, some participants explicitly offered not to introduce export subsidies on new products. One participant was not prepared to subscribe to such an undertaking.

- Non-agricultural products

13. While 37 participants made submissions covering resource-based and other industrial products, not all provided revised line-by-line draft Schedules. Some major participants have provided only qualitative assessments on the grounds that their bilateral and plurilateral negotiations have not yet reached the stage where progress could usefully be reflected in their Schedules; they also wish to have further improvements in the quality of other participants' offers before providing their own revised offers. Some other participants did not consider that it would be equitable to provide their own draft Schedules until major participants had done likewise.

14. Unfortunately, this situation has resulted in continuing gaps in the offers covering certain product areas and uncertainties on specific tariff reductions and has delayed bilateral negotiations. It also means that there is not yet an adequate basis for undertaking a comparative evaluation of the various offers.

15. Nevertheless, on the basis of the draft Schedules and of the qualitative assessments available, there remain good prospects for a substantial and broad-based package of trade liberalization results. For example:

- Many participants have confirmed their expectation of being able to meet, and in some instances to significantly exceed, an overall one-third reduction of tariffs. They have also confirmed their readiness to make substantial reductions of high tariffs, tariff peaks and tariff escalation.

- For a number of major product areas, including some resource-based sectors, the bargaining continues to be focused on meeting each others conditions so as to achieve tariff reductions going beyond one-third. This includes tariff elimination or harmonization at low rates.

- Many developing countries are negotiating important liberalization commitments, including tariff bindings at meaningful rates and the reduction and elimination of non-tariff measures. Also a number of developing countries have offered to bind their whole tariff across the board at ceiling rates, with a few exceptions.

- The elimination of product-specific non-tariff measures continues to be an important part of the bargaining process, as it has been in the autonomous liberalization undertaken by many participants. Some participants have offered to bind the elimination of non-tariff measures under Part III of the Protocol in the DFA.

25P-15-16

0047

- The submissions by developed countries have also confirmed the importance attached to maximising market access in tropical products. Nevertheless, some gaps in the draft Schedules are causing serious concerns to a number of developing countries.

Concluding remarks

16. As will be apparent, a number of developments will need to take place soon if we are to be able to establish the necessary conditions and momentum to bring about the many hard decisions still required for a successful market access conclusion. Such developments include:

- a political breakthrough in the major bilateral market access negotiations in both agricultural and non-agricultural products, such as to allow commensurate multilateral progress;

- in the light of this, improving and completing the coverage and content of existing draft agricultural Schedules of concessions and commitments, and the submission of Schedules by those who have not already done so;

- completing the submission of revised line-by-line draft Schedules of concessions on non-agricultural products by those participants who have not already done so, particularly by all major participants;

- further improving a number of individual tariff and non-tariff measures offers in the light of the common trade liberalization objectives of the Round.

17. The question of the earliest implementation of concessions or, where necessary, minimum staging in relation to products of export interest to developing countries, has to be examined.

18. In addition, as soon as an adequate basis exists, the Secretariat will need to carry out the evaluation of the emerging market access package.

19. In view of the importance of obtaining, as soon as possible, a good trade liberalization package as a basis for participants to judge the acceptability of the overall draft Final Act, I intend to continue an active and flexible process of bilateral, plurilateral and multilateral negotiation and monitoring. This will need to be focused increasingly on specific obstacles standing in the way of a successful overall market access outcome.

25 1 - 15 - 11

0048

REPORT BY THE CHAIRMAN OF THE GROUP OF NEGOTIATIONS ON SERVICES

1. In the meeting of the TNC held on 13 January 1992, "intensive non-stop negotiations" on initial commitments were envisaged. Accordingly, a GNS work programme of 30 January 1992 provided for the three rounds of bilateral negotiations, as well as dates and procedures to deal with draft lists of intentions with respect to m.f.n. exemptions. Dates were also established for the presentation of revised offers and draft schedules to be submitted to the secretariat for verification (10 February and 16 March respectively). The final content of the schedules and the lists of m.f.n. exemptions were to be agreed among participants and submitted to the secretariat by 31 March.

2. Offers on initial commitments have now been tabled by 47 participants. In 24 cases participants have revised offers, 20 such revisions having been made since the last TNC. In addition, 32 draft lists of intentions with respect to m.f.n. exemptions have been presented to, and distributed by, the secretariat.

3. While there was considerable progress in the first two rounds and a positive momentum was clearly evident by the end of February, this was not carried over into the negotiations which took place in March. No submissions indicating the final content of schedules and the lists of m.f.n. exemptions have been received by the secretariat. The impetus has been lost and at best the negotiations can be characterized as having reached a standstill.

4. It is apparent that there is a clear link between m.f.n. exemptions and initial commitments. In the stocktaking carried out last month while many participants considered that the level of commitment contained in the offers had improved considerably, they also indicated that the scope and nature of the intended m.f.n. exemptions proposed by one major participant called into question the structure of the GATS and risked undermining the overall level of commitments. In this respect, that participant made clear that to reduce the m.f.n. exemptions would require others to improve their offers -- particularly in those sectors where exemptions were sought. Other participants considered that a scaling down of their own offers was appropriate given the commercial significance of the sectors concerned.

5. It is clear that this situation has contributed to the lack of impetus and the standstill currently experienced. This is true both with respect to the initial commitment negotiations and m.f.n. exemption lists, as well as other work of a technical nature. It is also clear that the lack of progress elsewhere in the Uruguay Round had also affected the environment in the services negotiations.

6. The annotations to MTN.TNC/W/FA identified further technical work to be undertaken in respect of the Agreement on Trade in Services. Accordingly, work has proceeded with respect to Article XXI (Modification of Schedules) and Article XXXIV (Definitions). Technical work has also proceeded with respect to the Annex on Air Transport Services and consultations have taken place on the Telecommunications Annex. With

25-15-12 0049

respect to these two sectoral issues, decisions will be required in order to finalize the work. In addition, the secretariat is undertaking consultations with delegations in order to bring additional precision to the explanatory note on scheduling of commitments.

REPORT BY THE CHAIRMAN OF THE LEGAL DRAFTING GROUP

At its meeting on 13 January, the TNC established the Legal Drafting Group to carry forward what has been described as "Track Three" of work in the Uruguay Round. The Group was required to review the texts in the draft Final Act (MTN.TNC/W/FA) in order to ensure their legal conformity and internal consistency, it being understood that its work should not lead to changes in the balance of rights and obligations established in the agreements. The Group has met very intensively since its establishment. It has held five formal meetings as well as numerous informal meetings open to all delegations.

The work programme before the Group has five principal elements.

(i) Review of the Agreement establishing the Multilateral Trade Organization and of the relationship between it and other agreed texts

Since the MTO will provide the institutional framework for the implementation of the Uruguay Round results and the future operation of the multilateral trading system, a priority task for the Group has been the review of the MTO Agreement. A footnote to the Draft Final Act recognises the MTO texts as requiring further elaboration to ensure a proper relation to the other results of the Round. Progress has been made in the Group in clarifying a number of provisions of the MTO text, notably those relating to the basic purposes to be served by the MTO and to its administrative and institutional structure. However it has not yet been possible to reach full agreement on the formulation of a number of important provisions relating to requirements for accession, procedures for amendments, grant of waivers, non-application of obligations under the GATT as it will emerge from the Uruguay Round, and the GATS and the Agreement on TRIPS, and on such matters as the treatment of pre-existing mandatory legislation.

An important part of this work is the clarification of relationships between the MTO Agreement and the other agreements or legal instruments in the Draft Final Act which will now form part of the MTO framework. The Group's discussions have served to elucidate the treatment to be given to these agreements or instruments as annexes to the MTO text or as Decisions to be adopted by Ministers when the Final Act is opened for acceptance. The Group has also made progress in defining what the integration of the texts of the individual agreements with the MTO text will mean in terms of adjustments in terminology in these agreements and of the deletion or adjustment of provisions on such matters as accession, entry into force, amendments or withdrawals - the so-called "Final Provisions". On the other hand, a few questions relating to the relationship between the provisions

25-15-13

0050

in the MTO text and those in covered agreements - notably, for example, whether there is need to provide for any situations of conflict between the two sets of provisions - still remain.

(ii) Integration of the Dispute Settlement Texts

Three separate texts in dispute settlement were included in the Draft Final Act: the Understanding on Rules and Procedures Governing the Settlement of Disputes under GATT Articles XXII and XXIII, drawn up over the whole period since the launching of the Uruguay Round, and two texts - one on Elements of an Integrated Dispute Settlement System and another on the suspension of concessions - which were formulated in the final weeks of 1991. The Group is working on the establishment of a single integrated text. The Group has made substantial progress but will need to define more precisely the application of the integrated Understanding to the covered agreements so that where dispute settlement will take place is in accordance with the provisions of the Understanding and where the special procedures or provisions relating to dispute settlement in these agreements will continue to apply is entirely clear. Some other issues also remain, such as for example, provisions on non-violation complaints or for action by a panel where it is found that a fundamental conflict exists between the substantive provisions of two or more agreements.

(iii) Review of individual agreements

Although work on the MTO text and on the Dispute Settlement understanding has not yet been completed, it has been carried far enough to permit the Group to start reviewing and rectifying the individual (or covered) agreements in the Draft Final Act. This has meant attention to such matters as use of terminology, adjustment or deletion of clauses relating to final provisions, dispute settlement etc. as may be called for or found necessary. A number of texts have already been reviewed and a timetable has been established for completing review of the remainder by the end of the month. The results of this exercise shall also facilitate the finalization of the Dispute Settlement Understanding, notably by clarifying how it will relate to the individual agreements.

(iv) Cross-cutting issues

The Group's review of the individual texts should benefit from an earlier examination carried out in it of cross-cutting issues. Similar issues or terms sometimes appear in more than one text but are treated or defined differently. The Group has agreed, as a general guideline that each text should be interpreted individually and in its own specific context, and differences in such matters as the way in which certain concepts are defined therefore need not necessarily be a matter of concern. However, problems may arise if different texts impose conflicting obligations with respect to the same measures, leading to uncertainties or difficulties in the implementation of commitments. Until now, very few such inconsistencies have been identified by the Group but a full picture should be available once the review of the individual texts has been completed.

25/-15-14

0051

(v) Trade Policy Review Mechanism

In the context of the footnote at page 100 of the Draft Final Act, the Group has agreed to work on the establishment of the MTO Annex describing the Trade Policy Review Mechanism so that it takes into account the extension of the coverage of reviews to all subjects covered in the Annexes to the MTO Agreement.

Concluding remarks

It will be seen that the Legal Drafting Group has carried out a great deal of detailed technical work in pursuance of its terms of reference. The discussions in the Group and the nature of the issues brought up for clarification have however had to take into account views of delegations that the Draft Final Act recognises the need for further work and elaboration of existing texts in certain areas such as the Dispute Settlement System and the MTO Agreement. Also in the view of delegations, the Agreement establishing the MTO and the decision to establish an Integrated Dispute Settlement System involve a review and adjustment of a number of provisions in the texts of the original agreements. The Group continues to make progress and there is more detailed work of a technical character that needs to be done. The completion of the Group's task will depend on a readiness to take decisions on outstanding issues and on the existence of a clear timeframe for concluding its efforts.

2-5-1-15-15 0052

연합 H1-067 S06 외신(580)

통상기구과、

美-EC 협상실패로 UR 4월 타결 완전무산

(브뤼셀=聯合) 李鍾浩특파원= 우루과이 라운드(UR)의 최대쟁점인 농업보조금 문제를 해결하기 위한 美-EC간의 비밀접촉이 결렬됨으로써 아르투르 둔켈 관세무역일반협정(GATT) 사무총장이 제시한 부활절 이전 협상타결 가능성은 완전히 무산됐다고 EC 관리들이 15일 말했다.

관리들은 답보상태에 빠진 UR 타결의 마지막 희망이 걸렸던 14일의 美-EC 런던 회담이 무위로 돌아갔다면서 그같이 전망하고 이에 따라 22일 자크 들로르 집행위원장과 EC의장국인 포르투갈의 아니발 카비코 실바 총리의 미국방문에서도 획기적인 진전은 기대하기 어려울 것으로 보인다고 말했다.

관리들은 "일부에서는 대통령 선거를 앞두고 부시 대통령측에서 선거전략의 일환으로 충격적인 협상방안을 제시하리라는 설이 나돌고 있으나 이번 회담은 정례 정상회담에 불과하다"면서 "UR에 관한 한 크게 기대할 것이 없다"고 잘라 말했다.

한편 이에 앞서 필립 버든 뉴질랜드 통상장관은 "UR을 현재의 교착상태에서구해낼 수 있는 것은 들로르-부시 정상회담뿐"이라면서 이번 회담에서 양자가 고도의 정치력을 발휘, 세계자유무역의 활로를 열어야 할 것이라고 강조했다.

버든 장관은 美-EC 비밀회담이 열린 14일 런던을 방문, 기자회견을 갖고 EC의 공동농업정책(CAP) 고수정책이 UR타결에 결정적인 장애가 되고 있다고 비난하면서 그같이 말했다.(끝)

(YONHAP) 920416 0759 KST

0053

원 본

외 무 부

종 별 :

번 호 : GVW-0832 일 시 : 92 0414 1800

수 신 : 장 관(통기,경기원,재무부,상공부,농림수산부)

발 신 : 주 제네바 대사

제 목 : 스위스의 농산물 C/S 설명회 참석

92.4.10(금) 당관 최농무관은 스위스대표부 MEIER 경제담당참사관 주관으로 개최된농산물 C/S 설명회에 참석한바(일본, 카나다,멕시코,이스라엘,오지리, 놀웨이,농업담당 참석)동 내용 하기 보고함.

1. 스위스는 4.1 연방 각의에서 결정된 3분야(농,공,서비스)에 대한 C/S를 4.3제출하였으며 그주요내용은 다음과 같음.

가. 기본방향

0 스위스는 UR 에 목표로 하는 농업개혁을 원칙적으로 수용하나 이를 그대로 적용 시행하는데는 문제가 있어 최소한 10년 이상 장기간의 시간이 필요함.

0 관세화의 의견은 동의하나 예외가 있어야 함

0 긴급구제 제도의 개선이 이루어져야 함. 시장 규모가 적은 나라에 대해서는 동제도가 효율적이지 못함.

0 농산물의 OFFER 는 조건부로서 즉 다른나라의 협상 조건과 연계됨

나. 시장개방분야

0 관세화의 개념은 받아들이나 일부 품목은 이행기간(10년)후에 관세화함.

(치즈를 제외한 유제품, 카제인, 육류, 일부 과일및 채소)

0 MMA 는 최대한 부여함 (거락소)

- 86-88 평균 수입량 4 이하인 품목은 10년동안 8 까지 증량함.(돼지 고기등)

- 그이상의 품목은 정도에 따라 증량 또는 수준유지함

0 평균 감축율 36, 개별품목 하한 감축 15를 10년동안 이행함

0 TE 계산방법은 수량제한 품목에 대하여는 던켈 TEXT 에 의하였으나, 비제한 품목중 국내외 각 격차를 과징금 형태로 부과하는 품목에 대하여는 다른 방법 적용(ADDITIVE METHOD :EC 의 가변과징금과 달리 고정 가격 사용)

통상국 2차보 경기원 재무부 농수부 상공부

PAGE 1

92.04.15 06:11 DS

외신 1과 통제관

0054

0 기준년도는 86-88 평균을 사용했으나 일부품목은 HS 전환(88)의 기술적 문제때문에 89-91년 자료 사용

다. 국내보조

0 대부분 던켈 TEXT 에 따라 작성하였으나 86년 이후 CREDIT 인정을 위하여 11조 2C 적용품목(우유 및 설탕)에 한하여 AMS BASE 15삭감을 약속

라. 수출보조

0 재정지출 기준으로 10년동안 기초산품 36,가공품은 20, 삭감약속

0 수출보조 물량은 86-88 기준 동결할 것임.

바. 각국 대표와의 질문 및 답변

0 일본은 11조 2C 적용을 강조하면서 2003년후에 관세화 하겠다는 것은 모순임을 지적한데 대하여 11조 2C 적용은 10년간 이를 운용해보겠다는 뜻이며 사실상 그이후는 확실히 알수없다고 답변

0 놀웨이는 전농산물 양허문제와 10년후의 TE계산여부를 질의한바 다른나라들이공산품도 100 양허한다면 스위스도 가능하다고 하고 10년후 TE 는 아직 계산해 본바 없다고 함.

0 최농무관은 관세화 예외 근거를 어디에 두었는지와 품목수를 문의한바, 기본적으로 가입의정서 상의 중요품목 중심으로 제외하였다고 하고 정확한 품목수에 대한 답변은 회피하였음.(추후 스위스 C/S 로 추산한바 HS8단위 기준 940여개중 520 여품목의 TE 를 제시않음)

2. UR 협상 동향 및 기타

0 내주 화요일(4.14) 중 런던에서 갖을 예정인미.EC 고위급 실무회의와 4.22. 미.EC 정상회담이 향후 협상에 중요한 전환점이 될것으로 관측

- 국내 보조분야에서는 거의 합의단계이며 REBALANCING 과 수출물량 감축이 중요의제로 예상

0 일본은 T4 OPEN 에 대한 의견을 같이 하는 나라들이 어떤 형태로든 FORUM 을갖는 것이 필요함을 강조.끝

(대사 박수길-국장)

조.(안)

관리번호	92-286

외 무 부

종 별 :

번 호 : USW-1898 일 시 : 92 0415 1646

수 신 : 장관(통기,통이,경기원,농수산부,상공부

발 신 : 주 미 대사 사본:주제네바대사-중계필

제 목 : UR/농산물 협상

1992.12.31. 에 예고문에 의거 일반문서로 재분류됨

표제관련 당관 이영래 농무관은 4.15 미농무부 다자협력과장 GRUEFF 등을 접촉, 미-EC 고위 실무협의 결과를 문의한바, 동 결과 요지 및 당지 언론 보도등을 종합한 관련 동향을 하기 보고함.

1. 미-EC 고위 실무협상 결과

. GRUEFF 과장은 지난 4.14 런던에서 개최된 미-EC 협상에서도 종래와 같이미국측에서 KATZ USTR 부대표 및 GROWDER 농무부차관, EC측에서 GUY LEGRAS 농업총국장 및 HUGO PAEMAN 대외총국 부국장이 참석하여 주로 UR/ 농산물 협상관련 사항(수출보조 및 국내 보조)을 중점적으로 협의하였다고 함.

. 동인은 금번 협상은 오는 4.22 워싱톤에서 개최될 미-EC 간 정례 정상회담에 앞서 실무선에서 다시한번 의견차이를 축소하고 가능한 합의점을 도출하도록 노력하는데 의의가 있었다고 말함.

2. 미-EC 정상회담 전망

. GRUEFF 과장은 오는 4.22 BUSH 미대통령과 JACQUES DELORS 집행위원장 및이사회 의장국인 CAVACO SILVA 폴투갈 수상간의 미.EC 정상회담에서는 UR 협상관련 농업부문은 물론 SERVICE 부문등 UR 의 전반적인 문제를 일괄 타결토록 시도할 계획인 것으로 안다고 함.

. 또한 지난 4.9 BUSH 대통령은 신문 편집인 모임 연설에서 그동안 미.EC 간에 UR 관련 실무협상 결과 농업분야는 상호 매우 접근되었으며 최근에는 해결 과제로서 새로이 부각되고 있는 SERVICE 부문에 어려움이 있다고 하면서 UR 협상전망을 낙관적(OPTIMISTIC) 으로 본다고 하였음... 당지 UR 관련 관측통들은 금번 미.EC 정상회담은 그동안 교착상테에 빠진 UR 협상을 에 정치적으로 타결하기 위한 마지막 시도라고 보고있으며 만약 양자간 합의가 안될 경우에는 오는 11월의 미국 대통령선거

통상국	차관	1차보	2차보	통상국	외정실	분석관	청와대	안기부
경기원	농수부	상공부	중계					

PAGE 1 92.04.16 07:39

외신 2과 통제관 BZ

0056

이전까지는 UR 협상이 타결되기는 어려울 것으로 전망하고 있음.

3. 미.EC 정사회담 결과는 추후 파악되는 대로 보고하겠음.

(대사 현홍주-국장)

92.12.31 까지

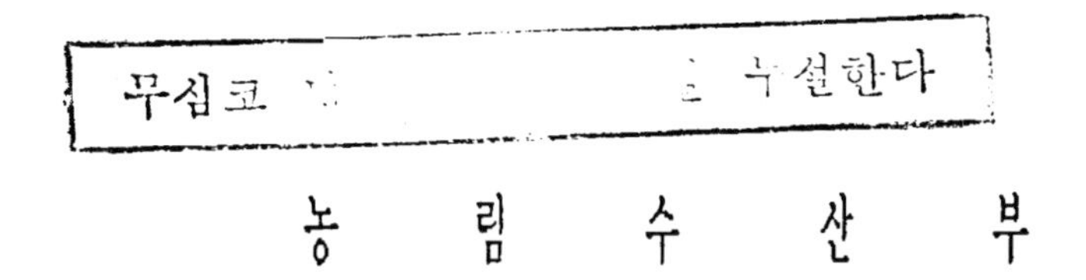

농 림 수 산 부

우 427-760 / 주소 경기 과천시 중앙동 1번지 / 전화 (02) 503-7227 / 전송 503-7249

<table>
<tr><td rowspan="1">선
결</td><td></td><td></td><td rowspan="2">지
시</td><td colspan="2"></td></tr>
<tr><td rowspan="2">접

수</td><td>일 자
시 간</td><td>1992. 4. 15</td></tr>
<tr><td>번 호</td><td>12995</td><td rowspan="3">결
재
공
람</td><td></td><td></td></tr>
<tr><td>처 리 과</td><td colspan="2"></td><td></td><td></td></tr>
<tr><td>담 당 자</td><td colspan="2">[illegible]</td><td></td><td></td></tr>
</table>

문서번호 국협20644- 380

시행일자 1992. 4. 13(년)

(경유)

수신 외무부장관

참조 통상국장

제목 UR/농산물협정 국별이행계획서 송부

1. UR농산물협정초안과 '92.1.13 TNC회의에서 채택된 던켈 GATT사무총장의 협상일정에 따라 '92.4.10, GATT사무국에 제출한 바 있는 아국의 농산물협정이행계획서를 별첨과 같이 송부하오니 귀부에서 적절히 주요국 공관에 시달 될 수 있도록 조치하여 주시기 바랍니다.

첨부 : 1. UR/농산물협정 국별이행계획서 15부(별송)
2. Cover Note on the Draft List of Commitments on Agriculture 15부(별송). 끝.

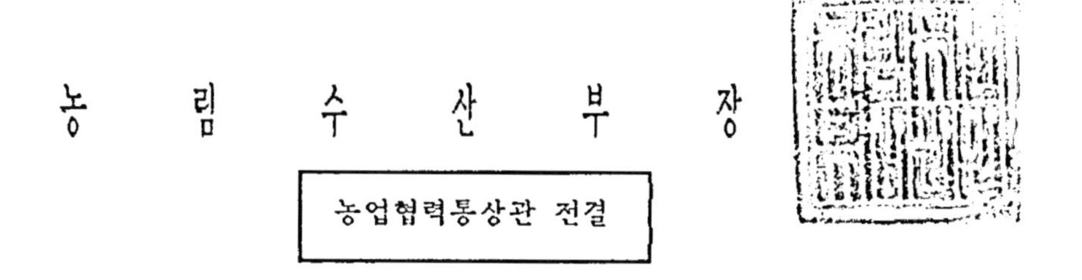

농 림 수 산 부 장

농업협력통상관 전결

0058

주 제 네 바 대 표 부

20, Route de Pre-Bois, POB 566 / (022) 791-0111 / (022) 791-0525(FAX)

문서번호 제네(경) 20644-380
시행일자 1992. 4. 16

수신 장 관
참조 통상국장, 재무부장관, 농림수산부장관, 상공부장관

선결			지시	
접수	일자 시간	92.4.16	결재	
	번호	22953		
처리과			공람	
담당자				

제목 UR/국별 C/S 송부

연 : GVW-821

연호 28개국의 국별 C/S (농산물 및 공산품)를 별첨 송부합니다.

첨부 : 28개국 국별 C/S 각 1부(알젠틴, 호주, 카나다, 칠레, 콜롬비아, 코스타리카, EC, 핀랜드, 홍콩, 아이슬랜드, 일본, 말련, 멕시코, 모로코, 뉴질랜드, 노르웨이, 파라과이, 필리핀, 루마니아, 싱가폴, 스웨덴, 스위스, 태국, 미국, 우루과이, 베네주엘라, 엘살바돌, 페루) 끝.

※ 첨부물은 통상국에만 한함.

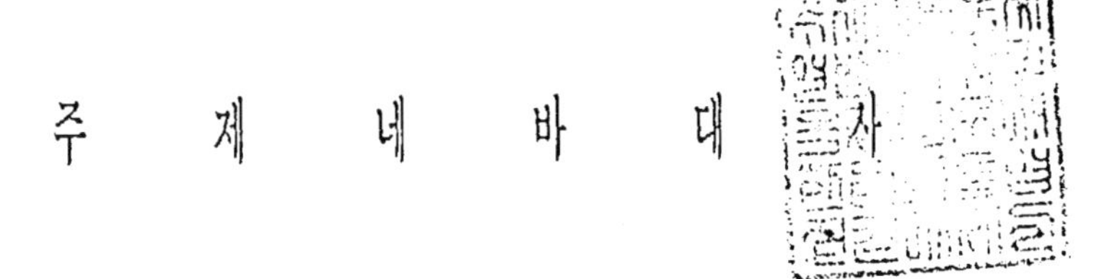
주 제 네 바 대 사

0059

원 본

외 무 부

종 별 :

번 호 : POW-0213 일 시 : 92 0422 1700

수 신 : 장관(통기,통삼,구이,구일,사본-주EC 대사-직송필)

발 신 : 주 폴투갈 대사

제 목 : EC CAP 개혁문제

1.주재국 CUNHA 농무장관과 프랑스 MERMAZ 농무장관은 4.21 당지에 서 회담을 갖고 EC의 CAP 개혁문제 및 UR협상등에 관하여 논의하였음을 보고함

2.양국 농무장관들은 EC 농업이 국제무대에서 경쟁력을 강화하기 위하여는 조속한CAP개혁이 선결과제라는데 의견을 같이하였으며, MERMAZ 장관은 프랑스가 4.28-29브라셀 EC농무장관 이사회에 상정예정인 포측 CAP개혁안(4차 수정안)을 적극 지지한다는 입장을 밝히는 한편 금년말의 미 대통령선거가 UR협상 타결을 더욱 어렵게하고있다고 비난하였음.끝

(대사 조광제-국장)

통상국 2차보 구주국 구주국 통상국

PAGE 1 92.04.23 05:45 DW

외신 1과 통제관

0060

외 무 부

종 별 :

번 호 : USW-2060 일 시 : 92 0422 2112

수 신 : 장 관(통이,통기,통삼,경일,동구이,미일,정총,경기원,상공부,농수부, 외교안보,경제수석)

발 신 : 주 미 대사

제 목 : 미. EC정상회담

금일(4.22) 개최된 부시 대통령과 DELORS EC집행위원장 및 CAVACO SILVA 포르투칼 수상(현EC 의장)간의 정상회담 관련, THOMAS NILES 국무부 유럽.카나다 담당 차관보가행한 대언론 브리핑 내용 요지 및 당관 평가를 하기 보고함.(동브리핑 전문은 별첨 FAX 송부)

1. 언론 브리핑

가. UR 문제

- 금번 회담에서는 UR 타결을 위해 농산물문제에 국한해서 협의를 진행했으나 협상 타결돌파구는 마련되지 않았음.

- 다만 양측이 몇가지 새로운 유익한 안(IDEA)을 제의했으며, 이를 토대로 협상의 조기 타결을 위해 계속 협의해 나가기로 합의함(NILES대사는 기자들의 새로운 IDEA 의 구체 질문내용에 대해 언급을 회피함)

- UR 타결 관련 미측이 생각하는 시한(DEADLINE)은 없으며 미 국내정치 일정이 UR협상 타결에 장애요인이 되지 않을 것임.(NILES 대사는 협상타결이 지연되는 경우금년 7월 뮌헨에서 개최 예정인 G7정상회담에서도 논의될 가능성이 있다고 시사)

- 협상 타결에 필요한 타협은 어느 일방의 양보가 아닌 균형있는 타협(BALANCEDDEAL) 이 되어야 하며, 미. EC 뿐만 아니라 모든 참가국에 수락 가능한 타협이 되어야함.

- 비록 금번회담에서는 구체적인 돌파구가마련되지 않았지만, 양측이 협상의 타결 싯점이 도래했다는 공통된 인식하에, 협상타결을 위한 상대방의 성의있는 노력(GOOD FAITHEFFORT)을 인정하고 보다 유연한 입장을 취할 필요성에 공감함.

나. 기타 정치문제

- UR 외에 금번 정상회담에서는 유고사태, 대 CIS 관계, 중동문제, 앙골라 사태에

통상국	미주국	구주국	경제국	통상국	통상국	외연원	외정실	분석관
정와대	안기부	경기원	농수부	상공부				

92.04.23 11:21 WH

외신 1과 통제관

0061

관한 논의가 있었음.

- 유고사태 관련 구체 제재조치에 대한 논의는 없었으나, 미. EC 양측은 보스니아 내전과 관련 현 세르비아(유고)정부의 대응태도에 우려를 표명하고 이같은 사태가개선되지 않는 경우 4.29.개최 예정인 구주안보협력회의(CSCE) 시세르비아의 참가박탈문제를 EC 의 지지하에 미측이 제기할지 모른다고 시사함.

- 아울러 EC 는 미국의 중동 평화노력에 적극적인 지지를 표명함.

2. UR 관련 당관 평가

- 동 언론 브리핑에서 미국은 UR 타결전망에 대한 언론의 부정적 시각을 인식, 금번회담의 긍정적 측면(현상태를 '교착상태'로 보기보다는 점진적인 진전으로 평가하거나 또는 양측의 성의있는 노력을 인식했다는 발언등)을 부각시키는데 주력했으나구체적인 협상타결 돌파구가 마련되지 않았다는 점에서 일단 소기의 목적 달성에 실패했다는 평가를 면키 어려울것임.

- 특히 협상타결 전망 관련 NILES 차관보는 양측의 조기 협상타결 희망에도 불구하고, 금년 7월 뮌헨에서 개최 예정인 G7 정상회담시 UR 논의 가능성을 배제하지 않으므로써 협상기장기 지연 가능성을 시사함.

- 한편, 미측은 구체내용은 밝히지는 않았으나 상호 흥미있는 새로운 제안이 있었으며 이를 토대로 협상타결이 가능하다는 여운을 남기므로써, 표면적인 협상타결 돌파구 마련 실패에도 불구하고 향후 미. EC 간 막후 교섭에 의한 타결 가능성을 시사하고 있음에 주목해야 할 것임.

3. 금번 정상회담 관련, 미. EC 간에 논의된 내용 및 미측 평가에 대해서는 명일(4.23) USTR등 미정부 관계관과 접촉후 추보 위계임.

첨부: USW(F)-2522(10 매).끝.

(대사 현홍주-국장)

PAGE 2

0062

92- 4-22 20:35

주 미 대 사 관

USW(F) : 2522 년월일 : 시간 :

수 신 : 장 관 (통이, 통이, 통삼, 경일, 미일, 정조) 통2이

발 신 : 주 미 대 사 사본: 상공부, 경기원, 농수산부, 외교안보원(?)

제 목 : USW - 2060 의 첨부 (10매)

보 안 통 제	

(출처 :)

(2522 - 10 - 1)

외신 1과 통 제	

0063

WHITE HOUSE READOUT ON TH[illegible] VISIT OF PRIME MINISTER A[illegible]AL CAVACO SILVA, PRESIDENT OF THE EUROPEAN COUNCIL, AND EC PRESIDENT JACQUES DELORS
BRIEFER: THOMAS NILES, ASST SECY OF STATE FOR EUROPEAN AND CANADIAN AFFAIRS THE WHITE HOUSE WEDNESDAY, APRIL 22, 1992
WR-3-1 page# 1
dest=swh.mwh,dos,eurcom,fns11182,fns00725,portu,angol,mideast,ussr,yugo
dest+=fortr,gatt,usag,forag,commtrade
data

MR. NILES: The discussion today between the President and the European leaders, President Delors of the Commission and Prime Minister Cavaco Silva, was divided into -- there were two major sections: One, the Uruguay Round; and the other, the variety of other political issues where the United States and the Community are working together: principally Yugoslavia, the relations with the republics of the former Soviet Union, the Middle East. And there was a brief discussion of developments in Angola, given the important Portuguese interest in developments in that country.

On the Uruguay Round, some new ideas were advanced by both sides. Both sides agreed on the need to pursue an agreement as rapidly as possible. The President made clear that he saw no reason why in an election year the United States could not move ahead quickly to conclude an agreement. The European leaders welcomed that assurance and, on their side, said that they were certainly prepared to work with us and the other contracting parties in the GATT to reach an agreement.

On Yugoslavia, there was agreement that we needed to press ahead in efforts to maintain the deployment of the UN force that's going into Croatia, and at the same time to support efforts to reach a cease-fire in Bosnia-Hercegovina. Prime Minister Cavaco Silva advised that the Foreign Minister of Portugal, Foreign Minister Deus Pinheiro; Lord Carrington, who is running the constitutional conference on Yugoslavia for the European Community; and the Special Negotiator for Portugal, or for the European Community, Portuguese Ambassador (Putillero ?) will be visiting Bosnia, Sarajevo, Zagreb and Belgrade beginning tomorrow. We will be in touch with the three officials and with the Community to see if there are ways in which we can support this effort.

The European leaders told the President, as they have before, that the Community strongly supports the United States effort to bring peace to the Middle East, an effort in which the Community is participating.

Questions?

Q What are the new ideas?

MR. NILES: I'm not in a position to get into the details of that, as you might imagine.

Q I'm not surprised --

MR. NILES: You're not surprised to hear that. Well, I didn't want to surprise you with anything. But the discussions will go on, okay?

2522-10-2

0064

WHITE HOUSE READOUT ON THE VISIT OF PRIME MINISTER ANIBAL CAVACO SILVA, PRESIDENT OF THE EUROPEAN COUNCIL, AND EC PRESIDENT JACQUES DELORS
BRIEFER: THOMAS NILES, ASST SECY OF STATE FOR EUROPEAN AND CANADIAN AFFAIRS THE WHITE HOUSE WEDNESDAY, APRIL 22, 1992
WR-3-1 page# 2

Q (Inaudible) -- to a category, like on agriculture --

MR. NILES: No, that's what we're talking about. The -- surprise, yeah. The area of discussion today was -- or the discussion on the GATT today was exclusively on agriculture. I think there's a general recognition on both sides that if we are able, the United States and the Community, to reach an agreement on agriculture, that the other outstanding issues on the Uruguay Round negotiations -- whether you're talking about market access for goods or market access in the area of services -- would very likely fall into place fairly quickly. So the concentration was on agriculture.

Yeah?

Q Were you able to accept any of the proposals that they brought? Do you embrace any of these?

MR. NILES: No. Neither did they embrace any of our ideas. But I think there was agreement at the table that some interesting ideas had been put forward that deserved further consideration. And that will be given in the period immediately ahead. There was an agreement that we should continue the negotiating process as quickly as possible.

Q So is this -- can we characterize this as a stalemate?

MR. NILES: No, not at all. I think it's --

Q Why?

MR. NILES: Why? Well, I think we made clear -- the briefing prior to the meeting, which I guess was yesterday, we made clear that we were not expecting a breakthrough at this session, and nor was one achieved. But as we have seen, I think fairly steadily since the President and the European leaders met in The Hague last November 8, we've had steady progress and we believe we can continue to make progress. The differences are there. There's no reason to minimize them. But we believe we made some more headway and we're going to continue to work on it.

Yeah?

CONTINUED

2522-10-3

0065

WHITE HOUSE READOUT ON ≡ VISIT OF PRIME MINISTER ≡IBAL CAVACO SILVA, PRESIDENT OF THE EUROPEAN COUNCIL, AND EC PRESIDENT JACQUES DELORS
BRIEFER: THOMAS NILES, ASST SECY OF STATE FOR EUROPEAN AND CANADIAN AFFAIRS THE WHITE HOUSE WEDNESDAY, APRIL 22, 1992
WR-3-2 page# 1

dest=swh,mwh,dos,eurcom,fns11182,fns00725,portu,fortr,gatt,usag,forag
dest+=ustroff,easteur,latamer,commtrade,mexico,envrmt
data

Q Carla Hills gave the impression yesterday that at least in the minds of the press the problem is the failure of the European Community to reach a consensus on the agriculture issue, and yet the President today had to reassure them that the American election wouldn't cause a problem. So where is the problem? Is it really their failure of a consensus or is it our failure to compromise?

MR. NILES: The Community as an institution has had difficulty coming forward with a position, but there's a related problem, and that is the fact that while the Community is negotiating in the Uruguay Round, it's also attempting to reform the common agricultural policy in a major way. And one of the problems that President Delors and Prime Minister Cavaco Silva made clear that exists on the Community side is this relationship between the international negotiations and the internal reforms.

The President noted at the table that the Europeans and other GATT contracting parties need not fear that the United States lacks the commitment to the conclusion of the round. But that's not I don't think the problem that we face.

There are differences in our approach and theirs on the question of how the agricultural system should be reformed, but we're in the process of trying to overcome those.

Yeah?

Q With those new ideas, how early are you expecting --

MR. NILES: I'm sorry, I didn't understand.

Q With those new ideas -- new ideas on the table --

MR. NILES: Yeah, yeah.

Q -- how early do you expect an agreement now? Before the G-7 meeting?

MR. NILES: We're ready for an agreement as soon as we can reach one. And if we can reach one next week, we'd be delighted. Next month there will be, as you suggest, an important meeting of the G-7 in Munich from the sixth through the eighth of July. And if that -- an agreement is not reached prior to the Munich meeting, obviously the Uruguay Round would be a subject on the agenda. But --

Q (Off mike.)

MR. NILES: I beg your pardon?

Q Is it a possibility that --

2522-10-4

WHITE HOUSE READOUT ON T VISIT OF PRIME MINISTER [illegible]BAL CAVACO SILVA, PRESIDENT OF THE EUROPEAN COUNCIL, AND EC PRESIDENT JACQUES DELORS BRIEFER: THOMAS NILES, ASST SECY OF STATE FOR EUROPEAN AND CANADIAN AFFAIRS THE WHITE HOUSE WEDNESDAY, APRIL 22, 1992
WR-3-2 page# 2

MR. NILES: Well, if you don't reach an agreement between now and Munich, obviously you can't say we're not going to discuss the Uruguay Round in Munich. That will be a subject on the agenda, as has the Uruguay Round at every G-7 summit since 1986.

Q Are you saying now that for sure that will be a subject?

MR. NILES: No, I'm not saying that, because I would hope that maybe before the sixth through the eighth of July we would be able to reach an agreement so that we wouldn't have to have a long discussion of agriculture at the Munich summit.

Yes, ma'am?

Q The President repeatedly said an early agreement, an early agreement. It suggested that he had some timeframe or some deadline in mind. Can't you help us with that a little bit more?

MR. NILES: Well, there is no deadline. There is a desire on the part of all of the contracting parties, not just the United States and the European Community, to wrap up these negotiations as quickly as possible. Negotiations began, after all, in 1986. So we've been at this for a while. And I think there's a feeling -- Director General Dunkel has certainly expressed it in recent days that the time has come to conclude the negotiations with the success and with an agreement. The President shares that view, but obviously there are some important points that need to be resolved before we get there.

Yes, ma'am?

Q These new ideas, the President said in a speech yesterday that he would compromise to some extent, but not carry the whole burden of compromise. Are these compromised ideas, and did the other side bring the same, and was there -- in general from Europe or was in from France or one particular country?

MR. NILES: I think the Prime Minister and the President of the Commission spoke for the Community as a whole, not for one country. So this was a European proposal or some European ideas that were put forward to deal with those remaining areas of difference on the agricultural negotiations.

As far as who carries the major weight of the compromises, I think there's a recognition that both sides have to be prepared to be flexible.

Q Well, would these ideas actually bring it to a conclusion?

MR. NILES: I think there's a possiblity that we can -- I have always felt, and I think that's the view of the President and the other senior officials who participated in this process for several

2022-10-5

WHITE HOUSE READOUT ON THE VISIT OF PRIME MINISTER ANIBAL CAVACO SILVA, PRESIDENT OF THE EUROPEAN COUNCIL, AND EC PRESIDENT JACQUES DELORS
BRIEFER: THOMAS NILES, ASST SECY OF STATE FOR EUROPEAN AND CANADIAN AFFAIRS THE WHITE HOUSE WEDNESDAY, APRIL 22, 1992
WR-3-2 page# 3

years now, that there is a basis there to reach an agreement. That is one of the reasons why the President has spent so much time personally in this effort. The meeting at The Hague last November, the meeting here today, I think demonstrate his personal commitment to success here. So we think there is a basis for success.

We also think, and this was something where we found full agreement on the Euroepan side, that the world economy needs a success in the Uruguay Round. Prime Minister Cavaco Silva talked about the implications of a Uruguay Round success with the economies of Eastern Europe and Latin America, and that's a view we share, that the United States and the European Community would not, certainly, be the only beneficiaries of a success in the GATT. The world economy as a whole would benefit.

Yeah.

Q Since you haven't given us the parameters of these new proposals, can you at least tell us whether they are convergent in any way? Are they in the same areas of disagreement or are they very separate matters?

MR. NILES: (Laughs.) Same areas of disagreement?

Q Well, that is to say, are they on the same --

MR. NILES: We're dealing with the same -- yeah, well, of course. Of course. They -- we have certain areas where we and the Community disagree on the nature of what the agricultural agreement should look like. Your community has put forward some ideas in that area, we put forward some ideas. Now, we're going to be talking, following up on the discussions today, to see whether there's a way in which we can bridge the gaps. And there are still some gaps between us. And there's --

Q Sometimes -- sometimes ideas can be divergent.

MR. NILES: No. Well, let me -- I can -- I think I can answer the question that we did not end up further apart at the end of the day than we were when we went in. There was a feeling at the end that a goof faith effort had been made by both sides to bridge the gap and that the ideas put forward were sufficiently promising to justify further discussion, which is what's going to take place now.

Q When the President talked about compromises, already agricultural groups are saying, oh, well sure, he's going to open up our markets and not get us anything. Do you --

MR. NILES: Well obviously, it has to be a balanced deal. I mean, balanced for us and acceptable to them. And not just acceptable to the United States and the Community, but to another 100 participating countries -- or 96 participating countries.

Yeah.

2522 - 10 - 6

0068

WHITE HOUSE READOUT ON — VISIT OF PRIME MINISTER BAL CAVACO SILVA, PRESIDENT OF THE EUROPEAN COUNCIL, AND EC PRESIDENT JACQUES DELORS
BRIEFER: THOMAS NILES, ASST SECY OF STATE FOR EUROPEAN AND CANADIAN AFFAIRS THE WHITE HOUSE WEDNESDAY, APRIL 22, 1992
WR-3-2 page# 4

Q If -- if you ever get this agreement, you're still going to have to work with the Congress. Apropos with that, I'd like to ask you to respond to a full page ad that was in the Washington Post this morning placed there by a collection of consumer and environmental groups criticizing the entire Uruguay Round and charging that in essence it's going to force the weakening or dismantling of a number of US environmental laws, bringing higher US standards down to lower standards outside the country. They cite the Marine Mammal Protecton Act and Mexico's activities there, they cite things involved with -- also the -- regarding pesticides on imported food. What sort of reassureance are you going to be able to offer on that support?

MR. NILES: Well, I think I could point to the fact that, for instance with our principal partner, the European Community today, their regulations in these areas are in most cases at least as stringent as ours. I mean, it's not a question when we negotiate with the European or discuss with the Community GATT issues, we're not talking about weakening standards of consumer protection or environmental protection. Their regulations, I can tell you from experience over there, are at least as stringent in most cases of which I'm aware, as ours are. So we and the Community go into these negotiations with a common pont of view.

Now, it's true that the -- it's true that the community disagreed with the secondary boycott aspects of the Marine Mammal Protection Act -- the dolphin, a problem with the yellowfin tuna -- but that was not because the Community disagreed with what we're trying to do. They share our objective of protecting Marine mammals. They disagree with the element in the Marine Mammal Protection Act which imposed a secondary boycott on countries which import yellowfin tuna from countries that don't comply with our act and wish to export yellowfin tuna to the United States.

The administraton opposed that particular provision of the Marine Mammal Act, as well. We went to court, and for a while we had an injunction against it and then we lost finally on appeal. So we and the Community have a very, I think, common, consistent view on the need to ensure that trade liberalization does not conflict with environmental interests or consumer protection.

CONTINUED

2522 - 10-7

0069

WHITE HOUSE READOUT ON TH■■ISIT OF PRIME MINISTER AN■■L CAVACO SILVA, PRESIDENT OF THE EUROPEAN COUNCIL, AND EC PRESIDENT JACQUES DELORS
BRIEFER: THOMAS NILES, ASST SECY OF STATE FOR EUROPEAN AND CANADIAN AFFAIRS THE WHITE HOUSE WEDNESDAY, APRIL 22, 1992
WR-3-3-E page# 1

dest=swh,mwh,dos,eurcom,fns11182,fns00725,portu,fortr,gatt,usag,forag
dest+=ustroff,easteur,latamer,commtrade,mexico,envrmt,yugo
data

Q I understand that, but the point of the GATT here is that laws passed by the United States Congress are likely to be overturned by a bunch of (people ?) who didn't vote for the Congressmen or anybody else.

MR. NILES: Well, you really can't -- I mean, you have to be able to demonstrate how that would happen, and I haven't seen it happen in previous rounds, GATT rounds. I don't see it happening, frankly, in the current GATT round. In fact, I think in a way you could argue that a strong multilateral trading system where we have agreement on the rules can be used to support unified standards, worldwide standards, not just United States standards for environmental protection, consumer protection, whatever it is, bring the developing countries into a system of rules and regulations. And so I think we would probably have fewer problems in the outyears as a result of a GATT agremeent, and particularly as regards consumer protection and environment, than we have today.

Yeah?

Q On Yugoslavia, we were told yesterday that you were going to coordinate a position for Serbia. Was there any discussion and agreement on the steps that could be taken as to pressure on Serbia to stop this support of aggression? For instance, beyond the CSCE, measures that could be taken, what about diplomatic relations and --

MR. NILES: No, there was no -- there was no discussion of specific steps. There was a commitment to work together. There was a -- I think a generally shared view that the behavior of the government of Serbia, as relates to the situation in Bosnia-Herzegovina was unacceptable, inconsistent with Serbia's obligations under the CSCE and under international law, and a commitment on the part of the United States and the Community to stay in very close touch.

Now, we've just had a senior US official visiting the area, Ralph Johnson, he'll be coming back today. The European Community officials, as I said, will be in Yugoslavia tomorrow. We're going to keep in close touch with the Europeans.

You mention the CSCE. The Helsinki meeting reconvenes on the 29th of April, and at that time there will be a proposal on the table, which was put forward by the United States, with the support of the European Community, to examine Serbia's participation or Yugoslavia, Serbia's participation, in light of the way in which Serbia is carrying out its or not carrying out, not fulfilling its CSCE obligations in the case of Bosnia.

So I think although there will be quite a bit of discussion, perhaps some actions between now and then, I can't say for sure the

2522 - 10 - 8

0070

WHITE HOUSE READOUT ON TH■VISIT OF PRIME MINISTER A■ AL CAVACO SILVA, PRESIDENT OF THE EUROPEAN COUNCIL, AND EC PRESIDENT JACQUES DELORS
BRIEFER: THOMAS NILES, ASST SECY OF STATE FOR EUROPEAN AND CANADIAN AFFAIRS THE WHITE HOUSE WEDNESDAY, APRIL 22, 1992
WR-3-3-E page# 2

next, perhaps important point in this process would be on the 29th of April, when CSCE reconvenes in Helsinki.

Yeah?

Q The administration put money in the budget this year for extra export credits to compete with the Europeans if there's not a deal in the GATT by the end June. Is the administration going to spend that money?

MR. NILES: Well, we have to see what happens at the end of June. You're talking about enhanced -- Exports Enhancement Program sales? I think we'll have to evaluate where we are at the end of June to see what the situation is in the negotiations, and also what the market situation is, to what extent US markets are being undercut by subsidized exports by the European Community. It's hard to predict right now what grain markets are going to look like on the first of July.

Q Mr. Secretary? A couple of questions on the new ideas. You said they didn't leave you further apart. Did they bring you closer together? Have they reduced the gap?

MR. NILES: I think they provided a basis for further discussion. And as you can imagine, at the table today with the ideas first put forward, it was not possible to determine whether any or all of the ideas that were advanced will be helpful in bringing us together or not, and that's the purpose of the follow-on discussions, which we will conduct with the Community. So it's very hard to say. But the spirit, I think there was a feeling on both sides that these ideas or these suggestions were advanced in a good spirit, and that there is a desire, a mutual desire to get on with this and to resolve all the remaining issues as soon as possible.

Q Without going into the specific details of the new ideas, we've been told already by the administration that what you're suggesting and what you have been suggesting to the EC is basically to decouple subsidies of commodities and have them subsidize the farmer without interfering with --

MR. NILES: Decoupled payments.

Q -- decoupled payments.

MR. NILES: Right. Break the link between subsidy and production.

Q Okay. Are these new ideas from the United States under that general rubric?

MR. NILES: I think that one of the things that has happened during the Uruguay Round negotiations and as a consequence of CAP reform in -- CAP reform discussions in Europe is that our original

2522 -10 -9

0071

WHITE HOUSE READOUT ON THE VISIT OF PRIME MINISTER AN■■ CAVACO SILVA, PRESIDENT OF THE EUROPEAN COUNCIL, AND EC PRESIDENT JACQUES DELORS
BRIEFER: THOMAS NILES, ASST SECY OF STATE FOR EUROPEAN AND CANADIAN AFFAIRS THE WHITE HOUSE WEDNESDAY, APRIL 22, 1992
WR-3-3-E page# 3

objective -- one of our original objectives, not the only one by any means -- but one of our original objectives, which was to convince our European friends of the need to break the link between subsidy and production, has been achieved, not necessarily in full but that that concept is very much in the proposals that are being discussed now in Europe for the reform of the Common Agricultural Program. And the decoupled payments which Commissioner MacSharry has suggested are part of that process. Now, of course, it also involves setasides and other devices to reduce the enormous subsidies in Europe which -- grain subsidies and other subsidies that are posing such a burden on Europe and a burden on the international agricultural market.

So we see, if you will, philosophically, some breakthroughs in terms of the way the Europeans look at agriculture and the way they look at the role of agriculture in international trade. Now, the details, that's where we are now, trying to work them out.

STAFF: Last question, please.

Q -- follow on the Yugoslav question. Is the US prepared to deny the Belgrade government, either Serbia or Yugoslavia, a seat in CSCE?

MR. NILES: This is an issue that will be discussed on the 29th of April. We've raised the possibility. Ambassador Kornblum at the last meeting before the Easter break in Helsinki pointed to the fact that its behavior in Bosnia-Hercegovina put Serbia at variance with its CSCE obligations, and there was a general agreement among the now 51 countries participating in the CSCE that this was a serious problem that would be taken up at the time the meeting reconvenes on the 29th of April.

Now, obviously what we hope is that between now and then the government of Serbia will change its policy, will cease and desist from the activities it's undertaking in Bosnia, seeking to destabilize the situation there. If that doesn't happen, obviously we'll be prepared to draw the consequences when the CSCE resumes; we advance the proposal.

Q And the consequences are to deny them a seat?

MR. NILES: It would be our proposal. But obviously we would hope that between now and then there would be sufficient changes in the way in which the government of Serbia is behaving so that would not be necessary. We're not seeking to exclude Serbia from anything.

Thank you very much.

END

2522 - 10 - 10

0072

외 무 부

종 별 :
번 호 : USW-2064 일 시 : 92 0423 1038
수 신 : 장관(통기,통이,경기원,농수산부,상공부,재무부)
발 신 : 주미대사 사본:주제네바, EC 대사(WOI 요QSP)-중계필
제 목 : UR/농산물협상 동향(미-EC 정상회담)

당관 이영래농무관은 4.23 미농무부 GRUEFF 자자협력과장을 접촉, 표제관련미-EC 정상회담 결과를 타진한바, 동결과 및 당지 언로 보도등을 종합한 요지 하기 보고함.

1. 미-EC 정상회담결과

0 4.22 개최된 BUSH 미대통령과 DELORS EC 집행위원장 및 SILVA 폴투갈 수상간의 회담은 당초 예상했던대로 교착상태에 빠진 UR 농산물협상 관련 문제들을 타결하는데 실패하였음.

0 BUSH 대통령은 정상회담후 가진 기자회견에서 새로운 제안들(SOME NEW IDEAS) 이교환되였다고 항면서도 구체적으로 이야기하지 않았으며 앞으로도 회담을 계속해 나가기로 합의하였다고 말하였으나 DELORS EC 집행위원장은 나중에 양측의 제안들이 'MODEST' 하다고 표현함으로서 그동안 실무선에서 오고간 제안들을 종합해서 REVIEW 하였음을 암시하였음.

0 DELORS 위원장은 새로운 계기를 마련하기 위하여 6 월말까지 협상시한을 정하여 UR 협상을 계속하고 7.6 독일 문헨에서 개최되는 G-7 경제정상회담에서 주의제로 다룰것을 제의했으나 미측은 계속 협상을 하되 시한설정은 동의하지 않았다고 함.

2. UR 협상 전망

0 GRUEFF 과장은 UR 농산문 협상에서 EC 의 CAP REFORM 과 관련한 국내보조부분은 EC 측과 협상이 가능하나 수출보조 부문은 현재의 밎그입장이 최저선으로 보고있다고 말하며 EC 측에서 새로운 대안이 제시되어야협상이 진척될수있다고함.

0 또한 금번 미-EC 정상회담 결과 합의에 도달하지 못함이 에따라 오는 11 월의 미국대통령선거까지는 UR 협상이 합의되기가 어려울것으로 보고있음.

0 아울러 동과장은 새로운 협상시한은 자연적으로 FAST-TRACK AUTHORITY 가 끝나는 93.6 이될것으로 보고 이에 맞추어 고위 실무협상이 앞으로도 계속 있을

통상국	장관	차관	1차보	2차보	미주국	통상국	외정실	분석관
정와대	안기부	경기원	재무부	농수부	상공부	중계		

PAGE 1 92.04.24 06:09
외신 2과 통제관 FM

0073

것으로 전망하고있음. 끝

(대사 현홍주-국장)

예고문 92.12.31 까지

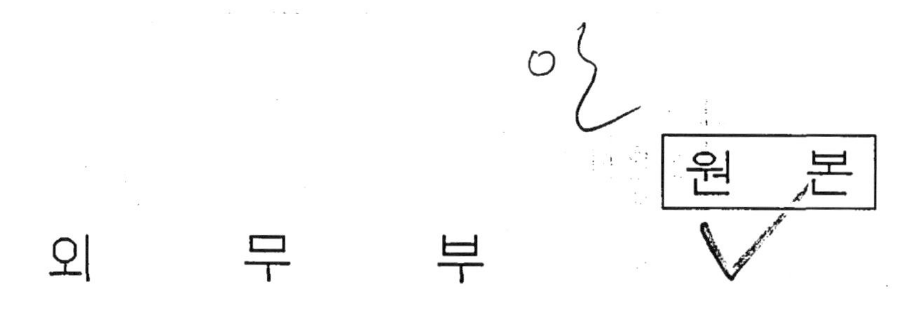

외 무 부

종 별 :

번 호 : ECW-0547 일 시 : 92 0424 1630

수 신 : 장관(통기,경기원,재무부,농림수산부,상공부)

발 신 : 주 EC 대사 사본: 주미,제네바 (중계필)

제 목 : 갓트/UR 협상동향

4.22. 워싱턴 미.EC 정상회담 결과에대한 평가등 최근 당지의 동향을 아래 보고함

1. 미.EC 정상회담 결과에대한 평가

가. 당초 예상과 같이 동 회담에서 협상의 직접적인 돌파구를 마련하는 데에는실패하였으나, 그결과에 대한 평가는 엇갈리고 있음

나. 긍정적으로 평가하는 견해는 양측이 농산물문제에 대한 새로운 제안(DELORS위원장은 MODEST PROPOSAL 이라고 지칭) 을 교환하고, 대통령선거등 미국내정치일정에 구애됨이 없이 표제협상을 계속 추진하여 조속히 종결한다는 정치적인 의지를분명히 하였으며, 특히 DELORS 위원장은 7월초 개최되는 뮨헨 G-7 정상회담 이전까지미.EC 간의 농산물문제에 대한 협상을 마무리한다는 의지를 표명한 것등을 지적함

다. 회담결과를 부정적으로 평가하는 측은 양측이 새로이 제안한 내용도 이제까지논의되던 BLUEBOX 및 수출보조금 문제에대한 기존입장을 재확인하는 내용 이상이 될수 있을 것인가에 강한 회의를 표시하고 있음

라. 상기 새로운 제안내용에 대해 4.23. EC집행위 대변인은 양측이 합의한바에따라 구체적인 내용을 밝히기를 거부하였으나 ANDRIESSEN 부위원장은 MODEST PROPOSAL 은 기존의 입장과 새로운 내용이 혼합된 내용이라고만 언급함. 당지의 관측통들은동새로운 제안에는 BLUE BOX 의 구체적인 내용과 수출보조금과 관련한 물량기준감축및 미 곡물의 대 EC 수출량의 동결문제가 포함되었을 것으로 예측하고 있음

바. 한편 EC 집행위 담당관에 의하면상기내용을 종합하여 볼때, 금번 미.EC정상회담에서는 양측이 상호 국내정치일정을고려하여 표제협상을 미대통령 선거이후까지순연시키기 위한 근거를 마련한데에 의의가있다고 평가함. 다만, DELORS

통상국 2차보 경기원 재무부 농수부 상공부

PAGE 1 92.04.25 00:15 DW

외신 1과 통제관

0075

위원장이 6월말시한을 언급한 것은 KOHL 수상과 MITTERAND대통령의 입장, CAP 개혁추진의지 및협상전략의 일환 (4.23. DELORS 위원장은협상의 관건이 미측에 달려있음을 강조함) 으로분석함. 또한 농산물문제가 BUSH 대통령의재선에 미치는 영향은 비교적 적을것이나,불란서와 서독의 경우에는 현정부의 국내정치적입지의 약화로 인해, 농산물문제에대해강경한 입장을 취할수 밖에 없을 것으로분석되고 있음

2. 4.30. 미야자와 일본수상이 독일을 방문하여 KOHL수상과 갓트/UR 협상및 CIS에 대한원조문제에 대해 협의할 것이라 함. 끝

(대사 권동만-국장)

원 본

외 무 부

암호수신

종 별 :

번 호 : JAW-2443 일 시 : 92 0424 2129

수 신 : 장관(통기)

발 신 : 주 일 대사(일경)

제 목 : UR 협상 동향

대 : WJA-1796

대호, 표제관련 당관 김현명 1 등서기관이 4.24(금) 외무성 경제국 국제기관 1 과 이시카와 수석사무관을 면담확인한바, 대호 신문기사는 근거 없는 관측기사로서 농업보호율 삭감 및 예외없는 관세화 수정문제를 TRACK 1 협상을 통해 교섭한다는 방안은 전혀 검토되고 있지 않다고 한바 참고 바람. 끝

(대사 오재희-국장)

통상국 아주국

PAGE 1

92.04.25 05:44

외신 2과 통제관 FK

0077

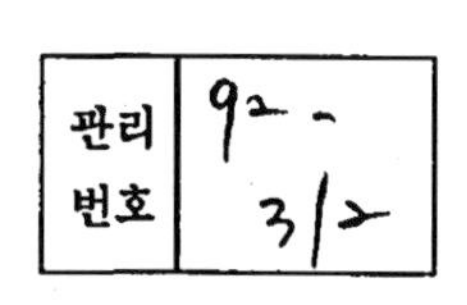

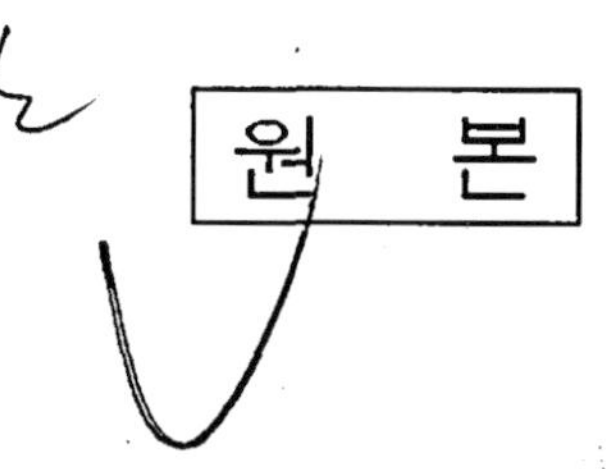

외 무 부

종 별 :

번 호 : GVW-0877 일 시 : 92 0424 1900

수 신 : 장관(통기,경기원,재무부,농림수산부,상공부) 사본:주미대사(중계필)

발 신 : 주 제네바 대사

제 목 : 한미간 농산물 C/S 협의

1992.12.31. 에 예고문에 의거 일반문서로 재분류됨

1. 4.24(금) 당지 미국대표부 S.BYLENGA 농무관은 당관 최농무관에게 아국과 농산물 C/S 협의회를 5.4(월) 오후에 갖기를 희망한다고 하면서 그 가능성 여부를 알려줄 것을 요청하여온바, 조속 검토 회신바람.

2. 참고로 금번 미국대표단은 USTR 의 B.CHATTIN, USDA 의 G.THORN 외 2명의 전문가로 구성되며 5.4-5.7 기간중 다른 나라들과도 농산물 C/S 협의를 가질 예정이라고 하며 아국과의 협의시 대아국 REQUEST LIST 제시가 있을 것이라함.

3. 동 기간중 미국이 협의 요청한 나라는 스위스, 멕시코, 중남미 국가등이며, 일본등 G-8 과는 지난 3 월말 이미 협의한바 있음. 끝

(대사 박수길-국장)

예고: 92.12.31.까지

· Bop-UR

검 토 필(1992.6.30.)

통상국	장관	차관	2차보	■■■	청와대	안기부	경기원	재무부
농수부	상공부	중계						

PAGE 1

92.04.25 07:39

외신 2과 통제관 EC

0078

농 림 수 산 부

우 427-760 / 주소 경기 과천 중앙동 1번지 / 전화 (02)503-7227 / 전송 503-7249

문서번호 국협 20644-422

시행일자 1992. 4. 28. (1 년)

(경유)

수신 외무부장관

참조 통 상 국 장

선결			지시		
접수	일자 일시	1992. 4. 29 :	결재·공람		
	번호	14909			
처 리 과					
담 당 자		안명수			

제목 한.미간 농산물 C/S 협의

1. GVW - 0877 ('92. 4. 24)호와 관련입니다.

2. 미국의 5.4(월) 한.미 농산물 C/S 양자협의 요청과 관련 당부입장을 별첨과 같이 보내드리오니 조치하여 주시기 바랍니다.

첨부 한.미 농산물 C/S 협의요청에 대한 당부입장 1부.

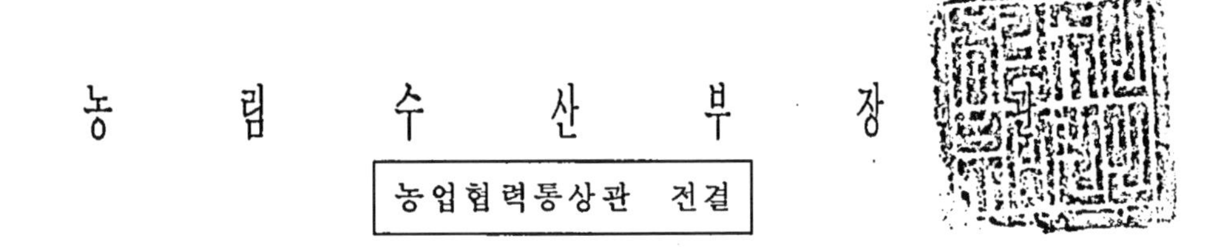

농 림 수 산 부 장

농업협력통상관 전결

0079

한.미간 농산물 C/S 협의 (5.4) 요청에 대한 당부입장

1. 협의여건

o 지난 4.22일의 미.EC 정상회담, 4.24~26일의 4극 통상장관회담에서 농산물분야의 이견조정이 이루어지지 않음으로써 협상 종결시한이 불투명한 상황

o Track 1. 협상이 사실상 중단된 상황이고 미.EC간 막후절충에 의존하고 있어 공식적인 협상은 개최된바 없이 던켈총장이 제시한 일정이 경과

o 협상타결을 전제한 양자협상이 공개적이고 명료한 방법으로 재개되기 위해서는 협상진전상황과 향후 일정등에 대한 새로운 평가가 있어야 할 상황

o 아국의 농산물협상 이행계획제출(4.10)에 따라 GATT사무국으로부터 수령한 기제출국의 이행계획은 4.22 당부가 접수 각국의 이행계획 내용과 던켈초안과의 관계등을 분석중이나 상당한 시일이 소요될 전망

0080

2. 당부입장

1) 위의 협의여건과 같이 UR협상체제내에서의 양자협상이 부진한 상태이므로 새로운 협상일정과 방향이 마련된 후 그 일정에 따라 각국과 양자협상을 일괄 추진하는 것이 바람직할 것임.

2) 양자협의를 추진하는데는 다수국 이행계획의 분석을 통해 각국의 실질입장을 파악한후 각국의 이익이 균형되게 반영될 수 있는 최종협상결과의 도출을 위하여 양자협상이 활용되어야 할 것인바, 각국이행계획이 4월말 접수됨에 따라 이의 분석작업이 진행되고 있으나 상당한 시일이 필요함.

3) 따라서 주요국의 입장분석이 완료되는 5월 중순이후 한.미간 및 주요국간 양자협상이 이루어지는 것이 바람직함.

0081

외 무 부

종 별 :

번 호 : FRW-0914 일 시 : 92 0429 1830

수 신 : 장관(통기),사본:주제네바,EC 대사-직송필

발 신 : 주 불 대사

제 목 : UR 협상

연:FRW-0865

연호 미-EC 정상회담 관련, 외무성 경제재정국 DENIS SIMONNEAU UR 담당관으로 부터 확인한 주재국 정부 반응 아래 보고함.(4.28 조참사관 접촉)

1. 정상회담 평가

0 회담결과에 대해 EC 집행위로 부터 DEBRIEFING 받은바는 없으나, 불정부가 자체 탐문한바에 의하면 UR 협상을 타개할 만한 특별한 진전은 없었으며, DELOR 위원장의 제안도 협상 타개보다는 4 월이후 협상 계속을 위한 기초제공에 목적이 있었던 것으로 봄.

0 미측은 기존의 입장(던켈 보고서 내용)에서 별다른 양보가능성을 보이지 않았는바, BUSH 대통령 자신이 국내정치적으로 현단계에서 새로운 양보성 제안을하기 어려운데다 11 월 이전까지 서둘러 타결할 의향도 강하지 않은듯 함.

0 DELOR 위원장이 미측에 제안한 내용은 미측이 GREENBOX 확대수용을 전제로 대체로 아래와 같은 수준일 것으로 예상함.

- 수출 농산물의 구체적인 물량 감축에는 합의하되 24 프로 보다 하향된 수준으로 조정

- REBALANCING 관련, 현재 미국으로 부터 수입하는 물량수준에 대하여는 기존의 무관세를 적용하되 초과물량에 대하여는 관세 부과

2. 타결 전망

0 미국, EC 의 기존입장에 비추어 향후 협상과정에서 별도의 정치적 계기가없을 경우, DELOR 위원장이 시사한 6 월말은 물론 년내 타결 가능성도 적다고 봄.

0 년내 타결을 위해 불측이 가정할수 있는 시나리오는

1) 미국측에서 산업계의 강력한 로비에 의해 미 행정부가 양보하는 경우이나

통상국 2차보 구주국 외정실 분석관

 검 토 필(1992.6.30.) 92.04.30 04:55

외신 2과 통제관 FK

가능성이 크다고 보기 어려우며

2) EC 측에서는 독일과 영국의 계속된 이니시어티브로(7 월초 G-7 뮌헨 정상회담이전에는 독일, 하반기에는 EC 의장국인 영국) 타결책을 마련하는 경우임.

0 EC 측의 이니시어티브와 관련, 불란서 입장에서 보면 독일은 UR 타결의 정치적 계기를 마련할 정도로 역량을 가졌다고 보기 어려운데다 최근 국내정치 정세에 비추어 독일이 희망하는 6 월말 이전 타결은 가능성이 적다고 봄.

0 영국의 경우, 의장 수임기간중 유럽통합보다는 UR 타결에 보다 우선순위를 둘것으로 보나, 영국과 입장이 유사한 화란이 과거 의장국일때도 91 년말 타결을 위해 노력하였으나 성사되지 못하였으며, 또한 MAJOR 총리도 EC 내에서 불란서의 고립을 통한 협상타결은 어렵다는 사실을 잘알고 있음.

0 한편 불정부로서는 협상이 명년으로 연기된다 하여 어려울것은 없으나 EC내외에서 자국입장이 더욱 고립되는 가운데 UR 협상 교착의 모든 비난을 받게되는 것은 원치 않으므로 대안이 없는 연기보다는 적절한 수준에서의 협상타개를모색할 가능성이 있음.

0 이와관련, EC/ 공동농업정책(CAP) 개혁 논의에 있어 농산물 지지가격의 전반적 인하를 요구하는 불측의 입장이 수용될수 있다면(독일의 양보 필요) UR 타결의 주요한 계기가 될수 있으나 여하한 경우에도 미측의 상응 양보가 있어야 할것임.

0 현재 CAP 개혁 논의는 6 월말 이전 구체적 수준까지의 타결을 목표로 협상중인 바, 순조롭게 진행될 경우 CAP 타결내용을 기초로 하반기에는 UR 농산물 협상이 보다 본격화될수 있을 것임.

3. 불란서 입장

0 DELOR 위원장의 상기 1 항 제의는 기존 불란서 입장에 반하는 것이나 동인의 신중한 성격 및 미테랑 대통령과의 개인적 관계에 비추어볼때, 미테랑 대통령과 사전 협의 또는 양해없이 이를 미측에 제안하였다고 보기 어려움.

0 미.EC 정상회담 결과에 대한 EC 측 설명이 명 4.28 브랏셀 개최 113 위원회에서 있을 예정인바, 불측으로서는 현단계에서 DELOR 제안에 대한 반대입장 표시보다는 회담의 상세내용을 파악하고 여타 회원국의 반응등을 고려 자국입장을 수립 예정임.끝.

(대사 노영찬-국장)

예고:92.12.31. 까지

관리 번호	92-322

	분류번호	보존기간

발 신 전 보

번 호 : WGV-0677 920430 1601 WG 종별 : 지급

수 신 : 주 제네바 대사. 총영사

발 신 : 장 관 (통 기)

제 목 : 한.미간 농산물 C/S 협의

1992.12.31.에 예고문에 의거 일반문서로 재분류됨

대 : GVW-0877

1. 대호 미측의 5.4 양자협의 요청과 관련, 본부로서는 양자협의에 동의하나 각국의 이행계획서가 4.22 접수되어 현재 분석중이며, 미측과의 양자협의를 위한 준비기간이 필요함을 감안 미측에 대해 5.18 시작주 중에 양자협의 개최에 동의한다는 입장을 제시 바람.

2. 이와관련, 미측이 협의를 요청한 스위스, 멕시코 등과의 양자협의 추진(일정포함) 등 에관한 관련 동향 파악 보고바람. 끝.

(통상국장 김 용 규)

검토필(1992.6.30.)

보안 통제	

앙고재	92년 4월 30일	통기과	기안자 성명		과 장	심의관	국 장	차 관	장 관
							전결		

외신과통제

0084

원 본

외 무 부

종 별 :

번 호 : ECW-0577　　　　일 시 : 92 0430 1000

수 신 : 장 관(통기,경기원,재무부,농림수산부,상공부)

발 신 : 주 EC 대사 사본: 주미,제네바대사-중계요망-중계필

제 목 : 갓트/UR 농산물협상

표제협상 관련 당지 전문가가 분석한 4.22.워싱턴 미.EC 정상회담시 거론된 새로운제안내용및 이에대한 미국과 EC 의 입장을 아래 보고함

1. EC 의 입장

가. 4.22. 미.EC 정상회담에서 DELORS 위원장이 제시한 새로운 입장(MODEST PROPOSAL) 은 KOHL수상 방미 또는 미.EC 고위협상시 거론되어온 내용과 대동소이하며,요지는 EC 측이 99년까지 보조곡물 수출량의 20프로 감축에 동의하는 조건으로 미국측은 비곡물 배합사료 원료의 대 EC수출을 제한하고 EC/CAP 개혁의 일환으로 시행하는 직접소득 보조문제에 이의를 제기하지 않는다는 내용임

나. EC 입장과 DUNKEL 협상안과의 차이점은 현재의 EC 소맥수출량 19-21백만톤을99년까지 15백만톤 (20프로 감축) 또는 12백만톤(24프로 감축) 까지 감축하느냐의문제이며, EC 가 20프로 감축입장을 취할수밖에 없는 배경은

첫째, CAP 개혁시 곡물의 보조수출물량을 현행대비 7-9백만톤을 감축할수 있는수준까지 국내보조및 생산감축을 이룰수 없으며 이렇게될 경우 90년대말의 EC 곡물재고는 누증될것이며 수출보조액을 증대시킬수 밖에 없음

둘째, EC 의 농산물협상은 MITTERAND-DELORS-LEGRAS(불란서 국적) 선에서 좌우되나, MITTERAND 대통령` 국내정치적 입지가 크게 약화되고 있음

2. 미측의 입장

가. 미국은 DUNKEL 협상안이 농산물협상에서의 양보가능한 최저선이며, BUSH 대통령은 의회및 농무성 (분석자료는 별도 파편 송부) 으로부터 더이상 양보하지 말라는 압력을 받고 있을뿐 아니라 EC가 획기적인 대안을 제시하지 않는한 요지부동한 미국의 입장을 취하는 것이 대통령선거에 유리한 요인으로 작용할 것임

나. DUNKEL 협상안대로 UR 협상이 타결될 경우 BUSH 대통령의 재선에 유리하게 작

통상국　2차보　경기원　재무부　농수부　상공부

PAGE 1　　　　92.04.30 21:23 DS

외신 1과 통제관

0085

용할 것은 분명하나 미국의 요지부동한 입장은 장기적으로 EC/CAP 개혁및 곡물덤핑 수출에 제동을 거는 요인이 됨

3. 협상 추진전망

가. 상기와같은 양측의 입장차이는 표면적으로는 EC 소맥 수출물량 3백만톤 정도이나 내면적인 정치적 입장차이는 매우 큼

나. 따라서 7월초 뮌헨 G-7 회담에서 UR 협상문제가 촛점이 될것이나 미.EC 의정치적인 결단이 없는한 UR 협상 타결의 계기가 되기는 어려우며, G-7 회담의장인 KOHL 수상은 동 회담이전까지 UR 협상타결이 독일경제에 활력소가 될것이라는 자유민주당 입장과 우방국 불란서 입장(또는 자국내 농업단체 입장) 중에서 택일해야 할 어려운 입장에 처하게 될것임. 끝

(대사 권동만-국장)

PAGE 2

0086

외 무 부

종 별 :

번 호 : USW-2207 일 시 : 92 0501 1121

수 신 : 장 관(통이,통기,경기원,농수부,상공부)

발 신 : 주 미 대사

제 목 : 유지작물 관련 미 대 EC 보복관세 부과 계획발표

1.미행정부는 EC 의 대두를 비롯한 유지작물 생산농가에 대한 보조금 지급과 관련하여 4.30 제네바에서 년간 10억불의 상품에 대하여 보복관세를 부과키로 결정하였다고 발표하였 으며 보복관세의 LIST 는 금명간에 발표될 예정이나 주로 식품및 술종류가 될것으로 보고있으며 30일간의 COMMENT 기간을 거쳐 6월부터 시행할 계획이라함.

2. 금번 미국과 EC 의 '대두분쟁'은 1988년 미국의 대두협회가 통상법 301조에 의거 USTR 에 EC 의 불공정 무역행위에 대하여 제소한데이어 미행정부가 EC 의 유지작물(대두,해바라기씨, 유체등)생산관련 가격지지 및 보조금 지급이 EC 의 유지작물생산량을 크게 증가시켜 유지작물 및 단백질 함유 식품수입에 대한 무관세 양허효과를상쇄시켜 버리므로서 1962년에 미. EC 간 협정에 위배한다고 제소하였음.

0 1989년 GATT 에서는 EC 의 유지작물 생산농가와 가공업자에 대한 가격지지는GATT규정에 위배된다고 결정한바 있으나 EC 는 계속하여 생산농가에 대하여 보조금을지급함에 따라 다시 제소되어 금년 3월 GATT PANEL 에서 이의 위배를 다시 결정하고EC 는 동결정에 대하여 이를 받아들일수 없다고 한바있음.

3. 따라서 미국은 상기관련 지난 5년여동안 EC와 협상을 계속한바 있으나 실효를 거두지 못함에따라 금번에 무역분쟁 사상 가장 큰액수인 10억불 보복관세 조치계획을 발표하게 되었다고 하며 앞으로 5월 한달동안 EC측에서 이에 상응하는 조치를 취하지 않는한 계획대로 시행할 것이라고고함.

4. 그러나 EC 측은 GATT 총회에서 아직도 GATTPANEL 결과의 수용여부를 결정하지 않은 상태에서 미국의 보복결정은 전적으로 합법적이 아닐뿐 아니라 비생산적이고 IR리적이라고 지적하면서 다음에 개최될 GATT 총회 이전에 EC 의 구체적인 계획을제출할 것이라고 말함.

통상국 2차보 통상국 경기원 농수부 상공부

PAGE 1 92.05.02 06:04 FN

외신 1과 통제관

0087

6. 당지에서는 대두관련 미- EC 의 무역분쟁이 현재 교착상태에 빠진 UR 협상을어렵게 하지 않을까 우려하고 있으며 참고로 지난 1982년 미국의 대 EC 유지작물 수출액은 34억불이었으나 1991년에는 15억불 수준으로 줄어들었으며 상대적으로 EC 의유지작물 생산량은 400프로 정도 늘었음.끝

(대사 현홍주-국장)

PAGE 2

0088

관리 번호 92-328

원 본

외 무 부

종 별 :

번 호 : GVW-0911 일 시 : 92 0501 1200

수 신 : 장관(통기,경기원,재무부,농림수산부,상공부)

발 신 : 주 제네바 대사

제 목 : UR/농산물(한.미 C/S 협의)

대: WGV-0677

1. 표제 한. 미 양자 협의 관련 최농무관은 당지 USTR 의 THORN 농무관과 접촉하여 미측이 요청한 5.4 개최는 본부의 C/S 분석이 현재 진행중이므로 곤란하고, 그대신 5.18 주간 개최를 희망한다는 뜻을 전하였음.

- 이에 대하여 동인은 동 양자 협의를 5.4 주간에 개최하지 않고 다음 기회에 갖는다는데 동의하였으나, 5.18 주간 개최 여부는 본부 다표 일정 관계로 불확실하다고 하였음.

2. 스위스 및 멕시코는 5.4 주간중 미측과 양자 협의를 개획대로 개최할 것이라고 함.

- 스위스는 동 협의시 주로 자국의 C/S 작성 배경 및 내용을 설명할 계획이며, 구체적인 협상은 하지 않을 것이라고 함. 끝

(대사 박수길-국장)

예고 92.12.31. 까지

통상국	장관	차관	2차보	국기국	외정실	분석관	청와대	총리실
안기부	경기원	재무부	농수부	상공부				

PAGE 1 92.05.02 01:20

외신 2과 통제관 EC

0089

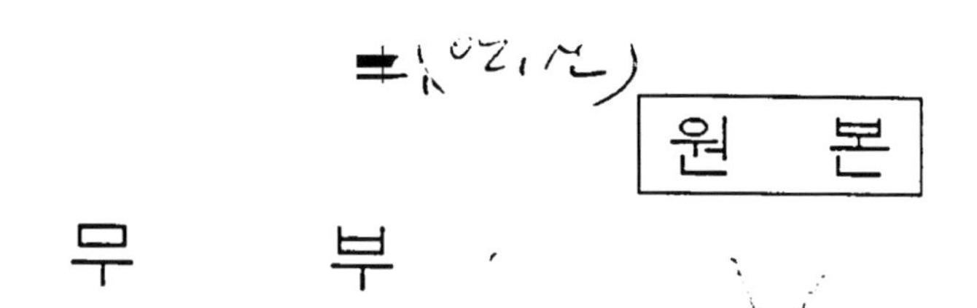

외 무 부

종 별 :

번 호 : GVW-0913 일 시 : 92 0501 1200

수 신 : 장 관(통기, 경기원, 재무부, 농수산부, 상공부)

발 신 : 주 제네바 대사

제 목 : 갓트 이사회

표제 회의가 4.30 ZUTSHI 의장 주재로 개최되어 에집트의 관세 양허(제 2조)에 대한 웨이버 요청, 미국의 참치 수입제한 조치, EC OILSEEDS 제 2차패널 보고서등 의제사항에 대한 논의에 이어 기타 의제로 차기 사무총장 선임을 위한 갓트 회원국간의협의 개시에 대한 ANELL 총회 의장의 발표등이 있었는바, 요지 아래보고함.(본직, 이참사관, 신서기관 참석)

1. 에집트의 제 2조 관세양허에 대한 웨이버 요청(의제 3)

0 에집트는 웨이버 요청 설명에 동 웨이버는 93.6.30 까지 한시적이고 92.3 이사회에서 각국이요청한 웨이버 관련 자료를 이미 제출하였으며, 웨이버가 부여된후 이해 관계국과 제 28조에 의한양허 교섭에 성실히 임할 것을 표명한데 대해

- 아국, 모로코, 파키스탄 등 20 여국이 웨이버 부여를 지지한 반면, 뉴질랜드, 카나다, 미국, 스위스, EC 등은 에집트가 제출한 관세양허 수정안에 자국의 관심품목이 포함되어 있으므로 충분히 검토할 시간이 필요하다는 (EC 는 에집트의 제출자료에 비관세 조치에 관한 사항이 포함되지 않았음을 지적함) 입장을 제시하면서 차기 이사회에서 논의할 것을 제의함.

0 상기의 논의 연기 제의에 대해 에집트는 다수국이 웨이버 부여를 지지하고 있음을 언급한 다음, 추가 필요한 자료는 웨이버 부여후 28조 협상과정에서 제출하겠다고 약속하면서 웨이버부여 여부를 금번 이사회에서 25조 5항에 따라 부표로 결정할것을 요청한바

- 미국, EC, 카나다, 호주, 홍콩, 멕시코, 콜롬비아등 다수국이 이에 반대하면서이사회의 콘센서스에 의한 결정방식은 유지되어야 한다는 입장을 개진함.

- 한편 JAMAICA 는 이집트의 부표 요청이 부당한 요구는 아니며, CONSENSUS 관행에 전혀 문제가 없는 것은 아니나, 과거의 관행에 미칠 영향을 고려 부표 요청은

통상국 2차보 경기원 재무부 농수부 상공부

PAGE 1

92.05.02 01:24 FN

외신 1과 통제관

0090

신중히 검토되어야 할것이라는 중도적 의견 표명

- 의장은 동건의 토의를 일단 오후로 연기한뒤,동건은 차기 이사회에서 재론하되차기 이사회에서는 동건에 대한 콘센서스 도출이 가능토록 사전에 비공식 협의를 갖는 것으로 이집트를 설득, 오후회의에서 이와같이 합의함.(에집트는 자국의 사정이급박 하므로 특별이사회 개최를 희망하였으나 의장은 당초 차기 이사회를 6.16개최할 것을 염두에 두고 있으나 이집트의 요청을 감안하여 비공식 협의 과정에서 동 이사회 개최시기를 앞당기는 문제도 아울러 검토하겠다함.)

2. 미국의 참치 수입제한 관련 패널 보고서(의제 5)

0 미국과 멕시코는 동건의 해결을 위한 양자협의와 국내법 개정을 위한 노력이 진전이 있음에 비추어 금번 이사회에서 패널 보고서 채택에 동의하기 어렵다는 입장을표명

0 이에 대해, 베네주엘라, 카나다, 아르헨티나, 일본,스웨덴등 20여국이 패널 보고서 채택을 지지함.

- EC 는 미국의 논의 연기 요청에 대해 차기 이사회에서도 보고서가 채택되지 않는 경우에는 별도 패널 설치를 요청할 계획임을 언급한바,카나다, 아르헨티나가 EC입장에 동조함.

3. EC 의 OILSEEDS 패널 보고서 이행에 대한 패널 보고서(의제 7)

0 의장의 동 패널 경위에 대한 설명에 이어 미국이 EC 에게 동 패널의 권고 사항이행에 대한 입장을 문의한바, EC 는 금번 이사회에서 보고서 채택에 수락할수 없으나 차기 이사회에서 구체적인 해결 방안을 제시하겠다고 발언함.

- 이에 대해 동 패널에 이해 관계국으로 참가한 브라질, 카나다, 아르헨티나, 호주외에 콜롬비아,칠레등이 보고서 채택등 보고서 권고사항의 조속한 이행을 지지함.

0 미국은 동건이 원만하게 해결되길 희망하고 있으나 동건은 88년 부터 4년이상끌어온 사항으로(OILSEEDS 패널은 90.1 에 채택) OILSEEDS 에 대한 EC 의 보조금 지원으로 년 10억불에 달하는 손해를 입고 있으며, EC 가 계속 문제해결을 지연시키고있다 고 판단할수 밖에 없으므로 새로운 패널 보고서가 권고한 보복 조치를 조만간집행할 의사가 있음을 표명한바, EC는 차기 이사회때 해결 방안을 제시하겠다는 입장을 재강조 한뒤 미국이 시사한 일방적인 보복조치에 대해 강한 반대입장을 개진함.

- 이에 대해 카나다, 스위스, 콜롬비아, 인도등 다수국이 EC의 조속한 패널 보고서

이행과 이를위한 양국의 협의를 권고하면서도 미국의 보복조치는 보고서 92항에명 시되어 있는바와 같이 갓트절차에 따라야 한다는점(이사회의 승인)을 강조함으로써 일방적 보복조치는 반대한다는 입장을 표명함.

4. 미.브라질 비고무화 패널 보고서(의제 4)

0 브라질이 보고서 채택을 강력히 요청한바(년100만불 상당의 이자손해), 미국은동건과 관련한 국내 제소등에 대한 해결 방안이 강구되고 있으며, 또한 상당한 진전이 있으므로 차기 이사회에서 해결 방안을 제시할수 있기를 희망하면서 보고서 채택에 반대함.

- 아르헨티나, 우루과이, 콜롬비아, 브라질등이 보고서 채택을 지지함.

5. 미.카 주류 패널 보고서(의제 6)

0 LACARTE 패널 위원장(우루과이대사)의 패널경위 및 설명에 이어 카나다는 분쟁해결 절차에관한 1989년 결정 (BISD 45/61)을 원용, 보고서가 나온지 30일이 지났으며, 패널이 설치된지 15개월이 이미 지났으므로 패널 보고서가 채택되어야 한다고 요구한바

0 미국은 동 보고서는 연방법 뿐만 아니라 주정부의 조치도 대상으로 하여 그 내용이 복잡하고 국내업계에 미치는 영향이 큼에 비추어 충분한 검토가 필요하므로(미국은 본건은 문제의 복잡성에 비하면 상업적 INTEREST 는 크지않다는 점도 언급) 보고서가 처음 상정된 금번이사회에서 채택에 동의할수 없다는 입장표명으로 차기 이사회에서 재론키로 함.

- 이에 대해 호주, 뉴질랜드, EC 등이 보고서 채택을 지지함.

6. 한편 의제 1의 인도, 파키스탄, 스리랑카등에 대한 BOP 협의 결과 및 3.19 BOP 위원회 결정사항(92년도 BOP 협의 일정등)에 관해서는 BOP 위원회 의장의 설명을 청취하였으며, 의제 2 관세 동맹 및 자유무역지대에 대해서는 92.4.14 비공식 협의에따라 EFTA와 EEC 별로 2개의 검토 작업반을 설치하여 갓트에 기 통보된 자유무역 협정을 검토하되, 추후 통보하는 협정에 대한 작업반 설치문제는 그때에 가서 결정키로 함.

7. 기타 사항

가. 유고의 갓트상 법적 지위

- 유고대표는 92.4.27 유고 국회가 세르비아와 몬테네그로의 연합체인 FEDERAL REPUBLIC OFYUGOSLAVIA 헌법을 발표하였음을 상기시키면서 동연합체가 갓트를

포함한국제법상의 권리의무에관해 과거의 SOCIALIST FEDERAL REPUBLIC OF YUGOSLAVIA을 승계 했다고 통보함.

(L/7000 참조)

- 이에 대해 미국, EC, 오지리 3국이 유고 연방의사회주의 유고 연방의 승계 주장에 대한 자국의 입장을 유보함.

- 특히 EC 는 92. 3월 이사회에서 결정된 EC.유고간의 패널 설치는 유고 연방의지위가 결정될때까지 중단되어야 한다는 입장을 제시한바, 유고는 세르비아가 유고연방의 일부이므로 지난 이사회 결정은 유효하다는 입장 개진

나. 카나다 주류 패널에 대한 후속조치

- EC 는 카나다의 주류 판매에 대한 패널 보고서(88.3 채택)의 후속조치와 관련,카나다의 조치에 대해 불만(미국과만 중점 협의를 가짐으로써 EC차별)을 제기한바, (미국등이 이해 관계국으로 참가했으나, 카나다는 92.4.27. 미국과만 주류 협정체결FT. 4.28 보도)

- 카나다는 92.3.31. 자로 갓트 사무국을 통해(DS 17/5)이하 관계국과의 협의 용의를 표명한바 있으며, 이에 대한 미국의 요청에 근거해서,미국과의 협정이 체결되었음을 설명함.

다. 차기 사무총장 및 ITC 사무총장 선임을 위한 협의 개시 발표

- ANELL 총회의장은 현 사무총장의 임기가 92년말에 끝나므로 사무총장 선임에 관한 1986 년 결정에 근거하여 92.7월초 부터 후임 선임을 위한 교섭을 개시할 예정임을 발표(임기 6개월 전인6월 이사회에서 ANELL 의장의 참석 곤란 언급)

- 또한 ITC 사무총장의 선임협의 진행상황에 대한 ANELL 의장의 설명에 이어 ITC사무총장의 중요성에 비추어 후보자 물색등을 위한 협의를 ZUTSHI 이사회 의장을 중심으로 적극 진행키로 함.

라. 한편, 페루는 자국의 양허 관세 체제를 CCC체제에서 HS 체제로 전환시킬 예정임을 통고함.

마. 항가리는 폴랜드, 체코를 대표하여 3국간에 CENTRE OF EUROPEAN COOPERATIONCOMMITTEE 를 설치하였음을 통고하면서 92.3.1 에 제 1차 모임을갖고 92년내로 3국간 자유무역 협정을 체결키로 합의하였음을 언급함.

바. ZUTSHI 의장은 독일 통일 검토작업반의 의장이던 ESCALER 필리핀 대사의 본부 귀임에따라 동 후임자로 CARLISLE 사무차장이 승계한다고 발표하면서 이는 동 작업반

의 임무가 거의 종료된 상황임을 감안한 인선임을 지적함.

첨부: L/7000, DS/17/5 FT 92.4.28 보도 각 1부. 끝

(GVW(F)-291)

(대사 박수길-국장)

주 제 네 바 대 표 부

번 호 : GVW(F) - 0291 년월일 : 20501 시간 : 1200

수 신 : 장 관 (통기, 경기원, 재무부, 농림수산부, 상공부, . .)

발 신 : 주 제네바대사

제 목 : GVW-0291 첨부

총 6 매(표지포함)

외신관	
통 제	

2P1-6-1

0095

'Textbook' pact cuts US-Canada beer trade curbs

By Bernard Simon in Toronto

THE North American beer market is expected to become more competitive and more integrated, after a landmark US-Canada agreement to dismantle several long-standing trade barriers.

The agreement, the culmination of years of wrangling, is widely seen as a textbook example of the potential benefits of liberalised trade to business and consumers. The compromise was reached last weekend after each country had threatened to impose stiff duties on beer imports from the other. Mr Peter Clark, an adviser to the Brewers' Association of Canada, said yesterday the changes would mean significant economies of scale in the Canadian industry.

By giving US brewers easier access to the Canadian market, the agreement steps up pressure on Canadian provinces to drop restrictive practices which have contributed to high costs for Canadian brewers. Lower production costs would enable the industry to bring down domestic prices, and spur it to expand export markets.

Under the agreement, Canadian provinces will drop discriminatory mark-ups on US beer by June 30. British Columbia, Ontario, New Brunswick and Newfoundland will also no longer set a minimum price for beer imports, linked to the minimum for domestic brands. Ontario is to rescind its requirement that US beer be sold only in six-packs. A key element of the pact will require beer stores in Ontario and British Columbia, and grocery stores in Quebec, to start stocking US beer by September 30, 1993. Imported beer is now sold only through provincially owned liquor outlets.

US brewers have only a 3 per cent share of Canadian consumption, but US beer is about 30 per cent cheaper in the key Ontario market than Canadian brands. By gaining access to beer stores, the US makers will be able to compete more directly against Canadian beer.

The cost discrepancy is largely due to provincial rules barring sales of any domestic beers not produced in the province. These curbs are expected to end on July 1. Meanwhile, the industry is pressing for permission to rationalise production of individual brands across the country. Brewers are also pressing barley producers for lower prices, and asking the federal government to improve their cash flows by changing the point at which excise taxes are levied.

The Canadian industry hopes the accord will speed talks to end US federal and state curbs against foreign beers. These include discriminatory excise taxes and onerous distribution requirements. A Gatt panel, responding to complaints by the EC and Canada, has called for these barriers to be scrapped.

2P1-6-2

0096

GENERAL AGREEMENT ON

TARIFFS AND TRADE

RESTRICTED

DS17/5
6 April 1992
Limited Distribution

Original: English/
French

CANADA - IMPORT, DISTRIBUTION AND SALE OF CERTAIN ALCOHOLIC DRINKS BY PROVINCIAL MARKETING AGENCIES

Follow-up on the Panel Report

Communication from Canada

The following communication, dated 31 March 1992, has been received from the Permanent Mission of Canada with the request that it be circulated to contracting parties.

Further to the decision of the GATT Council of 18 February 1992 to adopt the Panel report on "Canada - Import, Distribution and Sale of Certain Alcoholic Drinks by Provincial Marketing Agencies", the Government of Canada wishes to advise the CONTRACTING PARTIES of the measures taken, pursuant to the recommendations of the Panel, to ensure observance of the provisions of the General Agreement by the Canadian provincial governments. This document addresses all issues on which Canada was to report as recommended by the Panel, by 31 March 1992 and 31 July 1992.

Following extensive consultations between the Government of Canada and the Canadian provincial governments, the provinces have undertaken to introduce a comprehensive series of measures to bring those practices found by the Panel to be contrary to GATT into line with Canada's international trade obligations. Canada will meet its obligations through major adjustments to the current provincial systems, which constitute import monopolies within the provisions of Article XVII of the General Agreement. These adjustments are intended to ensure the provision of national treatment to imported beer products within each provincial jurisdiction. A number of these measures will require legislative action to bring the necessary changes into effect.

The development of a more open and competitive domestic market, which is being built upon the elimination of interprovincial barriers to trade in beer, will necessitate a period of transition before all elements of the report are fully implemented. Canada considers that a period of transition is both reasonable and essential. All changes will be provided on a most-favoured-nation basis and will be implemented as soon as possible but no later than 31 March 1995. Canada is committed to a GATT-consistent and open market for beer products at the end of this period.

92-0406

2P1-6-3

0097

The following are the planned changes on a province-by-province basis:

- In the province of Ontario, imported beer will be accorded national treatment. In the future there will be no prohibition on imported beer being sold in larger package sizes where that right is accorded to domestic products;

- The provinces of British Columbia, Alberta, Saskatchewan, Manitoba, Ontario, Quebec, Nova Scotia and Newfoundland will ensure that any differential mark-ups, including cost-of-service charges, will include only those differential costs which are "necessarily associated with marketing of the imported products" as outlined in the Panel's findings. This will include the removal of the differential in the general and administrative components of the cost of service;

- The provinces of British Columbia, Alberta, Manitoba, Ontario, Quebec and Nova Scotia will provide equivalent competitive opportunities with respect to access to retail points of sale for both imported and provincially produced beer;

- In the provinces of British Columbia, Alberta, Manitoba, Ontario, Quebec and Newfoundland, both imported and provincially produced beer will be provided equal opportunity with respect to delivery from in-province warehousing to retail points of sale;

- In exercising their right to regulate the consumption of alcohol through the use of minimum pricing, the provinces of British Columbia, Ontario and Newfoundland will ensure their pricing systems conform to the Panel's conclusion that minimum prices not be fixed in relation to the prices at which domestic beer is supplied.

Canada considers that in taking this action it has fully met the requirements of Article XXIV:12 of the General Agreement. Canada is willing to consult with any interested contracting party on the implementation of the Panel's recommendations.

2-1-6-4

0098

GENERAL AGREEMENT ON

TARIFFS AND TRADE

RESTRICTED

L/7000
29 April 1992

Limited Distribution

Original: English

YUGOSLAVIA

The following communication, dated 27 April 1992, has been received by the secretariat.

The Assembly of the Socialist Federal Republic of Yugoslavia at its session held on 27 April 1992 promulgated the Constitution of the Federal Republic of Yugoslavia. Under the Constitution, on the basis of a continuing personality of Yugoslavia and the legitimate decisions by Serbia and Montenegro to continue to live together in Yugoslavia, the Socialist Federal Republic of Yugoslavia is transformed into the Federal Republic of Yugoslavia consisting of the Republic of Serbia and the Republic of Montenegro.

Strictly respecting the continuity of the international personality of Yugoslavia, the Federal Republic of Yugoslavia shall continue to fulfil all the rights conferred to and obligations assumed by the Socialist Federal Republic of Yugoslavia in international relations, including its membership in all international organizations and participation in international treaties ratified or acceded to by Yugoslavia. The Federal Republic of Yugoslavia as a founding member of the United Nations acknowledges its full commitment to the world organization, the United Nations Charter and to the Conference on Security and Cooperation in Europe (CSCE), as its founding participating State and all CSCE documents, in particular the Helsinki Final Act and the Charter of Paris. The Federal Republic of Yugoslavia shall continue to pursue Yugoslavia's foreign policy of the broadest possible equitable cooperation with all international factors, including its activities in the Non-Aligned Movement as a founder member State.

The Federal Republic of Yugoslavia shall cooperate with other participants of the Conference on Yugoslavia in order, inter alia, to ensure a speedy and just distribution of the rights and responsibilities of the Socialist Federal Republic of Yugoslavia between the Federal Republic of Yugoslavia and the other republics. At the same time, it shall enable these republics, if they wish it, to continue an independent membership in international organizations and participation in international treaties.

In accordance with the above, the diplomatic missions and consular posts and other offices of Yugoslavia will continue to operate and represent the interests of the Federal Republic of Yugoslavia. The

92-0557

2 P1-6-5

0039

diplomatic missions and consular posts and other offices of foreign States and international organizations accredited to Yugoslavia will continue to be accorded the same status by the Federal Republic of Yugoslavia as well.

Until the completion of the Conference on Yugoslavia, i.e. the reaching of an agreement with the republics which have declared their independence, the diplomatic missions and consular posts of the Federal Republic of Yugoslavia will provide consular assistance and perform other functions with respect to the natural and juridical persons from these republics whenever they request it.

Under the enacted Constitution of the Federal Republic of Yugoslavia, the new federal authorities shall be: Federal Parliament, President of the Republic, Federal Government and Federal Ministries.

Multi-party elections to choose parliamentary representatives on the federal level will be held by 30 June 1992. Until election of the President of the Republic, this office will be discharged by the Presidency of the SFR of Yugoslavia, in compliance with the provisions of the Constitutional Law. Until the time the federal government has been formed following the multi-party elections for the Federal Parliament, its functions will be performed by the Federal Executive Council. The Federal Secretariat for Foreign Affairs and other federal governmental agencies will carry out the tasks entrusted to them until they are transformed into new federal ministries, after the installation of the Federal Republic of Yugoslavia's Government.

2-P1-6-6

0100

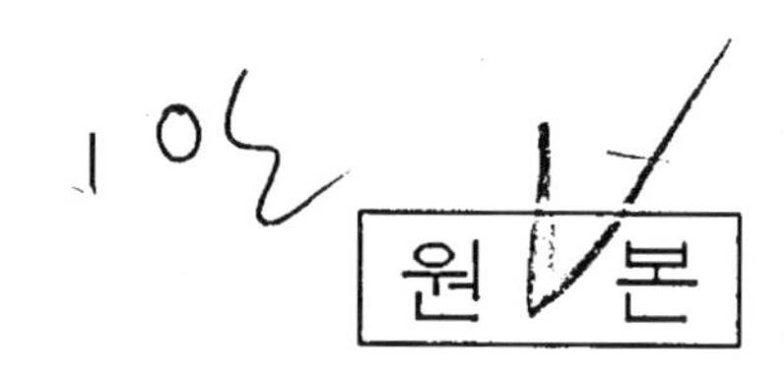

외 무 부

종 별 :

번 호 : ECW-0583 일 시 : 92 0504 1630

수 신 : 장 관(통이,통기,경기원,농림수산부)

발 신 : 주 EC 대사 사본: 주제네바대사-직송필

제 목 : EC/농업이사회 개최결과

4.28-29 개최된 표제이사회 결과를 아래 보고함

1. CAP 개혁

가. CUNHA 이사회의장은 1) CEREALS 가격을 3개년 동안에 현행대비 27프로(집행위안은 35프로) 인하하고 휴경농지에 대하여는 차별없이 전액보상하며, 2) 97년까지 쇠고기 수매량을 350천톤(현행 750천톤) 으로 감축하고, 시장개입 기준을 강화하며, 3) 그리스, 이태리, 스페인에 대한 우유생산 쿼타를 증량한다는 내용의 제 4차 CAP개혁 타협안을 제출함

나. 제 4차 CAP 개혁타협안에 대한 집행위및 회원국의 주요반응은 아래와같음

0 MAC SHARRY 위원은 CEREALS 가격을 27프로(112ECU) 감축하는 경우, 결국은 EC의 CEREALS 은 국제경쟁력을 확보할수 없으며,재고및 수출보조액의 증가로 CAP 개혁취지를 달성할수 없을 것이라고 이에 반대함

0 영국, 덴마크, 화란등 북부국가들은 CEREALS가격의 충분한 인하와 소득보조는한시적인 조치여야 한다는 입장인 반면, 이태리, 스페인,폴부갈등 남부국가들은 가격 의 소폭인하와 항구적이고 충분한 소득보조 조치를 요구함

0 아일랜드는 쇠고기 수매량 감축문제에 대해 반대함

0 그리스, 이태리, 스페인에 대한 우유생산 쿼타증량 문제에 대해 모든 여타 국가들이 반대의사를 표시 하였으며, 영국, 불란서, 독일, 덴마크는 젖소 보상금인하에대해 반대함

2. 92/93 농산물 가격안

가. 92/93 농산물가격 수준을 동결하고, 현행제규정을 계속 적용한다는 집행위안으로 인해,CEREALS 가격이 자동적으로 11프로 인하되는 데에 대해 모든 회원국들은환영치 않고 있으며, 동가격은 7.5-9.0 프로 정도가 인하되도록 하여야

통상국 2차보 통상국 경기원 농수부

 92.05.05 02:23 FN

외신 1과 통제관

0101

할것이라는의견을 제시함

나. 동건에 대한 결정은 CAP 개혁문제와 연계시켜 결정되어야 한다는데에 의견을같이함

3. 갓트/UR 농산물협상

MAC SHARRY 위원은 미.EC 정상회담 결과등 최근의 협상동향에 대해 설명하였으며 동이사회는 주요 협상국간의 대화는 계속되어야하며, 협상결과에는 CAP 의 근본이념이 반영될수 있는 균형된 결과가 도출되어야 할것이라는데 합의함. 끝

(대사 권동만-국장)

PAGE 2

0102

04

관리 번호	92-318

원 본

외 무 부

copy

종 별 :

번 호 : ECW-0704 일 시 : 92 0506 1700

수 신 : 장관(통기,경기원,재무부,농림수산부,상공부,기정동문)

발 신 : 주 EC 대사 사본: 주 미,제네바대사-중계요망

제 목 : 갓트/UR 협상

5.25. 당관 이관용농무관은 EC 집행위 대외총국 GUTH 농산물담당과장을 오찬에 초청, 표제협상 동향등에 관하여 협의한바 동인의 주요 발언요지 하기 보고함

1. CAP 개혁과 UR 협상

가. CAP 개혁문제가 예상보다 빨리 합의된것은 UR 협상의 연내타결이 어렵다는 점을 인식한 결과이며 종전까지 선 UR 협상타결후 CAP 개혁을 주장하던 일부 회원국들이 태도를 바꾸었을뿐 아니라 92/93 농산물 가격안과 같은 EC 의 현안 농업문제및 93 년에 발족예정인 EC 단일시장에 맞추어 CAP 개혁작업도 시작하려면 동 개혁추진을 위한 준비과정이 필요하였기 때문임

나. CAP 개혁내용이 확정되었다고 해서 당장 UR 협상이 타결될수 있을것으로는 보지않으며 비록 UR 협상 분위기는 좋아졌다고 말할수 있으나 CAP 개혁으로 말미암아 UR 협상 특히 대미협상에서 EC 가 유리한 입장에 있다고 단정할수는 없음 (다만 회원국 농무장관들이 이구동성으로 미측의 결단을 촉구하는 것은 협상 전략적인 측면도 내포되어 있음)

다. CAP 개혁내용과 UR 협상 특히 DUNKEL 최종타협안을 대비하여 분석한 공식 자료는 없으나 EC 가 지지가격을 인하하는 대신에 지급하는 소득보조의 GREEN BOX 적용문제 (미측과도 구체적인 내용의 합의는 없음), 29% 곡물가격 인하로 말미암아 99 년까지 보조수출물량 (특히 소맥) 을 24% 감축하는 결과가 초래될 것인지에 대한 EC 입장이 정해진바 없으며, 또한 REBALANCING 을 계속 요구할 것인지에 대한 구체적인 분석도 필요할 것임

2. 미.EC 양자협상과 UR 협상전망

가. 지난번 MAC SHARRY 위원이 품목군별로 수출물량을 감축하는 방법이 수락될 경우 24% 수출물량 감축에 동의할수 있다고 제안한 것은 UR 협상의 전략 또는

통상국	장관	차관	2차보	구주국	외정실	분석관	청와대	안기부
경기원	재무부	농수부	상공부	중계				

PAGE 1 검 토 필(1992.6.30.) 92.05.27 05:08

외신 2과 통제관 FM

0103

단절없는 추진을 의도한 것이며 금주중 워싱턴에서 개최되는 협상에서 미측이 받아드릴 것이라고 기대하기는 어려울뿐 아니라 EC 로서도 큰 기대를 갖고 있지 않음

나. 연말까지 UR 협상 타결을위한 정치적 합의점을 모색할수 있는 기회는 7 월 뮨헨 G-7 정상회담등 몇차례 있을수 있으나 금년내에 UR 협상이 종결되기는 어려울 것으로 봄. 끝

(대사 권동만-국장)

예고: 92.12.31 까지

PAGE 2

0104

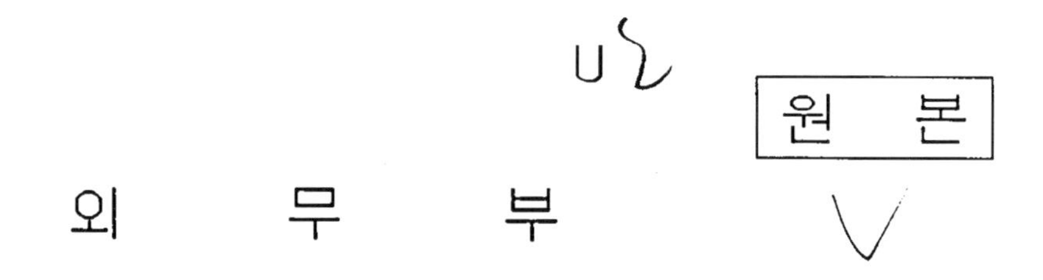

외 무 부

종 별 :

번 호 : GVW-0961　　　　　　　　　　일 시 : 92 0508 1820

수 신 : 장관(통기,경기원,재무부,농수산부,상공부,특허청)

발 신 : 주 제네바 대사　　　　　　　　사본:주미,주EC대사(직송필)

제 목 : UR/개도국 비공식 그룹회의

연: GVW-0946

1. 표제회의가 5.7.15:00-17:00 간 BENHIMA 의장주재로 개최되었으며, TRAN EC 대사가 미.EC간 협상현황을 설명하고 참가 개도국들이 이에대한 의견을 개진하였는바,주요 내용은 아래와같음.(본직, 최용규농무관, 김봉주서기관 참석)

가. TRAN 대사 설명 내용

0 지난 4.22. 미.EC 정상회담시 EC는 보다 많은 신축성을 보였으나 (ADDITIONAL MARGIN OF FLEXIBILITY)미국이 이에 상응하는 반응을 보이지 않았음.그러나 협상은 계속될 것이며, 현재 미.EC 양측 모두 정치적 타결에 도달하려는 진정한 의지(REAL WILL) 가 있으나 EC 의 양보도 정치적 이유때문에 한계가 있음.

0 만일 어떠한 시한을 지날때까지 정치적 타결에 이르지 못하면 UR은 실패할 것임. 미국협상자들은 언급하지 않고 있으나 미국의 신속 승인 절차(FAST TRACK) 더 연장되지 않을것으로 보기때문에 협상 일정상 금년 10월까지는 협상이 완료되어야 할 것이며 따라서 긴박감(SENSE OF URGENCY)을 갖고 협상에 임해야할 것임.

0 던켈 TEXT 는 91.12.제출이후 정치적 중요성(POLITICAL WEIGHT)을 더해왔기 때문에 이제와서는 농산물을 제외한 여타 부분은 수정이 어려울 것(DIFFICULT TO CHALLENGE) 이며,농산물분야에서의 문제는 기술적 사항에 대한 합의는 거의 이루어진 상황(WITHIN OUR GRASP)이나,아직 정치적 결단이 필요한 부분이 있음.

0 농산물 분야에 정치적 돌파구가 합의되더라도 곧바로 협상을 종결 지을수 없으므로 EC 미국간에 조만간 정치적 돌파구가 마련된다는 가정하에 제네바에서는 T1,T2협상을 속개해 나가야 할것임.

0 미.EC 간 상호 신뢰가 부족하여 상호 입장이 평행선을 이루는 상황이 장기간 계속되고 있는것은 해소되어야하며, 균형된 협상결과를 이루기위해서는

통상국　2차보　경기원　재무부　농수부　상공부　특허청

PAGE 1　　　　　　　　　　　　92.05.09 07:59 DQ
외신 1과 통제관

0105

서비스분야에서 미국의 양보가 필요함.특히 미.EC 양자협상 결과를 어떻게 다자화(MULTILATERALIZE) 하느냐 문제도 중요함.

나. 각국 언급 사항

0 알젠틴은 미.EC 양측의 정치적 책임 특히 EC 의 책임을 강조

0 모로코는 4.22. 회담관련 보도된 6월말 시한의 가능성 및 POSITIVE EXTERNAL INFLUNCE 의 일환으로 개도국이 기여할 수 있는 사항이 있는지를 문의

0 터어키는 서비스등 기타 분야협상도 아울러 진행되고 있는지의 여부포함. 미.EC 협상 내용을 보다 상세히 알려주기를 요청하고, UR 협상의 마지막단계에서 농산물을 전체 협상안에서 제외시킬 것이라는 소문에 대한 진상 설명 요청

0 칠레는 농산물협상의 일시 동결 가능성 여부를 문의

0 이집트등은 정치적 타결없이 어떻게 기술적작업을 추진할 수 있겠는가는 의문표시

0 인도는 DUNKEL TEXT 가 농산물 분야만 제외하고 변경 불가하다는 TRAN 대사의언급에 자기 중심적(SELF-CONTRED) 견해가 아니냐고 반문

0 본직은 (1) EC CAP 개혁이 현 던켈 TEXT하에서도 얼마든지 가능하다는 JOSLING및 TANGERMANN 교수의 분석에 관한 언론보도(92.4.14자 FINANCIAL TIMES)에 대한 TRAN대사의 견해를 요청하고 (2) EC 의 바나나 수입문제에 대한 4.20 집행이사회 차원의결정(QUOTA 설정, WAIVER 회득등)에 대한 추가 진전상황과 WAIVER 획득계획이 포괄적관세화에 미치는 IMPLICATION 등을 문의

다. TRAN 대사 답변

0 EC 에 대한 농산물 분야에서의 미국의 요구는 지나치게 높은것으로 EC는 지금까지 소극적,방어적 태도를 취해 왔으나 이제는 미국도 EC의 진정한 어려움 및 EC가 던켈 TEXT를 그대로 받아들일수 없다는 점을 인식하게되었음.

0 농산물 없이는 UR 이 성공할수 없다는 것은 자명하기 때문에(최종단계 제외는있을수없으며, 농산물 분야 협상도 동결도 있을수 없음)

0 던켈 TEXT 로서는 EC의 CAP 개혁을 추진할 수 없으며, 바나나 문제와 쌀문제는성격이 다름

0 EC 는 던켈 TEXT 의 농산물을 제외한 여타분야에 대해서도 반듯이 만족하지는않으나 농산물 만큼 EC 의 이익에 필수적(VITAL) 이 아니며, 이분야들을 재거론할 경우, 전체 협상안이 UNRAVELLING 할 위험이 있기때문에 수용예정임.(WE CAN

LIVE WITH THEM)

0 미.EC 간 협상에서 써비스등 농산물외 분야는 논의되지 않고 있음

2. BENHIMA 의장은 내주에는 YERXA 미국대사를초청, 미.EC 협상 현황을 청취키로하였는바,결과 보고 하겠음.끝

(대사 박수길-국장)

	분류번호	보존기간

발 신 전 보

번 호 : WEC-0360 920514 1415 DW 종별 :

WUS -2280 WGV -0749

수 신 : 주 수신처 참조 대사. 총영사

발 신 : 장 관 (통 기)

제 목 : UR/농산물 협상

1. 최근 국내외 언론은 5.12 McSharry EC 농업담당집행위원의 언급내용을 인용, 수출물량의 총량 기준 감축이 허용되는 경우 EC측이 던켈 총장의 최종 협정 초안에 제시된 수출물량 기준 24% 감축안을 수락할 수 있음을 시사하였고 이에따라 미.EC간 이견해소 및 UR 협상 타결 전망이 증대되었다고 보도함.

2. 이와관련, 상기 EC측 언급사항의 구체내용을 포함한 최근 미.EC간 협의 동향, 주재국의 반응등을 파악 보고바람. 끝.

(통상국장 김 용 규)

수신처 : 주 EC, 미, 제네바 대사

		보 안 통 제	

앙 고 재	92년 5월 13일	통 기 과	기안자 성 명		과 장		국 장		차 관	장 관
							전결			

외신과통제

0108

관리 번호	92-342

원 본

외 무 부

종 별 :

번 호 : GVW-0994 일 시 : 92 0514 1800

수 신 : 장관(통기,경기원,재무부,농림수산부,상공부)

발 신 : 주 제네바대사

제 목 : UR/농산물 협상

대: WGV-0749

대호 관련 당관 최농무관이 당지소재 카나다, 일본등 대표부 관계관을 접촉, 파악한 내용 하기 보고함.

1. MAC SHARRY 씨 농업 집행위원의 수출보조 삭감관련 언급관련

가. 언급요지

- 수출보조는 재정지출액 및 물량 기준 공히 삭감해야 한다는 점에 공감대가 형성되었음

- 던켈이 제시한 24% 삭감은 EC 로서는 수용이 곤란하지만 품목 분류방법(품목군화)에 융통성을 인정할 경우 문제가 해결될 수 있을 것임.

나. 동 언급 내용은 관련 품목을 품목군으로 묶어서(예컨대 소맥, 대맥, 옥수수를 곡물류로 통합) 전체적으로 24% 목표를 달성하도록 하되 개별품목은 목표수준보다 삭감폭을 낮게(예컨대 20%) 할수 있도록 융통성을 인정해 주자는 내용임.

다. 동 언급내용에 대하여 EC 가 처음으로 24% 목표달성을 언급하였다는 점과 미.이씨간 이견을 좁히기 위해 계속 노력하고 있다는 점에서 긍정적으로 평가할수 있으나, 구체적 내용에 있어서는 종전입장과 크게 다를바 없으며 미국의 수용 가능성에 되는문을 제기하느 부정적 견해가 있음

- 예컨데 곡물류 삭감목표(24%)를 맞추되 미국 관심품목인 소맥은 EC 의 종전입장을 유지(20%) 하면서 미국의 관심이 많지않은 품목의 삭감폭을 상향(예 대맥을 28%) 조정한다는 미국이 수용하기 어려울 것임.

라. 당지 미국대표부 농무관을 접촉한바, MSC SHARRY 위원의 언급 사실 자체도 전혀 알지 못하고 있었음.

2. 주요국 동하

통상국 차관 2차보 외정실 분석관 청와대 안기부 경기원 재무부
농수부 상공부

92.05.15 06:08
외신 2과 통제관 FM

가. 미.EC 간 협의동향

- 5.18-19 기간중 파리에서 OECD 각료회의시 UR 협상이 의제의 하나로서 논의될 예정이며 동 기회에 미.EC 간 접촉이 예상됨.(DUNKEL 총장참석 연설 예정)

- 5.21-22 기간중 안드리센 EC 대외집행위원이 워싱턴을 방문할 예정이며 OILSEED 문제 및 UR 협상에 대한 협의가 예상됨. 동 협의에 막세리 농업담당 집행위원이 동행할 가능성이 있음.

나. 기타 동향

- 일본의 시와쿠 농림성 심의관은 미.이씨간 양자협의를 다자간 협의로 확대시키고, T-4 를 조기 가동시킬 목적으로 호주와 뉴질랜드를 방문중에 있으며, 아즈마 국제부장은 동일한 목적으로 OECD 각료회의 참석후 EFTA 국가들을 방문할계획임.끝

(대사 박수길-국장)

예고:92.12.31. 까지

PAGE 2

0110

안

관리번호	92-346

원 본

외 무 부

종 별 :

번 호 : USW-2539 일 시 : 92 0518 1850

수 신 : 장관(통기,통이) 사본:농수산부,경기원

발 신 : 주 미 대사 주제네바대사, 주EC대사-본부중계필

제 목 : UR/농산물 협상

대: WUS-2280

당관 이영래 농무관과 김중근 서기관은 5.18 농무부 해외농업처 SCHROETER 처장보와 면담, 표제건 협의한 바, 동인 발언요지 하기 보고함.

1. 이농무관은 4.22 부쉬-DELORS 정사회담과 4 월말 동경개최 4 개국 (미.카. 일. EC) 통상장관 회담이후, UR 타결에 대한 낙관적 견해를 표명하는 일부 언론반응이 있었음을 상기시키면서 이에 대한 평가를 문의한 바, 동 처장보는 상기 정상 회담과 통상장관 회담결과 UR 타결을 낙관적으로 평가할 아무런 진전도 없었다고 하고, 미국과 EC 는 수출 보조와 국내보조문제에서 여전히 큰 의견차이를 보이고 있다고 언급함.

2. 아측이 MCSHARRY EC 농업담당집행위원의 대호 5.12 언급내용을 건론하며이에 대한 미측입장을 타진한 바, 동 처장보는

가. 수출물량 총량기준 24% 감축안은 미의회는 물론 행정부도 받아들일수 없는 제안이라고 강조하고, 의회를 설득시키기 위해서는 품목별 COMMITMENT 가 필수적인 바, 특히 곡물(그중에서도 밀) 수출물량에 대한 EC 의 구체적 감축계획제시가 농산물분야 타결의 관건이라고 언급함.나. 국내보조와 관련하여서는, 감축물량과 유예기간등을 구체화하는 문제가 남았는데 이에 대해서는 양측이 어느정도 신축성을 보일수 있을 것으로 보이므로 수출 물량 감축문제만 타결된다면 국내보조문제도 큰 장애가 되지 않으리라고 본다고 언급함.

다. PEQCE CLAUSE 문제는 미 의회를 도저히 설득시킬수 없는 사안이므로 미측으로서는 결코 받아들일수 없는 문제라고 잘라 말함.

3. ANDRIESSEN 부위원장의 방미 계획을 문의한데 대해, 동 처장보는 동인이금주말 또는 내주초 방미하여 BAKER 국무장관, MADIGAN 농무장관, HILLS 대표를 면담, UR 및

통상국	차관	2차보	통상국	분석관	청와대	안기부	경기원	농수부
중계								

PAGE 1

검 토 필(1992.6.30.)

92.05.19 08:58

외신 2과 통제관 BZ

0111

OILSEED 문제를 협의 예정이나 어떠한 제안을 가지고 올지는 아직 확인되지 않았다고 언급함. 또한 금번 ANDRIESSEN 방미시에는 국무부에서 BAKER 국무장관이 전면에나서게 되었다 하며(종래에는 국무부에서는 ZOELLICK 차관이 UR 문제를 전담하였음.), 일단 이것을 긍정적 신호로 볼수도 있겠다고 평가함.

4. UR 전망 문의에 대해서는 독일 KOHL 수상이 7 월 G-7 정상회담에서 UR 문제 보다는 CIS 문제, 동구문제를 부각시키려 하고 있으나, 현재의 UR 교착상태를 감안할 때 정치적 타결에 기대를 걸수 밖에 없으므로 G-7 정상회담에서 UR 문제가 주의제로 다루어 질 수밖에 없을 것으로 보고 있다고 언급함. 또한 FAST TRACK 만료일인 93.6 월말을 기준으로 UR 협상타결 시점을 역산해 본다면, 미행정부의 대의회 통고 및 협의기간(90 일)과 의회의 관련 입법절차 추진기간(60 회기일)을 고려할 때 금년말까지 농업분야를 포하모한 전분야에서 관련국간에 합의가이루어져야 할 것이라고 언급함.

5. ANDRIESSEN 부위원장 방미 결과는 추보 예정임.

(대사 현홍주-국장)

92.12.31 까지

안

관리 번호	92-341

원 본

외 무 부

종 별 :

번 호 : GVW-1029 일 시 : 92 0519 1200

수 신 : 장관(통기,경기원,재무부,농림수산부,상공부,특허청)사본:주미,EC대사

발 신 : 주 제네바 대사 -중계필

제 목 : UR 협상 동향(미.EC 접촉)

1992.12.31. 에 예고문에 의거 일반문서로 재분류됨

1. EC 농업장관 회의가 금일부터 브랏셀에서 개최중인바, EC 공동농업정책 개혁안 및 93 년도 농산물 지지가격 결정이 주의제로 다루어지고 UR 관련 비공식의견 조정도 있을 가능성이 있다함. 동 회의는 당초 2 일간(5.18-19) 예정으로되어 있으나 경우에 따라서 다소 연장될 수도 있는 것으로 알려지고 있으며, 연장될 경우에는 내주 WASHINGTON 개최 예정인 ANDRIESSEN 대외 관계집행위원 및BAKER 국무장관 회담에 대비하여 EC 입장 정립문제가 본격적으로 다루어질 가능성이 있는것으로 보아야 한다는 것이 당지의 일반적 관측임.

2. ANDRIESSEN/BAKER 회담은 당초 5.21(목) 개최 예정이었으나, 상기 EC 농업장관 회의의 회의기간 연장 필요성과 연관지어 5.27(수)로 연기된 것으로 파악되고 있으며, 동 회담에는 MCSHARRY 집행위원 및 MADIGAN 농무장관은 참석치 않는 것으로 알려져 있음.

3. 상기 동향과 관련, 금 5.18(월) 당관에서 접촉한 미.USTR 대표부 STOLER공사(YERXA 대사 부재) 및 EC 대표부 BECK 차석대표는 공히 ANDRIESSEN/BAKER 회담에 기대 가능성이 거의 없다는 반응을 보이고 있으며 특히 STOLER 공사는 EC가 DRAFT FINAL ACT 에 입각한 협상을 하겠다는 준비가 되어 있지 않다고 보기때문에 기대할수 없다고 언급함.

4. 반면, 최근 이와관련 SHANNON 카나다 대사는 미.EC 간 의견접근을 통한 타결 가능성이 의외로 빨리올수 있다는 전제하에 본직등과 협의 내주중 예외없는관세화에 반대하는 국가 대사들간의 비공식협의를 갖고 향후 대책을 협의키로 함. 끝

(대사 박수길-국장)

예고:92.12.31. 까지

검 토 필(1992.6.30.)

통상국	장관	차관	2차보	분석관	청와대	안기부	경기원	재무부
농수부	상공부	특허청	중계					

PAGE 1

92.05.19 20:06

외신 2과 통제관 CE

0113

외 무 부

종 별 :

번 호 : ECW-0675 일 시 : 92 0521 1700

수 신 : 장관 (통삼,통기,경기원,농림수산부) 사본:주제네바-직송필

발 신 : 주EC 대사

제 목 : EC/농업이사회

1. 당초 5.18-19 예정으로 당지에서 소집된 표제 이사회는 CAP 개혁문제에 대해 집중협의하고 있으며 특히 회원국과 집행위및 이사회 의장간의 비공식 양자협상, 집행위와 이사회 의장간의 의견절충등 과정으로 인하여 현재까지 계속 개최되고 있음

2. 집행위 관계관들은 CAP 개혁문제는 금번 또는 차기 이사회에서 종결될 것으로전망하고있는 가운데 5.21. CUNHA 이사회 의장은 회원국및 집행위와의 협의결과를 토대로 하여 제 5차 타협안을 이사회에 제시하였음. 동타협안의 주요골자는 CEREALS 의 목표가격을 향후 3년간 29프로 인하 (110 ECU, 당초 집행위안은 35프로, 의장안은 27프로) 하고, 휴경면적에 관계없이 소득손실을 보상하며 우유생산 쿼타는 일부 조정하되, 버터가격은 7.5프로 인하(집행위안은 15프로) 하며 탈지분유 가격(집행위안은12프로) 은 현행 수준을 유지하는 내용인 것으로 알려지고 있음

3. 그러나 동 CAP 개혁문제와 관련하여 독일이 CEREALS 가격의 대폭인하에 반대 (20프로 인하희망) 하고 있고 지난 이사회에 이태리,스페인,그리스가 자국의 우유생산 쿼타의 증량을 계속 요구하고 있는 것으로 알려지고 있음. 농업이사회가 종료된후동건 상세 추보하겠음. 끝

(대사 권동만-국장)

통상국 통상국 경기원 농수부

PAGE 1 92.05.22 07:54 DW

외신 1과 통제관

0114

관리 번호 92-354

원 본

외 무 부

종 별 :

번 호 : USW-2625 일 시 : 92 0521 2052

수 신 : 장 관 (통기,통이,상공부)

발 신 : 주 미 대사

제 목 : USTR/MTN 담당 부차관보 접촉

연: USW-2539

연: WUS-2280

당관 장기호 참사관은 5.21. USTR 의 D. DWOSKIN MTN 담당 부대표보와 오찬을같이하며 UR 협상관련 사항에 관해 의견을 교환한바 동인 언급 요지 하기와 같음.

1. UR 협상 전망과 관련하여 DWOSKIN 부대표보는 내주 ANDRIESSEN EC 부위원장 방미시 미.EC 간 농산물 협상에 진전이 있을지 여부는 현재로서는 알수 없으나, 미.EC 양측 모두 UR 협상이 실패할 경우의 정치적 타격을 잘 인식하고 있으므로 자신의 희망적인 사견이지만 앞으로 어떤 형태로든 타결이 가능할 것으로본다고 낙관적 의견을 피력함. 또한 농산물 협상 타결의 실마리만 마련되면 수주일내에 작업을 추진, 7 월 G-7 정상회담에서는 협상의 돌파구를 마련한다는 일정을 상정할수 있으며 기술적, 절차적인 협의를 거쳐 11 월 (미대통령 선거시기 전후)까지는 관련국간에 합의를 이룰수 있길 기대한다고 함.

2. 동인은 한국, 일본등 협상 참가국들이 미.EC 의 협상 결과만을 주목하며움직이지 않고 있다고 불만을 표명하고, 협상에 활력을 주고, 기여하는 보다 적극적인 자세가 필요하다고 강조함. 또한 한국의 경우 금융개방 문제와 관련 보다 구체적인 개방 일정이 제시되어야 할 것이라고 강조하고, 수주일후부터 제네바에서 개최되는 양자협의 (예: 6.15-23 간의 서비스 협상)에 한국대표들도 적극참여하여 성과가 있기를 바란다고 언급함.

3. 대호 관련 동인은 미.EC 간 협상에는 현재까지 별다른 진전이 없으며, 내주에 있게될 ANDRIESSEN 부위원장 방미후 동 결과에 대해서 추후 브리핑해 주겠다고 한바, 추보 위계임.

검 토 필 (1992.6.30.)

통상국	장관	차관	2차보	미주국	통상국	분석관	청와대	안기부
상공부								

PAGE 1 92.05.22 11:06

외신 2과 통제관 BX

0115

4. 또한 동 부대표보는 상공장관 방미에 관심을 표명하면서, 본인으로서도 상공장관의 HILLS 대표 면담시, HILLS 대표가 한미 양자간 문제이외에 다자문제인 동시에 양자간의 현안이라 할수 있는 이슈(예: UR, 금융, 시장개방, 조선, 철강)에 대해서도 거론하도록 건의할 예정이라고한 바 참고바람. 끝.

(대사 현홍주-국장)

예고: 92.12.31. 까지

PAGE 2

0116

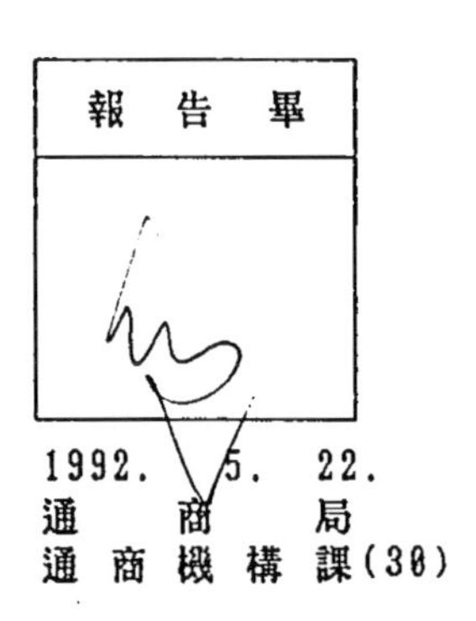

長 官 報 告 事 項

報告畢

1992. 5. 22.
通 商 局
通 商 機 構 課(30)

題 目 : EC의 共同農業政策(CAP) 改革案 合意(5.21) 內容 및 UR 協商과의 關係

1. 개혁 논의 배경

o 회원국의 과다한 재정부담 축소 및 국제농산물 시장의 왜곡 요인 제거

- CAP의 EC 총 예산중 과다한 점유비(91년의 경우 약430억불로서 총예산의 63%)
- 농산물 과잉생산으로 인한 재고 축적(매년 역내 소비 대비 20% 과잉생산)

2. CAP 개혁의 주요내용

o 가격 지지 정책을 농민에 대한 직접보조로 전환

o 곡물의 지지가격을 3개 곡물 년도(93/94부터 95/96)동안 29% 감축

- 소유농지의 15% 휴경 조건으로 보상금 지급 (소농은 휴경의무 면제)

o 우유의 회원국별 생산쿼타 3년간 3% 감축(버터가격은 2년간 5% 감축)

o 쇠고기의 보증가격을 3년간 15% 감축

o 기타 양,담배등에 대한 장려금 지급 기준, 생산쿼타 등에 대해 합의

3. UR 협상과의 관계

o 금번 CAP 개혁 합의내용이 UR 농산물 협상 타결에 돌파구를 마련하게 될 것으로 보기는 어려움

- 미국-EC간 미결쟁점인 ①수출보조 물량의 총량기준 감축 인정 문제, ②미국의 사료 대체곡물 대EC 수출 동결 문제 (rebalancing 문제), ③보조금 감축 의무 이행기간 동안 법적 대응조치 금지 문제(peace clause 문제)등은 상존

o 다만, CAP 개혁으로 UR 협상 타결 분위기는 개선되었으며, 5.27(수) 와싱턴 개최 미.EC 각료회의가 주목됨.

4. 대국회 및 언론 조치사항 : 불요. 끝.

0117

報 告 畢

長官報告事項

1992. 5. 22.
通 商 局
通商機構課(30)

題 目 : EC의 共同農業政策(CAP) 改革案 合意(5.21) 內容 및 UR 協商과의 關係

1. 개혁 논의 배경

o 회원국의 과다한 재정부담 축소 및 국제농산물 시장의 왜곡 요인 제거

- CAP의 EC 총 예산중 과다한 점유비(91년의 경우 약430억불로서 총예산의 63%)

- 농산물 과잉생산으로 인한 재고 축적(매년 역내 소비 대비 20% 과잉생산)

2. CAP 개혁의 주요내용

o 가격 지지 정책을 농민에 대한 직접보조로 전환

o 곡물의 지지가격을 3개 곡물 년도(93/94부터 95/96)동안 29% 감축

- 소유농지의 15% 휴경 조건으로 보상금 지급 (소농은 휴경의무 면제)

o 우유의 회원국별 생산쿼타 3년간 3% 감축(버터가격은 2년간 5% 감축)

o 쇠고기의 보증가격을 3년간 15% 감축

o 기타 양,담배등에 대한 장려금 지급 기준, 생산쿼타 등에 대해 합의

3. UR 협상과의 관계

o 금번 CAP 개혁 합의내용이 UR 농산물 협상 타결에 ~~직접적인~~ 돌파구를 마련하게 될 것으로 ~~평가하기에는 시기상조~~ 보기는 어려운

- 미국-EC간 미결쟁점인 ①수출보조 물량의 총량기준 감축 인정 문제, ②미국의 사료 대체곡물 대EC 수출 동결 문제 (rebalancing 문제), ③보조금 감축 의무 이행기간 동안 법적 대응조치 금지 문제(peace clause 문제)등은 상존

o 다만, CAP 개혁 ~~내용의 구체화 및 EC측의 국내 및 수출보조 관련 입장의 가시화로 인하여~~ 으로, UR 협상 타결~~의~~ 분위기는 ~~과거보다~~ 개선되었으며, 5.27(수) 와싱턴 개최 미.EC 각료회의~~결과~~가 주목됨.

4. 대국회 및 언론 조치사항 : 불요. 끝.

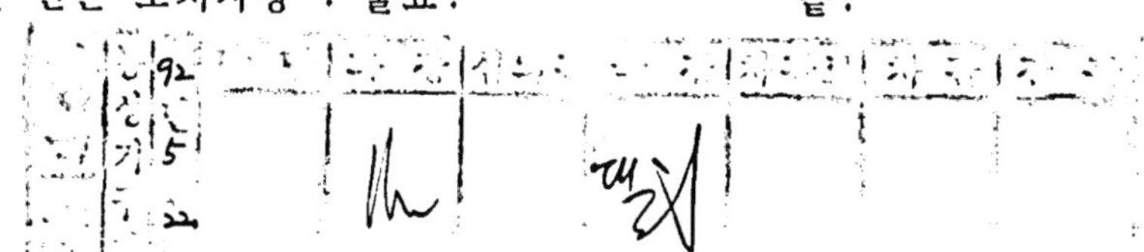

0118

0/

관리 번호	92-355

외 무 부

종 별 : 지 급

번 호 : ECW-0691 일 시 : 92 0522 1900

수 신 : 장관(통삼,통기,정보,경기원,재무부,농림수산부,상공부,)기정동문

발 신 : 주 EC 대사 사본:EC회원국 대사,주미,일,제네바 대사-필

제 목 : EC/CAP 개혁(자료응신 92-42)

연: ECW-0675

5.18 부터 당지에서 개최된 EC 농업이사회는 90 년말부터 추진해온 CAP(공동농업정책) 개혁안에 대해 합의하고, 작 5.21 폐회하였는바 CAP 개혁추진 경위및 최종합의된 주요내용 아래보고함 (상세자료는 추후 파편 보고예정)

1. CAP 개혁추진배경및 경위

가. 60 년대초부터 시행되어온 CAP 로 말미암아 EC 는 50 년대의 식량부족 상태에서 벗어나 70 년대말 이후에는 세계 농산물 순수출국으로 등장함. 이에따라 세계농산물시장은 수출보조금, 덤핑현상이 심화되고 EC 내부로서는 만성적인 생산및 재고과잉과 이로인한 농업보조금 지출과 소비자부담을 가중시켜 왔음

나. 한편, 87 년부터 본격 추진되어온 갓트/UR 협상에서도 농업보조금 감축문제가 협상타결의 관건으로 대두되는등 EC 의 막대한 농업보조금, 수입부과금및농산물 수출정책은 미국등 농산물 수출국들과의 분쟁소지가 되어왔음

다. 상기와같은 대내외적인 문제해결 방안으로서 DELORS 위원장은 90.10 CAP 개혁방침을 천명하고, 91.7. 집행위가 개혁안을 농업이사회에 제출한바 있음. 그러나 회원국들이 동 개혁안 추진을 UR 협상추이와 연계함으로서 동 개혁추진은 지지부진한 상태였으나 UR 협상이 지연됨에 따라 EC 로서는 과잉생산 재정지출 문제를해결하기 위해 92 년초부터 동건에대해 회원국간에 본격적인 협상이 전개되었음

2. 주요 최종 합의내용

가. CEREALS, OILSEEDS 및 PROTEIN CROPS

0 CEREALS 의 목표가격(TARGET PRICE) 을 93/94, 94/95 및 95/96 각가 130,120 및 110ECU/T 으로 연차적으로 인하함

- 현행 155ECU/T 대비 95/96 년도에는 29% 인하하는 결과가 됨

통상국	장관	차관	2차보	통상국	외정실	분석관	청와대	안기부
경기원	재무부	농수부	상공부	중계				

검 토 필 (1992.6.30.)

92.05.24 22:12

외신 2과 통제관 FM

0119

- 상기년도의 개입가격 (INTERVENTION PRICE) 은 각각 117, 108, 100 ECU 로 함

0 가격인하에따른 농가소득손실 보상액은 각각 25, 35, 45ECU/T 으로 하며, 자가경작 농지의 15% 휴경시 휴경에따른 보상금을 지급함

0 수입부과금(IMPORT LEVIES) 산정기준이 되는 한계가격 (THRESHOLD PRICE)과 목표가격의 차액은 45ECU/T 이 되도록 함

0 PROTEIN CROPS 및 OILSEEDS 에 대하여는 INTERVENTION 제도는 폐지하고 HA 당 정액소득 보조를 지급함(65 ECU)

나. 쇠고기및 양고기

0 쇠고기의 개입가격은 향후 3 년간 15% 인하함

- 개입(수매) 물량: 93 년 750 톤에서 97 년 350 천톤까지 축소함

- 다만, 시장가격이 개입가격 수준의 60% 이하가 될 경우 가격안정을 위한 특별수매 장치를 마련함

0 HA 당 입식두수를 96 년 2 두로 제한하기 위한 정액소득 보조와 더불어 숫소, 암소및 송아지에 대해 두당 일정액의 PREMIUM 을 지급함

0 양고기분야는 HA 당 입식두수 제한을위한 PREMIUM 지급함

다. 우유및 낙농제품

0 우유생산쿼타 감축(당초 집행위안은 3 년간 4% 감축) 문제는 92/93 년도의 수급여건을 감안하여 결정하고, 스페인및 그리스에 대하여는 쿼타증량을 검토함

0 버터가격은 93/94, 94/95 각각 2.5% 씩 인하하고 탈지분유 가격은 현행수준을 유지함

라. TOBACCO

0 가격보장 한도량을 94 년도부터 350 천톤으로 제한함

3. 회원국등의 반응

가. MAJOR 영국수상, MAC SHARRY 집행위원, CUNHA 이사회의장및 MERMAZ 불란서 농무장관등은 UR 협상의 주요계기로 평가하면서 미국도 이에 상응하는 조치를 취할것을 요구함. 그러나 이태리는 자국이 요청한 우유생산 쿼타가 거부된데 대해 반발하고 있으며 6 월개최되는 EC 정상회담에서 동건을 제기하겠다는 반응임

나. 반면 불란서, 독일, 폴투갈등의 농민단체들은 CAP 개혁내용에 반발하고 있으며 특히 불란서 농민연맹 (FNSFA) 는 5.21. 저녁부터 집단시위를 하고 있으나 영국의 농민연맹만은 동 개혁내용을 수락할 의사를 보이고 있음

다. 한편, 미국, 호주, 카나다, 뉴질랜드등 주요 농산물 수출국과 갓트측은 EC/CAP 개혁합의에 대해 환영하면서 UR 협상 추진에 기여할수 있을것이라고 평가하고 있음. 다만 미국의 구체적인 논평은 보류되고 있음

4. 관찰및 평가

가. 금번 이사회에서 예상보다 빨리 CAP 개혁에대한 합의가 이루어진 배경은 비록 MAC SHARRY 위원등이 갓트/UR 협상과 결부시켜 평가하고는 있으나 EC 농업내부문제인 농산물 과잉생산, 재고누증및 재정압박등 문제의 근본적인 해결책의 모색이 시급할뿐 아니라 92/93 EC 농산물 가격결정 시한의 결과및 93 EC 경제통합과 관련된 DELORS PACKAGE II 의 조기합의를 유도하기 위한 내부적 필요성에 기인한 것으로 보임

나. 한편 CAP 개혁의 합의에따라 DELORS PACKAGE II 의 타결가능성이 높아져 스페인, 폴투갈등 역내 후진국들이 동 PACKAGE 의 타결을 구주동맹조약안의 비준및 EC 확대추진과 연계시키고 있음을 감안할때, 동 CAP 개혁합의는 향후 EC 통합의 순조로운 추진에도 기여할 것으로 평가됨

다. 또한 금번개혁이 가격지지및 수입부과금 등을 골자로 하는 EC/CAP 애 기본방향을 전환하는 계기가 될것으로 예상되긴 하나 EC 의 그간 농업생산성향상등으로 인하여 지지가격인하및 휴경계획등이 단기간내 실질적인 생산감축 효과를 가져올 것인지는 의문시 되고 있으며, 소득보조액의 증가로인해 EC 의 농업지출액은 오히려 당분간 증가될 것으로 전망됨

라. 대외적인 측면에서 볼때, EC/CAP 개혁합의는 교착상태에 빠진 갓트/UR 협상 타결의 돌파구 마련을위한 중요한 변수로 작용할것이나 한편 향후 동 협상에서 EC 가 취할수 있는 입장에는 융통성이 없게 되어 오히려 제약요인이 될수도 있을것이라는 일부견해도 있는바, 내주말 워싱턴에서 개최예정인 미.EC 간 갓트/UR 협상 양자협상 결과를 주목할 필요가 있음 (MAC SHARRY 위원도 참석예정)

마. EC/CAP 개혁및 UR 협상이 타결될 경우 중장기적인 관점에서 볼때 세계농산물의 가격상승(수출보조 감축등 요인), 세계 농산물 교역양상에도 변화를 가져올 것으로 분석됨. 끝

(대사 권동만-국장)

예고: 92.12.31 까지

관리번호	92-356

원 본

외 무 부

종 별 :

번 호 : GVW-1051　　　　　　일 시 : 92 0522 1920

수 신 : 장관(통기,경기원,재무부,농림수산부,상공부,특허청)

발 신 : 주 제네바 대사　　　　　　사본:주 미,EC 대사-중계필

제 목 : EC 의 CAP 개혁안 합의 및 UR 협상

1992.12.31. 에 예고문에 의거 일반문서로 재분류됨

연: GVW-1029

1. 연호 보고와 같이 5.21.EC 농업이사회에서 EC 산 곡물 지지가격의 3 년간 29% 감축을 핵심 내용으로 하는 CAP 개혁안이 합의되었는바, 이는 30 년 EC 공동농업정책상 가장 급진적인 것으로 중요한 의미를 가지며, 동합의가 정돈 상태의 UR 협상에 새로운 활력을 제공할 수 있으리라는 긍정적 관측이 있음

2. 당관 의견으로서는 EC 가 내부적 진통을 거쳐 곡물의 29% 지지가격 삭감에 합의, 그결과 국내 보조는 물론 수출보조도 96-97 년 까지는 사실상 해결될수 있을 것이라고 예상할때 UR 협상 활성화에 중요한 계기로 작용하리라고 보나, EC 가 요구하고 있는 (1) 수출물량감축(24%) 관련 SECTOR 내 품목별 신축성 허용문제 (2) 직접소득 보조의 GREEN BOX 포함문제(이문제는 원칙적으로 미국이 BLUE BOX 신설 가능성을 시사한 것으로 알려져 있으나 단 6 년간의 잠정적용을 주장한 것으로 관측) (3) REBALANCING 문제 (4) PEACE CLAUSE 등 미결사항이 여전히 남아 있기 때문에 현재로서는 미.EC 간 빠른 시일내 합의도출 가능성 여부 또는 동합의도출 가능 시점등에 대해 정확히 예측하기 어려우며, 동 전망은 워싱턴 회담 이후 가시화 될것으로 보임.

3. 동 합의관련 금 5.22(금) 당관에서 파악한 주요국의 반응은 아래와 같음.

가. 미국

- USTR STOLER 공사는 CAP 개혁안 합의는 바람직한 현상으로 이를 환영하나, 이는 기본적으로 EC 내부문제이며

- UR 협상과의 관계에 있어서 EC 가 동합의를 바탕으로 어떠한 형태의 구체적 제안을 가지고 나올것인지가 관건이 될것이므로 현시점에서 UR 협상의 장래를 예단할 수 없으며, 따라서 5.27-28 로 예정된 워싱턴 회담까지 기다려 보아야 할것이라

통상국	장관	차관	2차보	분석관	청와대	안기부	경기원	재무부
농수부	상공부	특허청	중계					

PAGE 1　　검 토 필 (1992.6.30.)　　92.05.24 23:02

외신 2과 통제관 FM

0122

하면서도 동 합의가 바로 미.EC 가 정치적 돌파구로 이어질 것인지에 대해서는 신중하면서도 부정적인 개인적 의견을 피력함.

나. EC

- EC 대표부의 BECK 차석대표는 UR 협상 맥락에서의 영향을 구체적으로 예측하기는 어렵지만, 매우 중요한 진전인 것은 사실이며 진정한 협상(REAL DEAL)을 위한 시점이 다가오고 있다고 본다는 반응을 보임.

- 그러나 동인 역시 빠른 시일내에 정치적 돌파구가 마련될수 있을런지는 예측하기 어렵다는 신중한 태로를 취함.

다. 일본

- ASAKAI 공사는 긍정적인 발전으로 보며, 내주 워싱턴 회담에서 어떤 진전이 있지 않을까 하는 기대를 해 볼수 있겠다는 긍정적 반응을 보임

라. 호주

- HAWS 대사는 중요한 의미를 갖는 진전이며, 이로써 미.EC 간 정치적 돌파구가 마련될 가능성이 매우 커졌다는 긍정적인 평가를 하면서도 27 일 워싱톤회의가 "BREAK OR MAKE" 계기가 될 것이라고 예견함

4. 금일자 당지 언론 보도는 CAP 개혁합의와 관련 주요기사로 취급하였으며(FT 는 사설 및 해설기사등 4 면을 할애) 대체로 UR 협상타결에 중요한 전기가 될 가능성이 있는 것으로 평가하였는바, 주요내용은 하기와 같음.

- CAP 의 근본적인 개혁이며 향후 과잉생산, 재정부담축소, 무역마찰등 누적된 문제를 해결하는 중요계기로 평가

- UR 협상의 걸림돌이 되어온 미-이씨간 농산물 협상이 본격적으로 진전될 수 있는 계기가 될것으로 보면서도 동 CAP 개혁 합의가 UR 협상에서 EC 의 입장 변화에 어떻게 작용할지는 아직 불확실하여 진정한 돌파구가 될것인지는 불투명.

- 농업분야에서 동개혁안 합의로 해결의 실마리가 잡힌다하여도 시장접근분야 및 서비스 분야등 여타 해결해야 하는 주요 쟁점이 상금 남아있음.

- 또한 EC 의 동개혁안 합의로 인하여 EC 의 협상입장의 신축성이 더욱 제한될 것이며 따라서 협상대상국이 EC 측 안을 수용하지못할 경우 협상타결을 위해서는 미국에 의한 양보가 불가피할 것인바, 이점이 협상타결 전망을 불투명하게 하는 요인이 될것임.

- 금번 합의로 미.EC 간 돌파구가 마련되는 경우 지금까지 미.EC 간 대립에 가려져

있는 일본, 한국, 카나다가 가장 어려운 입지에 처하게 될것임.

- 장기적으로 동개혁안 이행과 관련 소득보상 직접지불정책이 새로운 왜곡 요소가 될 가능성과 가격인하가 충분하지 못할 경우 문제점이 완전히 해결되지 않을 가능성 지적.끝

(대사 박수길-국장)

예고:92.12.31. 까지

원 본

외 무 부

종 별 :

번 호 : FRW-1075 일 시 : 92 0523 1130

수 신 : 장관 (통삼,통기, 경일)

발 신 : 주불 대사

제 목 : EC 공동 농업 정책(CAP) 개혁 타결 반응

1. EC 농업장관회의에서 5.21 타결된 EC농산물 지지 가격 및 생산량 감축을 위한 CAP개혁안 관련, 동 개혁안은 EC 공동 농업정책의 역사적 전환점이며, 유럽의 농산물 수출보조금 제도가 UR 협상에서 더 이상 비난의대상이 되지 않도록 하므로서 UR 협상타결의계기가 될것으로 기대함.

2. 특히 EC 측에 의한 금번 CAP 개혁안 합의도달은 91.12 마스트리히트 합의에 이은 EC 의또다른 정치적 승리라고 평가 되는바, EC 는 이제경제 통화 동맹과 EC 확대에 전명할수있게 되었으며 , 미정부는 UR 협상의 타결을대통령 선거이후로 미루지 말고 조속 타결코자 하는적극적 태도를 취해야 할것으로 보임.

3. 이와관련 금번 EC 측의 CAP 개혁안에대해 미측이 충분한 것으로 평가하고 이를 수용할지여부는 내주 와싱톤 개최 미.EC 실무회담에서밝혀지겠으나, 비록 동 개혁안을 계기로 미.EC측 농업 분야 갈등이 해소된다 할지라도, 시장접근, 서비스 교역등이 UR 협상 타결에의 새로운난관으로 등장할것인바, 특히 그동안 미 .EC농산물 분쟁의 뒷편에 안주해왔던일본,한국 및 카나다의 농산물 시장 개방 문제가새로운 HOT ISSUE 로 대두 될것으로 보임.

4. 금번 개혁안이 실시되면 농업분야 경쟁력이강한 불란서가 EC 국가중 가장 큰혜택을보게되는 반면, 협소한 농토에 집약적 농업구조를 가진 덴마크,베네룩스 3국등은 상당한피해를 감수해야 될것으로 예상되고 있는가운데, 곡물 지지 가격 29 인하관련, 불란서및 독일 농민 단체들은 금번 개혁 조치가 미국의이익을 위해 유럽의 농업을 희생한것으로비난하고 있음.

5. 특히 최근 2년간 매년 20 이상의 소득감소를 겪어야 했던 독일 농민들의 대 정부항의가 격렬한바, 독일 정부가 CAP 개혁을 거부해달라는 자국 농민의 압력에도 불구하고 기존의CAP 개혁 반대 입장에서 전환, 금번개혁안을 수용한 배경에는 금년

통상국 경제국 통상국

PAGE 1 92.05.23 20:37 EG

외신 1과 통제관 ✓

0125

7월 뮌헨G-7 정상회담 이전 UR 협상 타결 추구와통일후 막대한 동독 농민의 유입에 따라 농업정책 우선 순위를 조정해야 할 필요성에기인한것 으로 보임.끝

(대사 노영찬- 국장)

PAGE 2

0126

관리번호	92-357

원 본

외 무 부

종 별 :

번 호 : GVW-1067 일 시 : 92 0525 2000

수 신 : 장관(통기,경기원,재무부,농림수산부,상공부,특허청)

발 신 : 주 제네바대사

제 목 : EC 의 CAP 개혁과 관련한 DUNKEL 사무총장 발언

1992.12.31. 에 예고문에 의거 일반문서로 재분류됨

1. DUNKEL 사무총장은 EC 의 CAP 개혁과 관련, 5.25(금) GATT 공보실을 통해 "UR 참가국들이 전반적 농산물 개혁을 위하여 취한 모든 조치들을 환영하나, 주요 농산물 교역국인 EC 가 취한 조치는 특히 주요한 의미를 가지는 만큼 UR 협상 참가국들은 계속적인 다자협상의 한 부분으로서 EC 의 결정을 면밀히 검토할 것을 희망한다"고 COMMENT 함.,2. 한편 HUSSANIN 사무차장보는 5.25(월) CAP 개혁안 합의에 따른 향후 UR 협상 전망에 대한 당관 문의에 대해, 동합의는 의미있는 진전임에는 틀림없으나, 수출보조, 물량감축, REBALANCING 등 농산물분야에서도 문제점이 남아있고, MA, SVC 협상등 여타 분야에도 해결해야할 문제들이 있으므로 금주에 있을 워싱턴 회담에 이어 계속 미.EC 간 협의를 통해 6 월말까지 어떤 돌파구가 마련될수 있을까 기대한다고 하면서, 6 월말까지 돌파구 마련이 여의치 않을경우에는 결국 년말까지 이어지는 것으로 볼수 밖에 없을것이라는 의견을 피력함. 끝

(대사 박수길-국장)

예고:92.12.31. 까지

검 토 필(1992.6.30.)

통상국 차관 2차보 청와대 안기부 경기원 재무부 농수부 상공부
특허청

PAGE 1 92.05.26 04:59

외신 2과 통제관 FK

0127

84

외 무 부

종 별 :

번 호 : ECW-0705 일 시 : 92 0526 1700

수 신 : 장관(통삼,통기,정보,경기원,재무부,농림수산부,상공부,기정동문)

발 신 : 주제네바(직송필)

제 목 : EC/CAP개혁 주미대사(중계요망-중계필)

(자료응신 92-44)

5.21. 합의된 CAP 개혁에대한 EC회 원국등의 반응을 하기 추보함

1. EC 회원국 반응

가. KOHL 독일수상은 EC 가 CAP 개혁에 합의함으로서 UR 협상성공의 길을 닦아놓았으므로 주요협상 상대국들도 유사한 정치적인 결단을 내려야 할 것이라고 말하였으며, MOELLEMAN독일 경제장관도 자국과 불란서는 미국이 서비스및 지적소유권 분야에서 우호적인 조치를 취하게 될것을 기대하고 있다고 말함

나. GUMMER 영국 농무장관은 의회에 보고하는 자리에서 CAP 개혁의 합의로 EC 의농산물 과잉생산을 전환하는 계기가 되었을뿐만 아니라 UR 협상을 회생시킬수있는 기회가 조성되었다고 평가하면서 그러나 CAP개혁과 UR 협상과의 관계를 과대평가하는것은 곤란하다고 말함

다. MERMAZ 불란서 농무장관은 동 개혁으로 EC농민의 소득은 증가될 것이며 세계농산물시장에서 EC 농산물의 경쟁력을 확보하는 계기가 될것이라고 평가함. 동인은또한 UR 협상의 성패는 미국측의 태도 여하에 달려있다고 말하면서 그러나 동협상이내년 봄 이전에 종료되기는 어려울 것이라고 전망함

라. TOERNAES 덴마크 농무장관은 영국, 화란,벨지움등 대농구조의 회원국들과 긴밀히 협력한 결과 자국에 만족스러운 결과가 도출되었다고 말하고, UR 협상의 성공적인 종결을 촉구함

2. EC 농민단체의 동향

가. 불란서와 독일의 농민단체들은 CAP개혁내용은 EC 농업구조의 붕괴를 초래하고,UR 협상등에서 미국의 요구에 굴복한 것에 불과하다고 평가함. 특히 불란서 농민은반대시위를 계속하고 있으나. 영국 농민연맹은 대체로 만족하고 있으나

통상국 통상국 외정실 분석관 안기부 경기원 재무부 농수부 상공부

PAGE 1 92.05.27 08:48 FE

외신 1과 통제관 ✓

0128

농민소득이저하 될 것을 우려하고 있으며 화란 농민단체의 경우 ARABLE CROP 분야의 개혁은 만족스러우나 스페인, 그리스에 대한 우유생산 쿼타 증량조치에 불만을 표시함

3. GATT, 미국등의 반응

가. DUNKEL GATT 사무총장은 모든 GATT회원국들의 농업개혁조치가 필요한 시기이며 특히 EC 의 조치는 중요한 의미를 가진다고 평가하고 앞으로 EC 가 UR 협상에서어떤 결단을 내릴 것인지를 면밀히 주시할 것이라고 말함

나. MADIGAN 미 농무관은 MAC SHARRY 위원에게 보낸 서한에서 CAP 개혁을 옳바른방향의 조치라고 평가하고, 좀더 상세한 분석이 필요할것이나 UR 협상에도 긍정적으로 기여하게 되기를 희망한다고 말하면서 DUNKEL 타협안이 양측협상의 기초가 되어야 할 것임을 다시 강조함. 한편 HILLS 대표도 UR 협상에서 EC 가 수출보조금과 시장개발 분야에서 어떤 조치를 취할것인지를 지켜볼 것이라고 말함

다. 일본은 EC 가 국내보조를 감축키로 한 결정은 긍정적으로 평가하나, UR 협상에 미치는 영향은 아직 알수 없으며 금주의 미.EC 간 양자협상 결과를 지켜볼 것이라고 말함

4. 기타 단체들의 평가

가. IWC, EC 곡물무역협회 (COCERAL) 등 당지 전문가들은 CAP 개혁이 UR 협상에긍정적인 요인으로 작용할 것이라고 분석하면서도 미.EC 간에는 OILSEEDS 문제, REBALANCING,수출보조금 물량감축및 서비스협상에서 의견의 차이가 있음을 지적하고 EC가 CAP개혁내용을 어떻게 GATT 에 제출할 것이며,동 내용이 주요협상국들의 요구를만족시킬수있을 것인지가 주요관건이 될 것이므로 UR협상의 성패는 아직도 EC 태도에 달려 있다고 평가함

나. 독일, 화란의 배합사료 업계의 분석에 의하면 EC 곡물가격 인하로 말미암아곡물의 배합사료 원료로 사용하는 비율이 증가 (현행 10-15 에서 30-40프로로) 할것이며, 이제까지 EC 배합사료 원료로 사용되던 타피오카, OILMEALS, 대두박등의 수입은 타격을 받을 것이며 특히 태국에서 수입하던 타피오카의 수입량은 크게 감소할 것으로 분석하고 있음. 끝

(대사 권동만-국장)

원 본

외 무 부

종 별 :

번 호 : POW-0288 일 시 : 92 0526 1800

수 신 : 장관(통삼,통기,구일,구이,사본-주EC)

발 신 : 주 폴투갈 대사

제 목 : CAP 개혁안 타결반응

(자료응신92-49호) D 연: POW-0241

1.주재국은 지난 1월의 EC의장국 수임이래 EC/CAP개혁을 최대목표로 설정하고 연호(5항)와같이 이의 타결을 위하여 노력하여 왔으며, 금번 동개혁안 타결을 전임 3개의 장국이 해내지못한 난제를 해결한 EC의장국 업적중 최대성과로 평가하고 있음

2.SILVA 수상과 PINHEIRO외상은 동 개혁타결은 EC경제통합을 향한 역사적인 사건이며 이번타결로 EC의 농산물 보조금을 위요한 미-EC간이견으로 교착상태에 빠져있는 UR협상에 새로운 돌파구가 마련된 것으로 평가 하였음

3.한편 주재국 중부도시 -꾸리아-에서 금 5.26개최된 EC농무장관회담에서는 EC내농촌지역의 삼림정책 문제가 중점논의되었는바, 주재국 CUNHA 농무장관은지난주 EC/CAP개혁안 타결에 따라 최고 15프로에달하게될 후경지의 황폐화를 방지하고 자연환경보호를 도모하기위한 방안으로 EC내 삼림확대를 골자로하는 새로운 삼림정책수립 필요성을역설하였음.끝

(대사조광제-국장)

통상국 구주국 구주국 통상국 중계

PAGE 1 92.05.27 06:54 FE

외신 1과 통제관

0130

02

관리번호	92-362

원 본

외 무 부

종 별 :

번 호 : DEW-0224 일 시 : 92 0527 1700

수 신 : 장관(통삼,구이,정보,기정)(사본:주 EC대사-직송필)

발 신 : 주 덴마크 대사

제 목 : EC/CAP개혁안 주재국 반응(자료응신 제92-46호)

1. 5.18-5.21. EC 농업이사회의 CAP 개혁안 합의관련 주재국 정부 및 농업계는 전반적으로 동 내용에 큰만족을 표시하고 주재국으로서는 최선의 성과를 거둔 것으로 자평함.

2. LAURITS TOERNAES 농업장관은 회의후 기자회견에서 주재국의 요구 사항들이 실질적으로 모두 반영되어 매우 만족한다고 말하고 덴마크 농민들이 입게 될 손실은 당초 MACSHARRY 안에 의한 연 25 억 DKR(약 4 억불)에서 7 억 DKR(1 억 1 천만불)로 줄어들게 되었다고 평가함.

3. 농업위원회(아국의 농협, 축협을 합한 성격의 기관으로 전경련에 버금가는 영향력을 갖고있음) H.O.A. KJELDSEN 회장도 상기 회의에서 덴마크 농민들의 모든 요구사항이 충족된 것은 아니나 많은 양보를 얻어 냈다고 말하면서 CAP 개혁안 결과를 긍정적으로 평가함. 그러나 KJELDSEN 회장은 농민소득이 각종 보조금이나 지원금보다는 유리한 농산물 가격에서 얻어져야 할 것이라고 말하면서 금번 개혁안에 대한 불만을 표시함.

4. 농업위원회의 JACOB BAGGE HANSEN 농업정책과장은 주재국이 금번회의에서 특히 낙농제품 및 곡물가격 인하폭의 축소와 휴경지 운영의 융통성 확대등에 관해 자국입장을 관철시킨 것을 성과로 열거하고 EC 가 향후 미국과의 UR 농산물협상에서 EXPORT SUBSIDY 를 양보하는 대신 DIRECT INCOME SUPPORT 를 더욱 강하게 밀고 나갈 것으로 전망함.

5. 주재국 언론은 금번 EC/CAP 개혁안 합의로 미.EC 간 UR 협상의 돌파구가마련되었다고 말하고 금번 합의는 현재와 같은 세계농산물 생산 및 시장구조가더이상 지속될수도, 또 그렇게 되어서도 안된다는 점을 인식한 결과이며 EC 농민들로서는 지금까지 누린 특혜를 잃게 되었으나 소비자들에게는 상당한 조세부담

통상국 장관 차관 2차보 구주국 외정실 분석관 청와대 안기부

PAGE 1 검 토 필(1992.6.30.) 92.05.28 03:45

외신 2과 통제관 FK

0131

경감이 있을 것이라고 금번 합의결과를 긍정적을 평가함. 끝.

(대사 김세택-국장)

예고:92.12.31. 까지

PAGE 2

0132

발 신 전 보

	분류번호	보존기간

번 호 : WUS-2485 920527 1556 EG 종별 : 지급

WGV -0821 WEC -0403

수 신 : 주 미 대사. 총영사 (사본 : 주 제네바, EC 대사)

발 신 : 장 관(통 기)

제 목 : UR 협상

5.21 EC의 공동농업정책(CAP) 개혁안 채택이후 동 개혁안이 UR 협상의 돌파구를 제공할 것인지 여부가 관심의 대상이 되고 있어 5.27-28간 귀지에서 개최되는 Baker 장관, Hills 대표와 Andriessen 집행위원장간 회담 결과가 주목되고 있는바, 동 회담 결과 상세를 가급적 신속히 파악 보고바람. 끝.

(통상국장 김 용 규)

보안통제	

앙고재	92년 5월 27일	통상기구과	기안자 성명		과 장	심의관	국 장		차 관	장 관
			안명수				전결			

외신과통제

0133

관리 번호	92-361

오2

원 본

외 무 부

종 별 :

번 호 : GVW-1076 일 시 : 92 0527 1100

수 신 : 장관(통기,경기원,재무부,농림수산부,상공부,특허청)

발 신 : 주 제네바대사

제 목 : UR 협상전망

본직이 5.26(화) 일본, 인도(이사회의장), 스웨덴, 호주, 멕시코, 칠레등 6 개 주요 UR 협상 참가국 대사부부를 관저에 초청, 주최한 만찬(총회의장인 ANELL스웨덴대사 이임환송)에서 참석대사들이 피력한 CAP 개혁에 따른 UR 협상전망에 관한 견해를 아래 보고함.

1. ANELL 스웨덴대사

- CAP 개혁안 합의가 의미있는 진전이고 UR 협상에도 긍정적 영향을 미칠 것이라는 점은 사실이나

- 동 개혁안이 수출보조에 미칠 구체적 영향을 분석해야하고

- 동개혁안 범위내에서 농산물 협상 타결이 가능하다 하더라도 서비스, 반덤핑, 지적소유권등 여타분야에서 미국이 제기하리라고 예상되는 문제가 적지않게 남아있고 여타협상 참가국의 입장도 있기 때문에 UR 협상 타결전망을 낙관하기 어려움.

2. ZUTSHI 인도대사

- EC 가 CAP 개혁안에 합의했더라도 대통령 선거를 앞둔 BUSH 대통령으로서는 기존의 요구를 쉽게 양보할수 있는 입장이 아니며

- 또한 미.EC 양국이 합의에 도달하기 위해서는 아직도 상당히 많은 기술적문제가 남아있기 때문에

- FAST TRACK 시한 만료전의 타결은 그가능성이 희박함.

3. HAWES 호주대사

- CAP 개혁은 상당한 진전(EC 내부의 POLITICAL BREAKTHROUGH) 이며

- 이미 법제화 작업은 상당한 진척을 이룬상태인바, 농산물 협상만 타결되면 서비스, 시장접근등 여타분야의 협상도 예상외로 빠른 진전을 보일 가능성이 있다고 보기때문에 년내 UR 협상타결이 가능하다고 봄.

통상국 장관 차관 2차보 문석관 청와대 총리실 안기부 경기원
재무부 농수부 상공부 특허청

PAGE 1 검 토 필 (1992.6.30.) 92.05.27 22:49
외신 2과 통제관 EC

0134

4. UKAWA 일본대사

- 일본으로서도 미.EC 간 막후협상의 구체적 내용을 파악하고 있지는 못하나 이제까지 알려지고 있는 양국간의 두드러진 이견의 성격에 비추어, CAP 개혁안 합의만으로는 동이견이 쉽게 해소될것으로 보지않음.

- 5.21. 동개혁안 합의이후 UR 협상전망에 관한 낙관적 견해도 대두되고 있는 것은 알지만, 자신이 보기에는 동 개혁안이 모든 회원국의 입장을 최대한 수용한 최소한의 내용이기 때문에 UR 협상에 있어 EC 의 행동반경을 제약, 앞으로 EC 의 입장을 경화(RIGIDIFY) 시키는 결과를 가져올수도 있어 결국 UR 의 금년 타결은 무망하다고 보아야함.

- 일본은 미.EC 가 합의에 도달한다 하더라도 예외없는 관세화는 국회사정으로 DELIVER 할수없는 것(미야자와 총리 취임후 언론등을 통해 국내적 여론을 타진해 보았으나 어렵다는 결론에 도달한 것으로 이해함) 이기 때문에 일본정부로서는 예외없는 관세화안은 앞으로도 반대할수 밖에 없는 입장임.끝

(대사 박수길-국장)

예고: 92.12.31. 까지

EC의 공동 농업정책 (CAP) 개혁안과 UR 협상

1992. 5. 27.

통 상 기 구 과

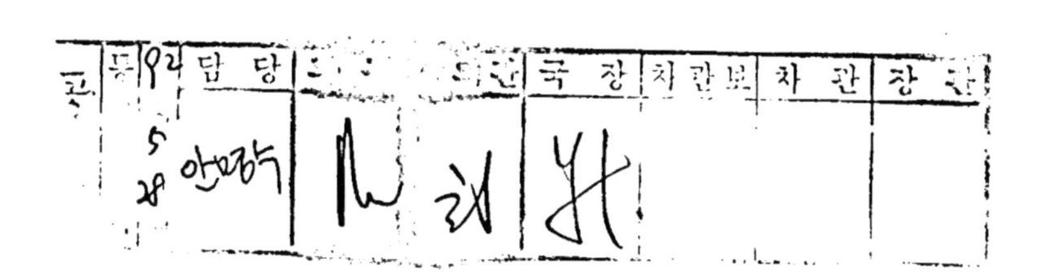

0136

- 목 차 -

1. CAP 개혁안의 내용 1

가. 개혁 논의 배경 1

나. 경 위 1

다. 주요내용 1

2. 평 가 2

가. CAP 개혁안의 특징 2

나. UR 농산물 협상과의 관련성 3

3. 전 망 5

0137

1. CAP 개혁안의 내용

가. 개혁논의 배경

o 60년대 초부터 시행되어온 CAP로 인해 EC는 50년대의 식량부족 상태에서 벗어나 70년대말 이후에는 세계 농산물 순수출국으로 등장. 이에 따라 세계 농산물 시장은 수출보조금, 덤핑현상이 심화되고, EC 내부적으로는 만성적인 생산 및 재고과잉으로 인한 과도한 농업보조금 지출과 소비자 부담이 가중되어옴.

o 한편, 87년부터 본격추진되어온 갓트/UR 협상에서도 농업보조금 감축문제가 협상타결의 관건으로 대두되는등 EC의 막대한 농업보조금, 수입부과금 및 농산물 수출정책은 미국등 농산물 수출국들과의 분쟁 소지가 되어옴.

나. 경 위

o 상기와 같은 대내외적인 문제해결 방안으로서 DELORS 집행위 위원장은 90.10 CAP 개혁방침을 천명하고, 91.7. 집행위가 개혁안을 농업이사회에 제출한바 있음. 그러나 회원국들이 동 개혁안 추진을 UR 협상추이와 연계함으로서 동 개혁추진은 지지부진한 상태였으나 UR 협상이 지연됨에 따라 EC로서는 과잉생산 재정지출 문제를 해결하기 위해 92년초부터 동건에 대해 회원국간에 본격적인 협상이 전개되었음.

o 농업 각료이사회는 92.5.21.하기 내용의 CAP 개혁안에 합의

다. 주요 내용

1) 곡물류

o 목표가격(TARGET PRICE)을 93/94, 94/95 및 95/96 각각 130,120 및 110ECU/T으로 연차적으로 인하함.

- 현행 155ECU/T 대비 95/96년도에는 29% 인하하는 결과가 됨.
- 상기년도의 개입가격(INTERVENTION PRICE)은 각각 117,108, 100 ECU로 함.

o 가격인하에 따른 농가소득손실 보상액은 각각 25, 35, 45ECU/T으로 하며, 자가경작 농지의 15% 휴경시 동 보상금을 지급함.

1

0138

o 수입부과금(IMPORT LEVIES) 산정기준이 되는 한계가격(THRESHOLD PRICE)과 목표가격의 차액은 45EC/T이 되도록 함.

o PROTEIN CROPS 및 OILSEEDS에 대하여는 INTERVENTION 제도는 폐지하고 ha당 정액소득 보조를 지급함(65ECU)

2) 쇠고기 및 양고기

o 쇠고기의 개입가격은 향후 3년간 15% 인하함.

- 개입(수매)물량 : 93년 750천톤에서 97년 350천톤까지 축소함.
- 다만, 시장가격이 개입가격 수준의 60% 이하가 될 경우 가격안정을 위한 특별수매 장치를 마련함.

o ha당 입식두수를 96년 2두로 제한하기 위한 정액소득 보조와 더불어 숫소, 암소 및 송아지에 대해 두당 일정액의 PREMIUM을 지급함.

o 양고기 분야는 ha당 입식두수 제한을 위한 PREMIUM 지급함.

3) 우유 및 낙농제품

o 우유 생산쿼타 감축(당초 집행위안은 3년간 4% 감축) 문제는 92/93 년도의 수급여건을 감안하여 결정하고, 스페인 및 그리스에 대하여는 쿼타증량을 검토함.

o 버터가격은 93/94, 94/95 각각 2.5% 씩 인하하고 탈지분유 가격은 현행수준을 유지함.

4) 담 배

o 가격보장 한도량을 94년도부터 350천톤으로 제한함.

2. 평 가

가. CAP 개혁안의 특징

o 금번 EC의 CAP 개혁안은 기본적으로 가격보조를 직접보조로 전환한다는 것이며 따라서 국내보조의 삭감이라기 보다는 국내보조의 형태를 변경하는 것임.

- CAP 소요예산은 사실상 줄지않거나, 감축되더라도 5-6% 정도에 불과할 것이라는 분석도 있음.

ㅇ 또한 금번 CAP 개혁안은 UR 농산물 협상에서 미국.EC간 협상의 핵심이 되고있는 곡물에 대한 보조감축에 촛점을 맞추고 있음.

- 곡물경작 농지의 15% 휴경을 통한 과잉 생산방지 및 재고축소 그리고 궁극적으로는 수출 보조감축효과 유발 ('96-'97년 까지 거의 모든 수출보조가 철폐될 것이라는 분석도 있음)
- 곡물의 가격을 하락시킴으로써 특히 미국의 사료용 곡물에 대한 경쟁력 강화를 도모
- 곡물에 관한한 UR 농산물 협상 초안보다 지지가격 감축폭이 더 크며, 이행기간도 더 짧음.
- 특히, 직접보조에 대한 감축의무 면제(blue box)에 대한 미국의 양보를 얻어내기 위해 경작농지의 15% 휴경의무를 보상금 지급 조건으로 하고 있음.

나. UR 농산물 협상과의 관련성

1) EC의 UR 농산물 협상에서의 단일입장 마련

ㅇ EC가 UR 최종협정 초안 (91.12.20)에 대해 거부입장을 표명한 이래 최초로 UR 농산물 협상에 대한 내부적인 컨센서스를 도출함으로써 미국등과의 UR 농산물 협상에서 한목소리로 대처할수 있게 되었으며 이로써 과거 18개월 동안 정돈 상태에 빠져있던 UR 협상의 진전을 가능케 할수있는 계기를 마련하였다는 데에 의의가 있음.

ㅇ 다만, 금번 CAP 개혁안은 88.2월이래 상당한 내부진통을 거쳐서 마련된 것으로서 이에 기초한 EC의 입장은 최종적인 성격을띄는 바, EC로서는 더이상 타협이 어려우며, 미국 및 케인즈그룹 국가들의 일방적인 양보를 기대하는수 밖에 없는 상황에 놓이게 됨.

2) CAP 개혁안의 문제점

ㅇ CAP 개혁안에 기초한 EC의 UR 농산물 협상에 대한 입장이 구체적으로 어떠한 형태를 취할 것인지는 현재로서는 알수없으나, 하기의 문제점을 내포할 것으로 예상됨

3

0140

가) 수출보조 감축 문제

- CAP 개혁안은 지지가격 인하를 내용으로할 뿐, UR 협정안에 의한 수출보조 감축의무(물량기준 24%, 보조액 기준 36%)를 어느정도 충족시킬수 있는지는 불명확함.
- EC로서는 곡물 지지가격 29%인하, 농지 15% 휴경 의무화등을 통해 3-4년 후에는 거의 모든 수출보조의 철폐의 효과를 볼수있을 것으로 상정하고 있으나, UR 농산물 협정안에 의하면 93년 부터 수출보조 감축의무가 발생함.
- 동 문제 해결을 위해 EC는 수출보조 감축 이행의 연기를 요청하거나, 품목별이 아닌 품목군별 수출보조 감축을 대안으로 제시할 가능성이 있으나 협상상대국이 이를 받아들이기 어려울 것으로 예상됨.

나) 국내보조 감축문제

- CAP 개혁안은 곡물(3년간 지지가격 29% 감축)을 중심으로 지지가격 인하의 형태로 국내보조 감축을 상정하고 있으나, UR 협정안은 모든 품목의 AMS(총량 보조치)를 6년간 20% 감축할 것을 규정하고 있음.
- AMS(국내가격과 국제가격간의 차액에 생산량을 곱한 수치)는 생산량과 관계가 있는바 CAP 개혁에 의거 국내외 가격차 축소가 EC의 생산성향상에 따라 AMS 감축의 형태로 그대로 반영되지 않을 수도 있음. 또한 UR 협정안은 모든 품목의 AMS를 20% 감축할것을 규정하고 있는데 비해, CAP 개혁안은 곡물의 지지가격을 중점 감축하고 여타품목의 감축폭은 크지않은 것은 미국의 강한 반대를 유발할 것으로 예상됨.

다) 가격 지지의 소득보조금■ 전환

- EC의 금번 CAP 개혁안의 기본 원칙이 가격지지를 직접소득 보조로 전환 한다는 것임. 그러나 EC가 구상하고 있는 직접소득 보조도 간접적인 가격지지 효과를 갖게되므로 UR 농산물 협정안에 의거할때 동 보조도 감축 대상이 됨.

- 미국과 EC는 blue box 개념을 도입하여 EC의 직접 소득보조를 일정기간(예 : 6년)동안 감축 대상에서 유예하는 방안을 협의중이나 이에 대해 타협이 이루어질 것인지는 미지수임

라) 기타 고려사항

- 금번 CAP 개혁안이 EC가 UR 농산물 협상과 관련하여 당면하고 있는 문제점인 사료용 대체 곡물 rebalancing 문제, peace clause 및 바나나에 대한 관세화 예외등과 관련하여 아무런 해결 방안을 제시하지 못하고 있는 점도 문제점임.

3. 전 망(UR 협상관련)

o UR 농산물 협상의 7월 G-7 정상회담이전 타결여부는 5.27-28간 워싱턴에서 개최되는 미.EC간 고위급 회담에서 EC가 어떠한 구체안을 제시하고 미국이 어떤 반응을 보일 것인지가 관건임.

o 금번 EC의 CAP 개혁안에 대해 일반적으로 긍정적인 평가가 내려지고는 있으나, EC가 개혁안에 기초한 자신의 입장을 관철하기 위하여는 UR 농산물 협정초안의 완화가 불가피함.

- 그러나 이는 현 협정문안 고수를 주장하고 있는 미국의 입장과 상충되며, EC의 CAP 개혁안과 관련하여 USTR 대변인이 "CAP 개혁안으로 인하여 EC가 UR 농산물 협상에서 보다더 융통성있는 입장을 취하기를 기대한다" 고 언급했듯이 미국은 EC에 대해 추가적인 양보를 요구할것으로 전망됨.

o 따라서 향후 UR 농산물 협상 타결에는 아직도 많은 난관이 따를것인바 금번 EC의 CAP 개혁안이 UR 농산물 협상의 조기타결로 이어지기는 매우 어려울 것으로 예상됨. 끝.

관리번호	92-363

원 본

외 무 부

종 별 :

번 호 : USW-2727　　　　　　일 시 : 92 0528 2003

수 신 : 장관(통기,통이,통삼,미일,경기원,농수산부,상공부)

발 신 : 주 미 대사　　　　사본: 주 제네바,EC대사-중계필

제 목 : UR 협상

대: WUS-2485

1. 대호, ANDRIESSEN EC 부집행위원장과 BAKER 국무장관, HILLS 무역대표, MADIGAN 농무장관은 5.27. 약 6 시간 동안 회담을 가진바, 우선 동 회담 결과에대한 당지 언론 반응을 하기 보고함.

- 동 회담에서 미-EC 양측은 UR 협상의 돌파구를 마련할 만한 합의에 도달하는 데에는 실패하였으나, HILLS 대표는 회담결과를 긍정적 (GOOD AND CREATIVE)인 것으로 평가하고 있음.

- 미측은 EC 측에 CAP 개혁안을 UR 협상에 구체적으로 반영시키는 방안에 대해 입장 설명을 요구하였으며, CAP 개혁안과 DUNKEL 초안간의 차이점을 해소할수 있는 (BRIDGE THE GAP) 몇가지 새로운 방안을 제시하였음. HILLS 대표는 새로운 제안의 내용과 이에대한 EC 측 반응을 구체적으로 밝히지 않고 있으나, CAP 개혁안의 국내보조금 삭감을 수출보조금 삭감과 수입규제 완화로 연계시키도록 요구한 것으로 전해지고 있음.

- EC 측은 미측 제안을 검토하겠다고 약속하였으나, CAP 개혁안이 국제적인(특히 미국) 압력에 굴복할 것이라는 내부의 비난때문에 CAP 개혁안과 UR 연계방안을 현단계에서 구체화시키려는 것을 꺼리고 있다함.

- BAKER 국무장관이 UR 협상의 전면에 나선 것은 냉전시의 미-EC 협조관계가 최근 경제. 무역 마찰을 둘러싸고 퇴색하고 있다는 우려와 함께, 7 월 G7 정상회담에서 UR 을 둘러싼 각국의 이견이 부각되어 동 정상회담이 실패로 돌아갈 것을 우려한 것 때문이라고 평가되고 있음.

2. 한편, HILLS 대표는 5.28. 한봉수 상공장관과의 오찬시, ANDRIESSEN 부위원장과의 면담(5.28. 오전) 결과를 아래와 같이 설명하였음.

통상국	장관	차관	2차보	미주국	통상국	통상국	청와대	경기원
농수부	상공부	중계						

PAGE 1　　　　　　　　　　　　92.05.29 10:24

검 토 필(1992.6.30.)　　　　외신 2과 통제관 FW

0143

- 미측은 EC 의 CAP 개혁안 타결을 매우 중요한 진전으로 생각하며, 미국은EC 가 동 개혁안을 기초로 하여 UR 협상에 좀더 융통성을 발휘하여 주도록 요청하였음.

- 그러나, EC 는 CAP 개혁안에 대해서도 내부적으로 회원국들간에 약간의 이견이 있으며, ANDRIESSEN 부위원장과 MCSHARRY 집행위원간에도 CAP 개혁안의 집행 우선순위에 있어 견해차를 보이고 있는 것으로 감지되었느바, EC 가 좀더 시간을 갖고 완전한 내부적 합의를 이루는 것이 필요하다고 느끼고 있음.

- UR 타결 전망은 EC 가 종전보다 협상에 진지한 자세를 보이고 있어 농산물 분야는 멀지않아 어떤 돌파구가 마련될 것으로 기대하며, 7 월까지는 해결방안 (CONSENSUS)이 나올수 있도록 모두가 노력하여야 할 것임.

3. USTR 의 LENOARD CONDON 농산물담당 부대표보는 당관 장기호 참사관에게EC 가 협상 타결을 위해 전보다는 진지한 자세를 보이고 있는 것은 하나의 변화이지만 금번 ANDRIESSEN 부위원장 방미시에는 협상 타결을 위한 구체적 제안은없었다고 하고 구체적 언급은 피하였음.

4. 관련 신문기사 별첨 FAX 송부하며, 명일 (5.29) 농무부, 국무부, USTR 등 관계관 재접촉후 상세 추보 예정임.

첨부: USW(F)-3449(6 매). 끝.

(대사 현홍주-국장)

예고: 92.12.31. 까지

PAGE 2

0144

주 미 대 사 관

USR(F) : 3449 년월일 : 시간 :

수 신 : 장 관 (통기, 통이, 통상, 미일) 상공부, 기기원 농수산부, 국제비바, EC대사

발 신 : 주 미 대 사

제 목 : 첨부 (6매) (출처 : WSJ, 5.28)

보안통제 216

U.S. Negotiators on EC Farm Pact See End to Impasse Stalling Trade Talks

By BOB DAVIS
And GERALD F. SEIB
Staff Reporters of THE WALL STREET JOURNAL

WASHINGTON — The first round of talks between the U.S. and European Community after the EC agreed to revamp its farm policy failed to bridge an impasse that has blocked world trade negotiations in Geneva.

Nevertheless, U.S. negotiators were somewhat optimistic that an agreement may be in the offing. U.S. Trade Representative Carla Hills said that the U.S. made a number of proposals about how the EC could use its farm reform to meet agriculture requirements contained in a draft agreement under the General Agreement on Tariffs and Trade.

"We spent a lot of time discussing how the reforms clear the way for them to move" in GATT negotiations, she said. Another administration official said the Europeans told U.S. negotiators that "they'd look at our proposals; this time, we thought they meant it."

The U.S. used the meeting to try to force European negotiators to specifically explain how the EC reforms would translate into more forthcoming GATT positions. And though officials said they didn't fully accomplish that goal, they noted some progress.

The problem for European negotiators, U.S. officials said, is that the EC agriculture policy changes are under attack at home for caving in to international pressure to complete the new GATT accord. To counter that criticism, European trade negotiators are reluctant to specifically link the continent's internal agricultural policy to new GATT negotiating positions.

But by the end of yesterday's meeting, one official said, European negotiators offered some ideas about how they can adjust their GATT position on such crucial agricultural trade issues as price supports, market access and export subsidies. For instance, American officials said that some in the EC are willing to drop their current position that the European banana market be exempted from market-opening measures. But the EC's political leadership hasn't yet embraced that idea, which is one of the sticking points in the negotiations.

Daniel Sumner, the Agriculture Department's acting assistant secretary for economics, said that if the EC strictly enforces its new agriculture program, it could meet many of the grain-export requirements in the GATT proposal. Last December, GATT Director Arthur Dunkel proposed a broad lifting of trade restrictions, but the proposal has foundered because of the U.S.-EC agricultural dispute.

"They'd be using agricultural program changes to alter supply and demand, and affect export subsidies," Mr. Sumner said.

Graham Blight, head of the National Farmers Federation of Australia, which backs the U.S. position, said the Europeans will be more willing to compromise as the July meeting of the Group of Seven major industrial nations, in Munich, approaches. German Chancellor Helmut Kohl wants the GATT dispute resolved by then, the U.S. and others contend, and will be willing to pressure others in the EC to back changes. "It's one of the pressure points," Mr. Blight said.

3449-6-1

외신 1과 통 제

0145

주 미 대 사 관

USW(F) : 년월일 : 시간 :

수 신 : 장 관

발 신 : 주 미 대 사

제 목 :

보 안	
통 제	

(출처 : FT, 5.28)

Washington offers EC new trade proposals

By Jurek Martin and Nancy Dunne in Washington

THE US last night made what were described as "new proposals" to the European Community designed to help incorporate last week's agreed reform of the Common Agricultural Policy into a new global trade agreement.

Ms Carla Hills, the US trade representative reporting during a break in discussions with a visiting EC delegation in Washington, would not disclose the details of the proposals, nor would she characterise the EC reaction to them beyond an initial commitment to review them.

But they were designed, she said, "to bridge the gap" between reform of the CAP and the terms of the draft Uruguay Round trade agreement drawn up by Mr Arthur Dunkel, director-general of the General Agreement on Tariffs and Trade (Gatt).

She said the EC team, led by Mr Frans Andriessen, trade commissioner, had made clear its belief that last week's CAP reform made possible a Uruguay Round breakthrough. She implied there was still a gap between the new CAP changes to internal EC market supports and continuing distorting effects on international trade that are a central concern of the Dunkel draft.

However, she described yesterday's exchanges variously as "good" and "creative." She was joined in the talks by Mr James Baker, US secretary of state, and Mr Edward Madigan, secretary of agriculture.

The American Farm Bureau, whose support is considered vital for a Gatt deal to go through Congress, has responded bitterly to EC officials' suggestions that the US should make further concessions in Gatt.

"The EC reforms fall far short of the proposed agricultural agreement put forward by Arthur Dunkel and further short of what the Farm Bureau would expect to achieve in the talks," Mr Dean Kleckner, Farm Bureau president, said.

A spokesman for Cargill, the international grain trader, said the company was still assessing the CAP reform proposal. But a favourable review of the deal had been received from its European office.

3449-6-2

0146

주 미 대 사 관

USW(F) : 년월일 : 시간 :

수 신 : 장 관

발 신 : 주 미 대 사

제 목 :

보 안 통 제

(출처 : WP, 5.28)

No Concessions Offered to Europeans in Washington Trade Talks, U.S. Says

By Stuart Auerbach
Washington Post Staff Writer

Secretary of State James A. Baker III and two other Cabinet members met for six hours yesterday with the top trade official of the European Community in an effort to settle a bitter transatlantic dispute over farm subsidies that has deadlocked five years of talks to invigorate the global rules of trade.

After the talks broke up, U.S. Trade Representative Carla A. Hills said the American side had offered no concessions to Frans Andriessen, the EC commissioner for foreign affairs and trade, during the meeting at Blair House.

Andriessen had demanded reciprocal U.S. moves to match the wide-ranging reforms in EC agriculture policies, primarily reductions in government payments to farmers, that were announced last week.

Instead, Hills said the Bush administration offered "a number of suggestions" on how the EC could expand its reforms so they deal directly with issues in the trade talks. These include limits on subsidies for overseas sales and lowering of European trade barriers. "We are trying to be creative and make suggestions incorporating what they have already done into what we hope they will do," Hills said.

The Europeans, though, have declared the announced reforms, which drew farmers into the streets all over France, are as far as they can go politically. Nonetheless, Hills said Andriessen will take the U.S. proposals back to Europe for evaluation by the EC and its 12 member nations. "We are going to wait and hear how they evaluate the proposals that we have made. I hope we can get together again soon and make real progress," Hills said.

She, Andriessen and their staffs met again last night over dinner and, if needed, will hold another session this morning.

Baker, fresh from meetings with EC officials in Europe over the Yugoslav civil war and the nuclear capability of the republics of the former Soviet Union, joined the talks to try to ease U.S.-European frictions over economic and trade issues that are growing as the need for Cold War cooperation fades.

Further, administration officials said Baker is trying to clear up the trade dispute to avoid its becoming an unwelcomed centerpiece at the July summit of the seven richest industrial nations. German Chancellor Helmut Kohl, host of the summit, is reported by European sources to be anxious not to have a nasty dispute on trade spoil the Munich meeting.

1/2

3449-6-3

0147

European officials said they hoped Baker, with his close ties to President Bush, would bring a greater political dimension to the so-called Uruguay Round of free-trade talks than the chief negotiators on the farm issue, Hills and Agriculture Secretary Edward Madigan.

"It will require a political decision more than a technical one," said a senior official of the European Community.

The issue is both political and technical, with hundreds of billions of dollars in government payments to farmers around the world at stake. From the start of the talks to strengthen the General Agreement on Tariffs and Trade (GATT), the United States and a group of agriculture exporting nations have pushed for an end to European subsidies for agricultural production, which the United States and its allies say badly distorts farm trade around the world.

Europe has balked from the start, and the refusal of the EC, Japan and South Korea to negotiate the farm dispute triggered a walk-out of South American agriculture exporting nations and broke up what was to have been the concluding meeting of the trade talks in December 1990.

According to the Organization for Economic Cooperation and Development (OECD), support payments for European farmers cost EC taxpayers $146.3 billion last year. U.S. subsidies, which the Bush administration is willing to negotiate away, cost American taxpayers $54.3 billion.

But other pitfalls remain even if the farm dispute is settled. Jack Valenti, president of the Motion Picture Association of America plans a major speech in San Francisco tomorrow attacking EC restrictions on U.S. films and television programs on European TV. If the trade talks fail to end those restrictions, Valenti said he will mount his powerful lobby against congressional ratification of a GATT agreement.

Similarly, the Europeans complain that the United States is not moving forward on opening markets to other service industries, especially banks, maritime and telecommunications.

2/2

3449-6-4

0148

주 미 대 사 관

USW(F) : 년월일 : 시간 :

수 신 : 장 관

발 신 : 주 미 대 사

제 목 :

보 안 통 제	

(출처 : NYT, 5·28)

U.S. Is Hopeful On Trade Talks

Special to The New York Times

WASHINGTON, March 27 — The United States trade representative, Carla A. Hills, said today that American officials had a good meeting with the European Community's top trade official to try to narrow their long-running dispute over reducing subsidies to farmers.

In a telephone interview after the meeting, Mrs. Hills said American officials had suggested to Frans Andriessen, the European Community's Commissioner of External Affairs, how it might be possible to expand upon the limited farm-subsidy cuts to which the community agreed last week.

The United States and other agricultural exporters have long sought far deeper cuts in farm subsidies that the 12-nation community would accept. The farm dispute has deadlocked the overall talks among 108 nations aimed at liberalizing world trade.

Last week, the community's farm ministers agreed to cut domestic supports to farmers. Mrs. Hills said that today she had suggested using those cuts to reduce protection in two other areas: export subsidies and import barriers.

She said Mr. Andriessen was going to study her suggestions and that she hoped to receive a positive response from him.

Secretary of State James A. Baker 3d and Secretary of Agriculture Edward R. Madigan joined today's talks.

3449-65

외신 1과 통 제	

0149

주 미 대 사 관

USW(F) : 년월일 : 시간 :

수 신 : 장 관

발 신 : 주 미 대 사

제 목 :

보 안	
통 제	

(출처 : WP, 5.28)

Can the Trade Talks Be Saved?

IF THE WORLD trade talks are to be saved from collapse, it will have to happen soon. The farm subsidy reforms that the European Community is now adopting—half-measures though they are—create movement on the central issue, deadlocked until now. To take advantage of it, negotiators from Europe and the United States have convened here in Washington with the secretary of state, James A. Baker, leading the American delegation to emphasize the importance of the outcome.

Trade talks are typically the hardest of international negotiations because they immediately get entangled with countries' conflicting domestic interests. The current talks—the Uruguay Round, in their sixth year, with 108 governments participating—are proving to be difficult even by the standards of the genre. That's at least partly by design. Until now, the international trade rules have applied to little more than manufactured goods on grounds that other areas—such as, notoriously, farm subsidies—were too well defended. But these talks bravely set out to bring order and fairness to agricultural trade along with several other large and sensitive issues.

While the European Community has wanted to negotiate as a unit, its 12 member governments have had excruciating trouble working out a joint position. That's the significance of the internal farm reforms on which they have now agreed. The reforms constitute the base for the common European policy that until this point has been missing. But things will still move slowly. Both the French and German governments have been weakened by recent election losses and are desperately anxious not to start a farmers' rebellion. Here in the United States the constraint is less the election than the necessity of getting the final treaty through a Congress in which the farm lobbies are well represented.

And if the talks fail? The first consequence will be a surge of litigation as people who expected the negotiators to resolve their grievances turn instead to the courts. As these quarrels lead to retaliation and counter-retaliation, even the present flows of trade will be in jeopardy. Worldwide, international trade is about $3.5 trillion, and its steady increase has been one of the main forces for the world's economic growth. Whether trade rises or stagnates will affect American standards of living much more sharply than all of the government programs being proposed by either party in the election campaign. For the poor countries, growing trade will do far more to lift their incomes than any likely donations of foreign aid. That's why the Uruguay Round is worth all the attention that the world's leaders are now giving it—and more.

3449-6-6

외신 1과	
통 제	

0150

長官報告事項

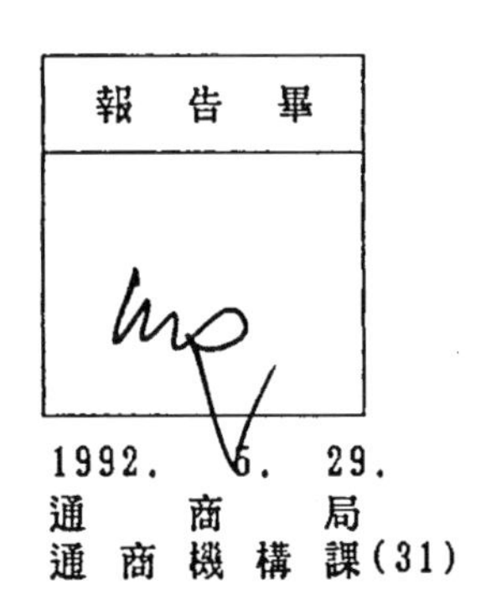

1992. 6. 29.
通 商 局
通商機構課(31)

題 目 : UR 農産物 協商 關聯 美.EC간 워싱턴 閣僚會談 結果

1. 회담 결과

o 5.27-28간 워싱턴에서 개최된 미국 (Baker 국무장관, Hills 무역대표)과 EC (Andriessen 및 MacSharry 집행위원)간의 회담에서 양측은 UR 농산물 협상의 돌파구 마련에 실패

- EC는 UR 협상 타결을 위한 구체적 제안 제시없이 미측에 대해 CAP 개혁안에 상응하는 양보를 요구
- 미측은 EC의 CAP 개혁안의 핵심이 되는 국내보조 감축을 UR 협상 차원의 수출보조삭감 및 수입규제 완화의 형태로 약속해 줄것을 요청하고 EC에 대해 추가적인 융통성을 촉구

2. 평가 및 전망

o EC로서는 CAP 개혁안의 범위를 넘어서는 추가 양보시 회원국이 반발할 것이므로 동 개혁안을 UR 협상에 연계시키는 방안을 구체화하기 어려우며, 대통령 선거를 앞둔 미국으로서도 EC 입장을 수용하기 어려운 상황

o 금번 워싱턴 각료 회담시 미측이 CAP 개혁안과 UR 농산물 협정안간의 괴리를 해소하는 방안을 제시 (구체적인 내용은 알려지지 않음) 한바, EC는 당분간 이를 내부적으로 검토할것으로 예상

o 미국과 EC는 7월초 G-7 정상회담 이전까지 UR 협상의 돌파구 마련을 위해 양자 협상을 계속할 것이나 미 대통령 선거까지 극적인 UR 협상의 진전은 기대하기 어려운 것으로 평가됨.

3. 국회 및 언론대책 : 별도대책 불요. 끝.

0151

報 告 畢

長官報告事項

1992. 5. 29.
通 商 局
通商機構課(31)

題 目 : UR 農産物 協商 關聯 美.EC간 워싱턴 閣僚會談 結果

1. 회담 결과

o 5.27-28간 워싱턴에서 개최된 미국 (Baker 국무장관, Hills 무역대표)과 EC (Andriessen 및 MacSharry 집행위원)간의 회담에서 양측은 UR 농산물 협상의 돌파구 마련에 실패

- EC는 UR 협상 타결을 위한 구체적인 제안을 하지않고 미측에 대해 CAP 개혁안에 상응하는 양보를 요구

- 미측은 EC의 CAP 개혁안의 핵심이 되는 국내보조 감축을 UR 협상 차원의 수출보조삭감 및 수입규제 완화의 형태로 약속해 줄것을 요청하고 EC에 대해 추가적인 융통성을 촉구

2. 평가 및 전망

o EC로서는 CAP 개혁안의 범위를 넘어서는 추가양보에 대해 회원국이 반발할 것이므로 동 개혁안을 UR 협상에 연계하는 방안을 구체화하기 어려우며, 대통령 선거를 앞둔 미국으로서도 EC의 입장을 수용하기 어려운 상황

o 금번 워싱턴 각료 회담시 미측이 CAP 개혁안과 UR 농산물 협정안간의 차이점을 해소하는 방안을 제시 (구체적인 내용은 알려지지 않음) 한바, EC는 당분간 이를 내부적으로 검토할것으로 예상

o 미국과 EC는 7월초 G-7 정상회담 이전까지 UR 협상의 돌파구 마련을 위해 양자 협상을 계속할 것이나 미 대통령 선거까지 극적인 UR 협상의 진전은 기대하기 어려운 것으로 평가됨.

0152

3. 국회 및 언론대책 : 별도대책 불요. 끝.

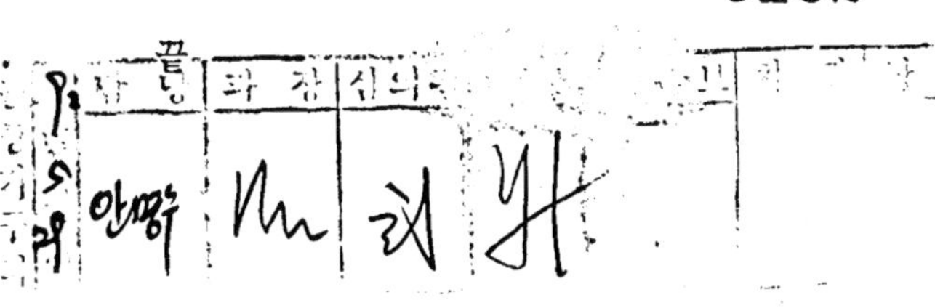

ᄀ乂

관리번호	92-364

원 본

외 무 부

종 별 :

번 호 : ITW-0686　　　　　일 시 : 92 0528 1910

수 신 : 장관(통삼,통기,농수부,상공부,기정,주EC대사(직송필)

발 신 : 주 이태리 대사

제 목 : EC/CAP 개혁 이태리 반대(자응 92-45)

1. 92.5.21. 브랏셀 EC 농업 이사회에서 가결된 EC 공동농업정책(CAP) 개혁안에 대해 유독 이태리만이 반대하였는 바 이태리의 반대입장등에 대해 주재국 외무성 관계관으로부터 파악한 내용 보고함.

2. 이태리 반대 배경

0 이태리가 금번 EC/CAP 개혁을 반대한 이유는 무엇보다도 이태리 우유생산쿼터 증가요구가 일체 받아들여지지 않은데 있으며 아울러 개혁의 전반적인 원칙이 이태리측 입장과 상반되었기 때문임.

0 이태리의 실제 우유 생산량은 년간 1,100 톤 이상에 달하나 EC 가 인정하는 생산 쿼타량 설정시 이태리의 실제 생산량보다 훨씬 적게 산정된 통계를 기초로 한 점과 이태리가 EC 국중 유일하게 우유소비가 증가하고 있음을 지적 금번 CAP 개혁 협상에서 동생산 쿼타량을 150 톤 증량해 줄것을 요청했으나 일부 국가의 반대로 일체 증량이 고려되지 않음.

0 한편 OILSEEDS 에 있어서 농산물 가격 보장을 농민소득 보장형식으로 전환하는 원칙은 과거 GATT PANNEL 토의에서 거부된 바 있어 이태리는 동방식이 GATT 원칙에 위배되는 것으로 간주하고 있음.

0 이태리가 반대하는 또 한가지 이유는 농민소득 보장형식으로의 전환을 포함하는 금번 개혁안이 농업, 축산면에서 북부, 남부간의 불균형 해소에 도움이 되지 못하다는 것임. 이태리는 자국에 민감한 농업분야인 청과류를 염두에 두고 직접적인 농가소득보상 보다 농산물의 경쟁력제고를 위한 품질 향상지원을 주장하고 있음.

0 다만, 이태리의 민감품목인 담배의 경우에는 품종간 쿼타량 조정등으로 이태리요구가 수용된것으로 평가하기 때문에, 전술한 우유등 일부품목을 제외하고는 전반적으로 금번 EC 개혁안을 수락한다는 입장이라 함.

통상국　차관　2차보　통상국　분석관　청와대　안기부　농수부　상공부

PAGE 1　　검 토 필 (1992.6.30.) 서명　　92.05.29　10:48

외신 2과　통제관 FW

0153

3. 금후 동향

0 따라서 이태리정부는 우유쿼타 증량문제를 6 월말 EC 정상에서도 거론할 예정이며 앞으로 그러한 이태리입장이 반영되어 EC/CAP 개혁안이 수정될 가능성이 있을 것으로 기대하고 있음.

0 UR 협상타결 관련 외무성 관계관은 미국이 동 개혁안에 대해 어떻게 평가하는가가 문제이나 일단 미국선거가 있기까지는 별 진전이 없을 것으로 본다고 전망하였음. 끝.

(대사 이기주-국장)

예고:92.12.31. 까지

PAGE 2

0154

02

관리번호	92-369

외 무 부

종 별 :

번 호 : USW-2757 일 시 : 92 0529 2221

수 신 : 장 관(통기,통이,통삼,미일,경기원,농수산부,상공부,경제수석)

발 신 : 주 미국 대사 사본: 주 제네바,EC 대사(중계필)

제 목 : 미.EC 간 UR 협상

대: WUS-2485

연: USW-2727

1. 연호 ANDRIESSEN EC 부집행위원장 방미와 관련, 당관 장기호 참사관은 5.29. USTR 의 UR 협상대표인 WARREN A. LAVOREL 대사를 면담, 최근 ANDRIESSEN EC 부집행위원장 방미 결과를 청취한바, 요지 아래 보고함.(김중근 서기관 동석)

가. 5.27. EC 측과 6 시간에 걸친 회담을 가졌는바, 미측에서는 BAKER 국무장관, HILLS USTR 대표, MADIGAN 농무장관, ZOELICK 국무부 경제차관, KATZ USTR 부대표와 자신이 참여하였음.

나. ANDRIESSIN 부위원장은 EC 의 CAP 개혁안이 합의된 사실과 이를 토대로 협상을 촉진시켜 7 월 G-7 경제정상회담시까지 협상의 CONSENSUS 를 마련해 보겠다는 강한 희망을 표명하였으나, CAP 개혁안이 마련된지 불과 수일밖에 안되었고 정치적으로도 불안감을 느껴, CAP 개혁안을 UR 에 연계시키는 구체적 방안을 제시하지 못했던바, 실질적인 합의에 도달한 것은 없음. 그러나 EC 가 종전과는 달리 미측 제안을 검토하겠다는 의사를 보인바, 이는 앞으로 협상의 진전을 위한 큰 변화로 평가되며, 개인적으로는 협상타결을 낙관적으로 보고 있음.

다. EC 측은 CAP 개혁안의 곡물가격 인하와 관련 앞으로 UR 협상에서는 직접 보조금 감축수준을 더이상 인하할수 없다고 설명하고, 수출보조금 감축에 대해서도 종전 입장을 반복하는등 새로운 대안을 제시하지 못하였음.

수출보조금 문제는 EC 가 24 퍼센트 삭감을 수용할 자세가 되어 있지 않아 전혀 진전이 없는 상태이고, 국내보조문제와 PEACE CLAUSE 문제는 미측이 새로운 제안을 한데 대해 EC 가 검토해 보겠다는 반응을 보였는바, 이는 긍정적 변화로 평가할수 있음.(새로운 제안의 내용에 대해서는 언급을 회피하였음)

통상국	장관	차관	2차보	미주국	통상국	통상국	분석관	청와대
청와대	안기부	경기원	농수부	상공부	중계			

PAGE 1 검 토 필 (1992.6.30.) 92.05.30 15:28

외신 2과 통제관 BS

0155

라. BAKER 장관은 EC 의 BANANA 수입시장 개방을 강하게 요청하며 TARIFFICATION 문제를 거론하였는바, 동 장관은 BANANA 를 TARIFFICATION 의 예외품목으로 인정하는 경우, 모든 국가가 예외요구 (특히 일본, 한국이 쌀을, 캐나다가 가금류 예외 주장을 예시)를 하게 되어 협상타결이 어려워질 것임을 지적하였음.

마. (협상 일정및 전망 문의에 대해)

현재 미.EC 양측이 국내적으로 정치적 부담을 안고 있어 , UR 협상을 타결하려는 정치적 의지가 증대되고 있으므로, 협상타결을 전보다 긍정적으로 평가한다 하고, 향후 협상 일정은 양측이 구체일정을 합의하지는 않았지만 6 월중에 실무 책임자급 회의와 각료급 회의를 갖게 될 것으로 보고 있음. 동 각료급회의에서 정치적 결단을 내려 농산물 협상의 돌파구를 마련하고, 7 월말까지는 협상의 기본 골격을 마련하고, 8,9 월의 휴가기간을 거쳐 10 월이후 3 개월간 품목별 협의를 거쳐 협상 TEXT 를 마련할수 있지 않을까 생각함.

2. 금번 회담에 대한 농무부 및 국무부의 실무관계관들의 평가는 아래와 같음.

가. 농무부 J. GRUEFF 다자무역정책 과장

- 금번 회담에 임한 양측이 기본입장은 미국은 CAP 개혁안을 UR 협상에 반영 시키는 구체방안을 제시하라고 요구한 것이며, EC 측은 EC 가 CAP 개혁안을 제시하였으므로 미국등 제 3 국은 이제안에 맞추라는 (ADJUST) 입장이었음.

- CAP 개혁안에 대한 미측의 우려는 생산량 감축에 따른 보상금 지급 수준이 너무 높아 수출보조금이 없다 하더라도 생산량을 현수준 이하로 감축시킬 필요가 없다는 점임.(즉 휴경을 하게되면 다음해에는 보조금을 받지 못하게 되므로 경작을 계속한다는 우려)

- 그러나, 이번 회담에 BAKER 국무장관이 UR 협상의 전면에 나서게 된것과 MCSHARRY 농업위원이 참석하지 않은 점은 양측의 UR 타결에 대한 정치적 의지와 관련 상징성이 있는 것으로 볼수도 있는바, 일부에서는 MCSHARRY 위원이 농산물 협상의 전면에서 물러나고 있는 것이 아닌가 하는 추측도 있음.

나. 국무부 W. CRAFT 다자무역과 부과장

- 금번 회담에서 구체적합의에 도달한 것은 없으나 미측의 몇가지 제안에 대해 EC 측이 종전과는 달리 검토해 보겠다는 입장을 표명한 것이 진전이라 할수있음.

- (미측제안 내용 문의에 대해)

. 수출보조금, 국내보조금 감축과 관련, 보조금 형태와 감축 시행기간을 예시

PAGE 2

0156

하는등 장기적 해결방안을 제시하였는바, 수출보조금 문제는 종전의 강한 미측 입장을 반복하였으나, 국내보조금 문제에는 상당한 신축성을 보였음.

. PEACE CLAUSE 문제는 미측이 구체적 문안을 제시하였는바, 불공정무역 관행에 대한 제재 조치라는 기존 미측입장은 고수하고, 협의과정 (CONSULTATION)을 둔다는 조항, 비합리적 (IRRATIONAL) 일방조치를 억제한다는 조항등 COSMETIC COVER 를 삽입하였음.

- BAKER 장관은 미국이 바나나 수출국은 아니지만 여타국가로 부터 TARIFFICATION 의 양보를 받아내려면, EC 가 바나나 시장을 개방하는 것이 중요하다 하고 강한 어조로 동 시장개방을 45 분간이나 역설하였으나, EC 는 이를 받아들이지는 않았음.

- BAKER 장관이 협상 주역으로 나선 것은 대통령 선거를 앞두고, UR 이 타결 되는 경우 JOB CREATION 에 크게 도움이 된다는 것을 미국민들에게 보이기 위한 정치적 고려가 깔려 있으며, EC 의 경우도 지난 2 회의 G-7 정상회담시 UR 을 둘러싸고 미국.불란서간의 불협화음이 언론에 크게 보도되어, 이러한 정치적 손실을 막기 위해 G-7 정상회담 이전에 돌파구를 마련하겠다는 정치적 의지를 가지고 있어, 비록 어려움은 있겠으나, 조만간 협상의 돌파구가 마련될수도 있다고 봄.끝.

(대사 현홍주-국장)

예고: 92.12.31. 까지

PAGE 3

0157

종 별 :

번 호 : GVW-1100 일 시 : 92 0601 1200

수 신 : 장관(통기,경기원,재무부,농수산부,상공부)

발 신 : 주 제네바 대사 사본:주미,주EC대사(중계필)

제 목 : UR/농산물 협상(4개국 대사 회동)

연: GVW-1029

5.29 본직은 일본, 카나다, 스위스대사와 회동(카나다 SHANNON 대사 주최 오찬), 표제협상의 최근 동향에 관해 의견 교환하고 갓트 11 조 2(C) 개선 및 관세화 예외에 관한 공통입장을 효과적으로 반영시키기 위한 전략 방안에 대하여 협의하였는바, 요지 하기 보고함.

1. 최근 협상 동향

가. 5.27(수) 워싱턴에서 개최된 미-이씨 각료회의 (ANDRIESSEN EC 집행위원, BAKER 장관, HILLS 대표, MADIGAN 장관 참석)시 미국은 EC 에 대하여 CAP 개혁안을 UR 협상 입장에 반영시키는 몇가지 방안을 제시하였으며, 그에 대한 EC 의 답변을 6 월말까지 제시하도록 요청하였다함.

나. 이와 관련 SHANNON 대사는 미-EC 양자 협의에서 소득 보상 직접 지불 정책의 BLUE BOX 인정 문제는 견해차가 거의 좁혀졌으며, PEACE CLAUSE 에 대하여 새로운 개념이 논의되었고, REBALANCING 대하여는 의견 교환이 있었다고 하면서 수출보조 물량 감축(24 퍼센트)과 관련해서는 미국이 융통성 (FLEXIBILITY)이없다는 분명한 입장을 EC 측에 전달한 것으로 파악된다면서 양국은 10-14 일후재회동할 계획으로 아로고 있다하였음.

다. 스위스대사는 G-7 전 미-이씨간 기본적인 문제에 대하여 타협이 이루어질 경우 9 월경부터 본격적인 협상을 진행시켜 연내에 UR 을 타결시킬수 있을 것이나 6 월 말까지 양국간 기본적인 문제에 대한 UNDERSTANDING 이 이루어지지 않을 경우 연내 타결은 어려워질 것이라고 전제하고 현상황에서는 6 월말 이전 타결 가능성이 크지 않다고 평가하였음.

라. 본직은 G-7 회의시 UR 문제를 주요의제로 다루지 않으려는 것이 KOHL 독일

통상국	장관	차관	2차보	분석관	청와대	안기부	경기원	재무부
농수부	상공부	중계						

PAGE 1 검 토 필(1992.6.30.) 92.06.01 22:48

외신 2과 통제관 EC

0158

수상의 분명한 의지이지만 UR 협상의 중요성에 비추어 논의가 불가피할 것이며, 이것이 UR 타개의 전기가 될수도 있다고 하였음. 일본대사는 미-이씨 양국간에 6 월말까지 주요 쟁점에 대한 합의에는 이르기 어렵겠지만 어느정도 견해차를 좁힐 가능성이 있을 것이나 G-7 회의에서는 UR 문제를 구체적으로 처리할 상황은 될수없을 것이라고 말함.

2. 예외없는 관세화에 대한 각국 입장

가. 카나다는 갓트 11 조 2(C) 의 개선 및 관세화 예외에 관한 기존 입장에변화가 없으며, 매우 민감한 사항으로서 수상이 직접 관심을 가지고 있다고 하였음.

나. 일본은 현 참의원의 의석 배분 상황과 7 월 예정인 선거에 비추어 쌀의관세화는 대단히 어려우며, 정부로서는 현 의석 분포상 DELIVER 할수 없는 심각성을 갖고 있다고 강조하였음.

다. 스위스는 10 년후 관세화 한다는 입장이라고 하면서 관세화 개념에 대한 근본적 문제제기 보다는 농산물에 대한 규율 체계를 보다 융통성있게 하는 방안을 모색하는데 중점을 두는 것이 효율적일 것이라고 하였음. 갓트 11 조 2(C) 의 유지 개선에 대한 지지 입장은 계속 유지할 것이라 하였음.

라. 본직은 쌀의 관세화 문제는 국내 정치, 사회적으로 매우 민감한 문제이며 타협할 대상이 되지 않는다고 강조하고 끝까지 기존 입장을 유지할 것임을 밝혔으며, 갓트 11 조 2(C) 개선에 대해서도 적극적으로 참여할 것임을 언급하였음.

또한 EC 가 바나나를 관세화 대상에서 제외할 경우 예외없는 관세화 논리와상치되는 만큼 우리도 예외를 주장할수 있는 근거가 될수 있을 것이라고 하였음.(이에 대하여 바나나는 협상의 결정적 (BREAK OR MAKE IT) 품목이 아니며, 개도국을 위한 조치라는 반론이 있을수 있어 아국의 쌀과는 상황이 다를 것이라는 견해가 있었음.)

3. 향후 공동 대처 방안

가. 본직은 각국의 개별적 추진은 효과가 거의 없으므로 관계국의 공동 대처가 중요하다고 전제하고 이를 위해서 정기적 회합을 개최하여 정보교환 및 공동입장 정립을 협의 해 나가는 한편 가급적 조속히 던켈 총장을 만나 공동입장을전달할 필요성이 있다고 하였음.

- 일본은 시간이 별로 없다고 하면서, 조속히 아세안, EFTA, 중남미 국가 그룹들과 만나 문제점과 공동입장을 설명하고 협조를 구하는 방안을 강구하자고 하였음.

- 스위스는 여러 그룹을 만나는데에는 동의하였으나 공동 보조를 취하는데 대하여 다소 유보적 태도를 취하였음.

나. 본직등 오찬 참석 대사들은 아세안 그룹, 중남미그룹, EFTA, LDC 그룹등과 공식, 비공식 협의회를 갖기로 원칙적인 합의를 하였음.

- 내주경 4 개국 대사가 재회동하여 구체적인 방안을 협의할 계획인바, 추보 하겠음.

4. 기타

- 종전에 공동입장을 취했던 멕시코, 노르웨이가 금일 회동에 초청되지 않았는바, 멕시코는 미국과의 NAFTA 협상과 관련 입장 변화가 있으며, 노르웨이는 북구의 공동입장과 관련 다소 애매한 태도를 취하고 있는 것으로 알려짐. 끝

(대사 박수길-국장)

예고 : 92.12.31. 까지

PAGE 3

0160

관리 번호	92-370

외 무 부

종 별 :

번 호 : FRW-1131 일 시 : 92 0601 1840

수 신 : 장관(통삼,통기)

발 신 : 주 불 대사

제 목 : 외무성 EC 및 UR 업무담당관 방한

1992.12.31. 에 예고문에 의거 일반문서로 재분류됨

1. 6.17-18 간 서울 개최 OECD/DAES DIALOGUE(무역정책에 관한 워크샵)에 불측 대표로 외무성 경제재정국 EC 및 UR 업무 담당관인 DENIS SIMONNEAU 가 참석예정이며, 동인은 방한기간중 본부를 방문, 과장급 인사와 소관업무에 관한 의견교환을 희망하고 있음.

2. 동인은 EC 및 UR 업무관련, 당관에 협조적인 인사로서 양국 실무자간 소관분야 업무협의는 유익할 것으로 사료되는 바, 동인이 희망하는 6.19(금) 0900-1030 간 통상 3 과장 및 통상기구 과장과의 면담이 이루어질수 있도록 주선하여주시고 결과 회보바람.(동인은 면담직후 12:55 서울 출발 예정이라 함). 끝.

(대사 노영찬-국장)

예고:92.12.31. 까지

검 토 필(1992.6.30.)

통상국 구주국 통상국

PAGE 1

92.06.02 05:02

외신 2과 통제관 FM

0161

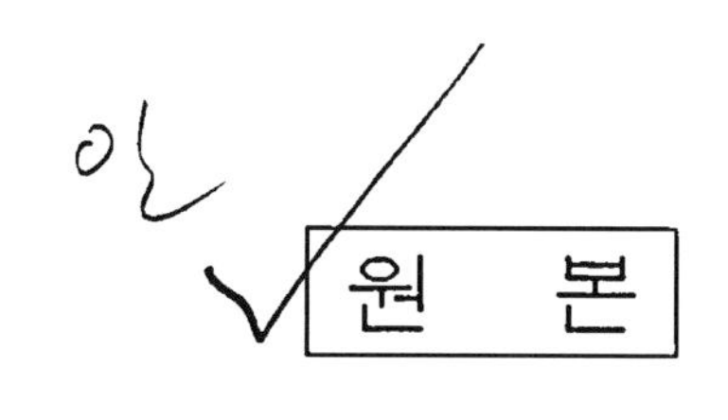

외 무 부

종 별 :

번 호 : ECW-0729 일 시 : 92 0602 1700

수 신 : 장관(통기,경기원,농림수산부) 사본:주제네바 대사-직송필

발 신 : 주 EC 대사

제 목 : EC / 바나나 수입문제

1. 지난주 CALLEJAS 훈듀라스 대통령은 코스타리카 및 파나마 대통령과 함께 영국, 불란서및 EC 집행위를 방문하여, EC 가 단일시장 발족을 계기로 바나나 수입쿼타와 20프로 관세부과를 추진하는 문제에 대해 달라 바나나 국가들의 의견을 전달하였음. EC 집행위 방문후 가진 기자회견에서 CALLEJAS 대통령은 EC 가 계획대로 바나나 수입을 제한할 경우, 달라 바나나 국가들의 바나나 수출액은 10억불 이상 감소될것며, 이로인해 25만의 바나나 전업농과 1백만의 부업농들이 타격을 받게 될것이라고설명하면서 동건을 재고해 줄것을 요청함

2. 한편, EC 집행위 관계관에 의하면 EC는 바나나 수입관세를 20프로 부과하는 동시에 지역별 수입쿼타를 재설정하는 방안을 검토 (이경우, 달라바나나 수입쿼타량은90년 2백만톤에서1.4백만톤 정도로 축소하고 매년 35프로 씩의 쿼타증량) 하고 있으며 잔여 수입량에 대하여는 수입 허가제를 도입 운용할 것으로 알려지고 있음.동건에대한 최종결정은 7월중 결정할 것으로 알려짐. 끝

(대사 권동만-국장)

통상국 경기원 농수부

PAGE 1 92.06.03 06:29 FN

외신 1과 통제관

0162

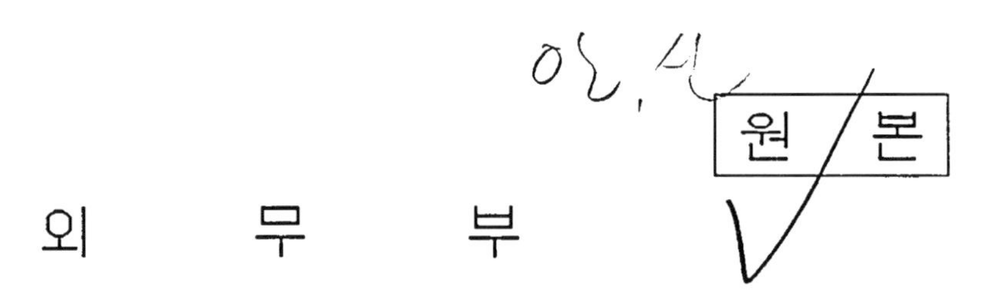

외 무 부

종 별 :

번 호 : ECW-0728 일 시 : 92 0602 1700

수 신 : 장관(통기,경기원,재무부,농림수산부,상공부,기정)

발 신 : 주 EC 대사,사본:주미대사(중계필),주제네바(직송필)

제 목 : 갓트/UR 협상

5.27 미.EC 양자협상 개최이후 표제관련당지동향 을 아래 보고함

1. 미.EC 양자협상에 대한 평가

가. 6.1. EC 집행위 관계관은 지난주 개최된미.EC 양자협상시 미국이 제시한 새로운 제안내용에대한 구체적인 언급은 회피하였으나새로운 제안의 주요 요지가 보조수출 물량감축(24프로) 기간을 DUNKEL 최종타협안에 제시된5년에서 8년으로 연장하는내 용이었음을암시하면서, 동건과 관련한 EC 의 기본입장은감축기간이 문제가 아니라 감축량이 문제라고밝힘으로서 동 미측제안에 큰 관심을 갖고 있지않다는 입장을 보였음

나. 그러나 동인은 미.EC 양측은 상대방의새로운 제안을 신중히 검토하고 있으며비록워싱턴 협상에서 구체적인 진척은 없었으나결렬된 것도 아니며 양측은 UR 협상의최종적인 타협을 위해 노력하고 있다고밝혔으나, 추후 양자협상 일정에 대하여는언급을 회피함

다. 한편, 당지 전문가들은 워싱턴회담후공동성명서 또는 합동 기자회견이 없었던점을지적하면서 비록 EC 는 CAP 개혁내용이 UR농산물 협상 타결에 결정적인 요소가될 것으로판단하고 있음에도 불구하고 동 CAP 개혁이미측을 만족시키는데에도 미흡하였으며 EC 가CAP 개혁내용을 UR 협상에 어떻게 반영할것인지에 대한 구체적인 복안을 갖고 있지못한것이 금번 워싱턴 회담에서 구체적인진전을 이루지 못한 요인으로 평가함. 또한 동인은앞으로도 양측간에는 CAP 개혁에따른소득보조를 UR 협상에 연계시키는 문제, EC휴경계획이 생산감축에 미치는 영향평가 및보조수출 물량감축 문제가쟁점으로 남아 있을것이라고 분석함

2. 협상전망

당지의 UR 관련 전문가에 의하면 EC 의 CAP개혁을 계기로 EC 가 UR 협상 관련

통상국 2차보 경기원 재무부 농수부 상공부

PAGE 1 92.06.03 06:23 EG

외신 1과 통제관

0163

새로운제안을 조속히 제출하여, 미.EC 간의수출보조문제에 대한 합의가 이루어져서 7월초뮨헨 G-7 정상회담 이전에 미.EC 간의정치적 타결이 이루어질 가능성도 있다고 긍정적으로전망함. 다만 동인은 미.EC 간 농업문제에대한 합의가 이루어 지더라도 UR협상 PACKAGE에 대한 구체적인 최종협상은 금년 10월까지연기될수 밖에 없을 것이라고 말함. 끝

(대사 권동만-국장)

PAGE 2

0164

관리 번호	92-372

외 무 부

종 별 :

번 호 : FRW-1138 일 시 : 92 0602 1730

수 신 : 장관(경일,통삼,통기)

발 신 : 주 불 대사

제 목 : 경제재무성 대외경제관계 총국장 접촉

1994.12.31. 에 예고문에 의거 일반문서로 재분류됨

대:WFR-1026

본직은 금 6.2 경제 재무성 대외경제관계 총국 DESPONTS 총국장을 오찬에 초대코 상호 관심사등을 협의하였는 바, 주요 내용 아래 보고함.(아측: 조참사관,신서기관, 이상무관, 불측:DE COINTET 부국장, VALENTIN 한국담당관 동석)

1. 한. 불 관계

0 동 총국장은 92.1 STRAUSS-KAHN 상공장관의 방한 성과에 만족을 표하겨, 한국측이 불 보험회사인 AGF 의 국내영업허가등 불측 요청사항에 대해 즉각적인 조치를 취해준데 사의를 표함.

0 동인은 양국간 경협증진에 있어 TGV 의 중요성을 재삼 강조하고, 경부고속전철 사업 차량형식 선정 관련, 향후 추진일정등에 각별한 관심을 표함.

0 또한 동인은 불란서가 현재 외국인의 국내투자 촉진을 대외경제정책의 중점과제로 추진하고 있음을 설명코, 한국 기업이 불란서에 대한 투자확대시 양국간 경제심화는 물론, 단일시장 및 경제통합을 앞둔 유럽진출에 유용할 것임을 강조함.

2. 극동지역 상무관 회의

0 동 총국장은 대호와 같이 6.14-18 간 방한, 한국, 대만, 일본 주재 상무관 회의를 6.15-16 간 경주에서 개최할 예정이라 함.

0 금번 회의는 년초 불 경제각료의 극동 3 국 방문 후속사업으로 동 지역내불 경제 위상제고를 위한 경제진출 방안이 협의될 예정이며, TORDJMAN 부자유치담당 대사를 비롯한 대외경제관계 총국 실무진 다수가 동행 예정임.

0 또한 동 총국장은 6.17 오전 제 2 차관보 예방시 10 월 파리 개최 경제공동위를 앞두고 TGV, 군수산업 분야등에 있어 불측의 관심을 전달코자 한다함.

3. UR 전망

경제국	차관	2차보	통상국	통상국	분석관	청와대	안기부

검 토 필(1992.6.30.)

PAGE 1

92.06.03 05:17

외신 2과 통제관 FK

0165

0 5.22 EC 농업장관 회의시 공동농업정책(CAP) 개혁안 합의로 UR 타개 가능성이 높아졌다는 일부 전망과 관련, 불 정부내 UR 협상 책임자인 동 총국장은 미측의 비타협적 협상 자세에 비추어 년내 타결 가능성은 희박할 것으로 본다 함.

0 동인에 의하면, 현재 미 선거전에서 중요한 경제 이슈는 일본과 NAFTA(북미자유무역지대) 로서 UR 은 별다른 관심사항이 아니며, BUSH 대통령이나 클링턴 양후보가 미 각계 산업 로비스트의 재정지원을 받고 있으므로 선거를 앞두고 이들의 이익에 상치된 내용으로 UR 협상을 타결키는 극히 어려울 것이라 함.

0 이러한 견지에서 미국의 협상 여력은 매우 제한되어 있으며,5.27 미, EC 각료급 회담의 결렬도 이러한 맥락에서 해석되어야 할것인 바, 특히 선거유세 과정에서 상당한 어려움을 겪고있는 BUSH 대통령으로서는 서둘러 UR 을 타결할 필요성을 느끼지 않을것으로 봄.

0 연이나 EC 측은 CAP 개혁에 있어 기대이상의 합의를 도출했고 현단계에서대미 추가 양보는 정치적으로 불가한 입장에 있으므로 미측이 EC 에 상응하는 양보를 하기전에 협상의 진전을 보기는 어렵다고 봄.끝.

(대사 노영찬-제 2 차관보)

예고:92.12.31. 까지

PAGE 2

0166

일(EC의 rebalancing 관계 검토)

관리번호	92-379

원 본

외 무 부

종 별 :

번 호 : GVW-1134 일 시 : 92 0605 1900

수 신 : 장관(통기,통상,농수산부)참조:주EC대사,주미대사(중계필)

발 신 : 주 제네바 대사

제 목 : 미.EC OILSEEDS 분쟁

1992.12.31. 에 예고문에 의거 일반문서로 재분류됨

1. 당관에서 GATT 관계관 및 당지 EC 대표부 관계관을 통해 파악한 결과 EC측은 작 6.4(목) 표제 분쟁해결을 위해 양허 재협상을 추진할 예정이며, 따라서 이사회가 GATT 제 28 조 4 항에 따라 재협상 착수를 승인해 줄것을 공식으로 요청하는 내용(OILSEEDS 관련 통계 포함)의 서한을 작 6.4(목) DUNKEL 사무총장에게 전달한 것으로 확인됨.(동 서한은 이사회 개최 직전 GATT 문서로 전회원국에 배포될 예정이나, 사안의 민감성을 고려 갓트 사무국 및 EC 대표부는 당분간 보안유지를 당부하였음)

2. 예상되는 미측 반응에 관한 문의에 대해 EC 대표부 관계관은 양허 재협상은 기본적으로 보상을 전제로 하는 것인 만큼 미국으로서 큰 불만은 없을 것으로 본다고 언급하였으며, 또한 ALAIN FRANK GATT 사무총장 비서실장도 6.4. 이참사관 접촉시 CAP 개혁합의로 UR 협상 분위기가 다소 호전된 상황이므로 UR 의 성공을 위해 미국은 지난 4.30 이사회의 경우처럼 강한 태도를 취하지는 않을 것으로 본다는 개인적 의견을 피력한바 있음.

3. 당관의 판단으로는 EC 가 상기 결정을 내리기에 앞서 일단은 미국과 비공식 협의를 가졌을 것으로 추정(FRANK 비서실장은 5.2 안드리센, 베이커 워싱턴회담시 이문제도 논의된 것으로 안다함) 되므로, 상기 EC 대표부 관계관의 분석과 같이 미국이 큰 불만을 갖지 않을 가능성도 있으나 미국 입장에서는 상기 재협상 제의가 EC 측의 지연 전술일 수도 있다는 경계심을 가질수도 있고, 해당 품목의 교역상 중요성(10 억불 상당)에 비추어 미국이 동제의를 쉽게 받아들일수있을지 여부가 의문이 되므로 현 단계에서 미국의 반응을 확실히 예측키는 어려움.

4. EC 대표부 관계관에 따르면 해당품목(SOYA BEAR, 해바라기씨, 유채화씨 및 동 OIL CAKE) 에 대한 관세 조정폭 및 보상 규모, 보상 대상품목등 구체계획에 대해서는 협상과정에서 구체화 될 것이라함. 끝

통상국 장관 차관 2차보 통상국 분석관 농수부 중계

PAGE 1

검 토 필(1992.6.30.)

92.06.06 08:30

외신 2과 통제관 EC

0167

(대사 박수길-국장)
예고 92.12.31. 까지

안(이사)

원 본

외 무 부

종 별 :

번 호 : FRW-1196 일 시 : 92 0610 1800

수 신 : 장 관 (통기,구일)

발 신 : 주 불 대사

제 목 : ur 협상 동향

1. 당지 6.10자 'LE FIGARO'지는 최근 UR협상 동향과 관련, 미국과 EC 간 농업분쟁이가까운 시일내 종결되고 UR 협상타결 전망이 가시화되고 있으며, 양측간 타협이 G-7뮌헨 정상회담(7.6-7) 전에 이루어질 가능성이 있다고 보도함.

2. 동 전망의 근거로서 지난 5.27 와싱턴 미.EC 회의에서 J.BAKER 미 국무장관이F.ANDRIESSENEC 집행위 부위원장에게 EC 농산물 수출한도를 DUNKEL 안의 02:0BVA로 제의하였으며, 이에 대해 EC 측은 대응입장을 준비중에 있다 함.

3. 상기 전망이 실현되기 위해서는 우선 EC내부의 의견일치를 위한 회원국간 입장조정이 이루어져야 할것이며 특히 보조금 삭감에는 동의하나 수출물량 한도 설정에는강력 반대해온 불란서의 태도변화가 관건인 바, 이를 위해 EC집행위는 회원국들로 하여금 불란서에 대해 공동압력을 가하도록 요청할 것으로 보임.

4. 미국과 EC 는 농산물 갈등이 해결방안 모색에 있어 국내정치에 미칠 영향을 우려하고 있는 바, EC 측은 유럽 농민의 희생에도 불구하고 미측 압력에 굴복한 것으로비판받아왔던 92.5. CAP 개혁에 이어 또다시 농민들의 감정을 자극하지 않도록 신중을 기할것으로 보이며, 미측도 EC 와의 타협이 부시대통령의 선거운동에 미칠 부정적영향에 대한 우려를 불식하지 못하고 있음.

5. 동지는 UR 협상 일정과 관련, 92.11.월중 미대선 직후에 타결안이 최종 확정,서명되고 93년 봄 미의회에서 비준될 것으로 전망하면서, 미 대선 결과 및 불란서의93.3 총선으로 인해 동 일정이 다소간 영향을 받을수도 있으나, 지난 6년간의 UR협상이 이룩한 성과는 이제 포기될수 없다는 국제사회의 인식이 UR 협상의 최종타결을반드시 성사시킬 것으로 봄.끝.

(대사 노영찬-국장)

통상국 구주국

PAGE 1 92.06.11 02:48 DW

외신 1과 통제관 ✓

0169

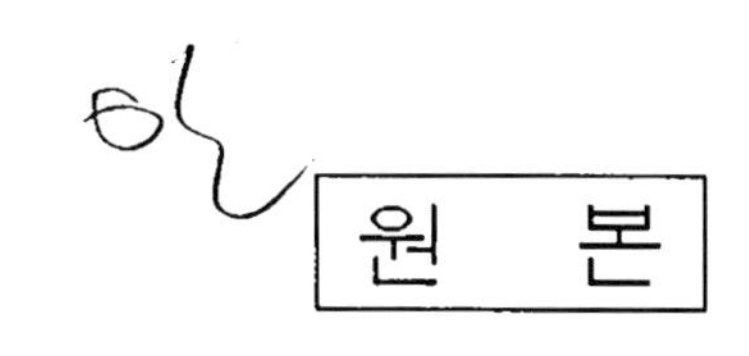

외 무 부

종 별 :

번 호 : ECW-0776 일 시 : 92 0611 1600

수 신 : 장 관(통기,경기원,농수부) 사본;US,GV대사 공게필

발 신 : 주 EC 대사 사본:통2.통3

제 목 : 미. EC 간의 OILSEEDS 분쟁

1. 6.10 HILLS 미무역대표부 대표가 표제 관련발표(6.12 미국은 치즈, 주정, 포도주(을 포함한 EC의 대미수출 농산물 20억불 상당액에 대한 보복관세 LIST 를 발간예정이며, 발표후 1개월 이내에 공청회를 거쳐 관세부과 품목과 관세율을 결정할예정이나, 양자협상은 계속할수 있다는 내용) 한데 대해 EC집행위는 성명서를 발표하고 동 결정에대해 깊은 유감을 표명하면서 부적절하고 비생산적이며 아무런 법적근거가없는 결정이라고 비난함

2. 또한 동 성명에서 EC 는 미국의 결정이 시행될 경우` EC 의 대미 농산물수출이 큰 타격을 받게될 것이라고 말하고, EC 는 4.30갓트이사회에서 OILSEEDS 패널결과에 따라 6.19 갓트이사회에 구체적인 EC 제안을 제출할것이라고 공약한바 있으며동건이 동 이사회 의제로 기히 채택된바 있음을 상기 Ħ ㅓ ĦD서 금번 미국의 결정은다자무역 규범에 어긋나는 조치라고 말함

3. 한편, 6.9 EC 의 113조 위원회는 동건 미.EC간의 파LSEEDS 와 관련한 마찰을해소하기위해 갓트 제 28조 제 4항에 의한 양허의 재교섭과 보상하는 방안을 확정하여 6.19 갓트이사회에 제출키로 결정한바 있음

4. EC 집행위 관계관은 EC 의 OILSEEDS시장(규모는 확대(85 수입량: 12999, 90:13185천 M(/T) 되고 있음에도 불구하고, 미국산 대두의 EC 시장(점유율 (85: 74프로, 90:48프로) 이 하락하고 있는것은 브라질 (EC시장(점유율: 86: 9프로, 90:22프 로),남아공등의 대두에 비해 가격 경쟁력이 떨어지기 때문이며 EC 시장체제에 문제가 있는것은 아니라고 말하고 금번 미국이 발표한 대 EC 보복관세 부과대상 품목을 분석해 보면 불란서산이 30프로,이태리 18프로, 독일 11프로 및영국 8프로등 대상품목선정에있어 불평등하게 결정되었다고 말함. 끝

(대사 권동만-국장)

통상국 경기원 농수부

PAGE 1 92.06.12 07:42 BD

외신 1과 통제관 ✓

0170

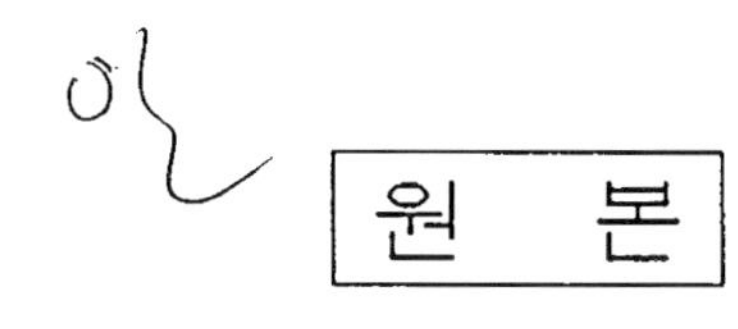

외 무 부

종 별 :

번 호 : FRW-1207 일 시 : 92 0611 1700

수 신 : 장 관(통기,통삼)

발 신 : 주 불대사

제 목 : 미-EC 농산물 분쟁

연:FRW-579(1),1196(2)

1. 연호 미-EC 간 식용유 작물 보조금 정책으로 인한 분쟁관련, 미정부는 EC 의보조금 지급이 자국 농산물 수출에 미친 타격에 대한 보복조치로서 10억불 상당의 EC 산 상품에 대한 수입관세를 2배로 중과하는 조치를 취할 예정에 있으며, 이를 위해6.12 대상품목 LIST를 발표할 것이라고 함.(상기 품목중에는 포도주와 치즈가 포함될 것으로 확실시 되며, 이경우 불란서가 가장 큰 피해를 입을 것으로 추정되고 있음)

2. 이와관련, EC 측은 연호 'SOYBEAN PANEL'의 EC 보조금 지급정책 부당 결정에대해 GATT이사회가 심의도 하기전에 미측이 대통령선거를 앞두고 자국 농민의 입장만을 고려한채 상기 보복조치를 결정한 것은 GATT 의 '협상을 통한 분쟁해결' 정신을위배한 것이며, 미국의 고질적인 일방주의(UNILATERALISM)을 재현한 것으로 비난함.

3. EC 측은 지난 5월 농민들의 반발에도 불구하고 타결시킨 CAP 개혁조치가 이에 상응하는 미측의 양보를 통해 농업분쟁 및 UR 협상을 진전시킬 것으로 기대하였으나 이와는 달리 미측이 강경조치를 취한 배경에는, EC와의 협상에서 연호(2)와 같이 농산물 수출물량 한도를 DUNKEL제안보다 하향제의 하는등 부분적인 양보자세를 취하는한편, 보복조치 착수등 경제적 전쟁도 불사한다는 강경태도를 보이는 이중적 전략을병행하므로써 농산물 협상에서 유리한 입장을 견지코자 하는 의도로 보임.끝.

(대사 노영찬-국장)

통상국 통상국 재무부

PAGE 1 92.06.12 07:49 WH

외신 1과 통제관

0171

안 원 본

외 무 부

종 별 :

번 호 : ECW-0788 일 시 : 92 0612 1730

수 신 : 장관 (통기,경기원,농림수산부)

발 신 : 주 EC 대사 사본: 주미(중계요망), 중계필

제 목 : 미.EC 의 OILSEEDS분쟁,제네바(직송필)

연: ECW-0776

표제와 관련한 미국의 발표에 대한 EC 측반응을 추가 보고함

1. 6.12. MAC SHARRY 농업담당 위원은 표제와 관련한 미국의 결정으로 말미암아미국이 UR협상을 조속히 종결 하겠다는 의지를 갖고 있는지를 의심케 한다고 말하고UR 협상에서 농산물 문제가 해결된다고 해서 서비스, 시장접근 분야등이 저절로 해결되는 것은 아님을 상기 시킨다고 말함

2. 한편 불란서 정부대변인은 OILSEEDS 와관련한 미국의 결정이 시행될 경우 GATT/UR협상에 심각한 위협이 될 것이며 미국의 내부정치적인 문제는 내부적으로 해결하는 것이바람직하며 미국의 이러한 조치로 인하여 EC 의결속이 약화되는 것은 아니라고 말함

3. GUMMER 영국 농무장관은 미국의 결정은 협상하려는 의도라기 보다는 일종의 보복이라고 말하고 영국으로서는 전혀 수락할수 없는 내용이며 미국산 대두의 시장확대 문제와 관련하여 이를 대외적으로 해결하려는 태도보다는 내부적으로 해결하는것이 바람직할 것이라고 말함. 끝

(대사 권동만-국장)

통상국 경기원 농수부 중계

PAGE 1 92.06.13 05:16 FE

외신 1과 통제관 ✓

0172

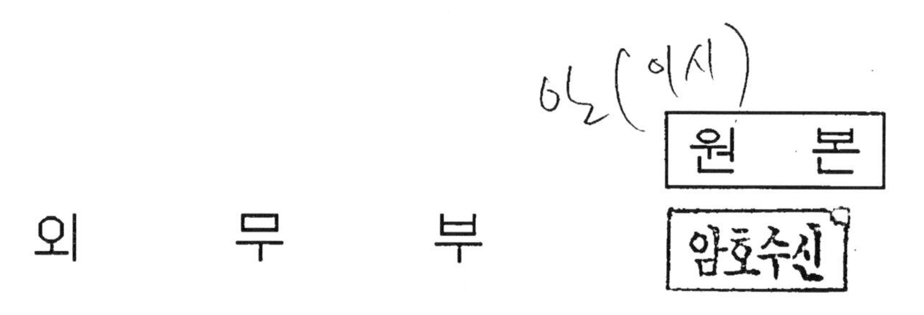

외 무 부

종 별 :

번 호 : ECW-0789 일 시 : 92 0612 1730

수 신 : 장관(통기,경기원,재무부,농림수산부,상공부)

발 신 : 주 EC 대사 사본: 주 미,제네바대사-중계필

제 목 : 갓트/UR 협상 추진동향

최근 당관 이관용농무관이 당지에 주재하고 있는 각국의 주 EC 대표부 농무관 모임에 참석한 결과및 언론보도등을 종합한 표제 협상동향을 아래 보고함

1. 7 월초 문헨에서 개최되는 G-7 정상회담에서 표제협상의 농산물분야에 대한 정치적 합의여부가 동 협상의 연내 종결여부와 직결되리라는 예상이 높아가고 있음. 한편 당지의 일부 전문가들은 OILSEEDS 분야에대한 미.EC 간의 분쟁, EC 의 바나나제도개편 문제가 표제협상 타결에 미칠 부정적인 영향을 우려하고 있음

2. 최근 합의한 EC 의 CAP 개혁내용이 미측을 충분히 만족시키지도 못하였고 또한 동 개혁시행시 CEREALS 수출물량을 어느정도 감축할수 있는지에 대한 분석(가격인하의 생산감축 효과및 15% SET ASIDE 의 확고한 이행여부 불부명) 도 어려우나 미대통령선거, KOHL 수상의 정치적 입지및 EC 의 결속강화 필요성등 정치적인 측면을 고려할때 문헨 G-7 정상회담이전 즉 6 월중에 미.EC 간 농산물분야에 대한 정치적 합의를 이룰수 있다는 전망이 지배적임 (미, 카나다, 호주, 이스라엘 농무관은 긍정적, 스위스, 오지리 농무관은 부정적의견)

3. 미.EC 간의 농산물관련한 미해결분야는 수출보조금, CAP 개혁에따른 소득보조의 GREEN BOX 및 PEACE CLAUSE 문제이나 수출보조금 감축량 문제가 관건이며 미국은 24% 감축량을 고수하는 대신에 감축기간을 연장하자는 입장이고 EC 는 소맥수출물량 감축폭을 약간 줄이는 대신에 보리등 곡물의 감축물량을 늘리자는 입장이나 양측의 입장을 조화한 방안을 강구하는 것은 어려운 과제는 아니라고 분석하고 있음 (다음주 BAKER 장관의 브랏셀방문시 동문제가 심도있게 협의될것으로 봄)

4. OILSEEDS 와 관련한 미국의 발표는 정도가 지나치다는데 의견을 같이하고 동 발표는 미대통령 선거에서 BUSH 대통령의 열세등 내부 정치적 전략이며 동OILSEEDS 문제와 UR 협상은 별개 사안이므로 UR 협상에 큰 영향을 미치지는 않을 것이라는

통상국	장관	차관	2차보	구주국	분석관	청와대	안기부	경기원
재무부	농수부	상공부						

PAGE 1 92.06.13 05:41

외신 2과 통제관 FM

0173

분석이 지배적이었음. 한편 OILSEEDS 문제는 미.EC 양자협상을 통해 해결될 것으로 전망하고 있음

5. EC 의 바나나 시장제도 개편과 GATT/UR 협상

가. EC 의 바나나문제는 수입제도와 단일시장 발족에따른 바나나시장 통합이라는 두가지 문제가 있는바 시장통합 측면에서 독일및 베네룩스 국들이 바나나의 소비자 가격상승을 강하게 반대하고 있으며 수입제도 개편문제를 갓트규범과 UR 협상에 조화시키는 방안도 쉬운 과제가 아님

나. 지난번 워싱턴 회담시 BAKER 장관은 달라바나나 생산국입장을 대변하여ANDRIESSEN 위원에게 EC 의 바나나 시장개방을 강력히 요구한바 있으며 그이유는 달라바나나 생산국들중 3 개국가가 갓트 회원국이 아니기 때문에 동 국가들이 공동으로 갓트 체제내에서 해결방안을 강구하기 어렵기 때문임

다. 바나나수입제도 개편과 관련하여 EC 는 WAIVER 획득, TARIFFICATION 적용예외및 TARIFF 쿼타적용 방안등을 검토하고 있으나 TARIFF 쿼타를 활용하는 방안이 채택될 것으로 전망됨 (7 월중 결정예정) 한편 EC 는 UR 협상에서 계속 예외없는 TARIFFICATION 을 공약한바 있고 미국과의 관계때문에 갓트 11 조 2 항 개정제안국에 합류할 가능성은 없으며 바나난 TARIFFICATION 을 적용하되 TE 를 200% 이상으로 갓트에 제출한후 DUNKEL 타협안에 따라 TE 를 감축하는 한편, ACP 국가및 EC 해외영토의 바나나 생산및 유통구조 개선을 위한 보조금을 지급하는 방안이 채택될 가능성이 높다고 분석함 (카나다, 이스라엘, 노르웨이, 일본농무관). 끝

(대사 권동만-국장)

0174

관리번호	92-386

외 무 부

종 별 :

번 호 : GVW-1167 일 시 : 92 0612 1620

수 신 : 장관(통기,통이,통삼,경기원) 사본: 주미, 주 EC 대사(중계필)

발 신 : 주 제네바 대사

제 목 : 미.EC OILSEED 분쟁

연: GVW-1134

1. GATT 사무국은 표제분쟁관련 GATT 제 28 조 4 항에 따른 양허재협상 착수 승인을 요청하는 EC 의 서한을 GATT 문서로 배포함(별첨 FAX)

2. 한편, 미국은 미통상법 절차에 따라 30 일간의 의견수렴을 거쳐 최종적으로 10 억불 상당액으로 축소한다는 계획하에 20 억불 상당의 보복대상 LIST(주로 포도주, 치즈, 진등 농산물)를 발간함.

3. 동건 관련 당관이 GATT 사무국 및 주요국 공관등을 통해 파악한 결과를 아래 보고함.

가. EC 의 입장에서는 농산물 보조금제도 개혁 상황에 비추어 볼때 제 2 차패널이 권고한 하기 2 가지 대안중 양허재협상만이 유일한 방안으로 생각되며 따라서 6.19 이사회에서 2 차 PANEL 보고서 결론에 다소 불만이 있더라도 동 보고서 채택에 동의하고, 양허재협상을 적극 추구할 것으로 예상됨.

(단, 당관 판단으로는 EC 가 제 2 차 패널보고서 채택에 동의할 경우 미국이 GATT 의 승인을 받아 보복 조치를 취할 가능성을 열어 주게되는 효과도 있으므로 신중한 입장을 취할 가능 성도 있음)

- 제 2 차 PANEL 은 EC 가 (1) 보조금 제도를 수정하게나 (2) 제 28 조 양허재협상을 통해 양허 당시 관련국가의 기대이익 침해를 시정할것을 권고함.

- EC 는 90.1. 1 차 보고서 채택이후 91 년 기존제도를 변경, 도입한 새로운 보조금 제도(경작 농가에 대한 직접 소득 보조)를 재차 수정하는 것이 내부적으로 대단히 어려운 사정(동건은 CAP 개혁 및 UR 협상과도 관련) 에 처해있음.

나. 반면 미국으로서는 미행정부가 관련 업계의 압력을 받고 있으며(양허 재협상에 따른 보상은 해당업계의 직접적 이익과는 무관), 양허재협상에 필요한 통상의

통상국	장관	차관	2차보	통상국	통상국	분석관	경기원	중계

PAGE 1

92.06.13 06:05

외신 2과 통제관 FM

0175

소요기간을 감안할때 EC 의 재협상제의를 지연전술로 판단 연호 보고와같이 재협상 제의를 수락하기 어려운 입장인 것으로 보고 있음.

다. GATT 사무국 MERCIER 참사관에 의하면 , 동문제와 관련 6.19 이사회에서 큰 논쟁이 예상되므로 가급적 이를 예방키 위하여 내주중 ZUTSHI 의장 주재로 이해관계국간 비공식 협의를 개최할 예정이나, 상기 미.EC 양측의 입장차이에 비추어 타결점 모색이 쉽지 않을 것으로 본다함.

라. 동건 이사회 논의시 주요 수출이해 당사국(카나다, 스웨덴, 우루과이등INR) 은 미국의 입장에 동조는 하되 GATT 의 승인절차를 거치지 않는 일방적 보복 조치 시행에는 반대한다는 입장을 표하는 일방, EC 에 대해서는 동 패널보고서 채택을 촉구하는 입장을 취할 것이 예상되며, 직접적인 이해 관계가 없는 국가는 적극적인 개입은 피하면서 일방적 조치는 곤란하다는 원칙적인 입장표명 선에서 대처할 것으로 예상

4. 상기관련 당관으로서는 (1) 아국의 경우 직접적인 이해관계가 없는 점 (2) 농산물 협상에 있어서의 아국입장 및 (3) 장래 직접 소득보조실시 필요성 대두 가능성등을 감안, 아국이 종래 일관되게 주장해온바에 따라 일방적 보복 조치강행은 바람직 하지 않다는 선에서 대처코자 하니 본부의 특별한 의견 있으면 가급적 6.15(월) 한 회시 바람.

첨부: 상기 EC 의 양허재협상 승인 요청 갓트문서(GVW(F)-0375). 끝

(대사 박수길-국장)

예고:92.12.31.1 가지

0V

주 제 네 바 대 표 부

번 호 : GVW(F) - 0375 년월일 : 20612 시간 : 1620

수 신 : 장 관 (통기, 통이, 통상, 경기원) 사본: 주미, 주 EC대사

발 신 : 주 제네바대사

제 목 : 첨부

총 8 매(표지포함)

보 안	
통 제	

외신과	
통 제	

375 - 8 - 1

0177

TARIFFS AND TRADE

DS28/2
5 June 1992

Limited Distribution

Original: French

EUROPEAN ECONOMIC COMMUNITY - PAYMENTS AND SUBSIDIES PAID TO PROCESSORS AND PRODUCERS OF OILSEEDS AND RELATED ANIMAL-FEED PROTEINS

Follow-up on the Panel Report

Proposal by the European Economic Community

The following communication, dated 4 June 1992, has been received from the Permanent Delegation of the Commission of the European Communities with the request that it be inscribed on the Agenda of the 19 June Council meeting.

I have the honour to refer to the discussions that took place at the latest meeting of the Council of Representatives on 30 April 1992 on the subject of the United States complaint under Article XXIII:2 concerning the impairment of benefits accruing to it in respect of Community tariff concessions for certain oilseeds and oilcake.

At that meeting the Community said that it would submit specific proposals aimed at resolving this dispute before the next meeting of the Council of Representatives.

To this end, and in order to help to find a pragmatic, effective and prompt solution to the dispute, the Community proposes to renegotiate its tariff concessions for oilseeds and oilcake in accordance with Article XXVIII.

Accordingly, it hereby requests the authorization of the CONTRACTING PARTIES to enter into negotiations, under Article XXVIII:4 of the General Agreement, for modification of the Community concessions with respect to soya beans (CN 1201.00.90), rape or colza seeds (CN 1205.00.90), sunflower seeds (CN 1206.00.90) and oilcake (CN 2304.00.00, 2306.30.00, 2306.40.00), included in the present schedule of concessions of the Community (LXXX-EC).

The required statistics are annexed to this request.

This procedure will enable the negotiations to be concluded rapidly and ensure that they take place under the full control of the CONTRACTING PARTIES.

0178

375-8-2

DS28/2
Page 2

EC IMPORTS OF SOYA BEANS (1989-91)

Tariff number	Provenance	1989		1990		1991		Ø 1989-91	
		Tonnes	1,000 ECU	Tonnes	1,000 ECU	Tonnes	1,000 ECU	Tonnes	1,000 ECU
[illegible].00.90	GATT	9,933,792	2,526,863	11,757,697	2,287,471	11,807,237	2,295,178	11,166,241	2,369,837
	UNITED STATES	5,883,361	1,499,075	6,383,625	1,271,452	6,178,353	1,165,624	6,148,446	1,312,050
	BRAZIL	3,421,229	858,220	2,904,145	553,007	2,160,096	427,758	2,828,490	612,995
	ARGENTINA	464,470	127,787	2,337,642	437,590	3,381,279	584,573	2,061,130	416,650
	URUGUAY	66,440	17,218	3,012	552	3,243	620	24,898	6,130
	BOLIVIA	49,926	12,550	51,859	10,062	7,200	1,415	36,328	8,009
	CANADA	39,709	10,157	77,414	14,808	73,268	14,485	63,464	13,150
	NIGERIA	6,657	1,856	-	-	-	-	2,219	619
	YUGOSLAVIA	-	-	-	-	3,798	703	1,266	234

Source: Eurostat - Foreign Trade (G.c).

Initial Negotiating Rights: UNITED STATES

0179

315-8-3

DS28/2
Page 3

[illegible] 1 (b)

EC IMPORTS OF COLZA (1989-91)

[illegible]	Provenance	1989		1990		1991		Ø 1989-91	
		Tonnes	1,000 ECU	Tonnes	1,000 ECU	Tonnes	1,000 ECU	Tonnes	1,000 ECU
[illegible]	GATT	539,805	113,242	467,408	89,202	282,084	49,756	429,766	84,067
	POLAND	429,212	91,870	387,156	74,881	167,561	29,789	327,976	65,513
	AUSTRIA	27,150	5,597	-	-	13,766	2,478	13,639	2,692
	CANADA	34,452	5,100	15,377	1,861	5,022	758	18,284	2,573
	HUNGARY	13,068	2,758	9,606	2,002	15,033	2,857	12,569	2,539
	SWEDEN	20,420	4,906	50,166	9,543	60,475	10,684	43,687	8,378
	CZECHOSLOVAKIA	9,004	1,813	5,103	915	5,412	688	6,506	1,139
	YUGOSLAVIA	6,499	1,198	-	-	14,815	2,502	7,105	1,233

[illegible] Eurostat - Foreign Trade (6.c).

[illegible] Negotiating Rights: CANADA

0180

375-8-4

EC IMPORTS OF SUNFLOWER SEED (1989-91)

[illegible]	Provenance	1989		1990		1991		Ø 1989-91	
		Tonnes	1,000 ECU	Tonnes	1,000 ECU	Tonnes	1,000 ECU	Tonnes	1,000 ECU
[illegible].05.90	GATT	75,520	43,178	278,405	96,389	315,810	107,905	223,246	82,490
	UNITED STATES	30,330	27,295	44,359	35,651	58,807	38,989	44,499	33,978
	HUNGARY	36,865	11,005	23,583	7,859	63,914	15,100	41,454	11,321
	AUSTRIA	-	-	-	-	13,518	3,255	4,506	1,085
	CANADA	1,908	1,991	2,170	1,805	3,699	2,763	2,592	2,186
	EGYPT	2,980	1,252	1,704	716	2,063	895	2,249	954
	YUGOSLAVIA	2,514	1,063	4,345	1,476	14,848	3,605	7,236	2,048
	KENYA	923	572	1,818	1,073	1,402	836	1,381	827
	ISRAEL	-	-	8,253	8,295	8,123	10,998	5,459	6,431
	ARGENTINA	-	-	192,173	39,514	143,080	30,208	111,751	23,241
	CZECHOSLOVAKIA	-	-	-	-	6,356	1,256	2,119	419

[illegible]: Eurostat - Foreign Trade (6.c).

[illegible] Negotiating Rights: CANADA, SWEDEN

0181

315-8-5

... 1 (a)

EC IMPORTS OF SOYA CAKE (1989-91)

...	Provenance	1989		1990		1991		ø 1989-91	
		Tonnes	1,000 ECU	Tonnes	1,000 ECU	Tonnes	1,000 ECU	Tonnes	1,000 ECU
...0.00	GATT	8,774,585	2,034,293	10,044,920	1,703,500	10,331,720	1,751,790	9,717,075	1,829,860
	BRAZIL	6,350,137	1,459,597	6,964,782	1,193,037	6,556,534	1,121,910	6,623,818	1,258,181
	ARGENTINA	1,655,126	378,843	2,558,446	418,558	3,334,446	554,395	2,516,006	450,599
	UNITED STATES	528,045	133,865	253,391	43,452	184,805	31,219	322,347	69,512
	INDIA	158,198	42,742	177,137	32,620	171,885	29,563	169,073	34,975
	NORWAY	52,371	12,182	73,225	12,944	76,741	13,572	67,446	12,899
	URUGUAY	18,857	4,511	7,987	1,175	-	-	8,948	1,895
	PERU	-	-	6,839	1,151	50	8	2,296	386
	BOLIVIA	4,097	874	-	-	95	14	1,397	296
	GAMBIA	2,528	676	-	-	-	-	843	225
	CHILE	4,426	1,003	-	-	-	-	1,475	334
	SWEDEN	-	-	3,113	563	-	-	1,038	188
	INDONESIA	-	-	-	-	7,164	1,109	2,388	370

... Eurostat - Foreign Trade (6.c).

... negotiating Rights: UNITED STATES, CANADA, URUGUAY, PAKISTAN

315-8-6

0182

[illegible] (e)

EC IMPORTS OF RAPE OR COLZA CAKE (1989-91)

Tariff number	Provenance	1989		1990		1991		Ø 1989-91	
		Tonnes	1,000 ECU	Tonnes	1,000 ECU	Tonnes	1,000 ECU	Tonnes	1,000 ECU
[illegible].40.00	GATT	195,000	24,763	328,117	32,118	385,930	38,146	303,016	31,676
	YUGOSLAVIA	25,486	3,293	13,626	1,686	15,553	1,496	18,222	2,158
	POLAND	41,720	6,255	115,951	11,905	174,612	19,922	110,761	12,694
	CANADA	6,280	959	8,400	999	1,330	114	5,377	691
	(CHINA)	(285,427)	(41,930)	(146,754)	(18,490)	(279,037)	(29,637)	(237,073)	(30,086)
	AUSTRIA	6,286	933	-	-	348	28	2,211	320
	CZECHOSLOVAKIA	9,855	1,487	4,896	557	83,056	7,552	32,602	3,199
	CHILE	10,610	1,514	5,924	692	-	-	5,511	735
	INDIA	94,763	10,322	179,320	16,279	91,849	7,200	121,977	11,267
	SWITZERLAND	-	-	-	-	4,500	474	1,500	158
	HUNGARY	-	-	-	-	8,663	807	2,888	269
	UNITED STATES	-	-	-	-	2,230	221	743	74
	INDONESIA	-	-	-	-	3,789	332	1,263	111

[illegible]: Eurostat - Foreign Trade (6.c).

[illegible] Negotiating Rights: UNITED STATES, CANADA, URUGUAY, PAKISTAN

375-8-7

0183

[illegible] 1 (i)

EC IMPORTS OF SUNFLOWERSEED CAKE (1989-91)

Tariff [illegible]	Provenance	1989		1990		1991		Ø 1989-91	
		Tonnes	1,000 ECU	Tonnes	1,000 ECU	Tonnes	1,000 ECU	Tonnes	1,000 ECU
[illegible].30.00	GATT	1,152,001	157,249	1,313,945	137,485	1,516,309	149,859	1,327,418	148,198
	YUGOSLAVIA	40,822	5,420	18,721	2,362	20,231	2,092	26,591	3,291
	UNITED STATES	21,538	2,981	-	-	16,783	1,739	12,774	1,573
	ARGENTINA	1,004,838	138,227	1,256,228	131,250	1,418,341	140,256	1,226,469	136,578
	INDIA	63,584	7,759	30,010	2,987	44,400	3,995	45,998	4,914
	TURKEY	5,548	780	-	-	-	-	1,849	260
	BRAZIL	9,512	1,302	8,986	886	4,251	562	7,583	917
	AUSTRALIA	6,159	780	-	-	-	-	2,053	260
	HUNGARY	-	-	-	-	3,168	369	1,056	123
	CHILE	-	-	-	-	1,500	132	500	44
	SWITZERLAND	-	-	-	-	1,570	128	523	43
	MALAYSIA	-	-	-	-	1,135	109	378	36
	AUSTRIA	-	-	-	-	899	98	300	33
	INDONESIA	-	-	-	-	966	97	322	32
	POLAND	-	-	-	-	885	87	295	29
	CZECHOSLOVAKIA	-	-	-	-	2,180	195	727	65

[illegible]: Eurostat - Foreign Trade (6.c).

[illegible] Negotiating Rights: UNITED STATES, CANADA, URUGUAY, PAKISTAN

375-8-8

0184

관리번호 92-4108

원 본

외 무 부

종 별 :

번 호 : GVW-1182 일 시 : 92 0612 2100

수 신 : 장관(통기,농수산부) 사본: 주미,주 EC 대사

발 신 : 주 제네바 대사

제 목 : 미.EC OILSEEDS 분쟁

연: GVW-1167

표제관련 GATT 사무국 LINDEN 고문에게 추가 파악한 결과 아래 보고함.

1. EC 가 양허재협상 절차로서 28조 4 항과 28조 5 항 절차중 28조 4 항절차를 선택한 것은 아래의 고려에 기인한 것으로 보임.

- 28 조 5 항 절차의 경우 일정기간내 합의 실패시 요청국(E)은 양허철회를강행할 자유가 있는 이점은 있으나 상대국(미국)에 대해 합법적 보복권한을 부여해주는 문제점

- 28 조 4 항 절차의 경우 합의실패시 동문제를 이사회에 가져올수 있으며,이를 통해 미국에 대해 압력을 가할수 있는 이점

2. 관련 생산자 단체의 압력등에 의해 당초부터 EC 의 보조금제도 폐지가 목적인 미국으로서는 보복 또는 보상에는 큰 관심이 없기 때문에 재협상요구를받아들이기 어려운 사정임

3. 따라서 보고서 채택문제에 관해서도 승소국인 미국은 동보고서가 양허재협상을 권고하고 있기때문에 동채택에 큰 관심이 없는 것으로 보이며, 반면 EC 의 태도는 확실치 않으나 양허재협상 요청의 근거가 된다는 점에서 동보고서 채택에 쉽게 동의할 가능성도 있음

4. EC 는 보상 LIST 를 작성함에 있어 OILSEEDS 수출국이 양허재협상에 동의, 미국에 대한 압력이 될수 있도록 이들국가의 이해를 최대한 반영할 가능성도있음. 끝.

(대사 박수길-국장)

예고:92.12.31. 까지

검 토 필(1992.6.30)

통상국 장관 차관 2차보 분석관 농수부 중계

PAGE 1 92.06.13 07:56

외신 2과 통제관 BN

0185

長 官 報 告 事 項

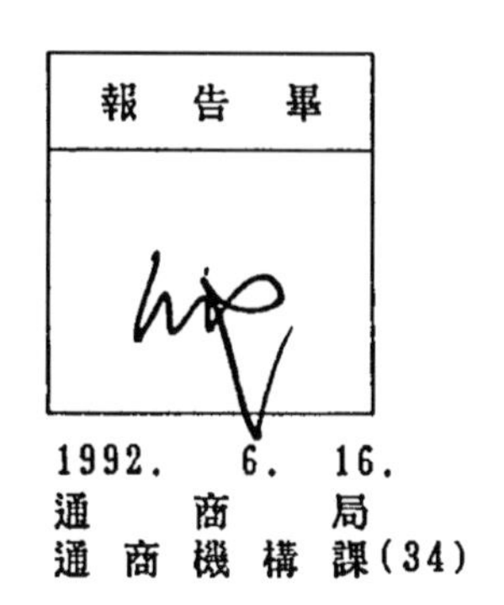

1992. 6. 16.
通 商 局
通 商 機 構 課(34)

題 目 : 美.이써間 oilseed 紛爭

최근 미국의 보복관세 부과 검토로 미국-EC 무역관계상 최대 현안이 되고 있는 Oilseed 분쟁과 관련 아래 보고 드립니다.

1. 문제 제기

o EC는 1962년 oilseed(대두, 해바라기씨등)를 무관세로 양허하였으나, 70년대부터 oilseed 생산자 및 EC산 oilseed를 원료로 사용하는 가공업자에게 지속적으로 보조금 지급

o 미국은 관세양허 효과 저해를 이유로 88.4. GATT에 제소하여 승소하였으나, EC는 가공업자에 대한 보조금만 철폐

o 미국은 이에 불복, 91.12. 다시 제소한바, 패널은 92.3. EC에 대해 보조금 제도 수정 또는 양허 재협상(GATT 28조)를 권고

- EC는 92.4. 이사회에서 동 패널 보고서 채택 거부

2. 현 황

o EC는 6.5 GATT에 대해 28조 4항에 따른 양허 재협상 착수 승인을 요청 (동건 6.19 이사회에 상정 예정)

o 미국은 양허 재협상을 EC의 지연 전술로 간주, 6.12. 20억불 상당의 보복 관세 부과 대상 list (주로 포도주, 치즈, 진등 농산물) 발표

- 30일간 의견 수렴 과정을 거쳐 최종 보복 대상액은 10억불로 확정 예정

0186

3. 평 가

o EC는 6.19 이사회시 패널보고서 채택에 동의하고 양허 재협상을 적극 추진할 것으로 예상되나 미국으로서는 양허 재협상에 장기간이 소요됨을 감안할때 이를 수락키 어려운 입장

o 미국의 보복이 시행되는 경우 UR 농산물 협상에 악영향을 미칠 것으로 예상

4. 대 책 : 직접적인 이해관계가 없으므로 6.19. 이사회에서 일방적인 보복조치 강행은 바람직하지 않다는 선에서 대처 예정

5. 국회 및 언론대책 : 해당없음. 끝.

0187

報 告 畢

長官報告事項

1992. 6. 16.
通 商 局
通商機構課(34)

題 目 : 美.이씨間 oilseed 紛爭

> 최근 미국의 보복관세 부과 검토로 미국-EC 무역관계상 최대 현안이 되고 있는 Oilseed 분쟁과 관련 아래 보고 드립니다.

1. 문제 제기

o EC는 1962년 oilseed(대두, 해바라기씨등)를 무관세로 양허하였으나, 70년대부터 oilseed 생산자 및 EC산 oilseed를 원료로 사용하는 가공업자에게 지속적으로 보조금 지급

o 미국은 관세양허 효과 저해를 이유로 88.4. GATT에 제소하여 승소하였으나, EC는 가공업자에 대한 보조금만 철폐

o 미국은 이에 불복, 91.12. 다시 제소한바, 패널은 92.3. EC에 대해 보조금 제도 수정 또는 양허 재협상(GATT 28조)를 권고

- EC는 92.4. 이사회에서 동 패널 보고서 채택 거부

2. 현 황

o EC는 6.5 GATT에 대해 28조 4항에 따른 양허 재협상 착수 승인을 요청 (동건 6.19 이사회에 상정 예정)

o 미국은 양허 재협상을 EC의 지연 전술로 간주, 6.12. 20억불 상당의 보복 관세 부과 대상 list (주로 포도주, 치즈, 진등 농산물) 발표

- 30일간 의견 수렴 과정을 거쳐 최종 보복 대상액은 10억불로 확정 예정

0188

3. 평 가

o EC는 6.19 이사회시 패널보고서 채택에 동의하고 양허 재협상을 적극 추진할 것으로 예상되나 미국으로서는 양허 재협상에 장기간이 소요됨을 감안할때 이를 수락키 어려운 입장

o 미국의 보복이 시행되는 경우 UR 농산물 협상에 악영향을 미칠 것으로 예상

4. 대 책 : 직접적인 이해관계가 없으므로 6.19. 이사회에서 일방적인 보복조치 강행은 바람직하지 않다는 선에서 대처 예정

5. 국회 및 언론대책 : 해당없음. 끝.

0189

오(이시)

원 본

외 무 부

종 별 :

번 호 : ECW-0815 일 시 : 92 0618 1530

수 신 : 장관 (통기,경기원,재무부,농림수산부,상공부)

발 신 : 주 EC 대사 사본: 주제네바-직송필,주미대사-중계요-중계필

제 목 : 갓트/UR 협상 동향

6.15-16 개최된 EC 일반이사회 및 농업이사회에서 표제협상과 관련한 논의동향을아래 보고함

1. ANDRIESSEN 부위원장은 6.15 일반이사회에 최근 표제협상 추진상황을 보고하면서 뮌헨 G-7정상회담 이전에 UR 협상에 대한 합의가 이루어지기는 어려울 것이라고말함. 또한 DUMAS불란서 외무장관도 ANDRIESSEN 부위원장의 의견에 동조하면서 미국도 EC 의 CAP 개혁과같은 노력을 보여야 할 것이라고 말하고 미측이 이러한 노력을보이지 않을 경우 EC 도 강경한 입장 또는 OILSEEDS 와 관련하여 미측이 결정한 일방적인 조치에대한 대응조치를 취해야 한다고 주장함. 한편 PINHEIRO 의장은 UR 협상의타결여부가 미국의 태도에 달려있다고 말함

2. MAC SHARRY 위원은 최근의 미.EC 간 양자협상에서 실질적인 진전이 없었다고보고한바 회원국의 농무장관들은 EC 가 어렵게 CAP 개혁에 합의하는 등 UR 협상의타결을위한 기여방안을 강구했음에도 불구하고 미국은 비타협적인 태도를 견지하고있다고 비난함.그러나 뮌헨 G-7 정상회담 이전에 표제협상 타결여부에 대하여 불란서는 회의적으로 평가한 반면 GUMMER 영국 농무장관은 조만간 미.EC간에 농산물문제가 원만히 타결되어 UR협상도 종결될수 있을 것이라는 낙관적인 입장을 보임

3. 한편, 동 농업이사회에서 MAC SHARRY 위원은 OILSEEDS 와 관련한 미국의 결정은 어느 당사국이 보복조치를 취하기 위해서는 사전에 갓트 체약국단의 동의를 받아야 한다는 GATT 규범에 명백히 위배되며 제 2차 GATT 패널권고에 따라 EC 는 양허재교섭 방안을 강구중임에도 불구하고 금번 취해진 미국의 결정은 잘못된것이라고 비난하면서 EC 회원국을 대표하여 집행위는 301조에 의거 취한 미국의 결정이 추진될 경우 동 결정의 다자간 무역규범 위배여부와 타당성에 의문을 제기할 것이라고

통상국 2차보 경기원 재무부 농수부 상공부

PAGE 1

92.06.19 01:35 DQ

외신 1과 통제관 ✓

0190

말함.끝

(대사 권동 만-국장)

PAGE 2

0191

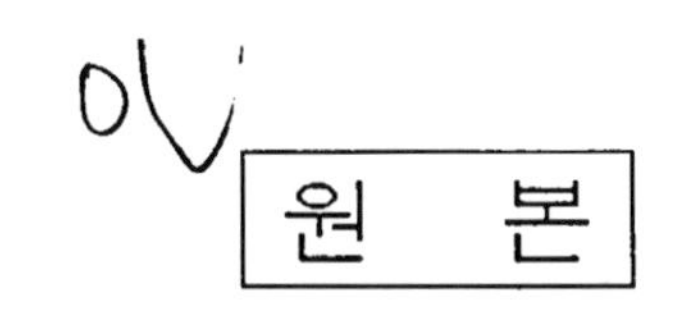

외 무 부

종 별 :

번 호 : FRW-1271　　　　일 시 : 92 0619 1630

수 신 : 장 관 (통기,통삼)

발 신 : 주 불 대사

제 목 : 미-EC 식용유 농작물(콩) 분쟁(3)

연:FRW-1207

1. 연호 미국이 EC 의 식용유 농산물 수출보조금지급에 대한 보복조치로서 10억불 상당 EC상품에 대한 수입관세 중과조치 방침 발표와관련,EC 측은 6.19 GATT 이사회개최시 미국의 보복조치에 대해 강력한 대응조치를 취할예정에 있는 것으로 알려짐.

2. EC 측의 이러한 입장 배경에는 지난 3월 GATT 의 SOY BEAN PANEL 이 EC 의 보조금지급관행은 국제적 규범에 어긋난 것으로결정을 내림에 따라 EC 측은 미측에 대한 보상방안을 검토중에 있었으나,미측이 GATT이사회의 최종 심의에 앞서 보복관세부과를 추진한 것은 대화가 아닌 힘의 논리로문제해결을 시도코자 하는것으로 EC 측이 추정하기때문임.

3. EC 측은 대응조치로서 미측에게 유리하게되어있는 1962년 미-EC 간 농산물 협정내용을 수정하는 방안과 미측에 대해 대응보복조치 준비등의 2개 방안을 강구중인것으로알려지고 있는바,양측간 금번 분쟁악화는 국내정치상황,즉 미국의 대선과 EC농민의 적극적인 CAP 개혁 반대에 크게 기인한 것으로 분석됨.끝.

(대사 노영찬-국장)

통상국　　통상국

PAGE 1　　　　92.06.20　05:28 EG

외신 1과 통제관 ✓

0192

분류번호	보존기간

발 신 전 보

번 호 : WGV-0943 920619 1710 WG 종별 :

수 신 : 주 제네바 대사. 총영사

발 신 : 장 관 (통 기)

제 목 : 프랑스 외무성 UR 담당과장 면담

Denis Simonneau 프랑스 외무성 UR 담당관이 6.19 통상기구과를 방문한바, 동인 발언요지를 하기 통보하니 참고바람.

1. UR 협상 타결 전망

o EC의 5.21 CAP 개혁안 채택에도 불구하고 수출보조등 주요쟁점에 대해 미국과 이씨간 의견차가 크기 때문에 7월초 G-7 정상회담 뿐아니라 11월 미 대통령 선거시까지도 UR 농산물 협상 타결을 위한 돌파구가 마련되기 어려울 것으로 봄.

o 이씨로서는 최대한의 양보를 하였기 때문에 더 이상 융통성 있는 입장을 취하기 어려우며, UR 협상 타결을 위해서는 미국이 양보해야 함.

2. 아국의 개도국 지위

o UR 협상 결과 이행과 관련 한국, 싱가폴, 홍콩의 개도국 지위를 인정할 수 없다는 Tran 대사의 주장은 동인의 개인적인 의견임.

o EC 내부에 한국등이 개도국 지위에서 졸업해야 한다는 의견이 있기는하나, 개도국으로서 UR 협상에 참여해온 이들의 개도국 지위를 현단계에서 인정하지 않는다는 것은 무리가 있음. ~~며 이씨 집행위가 Tran 대사를 지지하지 않을 것으로 봄~~.

끝. (통상국장 대리 ~~김 용 규~~ 심의관 (handwritten))

보안통제	(signature)

앙고재	92년 6월 19일	통기과	기안자 성명		과 장		국 장		차 관	장 관
			안명수		(signature)		전결			(signature)

외신과통제

0193

	분류번호	보존기간

발 신 전 보

번 호 : WFR-1272 920622 1909 CJ 종별 :

수 신 : 주 불란서 대사. 총영사

발 신 : 장 관 (통 기)

제 목 : 프랑스 외무성 UR 담당과장 면담

Denis Simonneau 프랑스 외무성 UR 담당관이 6.19 통상기구과를 방문한바, 동인 발언요지를 하기 통보하니 참고바람.

1. UR 협상 타결 전망

o EC의 5.21 CAP 개혁안 채택에도 불구하고 수출보조등 주요쟁점에 대해 미국과 이씨간 의견차가 크기 때문에 7월초 G-7 정상회담 뿐아니라 11월 미 대통령 선거시까지도 UR 농산물 협상 타결을 위한 돌파구가 마련되기 어려울 것으로 봄.

o 이씨로서는 최대한의 양보를 하였기 때문에 더 이상 융통성 있는 입장을 취하기 어려우며, UR 협상 타결을 위해서는 미국이 양보해야 함.

2. 아국의 개도국 지위

o UR 협상 결과 이행과 관련 한국, 싱가폴, 홍콩의 개도국 지위를 인정할 수 없다는 Tran 대사의 주장은 동인의 개인적인 의견임.

o EC 내부에 한국등이 개도국 지위에서 졸업해야 한다는 의견이 있기는하나, 개도국으로서 UR 협상에 참여해온 이들의 개도국 지위를 현단계에서 인정하지 않는다는 것은 무리가 있음. 끝. (통상국장 김 용 규)

보안 통제	

앙 고 재	92년 6월 22일	통기과	기안자 성명		과 장		국 장		차 관	장 관
			안명수				전결			

외신과통제

0194

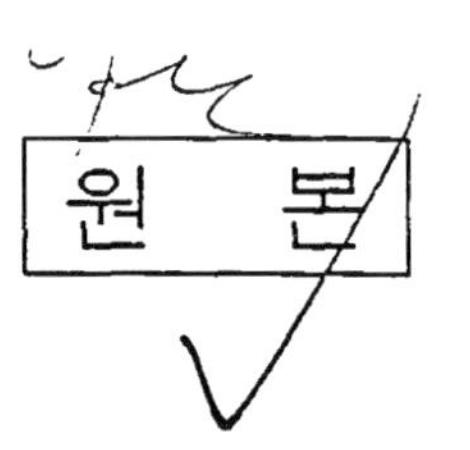

외 무 부

종 별 :

번 호 : GVW-1247 일 시 : 92 0622 1700

수 신 : 장관(통기,경기원,재무부,농수산부,상공부)

발 신 : 주 제네바 대사

제 목 : 6월 갓트 이사회

표제회의가 ZUTSHI 의장 주재로 6.19 개최되어 모두에 유고연방이 갓트 이사회 업무 참여를 자제한다는 취지의 의장 결정을 채택한데 이어 미.EC 간 OILSEEDS 분쟁과 관련한 EC 의 양허 재협상(28조 4항 절차)요청을 승인하고,수입주류에 대한 미국의차별조치 관련 미.카 패널보고서(DS 23/R), 브라질산 비고무 신발에 대한 미.브 패널(DS 18/R) 채택등 의제 사항에 대한 논의에 이어 기타의 제하에 COSTA RICA 가 제의한 EC 의 바나나 수입제도와 관련한 22조 협의요구에 대한 논의 및 EC 와 동구유럽제국간의 협력 협정 검토작업반 의장(본직) 결정에 대한 발표등이 있었는바, 요지 아래 보고함.(본직 이참사관, 신서기관)

1. OILSEEDS 패널 보고서 후속 조치(의제 5)

가. EC 의 양허 수정협상 제의

0 EC 는 패널 보고서의 권고에 따라 OILSEEDS의 관세양허 수정을 하기 위해 양허재협상전차중 28조 4항 절차를 따를 것을 제의한 자국제안(DS 28/2)을 설명하고 동제의에 대한 이사회의 승인을 요청한바, 동 제의 의도, 동재협상 절차의 운용 복안등에 대한 미.EC간의 논의, 아르헨티나, 카나다, 폴랜드등 주요이해국 및 아국등 체약국의 EC 양허 재협상 제의에 대한 논평을 거쳐 EC 의 양허 수정협상 개시 요청을 컨센서스로 승인함.

- 미국은 EC 가 제안한 양허 재협상은 문제의 근본인 보조금제도의 개선 방안은포함(ADDRESS)하지 않고 있으며, 또한 직접 피해를 받는 OILSEEDS 생산업자의 이해에 대해서는 해결책을 제시못하는 제안이라고 지적한바, EC는 보상품목 리스트가 제시되면 OILSEEDS 교역피해에 대한 해결에 도움이 될것이며 패널보고서의 권조중 양허재협상을 채택한 이유로 OILSEEDS CASE 는 보조금과 관세양허 관계에대한 1955 년 결정에 근거한 NON-VIOLATION CASE이므로 문제의 보조금을 철폐할 의무가

통상국 2차보 경기원 재무부 농수부 상공부

92.06.23 05:58 DQ

외신 1과 통제관

0195

없다는점을,28조 절차중 4항 절차를 제의한 이유로서 신속한 교섭 진행, 교섭 절차에 대한 갓트체약국단의 통제의 용이성을 언급함.

- 미국은 상기 EC 설명에 만족하지는 않으나 OILSEEDS 교역자체에 대한 구체적인 보상과 OILSEEDS 관세 양허수정에 대한 동가의 보상이 전제된다면 EC 와 60 일간 양허 교섭에 임할 용의가 있음을 표명한바, EC 는 28조의 추지에따라 균형된 보상을 도출하기 위해 노력하겠다고 발언함. Principal Supplying Intrest Initial negotiating Right

- 이어서 아르헨티나(자국이 PSI 임을 주장), 카나다(INR)는 재협상과정에 참여할 의사를 표명하면서도 재협상 과정에서 타협이 쉽게 도출되기 어려운 점을 지적하면서 EC 가 보조금지원을 중단할 것을 촉구함. 폴랜드는 자국이 SI 이므로 자국의 이익이 동재협상 과정에 반영될수 있기를 기대한다고 언급함. Substantial Interest

- 또한 태국, 북구, 파키스탄, 인도, 호주, 스위스,일본, 아국등 다수국이 EC 의양허 수정협상제의는 일방적인 조치등 갓트밖의 조치를 방지할수 있는 대안이라는 점을 들어 지지하였는바 특히 스위스, 일본, 아국은 EC-미국간의 OILSEEDS 패널보고서중 보조금부분의 해석은 신중하게 취급되어야 한다는 점,즉 어떤 국내 보조금이 갓트상의 이익을 침해하는지 여부에 대해서 동 패널이 전례를 구성할수 없으며, 특히 UR협상의 결과 허용보조금으로 결정된 보조금은 체약국의 갓트상 이익을 침해(NULLIFYOR IMPAIR) 한다는 이유만으로어떤 조치의 대상이 되어서는 안된다는 점을 지적함.

- 한편, 브라질은 EC 의 제의는 양허 재협상절차의 까다로움에 비추어 문제를 더복잡하게 만들고 있다는 부정적인 논평을 하였는바,콘센서스에 의한 양허 재협상 개시 승인결정에대한 의장의 발표가 있은 직후, 동국 대표는 자신의 상기 발언을 환기시키며, 이의를 제기하였으나 동 승인결정에는 영향을 미치지 못함.

나. 패널 보고서 채택문제

0 아르헨티나, 브라질, 파키스탄, 호주등이 보고서 권고사항의 이행을 위한 전단계로서 제 2차 패널보고서 (DS 28/R) 의 채택이 선행되어야 함을 강조하였으나, 미.EC 양국은 이들의 지적에대해 제 2차 패널 보고서는 이미 채택된 제 1차패널 보고서의 이행단계에 불과하므로 별도의 이사회 채택 과정이 불요하다는 입장을 표명함.

- 상기 미.EC 의 채택 불요 입장에 대해 아르헨티나가 강력한 반대입장을 표명하고 호주가 이에 동조한바, 의장은 동 보고서 채택여부는 금번의제인 양허 재협상

승인문제와는 구분할 필요가 있으며, 2차 패널 보고서의 법적 성격은 아직 결정되지 않았음을 지적함.

2. 미국의 참치 수입제한 조치 관련 EC 의 패널 설치요청(의제 7)

0 EC 는 미.멕간의 참치 패널 보고서가 당사국간의 입장 변화에 따라 채택이 지연되고있으며, 미국의 2 차 참치 수입제안조치(91.5)로 인해 갓트상의 권리를 침해받고 있다고 설명을 한뒤 패널 설치를 요청함.

- 미국은 1차 논의 단계인 금번 이사회에서는 패널설치에 동의할수 없다는 입장을 표명한뒤, 미하원에 포유동물 개정 법안이 제출되었으며, 동법안이 조만간 입법화되면 문제의 수입제한 조치가 모두 (PRIMARY 및 SECONDARY) 해석될수 있을 것이라고 답변

- 일본, 카나다, 네델란드, 콜롬비아, 태국등이 EC를 지지하면서 향후 설치될 패널에 이해관계국으로 참가할 권리를 유보하였으며, 기타,브라질, 아르헨티나등이 EC 입장을 지지함.

3. 카나다의 지방쥬류 마케팅 기관 관련 패널 보고서 이행조치(의제 6)

0 미국은 의제 배경 설명에서 4.25 이루어진 미.카간의 원칙적인 합의 이후 세부협의가 별진전을 보지 못하고 있을 뿐만 아니라 최근에는 ONTARIO 주정부가 환경(RECYELING 상의 고려)이유로 CAN 맥주(주로 미국산)에만 세금을 부과함으로써 병맥주(카나다의 맥주는 주로 병맥주)에 비해 차별조치를 취하고 있음을 지적한뒤, 차기 이사회에서 적절한 조치를 취할 용의가 있음을 언급한바

- 카나다는 미.카간의 세부협의는 당초 일정보다 빨리 진척되고 있으며 최근 도입된 조치는 내국민 대우 원칙을 준수하고 있다고 대응함.

(EC,칠레,호주,뉴질랜드 등이 미국에 동조)

4. 카나다산 수입주류 패널보고서(의제 3)

0 카나다는 4월 이사회와 마찬가지로 미국의 주류판매관련 제도가 카나다산 맥주에 수입장벽이 되고있음을 강조한뒤, 채택문제가 2번째 논의되는 금번 이사회에서 보고서를 채택할 것을 주장하고 카나다, EC, 뉴질랜드,호주,아르헨티나등도 보고서 채택을 지지한바, 미국은 패널보고서의 결론중 일부에 대한 유보(미국잠정 가입 의정서상의 GRANDFATHER CLAUSE 에 의해서 정당화되고있는 미국내법의 체제와 상충등)를표명하면서도 보고서 채택 자체에는 특별한 이의를 제기치 않음.

5. 브라질산 신발 패널 보고서(의제 4)

0 미국은 동보고서 채택에 동의하면서도 동보고서의 결론 일부(MFN 원칙의 적용부

분)에 대해 이의가 있음을 언급, 보조금 상계관세위원회의 패널보고서에 대한 브라질의 채택동의를 기대한다고 발언함.

0 상기 미국의채택 동의는 브라질 정부의 각국정부를 상대로한 적극교섭 추진 사실등을 감안, 더이상 거부키 어렵다는 판단에 기인한 것으로 보임.

6. HS 제도 도입에 따른 관세양허 수정교섭을위한 웨이버 요청과 관련, 에집트의요청(의제10)에 대해서는 에집트가 관심국가에게 최근 제공한 자료를 더 검토한 후차기 이사회에서 재론키로 하였으며, 의제 11 웨이버 연장요청,의제 12 페루의 요청및 의제 13 모로코의 요청에대해서는 문안을 확정한뒤 우편 투표를 실시함.(아국 찬성)

7. 기타, 4개국의 옵서버 지위 신청(의제 2)을 6.16그린룸 비공식협의 결과에 따라 콘센서스로 승인하고, 예산.재정.행정위의보고서(L/7017)를 채택하였으며(의제 2),의장으로 부터 93년도 TPRM 대상국가 명단을 청취한데 이어(의제 14), 던켈총장으로부터 전문직 이상의 사무국 직원들의 월급 및 연금의 실질적인 인하상태에 대한 구두보고를 청취함.

8. 한편, 의제 8 갓트 분쟁해결제도 현황 검토는 6.16. 비공식협의 결과에 따라다음 이사회에서 논의키로 하였으며,(호주는 7월 이사회 본항목 논의시 패널보고서이행에 관한 GATT의 감시능력,(호주는 7월이사회 본항목 논의시 패널보고서 이행에관한 GATT 의 감시능력(MONITORING CAPACITY) 문제를 제기할 예정이라고 언급) 의제9 MERCOSUR(남미공동시장)의 갓트 통보절차 문제는 의제 신청국인 미국이 미.MERCOSUR 간에 동건 관련한 협의가 진행중임을 이유로 의제에서 제외할것을 요청함.

9. 기타 의제

가. EC 의 바나나 수입제도

0 코스타리카는 동건과 관련, EC 에 대해 갓트22조상의 양자협의를 요청했음을 언급하면서 바나나가 주외화 수입원임에 비추어 EC 의 단일시장 계획은 코스타리카에심대한 영향을 미치며, 동계획에 따른 바나나 수입쿼타제는 갓트위반이고 UR 정신(SS AND RB)에도 위배된다는점을 지적한바

- 멕시코, 콜롬비아등 대부분의 남미국가 및 미국,호주,뉴질랜드등이 동조함.

0 반면 자마이카는 ACP COUNTRY 를 대표하여 EC 의 바나나 수입제도(쿼타제)는 LOME 조약이후 오랫동안 유지된 제도로서 EC 로서는 이를 존중할 의무가 있으며,

문제는 EC 가 동의무와 갓트상 의무를 어떻게 조화시키느냐인바, 동문제해결을 위한 협의에 반대하지 않는다는 입장을 표명하고 코트디봐르, 세네갈 마다카스칼등도 유사입장을 표명함.

0 EC 는 상기 각국의 발언 청취후 문제의 바나나수입제도는 아직 확정되지 않았으며 코스타리카등의 양자협의 요청을 이미 수락하였음에도 불구하고 기타 의제하에서이처럼 상세한 논의가 진행된 유례가 없다고 항변한후,동 문제에 대한 각국의 관심을 참작하겠다고 답변함.

나. 지역협정 작업반 의장 선임 발표

0 의장은 EC 와 동구 3국간의 협력협정 검토작업반 의장에 본직이, ANDEAN 협정검토작업반 의장에 ROSSIER 스위스대사가 선임되었음을 발표함.(터어키/EFTA 간 자유무역협정 검토작업반 의장은 상금미정)

다. ITC 사무총장 선임건 관련, 의장은 4.30이래 가진 비공식협의, UN 사무국과갓트사무국간의 접촉 사실등 그간의 경위를 설명하면서 상금 별다른 진전이 없었음을 공지함.

라. 터어키는 자국,파키스탄,이란간에 일부품목의 관세율 10 인하를 내용으로 하는 경제협력의정서를 체결하였으며 ENABLING CLAUSE 에 따라 CTD 에 통보할 예정임을, EC 는 EC 와 EFTA 간에 EEA 협정이 92.5.2 체결 되었으며 이를 조만간 문서로 통보예정임을 발표함.

10. 7월 이사회는 7.13.개최 예정이며 의제는 7.3.배포 예정임.

첨부: OILSEEDS 양허 재협상 신청 관련 아국발언

(GVW(F)-0392).끝

(대사 박수길-국장)

주 제 네 바 대 표 부

번호 : GVW(F) - 0392　　　　년월일 : 20622　　　시간 : 1700

수신 : 장　관(통기, 경기원, 재무부, 농림수산부, 상공부)

발신 : 주제네바대사

제목 : GVW-1247 첨부

배부처	장관실	차관실	一차보	二차보	외정실	분석관	아주국	미주국	구주국	중아국	국기국	경제국	통상국	문협국	외연원	청와대	안기부	공보처	경기원	상공부	재무부	농수부	동자부	환경처	과기처		

총 2 매(표지포함)

보 안 통 제	

외신관 통 제	

392-2-1　　　　0200

Agenda Item 5 (Oilseeds)

- Although Korea is not an exporter of oilseeds to the EC, we are very pleased to note that the EC proposal as reflected in document DS28/2 has received positive response from many CP's.

- It is our sincere hope that the US, a major contracting party whose serious concern over the impairment of its benefits under the GATT because of the EC oilseed regime is perfectly understandable, accept EC proposal for the tariff renegotiations under GATT Art. 28.

- As far as I can see, an amicable resolution of this dispute has a few important merits which we should all appreciate :
  1) avoidance of unilateral measures against the principles of the GATT.
  2) an amicable resolution of the dispute would certainly have a salutory effects of the on-going bilateral negotiation between US and the EC on agriculture which would contribute a great deal to helping facilitate a successful conclusion of the UR.

- As regards the two options recommended by the reconvened panel, we believe they are reasonable and consistent with the principles underlying the GATT.

- Lastly, I fully share the very pertinent concern expressed by the Swiss delegate that subsidies which would come under the Green Box category under the Draft Final Act, could also be challenged on the ground that they nullify or impair the benefits accrued to the contracting parties under Art. 2 of the GATT.
  This point was also referred to by the Japanese delegate. I agree with his view that this case does not constitute a precedent in dealing with cases of similar nature in the future.

3/2-2-2

0201

EC OILSEEDS
U.S. POSITION ON EC REQUEST FOR CP APPROVAL
UNDER ARTICLE XXVIII

-- THE U.S. GOVERNMENT HAS EXAMINED THE EC'S PROPOSAL TO SEEK GATT CONTRACTING PARTY AUTHORIZATION TO ENTER INTO ARTICLE XXVIII NEGOTIATIONS AT THE JUNE 19 GATT COUNCIL MEETING. WE WISH TO SHARE OUR REACTIONS WITH YOU AND SOLICIT YOUR SUPPORT ON THESE POINTS AT FRIDAY'S COUNCIL MEETING.

-- FIRST, SIGNIFICANT EC COMMITMENTS ON OILSEEDS ARE AN ESSENTIAL REQUIREMENT OF ANY NEGOTIATED OUTCOME OF THIS DISPUTE.

-- IN 1962, WHEN THE EC BOUND ITS OILSEEDS TARIFF, THE EC PRODUCED 500,000 METRIC TONS OF OILSEEDS ANNUALLY. BY 1991, EC PRODUCTION EXCEEDED 13 MILLION TONS ANNUALLY. EC SUBSIDIES INTRODUCED IN THE 1970'S RESULTED IN SEVEN TO TEN MILLION METRIC TONS OF EXCESS PRODUCTION EACH YEAR, TAKING VALUABLE MARKET SHARE AWAY FROM THE EC'S TRADING PARTNERS.

-- OUR OILSEEDS INDUSTRY HAS PATIENTLY AWAITED THE OUTCOME OF TWO GATT PANELS DURING FIVE YEARS, WHILE LOSING BILLIONS OF DOLLARS IN SALES DUE TO THE NULLIFICATION AND IMPAIRMENT. UNDER ARTICLE XXVIII THE COUNTRY BEING OFFERED COMPENSATION IS ENTITLED TO MAKE A JUDGEMENT AS TO WHETHER THE PRODUCTS PROPOSED ARE OF EQUIVALENT SENSITIVITY TO THE CONCESSION BEING RENEGOTIATED. WE FIND IT DIFFICULT TO IMAGINE PRODUCTS OF THE SAME SENSITIVITY AS OILSEEDS.

-- SECOND, WE NEED TO BE VERY CLEAR AS TO WHAT THE EC OWES ITS TRADING PARTNERS UNDER GATT RULES. BEFORE WE CAN EVEN CALCULATE WHAT THE EC WOULD OWE THE UNITED STATES FOR A RENEGOTIATION OF THE BINDING, THE EC MUST FIRST PROVIDE REDRESS FOR THE FULL NULLIFICATION AND IMPAIRMENT OF THE EXISTING BINDING. THE U.S. GOVERNMENT ESTIMATES THAT THE ANNUAL TRADE LOSS SUFFERED BY U.S. EXPORTERS IS ONE BILLION DOLLARS. WE BELIEVE THAT A NUMBER OF THE EC'S OTHER TRADING PARTNERS HAVE ALSO SUFFERED TRADE LOSSES AS A RESULT OF THE EC'S OILSEEDS SUBSIDIES.

-- THE EC MUST AT A MINIMUM PROVIDE THE U.S. CONCESSIONS LIKELY TO RESULT IN ONE BILLION DOLLARS OF NEW TRADE OPPORTUNITIES, I.E. A "TRADE CREATION" PACKAGE. THIS IS NOT TO BE CONFUSED WITH A "TRADE COVERAGE" METHODOLOGY WHICH WOULD SIMPLY PROVIDE FOR SLIGHTLY LOWER TARIFFS ON A BILLION DOLLARS OF CURRENT TRADE.

-- HOWEVER, THE EC IS NOT SEEKING RECOURSE TO ARTICLE XXVIII SOLELY AS A MEANS OF PROVIDING ITS TRADING PARTNERS COMPENSATION FOR THE NULLIFICATION AND IMPAIRMENT SUFFERED UNDER GATT ARTICLE XXIII. IT IS ALSO PROPOSING TO RENEGOTIATE THE CONCESSION. SHOULD THE EC SEEK TO RENEGOTIATE THE BINDING IT WOULD ALSO OWE THE UNITED STATES FULL AND ADEQUATE

0202

COMPENSATION FOR WHATEVER VALUE OF TRADE IS AFFECTED BY SUCH A MODIFICATION OF CONCESSIONS THROUGH THE ARTICLE XXVIII PROCESS.

-- FINALLY, THE U.S. GOVERNMENT INTENDS TO RAISE AT THE COUNCIL MEETING QUESTIONS AND CONCERNS AS TO WHY THE EC HAS CHOSEN TO INVOKE A VERY NOVEL SET OF PROCEDURES UNDER ARTICLE XXVIII -- SUBPARAGRAPH 4 RATHER THAN SUBPARAGRAPH 5. LEGALLY, THE EC HAS THE OPTION OF OPENING ARTICLE XXVIII NEGOTIATIONS AT ANY TIME, WITHOUT PRIOR CONTRACTING PARTY (CP) APPROVAL, BECAUSE IT, ALONG WITH MOST CP'S, RESERVES ITS RIGHT TO DO SO PURSUANT TO ARTICLE XXVIII:5. THEREFORE, THE EC DOES NOT NEED TO SEEK CP AUTHORIZATION.

-- FURTHERMORE, ARTICLE XXVIII:4 WAS DESIGNED TO PROVIDE RELIEF TO PARTIES WITH AN URGENT NEED TO WITHDRAW CONCESSIONS TO PROTECT THEIR INDUSTRY AND THEREFORE PLACES THE BURDEN ON THE APPLICANT TO MOVE THE PROCESS FORWARD. IN THIS CASE, THE EC IS NOT THE INJURED PARTY. IT HAS ALREADY IMPAIRED THE OILSEEDS BINDING AND HAS LITTLE INCENTIVE TO MOVE THE PROCESS FORWARD EXPEDITIOUSLY.

-- INVOKING PARA 4 OF ARTICLE XXVIII OFFERS THE EC SEVERAL ADVANTAGES. PERHAPS THE EC BELIEVES IT CAN MORE EASILY PRESSURE ITS TRADING PARTNERS TO ACCEPT ITS COMPENSATION OFFER IF THE OFFER IS TO BE SUBMITTED TO THE CONTRACTING PARTIES FOR REVIEW. PERHAPS THE EC HOPES TO DELAY THE MATTER BY SEEKING GATT AUTHORIZATION FOR AN ARTICLE XXVIII NEGOTIATION WHEN SUCH AN AUTHORIZATION IS COMPLETELY UNNECESSARY. THE U.S. GOVERNMENT WILL SEEK TO ENSURE THAT THE EC ADDRESSES THE MATTER EXPEDITIOUSLY.

62

외 무 부

종 별 :

번 호 : FRW-1307 일 시 : 92 0624 1730

수 신 : 장 관 (구일,통삼) 사본 : 통기

발 신 : 주 불 대사

제 목 : EC 공동 농업정책 개혁 반대(2)

연:FRW-1296

1. 연호 불 농민단체 LA COORDINATION RURAL 주도하의 파리외곽 봉쇄시도는 주재국 경찰의 효과적 저지에 의해 실패로 끝났으나,전국각지에서 유사한 농민시위를 유발시켰으며,LA COORDINATION RURAL 사무총장은 금번 시위에 이어 또다른 시위를 계속할 것 이라고 밝힘.

2. 한편 불정부는 농민단체에 의한 계속되는 CAP(COMMON AGRICULTURAL POLICY) 개혁 반대 시위사태와 관련,동 원인이 CAP 개혁안에 대한 국민들의 인식부족에 적지않게 기인한다고 평가하고 아래 3가지 관점에서 CAP 개혁으로 부터받는 혜택이 크다는점에 대해 대국민 홍보노력을 적극 전개키로 함.

0 곡물과 쇠고기에 대한 보조금 지급은 공동체 재정 사정상 더이상 불가능하므로CAP 개혁은 불가피함.(CAP 개혁이 이루어지지 않을경우,금년말 25백만톤의 곡물재고및 매년 5백만톤씩 추가 재고 예상)

0 CAP 개혁은 곡물류와 쇠고기에만 관계되며,불 농민에게 중요한우유,사탕무우,포도주,채소,과일,가금류 및 돼지고기 생산은 거의 영향을 받지 않음.(불 농촌 총수입의 절반도 안되는 분야만 영향을 받음)

0 불란서는 국내 소비량의 2.2배의 곡물을 생산하는 EC 내 최대 곡물 생산국이므로 CAP개혁이 실행되더라도 수출은 계속 가능토록 허용됨.

3. 농민들의 최대 우려사항인 CAP 개혁이 야기할 소득 감소문제와 관련,불 정부는 대규모 경작농가를 제외한 대부분의 농가는 CAP 개혁으로 오히려 소득증대가 가능할 것이라는 견해를 밝히고 있는바,CAP 개혁안의 국내수용 조치중 가장 핵심적 문제인농민 소득 보상금의 기준 논의를 위해 6.30 EC 농업이사회가 개최될 예정임.

4. 불 언론은 COORDINATION RURAL 의 금번 시위는 비록 실패로 끝났으나,정부에게

구주국 통상국

PAGE 1 92.06.25 03:29 FN

외신 1과 통제관

0204

CAP 개혁을 반대하는 농민들의 존재를 부각시켰다는 점에서 의미가 있었던 것으로평가하고,정부가 조속한 시일내 CAP 개혁에 대한 농민불만을 해소할 방안을 강구하지 않을 경우 15-17프로 가량의 불란서 농촌인구는 MAASTRICHT 조약에 대한 국민투표시 반대표를 던질 가능성을 전망 함.끝.

(대사 노영찬-국장)

0205

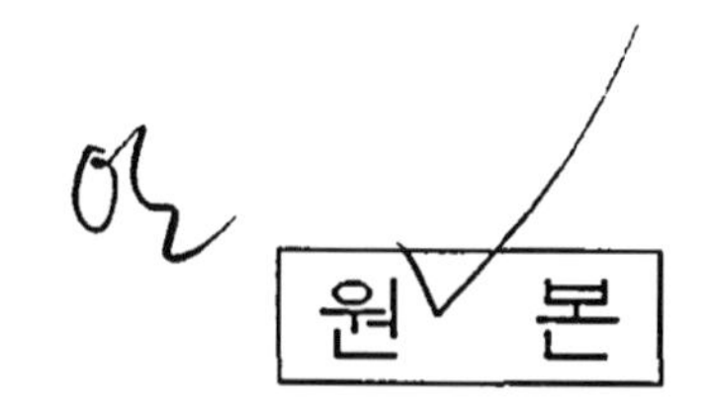

외 무 부

종 별 :

번 호 : ECW-0855　　　　　　　　일 시 : 92 0625 1730

수 신 : 장관 (통기,경기원,재무부,농수산부,상공부)

발 신 : 주 EC 대사 사본: 주미(중계망), 제네바(직송필)

제 목 : 갓트/UR 협상과 EC/CAP 개혁

표제, 최근 당지의 동향을 아래 보고함

1. 갓트/UR 협상 추진

가. MAC SHARRY EC 농업담당 집행위원은 6.23 미 FARM BUREAU 의 KLECHNER 총재와 만난 자리에서 표제협상과 OILSEEDS 분쟁과 관련한 미측의요구를 만족시키기위해 5.21 결정한 CAP개혁내용을 재협상 할수는 없음을 분명히 한것으로 알려짐

나. 6.24 VOGEL 독일수상실 대변인은 KOHL수상이 뮨헨 G-7 정상회담(7.6-8) 이전에 표제협상의 정치적 타협점을 모색하기 위해 EC집행위및 미국과 접촉하고 있으며다른 EC회원국의 정상들도 같은 노력을 하고 있으나 KOHL 수상이 가장 심각하게타결방안 모색에 노력하고 있다고 말하고, G-7 회담 이전에 정치적타협점 모색에실패할 경우 G-7 회담에서 UR협상 문제에 대해서는 간단한 토의만 있을것이며, 각료들에게 협상을 계속토록 지시하는 결정을 하게 될 것이라고 말함

2. CAP 개혁

가. BUKMAN 화란수상은 6.23. 기자 회견에서 EC는 4년 이내에 보다 근본적인 EC 농업정책 개혁방안을 논의하게될 것이라고 말함. 동인은CAP 개혁에 포함되어 있는CEREALS 가격인하에 따른 소득손실 보상을 무한정지 급한다는 내용과 쇠고기 분야의 수급불 균형시정 조치가 미흡하기 때문에 과잉생산 과재정부담 압박현상이 재현될 것으로 본다고말함. 그러나 동인은 이러한 CAP 개혁의 결점에도 불구하고 동개혁은 UR 협상의촉 진제 역할을 할수 있을 것이라고 말하고 동협상 타결여부는 미국에 달려있으며 아직도 미국이 소극적인 자세를 견지한다면 동 협상을 조속 종결하려는 미측의 의지를 의심 할수 밖에 없다고말함

나. 독일 농민연맹은 성명을통해 CAP 개혁상 가격인하에 따른 소득손실은 충분히 보상되어야하며 UR 협상에서 EC 는 더이상 양보하여서는안될 것이라고 주장함

통상국 2차보 구주국 외정실 청와대 안기부 경기원 재무부 농수부
상공부 중계

PAGE 1　　　　　　　　92.06.26 03:04 BU

외신 1과 통제관

0206

다. 이태리 낙농가 협회는 리스본 EC정상회담에서 이태리의 우유생산 쿼타증량요청이 수락되지 않을 경우 이태리는 우유생산쿼타와 관련된 EC 규정을 무시하고우유 생산을 계속할 것이라고 말하고 이러한 결정은 이태리정부도 알고 있는 사항이라고 말함. 끝

(대사 권동만-국장)

PAGE 2

0207

0 ㄴ

관리번호	92-446

원 본

외 무 부

종 별 :

번 호 : ECW-0872 일 시 : 92 0629 1600

수 신 : 장관 (통기,경기원,재무부,농림수산부,상공부)사:US,GV대사

발 신 : 주 EC 대사

제 목 : 갓트/UR 협상

6.26-29 간 당지를 방문한 김태수 농림수산부 제 2 차관보는 6.26. 오후 EC집행위 농업총국의 MOEHLER 부총국장을 면담하고 표제협상 관련한 아국의 입장과 어려움을 설명하고 최근 동향에 관해 협의한바 요지 아래보고함 (이농무관, 농림수산부 배사무관 동석)

1. 미.EC 양자협상 동향

가. 5.27. ANDRIESSEN 부위원장이 워싱턴에서 BAKER 국무장관을 만난이후 양측간의 접촉은 중단된 상태이며 뮌헨 G-7 정상회담 이전에 구체적인 양자협상이 이루어질 계획은 없음

나. KOHL 독일수상이 G-7 정상회담 이전에 미.EC 간의 농산물 문제에 대한 타협점을 모색하기 위한 노력을 하고 있다는 얘기를 들은바 있으나 합의가 도출되리라고 기대하기는 어려울 거승로 전망됨

2. 향후 UR 협상전망

가. 농산물분야는 표제협상에서 미.EC 등 협상 참여국들간에 의견이 가장 심하게 대립되고 있는 분야로서 동분야에서 합의가 이루어질 경우 비록 시장접근, 서비스등에서 어려움이 없는것은 아니나 나머지분야는 타결될수 있을것으로 봄

나. 92.7.6-8 개최예정인 뮌헨 G-7 정상회담에서도 표제협상의 중요성에 비추어 논의는 될것으로 보이나, 동 정상회담에서 세부적이고 구체적인 협상이나 토의가 이루어지기는 어려울 것임

다. 한편, EC 내에서도 최근 프랑스가 MAASTRICHT 조약비준을 위해 9 월에 국민부표를 하기로 결정한바 있으므로 동 국민부표 실시이전에 표제협상과 관련한 프랑스의 입장을 양보하는 것은 정치적으로 매우 어려울 것이므로 조기타결의장애요인으로 작용할 것으로 보임

통상국 장관 차관 2차보 분석관 청와대 안기부 경기원 재무부
농수부 상공부 중계

PAGE 1 92.06.30 08:28

외신 2과 통제관 BN

0208

라. 뮌헨 G-7 정상회담에서 긍정적인 결론이 도출될 경우, 기한상으로는 동협상의 연내타결이 가능하긴 하나 실질적으로는 연내타결이 매우 어렵다고 봄

마. 미국측의 입장에서는 금년 11 월 예정인 미국의 대통령선거가 표제협상의 향방에 큰 변수로 작용할 것인바 BUSH 대통령이 재선에 실패할 경우에는 동협상의 계속여부가 매우 불투명함

3. CAP 개혁문제, 기타

가. 92.5.21. 합의된 EC/CAP 개혁방안에 대하여는 법제화 작업을 추진하고 있으며 최근 농업 이사회에서 이태리의 우유생산 쿼타 증량요구및 프랑스가 예상외로 곡물등의 가격인하에 따른 손실보상 방법등 부분적으로 내용의 수정을 요구한바 있어 관련 법률안 채택에 실패하였음. 동 문제는 6.30-7.1 특별 농업이사회에 재상정될 것임

나. EC 의 바나나 수입제도 개편과 변경된 제도를 갓트규범에 합치시키는 문제에 대하여는 집행위및 농업이사회에서 결정될 사항이므로 예단할수는 없으나어떤 형태로든지 수입쿼타제는 유지될수 밖에 없을것이며 동 결정은 7 월말 또는 9 월초순경에 있을 예정임. 끝

(대사 권동만-차관보)

예고: 92.12.31 까지

PAGE 2

0209

안(예시)

원 본

외 무 부

종 별 :

번 호 : GVW-1294 일 시 : 92 0629 1830

수 신 : 장관(통기,경기원,재무부,농림수산부,상공부)사본:주미,EC대사(직송필)

발 신 : 주 제네바 대사

제 목 : UR 농산물 협상(케인즈 각료회의)

6.27(토)-28(일) 기간중 당지에서 개최된 표제 케언즈 그룹 각료회의 요지 하기 보고함.

1. 회의 개요

- 장소: 당지 인터 콘티넨탈 호텔

- 참석자

0 각료급: 알젠틴(REGUNAGA 농림장관),호주(KERIN 무역성장관), 카나다(MCKNIGHT농림장관), 칠레(FIGUEROA 농림장관),콜롬비아(LOPEZ 농림장관), 헝가리(MAJOR국제경제장관), 뉴질랜드(BURDON무역협상장관), 태국(DEVAKULA 상무차관)

0 대사: 브라질, 피지, 인니, 말, 필리핀, 폴란드,우루과이)

- 토요일은 만찬만 갖고 일요일 오전 2시간 반 회의한바, 동 회의시 거론된 구체 내용은 미확인이나 특별한 것은 없을것으로 알려져있음.

2. 각료회의 결과 발표된 COMMUINQUE 요지는 다음과 같음.

- UR 협상은 농산물 협상에 진전 없어서 위기상황에 있으며, 수주내 전기가 마련되지 않으면 실패할 우려가 많음.

- 남아있는 문제는 복잡한 것이 아니므로 정상급의 정치적 의지가 있으면 해결될수 있는것인바, G-7 정상이 리더십을 발휘해야 함.

(COMMUNIQUE 원문은 별첨 FAX 송부함)

3. 기자회견 내용

- 6.28 14:30 각료회의 종료후 개최된 공동기자회견시 있었던 질의 답변중 특기사항은 아래와 같음.

0 수출 보조물량 삭감폭(24 퍼센트)에 대한 융통성여부 질문에 대하여,

통상국 경기원 재무부 농수부 상공부

PAGE 1 92.06.30 04:06 ED

외신 1과 통제관 ✓

0210

기본적으로는 던켈 TEXT 가 UNRAVEL 되어서는 안된다는 입장이지만 협상의 성공적 타결을 위해서 필요한 융통성을 갖고있다고 하였음.

0 포괄적 관세화에 대하여는 쌀, 바나나등의 문제가 있지만 원칙의 문제로서 받아 들여져야 한다고 하였음. 이와 관련 카나다의 SHANNON대사는 부연답변을 통해 관세화 원칙을 지지하지만 갓트 11조 2(C) 에 ? 4. 기타

- 의장국인 호주의 KERIN 장관은 6.29(월)귀국길에 본을 방문, 멜레만 경제상을만나 콜 수상에게 상기 COMMUNIQUE 을 전달토록 할 계획임.

- 참고로 지난 6.18 당지에서 개최된 QUAD(미. EC.일. 카) 회의에서는 특별히 농산물에 대한 논의는 없었다고 함.

첨부: 케언즈그룹 각료회의 COMMUNIQUE (GVW(F)-402)

(대사 박수길-국장)

주 제 네 바 대 표 부

Copy : 신이판실

번호 : GVW(F) - 402 년월일 : 20622 시간 : 1830

수신 : 장 관(통기, 경기원, 재무부, 농림수산부, 상공부)

발신 : 주제네바대사

제목 : UR 농산물협상(케언즈그룹회의)
(GVW-1294)

보 안 통 제	강석

총 3 매(표지포함)

외신관 통 제	

402-3-1

0212

1992-06-29 18:11 KOREAN MISSION GENEVA 2 022 791 0525 P.01

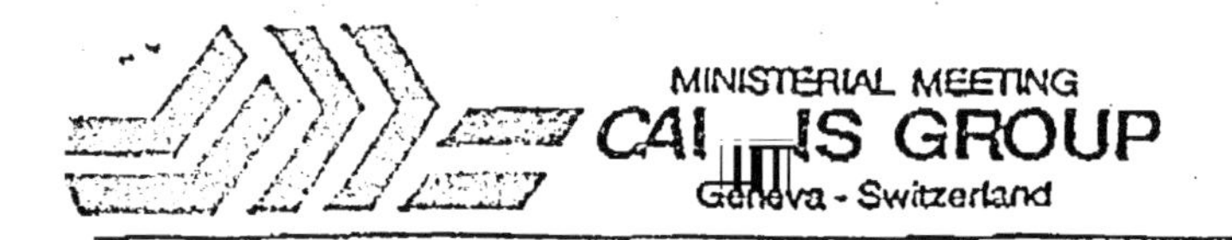

28 June 1992

COMMUNIQUE

The Uruguay Round is in crisis as a result of the continued deadlock on agriculture. There are grave fears that the Round will fail unless a breakthrough on agriculture is achieved in coming weeks. The remaining differences appear neither extensive nor insurmountable, but their resolution requires the exercise of political will by world leaders. It is essential that G7 leaders demonstrate that will, their leadership and their joint responsibility to unblock the negotiations. The Cairns Group is willing to play its part in searching for a final settlement.

These were the main conclusions of Cairns Group Ministers, meeting in Geneva on 27-28 June to consider prospects and options for bringing the Uruguay Round negotiations to an early and successful conclusion.

Taking into account the serious situation in the Round, Ministers decided to remain on call and to take further action as appropriate.

* * * *

Since December last year with the tabling of the draft final act by GATT Director General Arthur Dunkel, a successful Uruguay Round outcome has been within grasp. However, despite efforts over the past six months, the political steps necessary to reach a final settlement have not been taken. Negotiations have drifted to bilateral discussions between major participants without positive results. As a consequence there is now a very real danger of failure.

Cairns Ministers said that while the draft final act does not realise all the demands of negotiators, it would overall deliver a trade liberalising outcome across all issues and represented the best compromise achievable after more than five years of intensive effort. Further delay will endanger a successful conclusion - without a breakthrough on agriculture, the further work required on detailed commitments across all market access areas, including services, cannot proceed.

In this context, Cairns Ministers believed that the time had come for all to judge the draft final act as a package. Cairns Ministers therefore thought it important to signal now their own governments' readiness to accept that package as the basis for concluding the negotiations and to work intensively to complete the Round. They urged all others to reciprocate that commitment.

Cairns Ministers stressed that a successful Uruguay Round and a strengthened multilateral system were now more than ever needed, by developing and developed countries alike, in the current difficult world economic environment.

402-3-2

It is widely acknowledged that a successful Round and renewed trade growth would assist economic recovery, debt servicing capacities and employment generation throughout the world. Conversely failure could only further restrict economic growth opportunities, encourage protectionist policies, seriously weaken the multilateral trading system and endanger the trade and economic reform steps underway - including in many developing countries.

Cairns Ministers recalled that G7 leaders had declared that no issue has more far-reaching implications for the future prospects of the world economy than the successful conclusion of the Uruguay Round. They had committed themselves to remain personally involved and ready to intervene with one another to resolve differences.

Cairns Ministers therefore called upon the G7 Summit leaders to respond to the crisis that now overhangs the negotiations - and the seriously adverse consequences that would flow from failure. They stressed that the G7 countries had a particular responsibility for resolving their differences over the package, especially on agriculture. Without such a resolution, the entire Round will remain paralysed.

Cairns Ministers understood that the remaining differences separating major agricultural trading countries had narrowed and were by no means insurmountable. The major requirement was the exercise of political will on the part of key participants.

Cairns Ministers, reaffirming their commitment to a substantial result on agriculture, noted that they remained, as they had been throughout the Round, ready to participate in the negotiations in a constructive way. The Cairns Group is therefore prepared to play a part in the search for a final settlement and in securing its acceptance multilaterally. In so doing, the key consideration is that the outcome be genuinely trade liberalising and consistent with the central principles and reform modalities in the draft final act.

Cairns Ministers stressed that it would be intolerable for the multilateral system to have the Round fail for the want of a final political step. Now is the time to take that step.

402-1-3

관리 번호	92-463

외 무 부

종 별 :

번 호 : SZW-0372 일 시 : 92 0709 1800

수 신 : 장관(구이,구일,정특,통삼,통기,통일원)

발 신 : 주 스위스 대사

제 목 : KELLENBERGER 외무차관 면담

본직은 이강웅 참사관 대동 금 7.8 일 KELLENBERGER 외무차관 방문 면담하였는 바, 주요내용 다음과 같음.

1. KELLENBERGER 차관은 최근 주재국의 EEA 비준, EC 가입 신청등 스위스 대외관계 전환 실무 주역으로 앞으로 EC 측과 각종 협상에 임해야할 것이라고 말함. 주변 EC 국들과는 이미 경제, 농업, 교통, 환경 등 여러문제에 있어 불가분의 관계에 있다고 전제, EC 가입의 당위성을 설명하고, 협상을 통한 자국이익 보호를 위해서도 EC 가입이 필요하다고 부언함.

2. 스위스는 전통적으로 독자적 입장을 고수하온 나라로써 앞으로도 공동행동 압력이나 'FORTRESS EUROPE' 에는 동조할 수 없음. 스위스가 인근 유럽국들과의 협력관계 증진을 지향하고 있음은 사실이나 이로인해 타지역 국가들과의 친선협력관계를 소홀히 할 생각은 추호도 없음을 강조함.

3. 본직은 스위스와 한국이 지정학적으로 큰 나라에 둘러쌓여 있어 공통된 시련의 역사를 갖고 있으며, GATT 농산물 관계 협상에서도 특정 농산물 생산유지가 안보측면에서 긴요하다는 인식을 같이하고 있는 점등 많은 면에서 유사한 생각관 처지에 있음을 지적하였던 바, 동 차관은 전적인 공감을 표하고 한국과 스위스간에 현재 뚜렷이 이해상충되는 사안이 없는 것을 보아도 양국 관계가 튼튼한 기반위에 있음을 인정하게 된다고 말함.

4. 7.7 일 이산가족 문제에 대한 총리의 대북한 서신제의 등 최근 대북관계현황을 설명하고 남북간 상호 핵 사찰을 통해 핵개발 의문을 해소시키지 않는 한 관계개선이 있을 수 없음에 언급하였던 바 주재국도 이문제에 대해 아국입장에 동의한다는 의사를 표함.

5. 동 차관은 기회가 생기면 아국을 방문하고 싶다고 말하고, 양국관계 특히

구주국 ~~장관~~ 차관 1차보 구주국 통상국 통상국 외정실 분석관
청와대 안기부 ~~통일원~~

PAGE 1 92.07.10 06:55

외신 2과 통제관 FK

0215

교역이 최근 많이 신장된 것으로 알고 있으며, 이와같이 양국 관계가 여러면에서 계속 증진할 것으로 확신한다고 말하였음. 끝

(대사 강대완-국장)

예고:92.12.31 까지

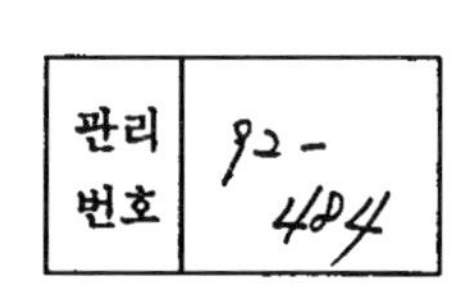

외 무 부

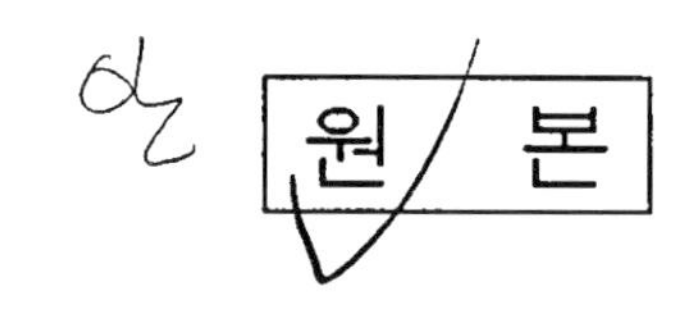

종 별 :

번 호 : GVW-1435 일 시 : 92 0721 1900

수 신 : 장관(통기,경기원,재무부,농림수산부,상공부)

발 신 : 주 제네바대사 사본:주미,주EC 대사(중계필)

제 목 : UR/ 농산물협상

7.22-23 기간중 당지에서 개최예정인 시장접근 협상(농산물 분야) 주요국 비공식회의(G-8) 관련 최농무관이 카나다 및 일본 농무관을 접촉 파악한 요지 하기 보고함.

- DENIS 의장 주재로 미국, EC, 일본, 카나다, 호주, 뉴질랜드, 알제틴, 북구등 8 개국이 참석하는 비공식 협의가 7.22-23 기간중 개최 예정임.(7.24 까지 연장 가능)

- 동회의에서는 농산물 협상 관련 국내 보조, 시장접근, 수출 보조에 대한 기술적 문제들을 논의할 예정인바, 구체적인 의제는 별첨 FAX 송부함.

- 동회의에 카나다는 GIFORD, 일본은 AZUMA 농림성 경제부장이 참석할 예정이고, 미국의 OMARA 는 7.25 예정인 NAFTA 각료회의 관계로 참석치 못할 것이라함.

- 동 회의 결과는 추보 하겠음.

2. 7.17(금) 워싱턴에서 개최된 4 개국 회의에 미국은 LABORREL, 카나다는 DENIS, 일본은 ENDO, EC 는 PAEMAN 이 참석하였으며, 별다른 진전은 없었던것으로 당지에서 파악되고 있음.

3. 일본 농림성 대신은 7.30 EC 를 방문 MACSHARRY 농업 집행위원과 면담할예정인 것으로 알려짐.

첨부: G-8 의제 1 부. 끝

(GVW(F)-453)

(대사 박수길-국장)

예고 92.12.31. 까지

통상국	장관	차관	2차보	분석관	청와대	총리실	안기부	경기원
재무부	농수부	상공부	중계					

PAGE 1 92.07.22 04:42

외신 2과 통제관 EC

0217

주 제 네 바 대 표 부

번호 : GVW(F) - 453　　　　　년월일 : 20721　　　　시간: 1800

수신 : 장　관(통기, 경기원, 재무부, 농림수산부, 상공부)

발신 : 주제네바대사

제목 : UR/ 농산물협상 (G-8 회의)

보안 통제	

총 2 매(표지포함)

외신관 통제	

배부처	장관실	차관실	一차보	二차보	외정실	분석관	아주국	미주국	구주국	중아국	국기국	경제국	통상국	문협국	외연원	청와대	안기부	공보처	경기원	상공부	재무부	농수부	동자부	환경처	과기처		
													0						/	/	/	/					

453-2-1　　　　　　0218

Negotiating Group on Market Access

Informal technical consultations: Agriculture

Draft Agenda

A. Market Access

1. Calculation of tariff equivalents

- calculation of the price difference
- treatment of processed products

2. Current access opportunities

- initial tariff quota quantity
- in-quota tariff rate
- final tariff quota quantity

3. Minimum access opportunities

- initial tariff quota quantity
- in-quota tariff rate
- allocation of new access opportunities to tariff lines
- final tariff quota quantity

4. Treatment of products whose border measures have been liberalised since 1 September 1986

B. Domestic Support

5. Calculation of AMS

- definition of basic products
- external price, administered price, eligible production
- budgetary data

6. Equivalent commitments

- base commitment parameters

7. Application of the "de minimis clause"

8. Credit claimed for actions undertaken since 1986

C. Export Competition

9. Annual commitment levels: non-equal instalments

10. Line-by-line specification of products within the individual product and incorporated product export subsidy commitments

D. Other

11. Matters relating to base periods (conversion to HS etc.)

12. Provision of data sources, comments and other explanatory material

0219

TOTAL P.02

원본

관리번호 92-502

외 무 부

종 별 :

번 호 : GVW-1453 일 시 : 92 0724 1700

수 신 : 장관(통기,경기원,재무부,농림수산부,상공부)

발 신 : 주 제네바 대사

제 목 : UR/농산물 협상(G-8)

1992.12.31. 에 예고문에 의거 일반문서로 재분류됨

연: GVW-1435

7.22-23 기간중 당지에서 개최된 시장접근(농산물 분야) 주요국 비공식회의 관련 최농무관이 KITAHARA 일본 협상 대표를 접촉 파악한 요지 하기 보고함.

1. 회의 개요

- 7.22-23 양일간 DENIS 의장 주재로 개최되었으며, 당초 일정보다 앞당겨 7.23 오전에 회의를 마쳤음.

- 각국의 이행계획서 (C/S) 를 중심으로 하여 기술적 문제에 대하여 논의하였는바, 정치적으로 민감한 문제는 피하였으며, 큰 논란없이 진행되었음. 대부분 자국의 종전 입장을 되풀이 하였으며, 구체적 결론이 도출된 것은 없음.

- 미국은 채틴, EC 는 필러, 호주는 캐넌, 일본은 아즈마, 북구는 후타니에미, 뉴질랜드는 스마이드, 카나다는 기포드, 알젠틴은 스탄카넬리가 대표로 참석함.

2. 시장접근

가. TE 계산 방법

- 정치적으로 민감한 사항에 대하여 미국 및 EC 등 주요국은 구체적 언급을 하지 않았음.

- 호주는 각국 C/S 의 문제점을 거론하였는바(국명은 거론 않았음), 국내 가격과 관련해서는 개입 가격에 10 퍼센트를 가산한 예(EC)를, 국제가격과 관련 해서는 유제품 협정 최저가를 적용한 예(미, EC)를 지적하였고, 그밖에도 TE 에 현행 관세를 추가하여 설정한 예(EC, 카나다)등을 지적하였으나, 다른 나라로부터 별다른 반응이 없었음.

나. CMA 및 MMA

- CMA 및 MMA 개념과 관련 사무국은 미국과 EC 의 상이점을 도표로 작성

통상국 장관 차관 2차보 분석관 청와대 총리실 안기부 경기원
재무부 농수부 상공부

PAGE 1 92.07.25 01:01

외신 2과 통제관 FM

0220

배포하였음.(별첨 FAX 송부)

0 미국은 국내 소비의 3-5 퍼센트를 MMA 로 정의하고 TQ 내 적용 관세는 현행 세율로 통일하고 있음.

0 EC 는 국내 소비의 3-5 중 현재 시장접근 수준을 제외한 추가 접근 물량을 MMA 로 정의하고, 추가 접근 물량(TQ 내)에 적용되는 관세는 TE 의 32 퍼센트 수준으로 하며, 현재 시장접근 물량중, 국별 할당 물량은 현행 세율을, VL 적용 대상 물량은 TE 수준을 적용하고 있음.

- 미국과 EC 는 기존 입장을 되풀이 하였으며, 특히 EC 는 동 도표 배포에 불만을 표하였음.

다. 86 년 이후 자유화 실적 평가

- 일본은 기자유화한 품목(쇠고기)에 대하여 TE 를 계산하되, 미국 및 호주와의 양자 협상 결과에 따라 50 퍼센트 수준까지 인하하는 대신 SSG 를 적용할수 있도록하여 향후 수입급증등에 대처할 의도를 갖고 있음

- 미국, 호주등은 설탕을 자유화 한바 있으나, 이에 대하여 SSG 적용을 주장하지 않았으며, SSG 는 관세화 하는 품목에만 적용되어야 한다는 입장임.

- 알젠틴은 개도국의 자발적 자유화 조치도 형평측면에서 고려되야 한다는 점을 지적함.

3. 국내보조

가. AMS 의 계산방법

- 각국의 계산 방법에약간의 차이는 있으나 대체로 비슷한 방법을 사용하여 별다른 논란이 없었음.

나. DE MINIMIS

- DE MINIMIS 산출 기준년도는 86-88 년 평균을 기준으로 하는데 의견이 접근됨.

- 당초 보조수준이 DE MINIMIS 이하로 줄어든 경우는 그 싯점부터 삭감을 하지 않아도 된다는 점에 의견이 접근됨.

다. 86 이후 삭감 실적 평가

- 미, EC, 일본의 기준 AMS 와 86-88 평균 AMS 를 산출하여 양자의 차액을 CREDIT 로 계상하였음. 즉 86-88 평균 AMS 에 동 차액을 가산하여 AMS 삭감 약속의 BASE VELEL 로 설정함.

0 EC 는 86 년 기준 AMS 와 86-88 AMS 를 계산하여 그 차액을 CREDIT 으로

하는점에서는 별 차이가 없으나, 삭감 목표(TARGET LEVEL)에 동 차액을 가산한다는 점에 차이가 있음.

0 일본은 국내가격과 물량이 86-88 기간중 각각 감소한 경우는 86 년의 가격과 물량을 기준으로 하는 방법을 사용함.

4. 수출 보조

- 정치적으로 민감한 문제로서 별다른 논의가 없었음. EC 는 물량 삭감 방식에 대하여 입장을 유보하였음.

- 미국은 이행기간중 균등 삭감을 하지 않는 경우라 하더라도 전체적으로는24 퍼센트 의 삭감 효과가 발생해야 한다는 점을 강조함. 즉 특정년도에 평균 삭감율 보다 낮은 수준(예 2 퍼센트)으로 삭감할 경우 다음년도에이를 상쇄시킬수 있는 수준(예 6 퍼센트)을 삭감함으로서 전체적으로 CUMULATIVE EFFECT 가 없도록 해야 한다는 것임.

5. 기준년도

- 기준년도(BASE PERIOD)문제와 관련, 북구는 흉작등 기술적 문제를 거론하면서 86-88 평균과 다른 기준년도 사용을 인정할 필요성을 제기하였음.

- 이에 대하여 미. EC, 일본, 호주, 알제틴 등 나머지 국가들이 모두 반대 입장을 표명하였음.

6. 기타

- 차기회의 일정은 정하지 못하였으나 9 월 이전에는 회의가 없을 것으로 전망함.

첨부: G-8 회의 참고 자료 1 부(GVW(F)-459)

(대사 박수길-국장)

예고 92.12.31. 까지

원

주 제 네 바 대 표 부

번호 : GVW(F) - 459 년월일 : 20724 시간: 1800

수신 : 장 관(통기, 경기원, 재무부, 농림수산부, 상공부)

발신 : 주제네바대사

제목 : UR/농산물 협상 (G-8) 참고자료

보 안 통 제	

총 3 매(표지포함)

외신관 통 제	

수 신 처	장관실	차관실	一차보	二차보	외정실	분석관	아주국	미주국	구주국	중아국	국기국	경제국	통상국	문협국	영교국	청와대	안기부	공보처	경기원	상공부	재무부	농수부	동자부	환경처	과기처		

459 - 3 - 1

0223

1992-07-24 17:54 KOREAN MISSION GENEVA 2 022 791 0525 P.01

(別添. 8)

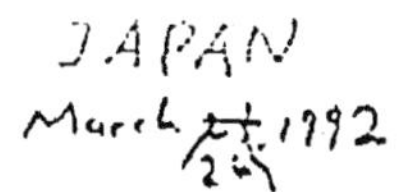

Credit for the reduction of domestic price and/or eligible production undertaken since the year 1986

The Draft Final Act on Agriculture as well as the Mid-Term Agreement state that credit shall be allowed in respect of actions undertaken since the year 1986.

According to the "Explanatory Notes on the Formats for the Establishment of Lists of Specific Binding Commitments under the Agricultural Reform Programme" (Note by the Secretariat) dated on 27 January 1992, it is suggested that market price support of the AMS be calculated by multiplying the price-gap between the average administrated price and the fixed reference price by the average quantity of the eligible production in the base period.

Japan is of the view that credit for the reduction of domestic price and/or quantity of eligible production since 1986 can be taken into account in AMS calculation as shown below.

	86	87	88	Average
Domestic price (1,000 yen/ton)	100	98	96	98
External price (1,000 yen/ton)	40	37	43	40
Eligible Production (1,000 ton)	210	195	195	200

In cases where the domestic price and/or eligible production in 1986 is greater than the average of relevant figure(s) in 1986-88, market price support of the AMS can be calculated as follows, using the figure(s) in 1986 for domestic price and/or eligible production, instead of using the average data in order to reflect the reduction efforts properly in AMS calculation. The average value shall be used for the external reference price in any case since the price needs to be fixed.

(100 - 40) X 210 = 12,600 mil YEN

[Market price support of the AMS before adjusted by credit is calculated according to the Explanatory Notes.

(98 - 40) X 200 = 11,600 mil YEN]

0224

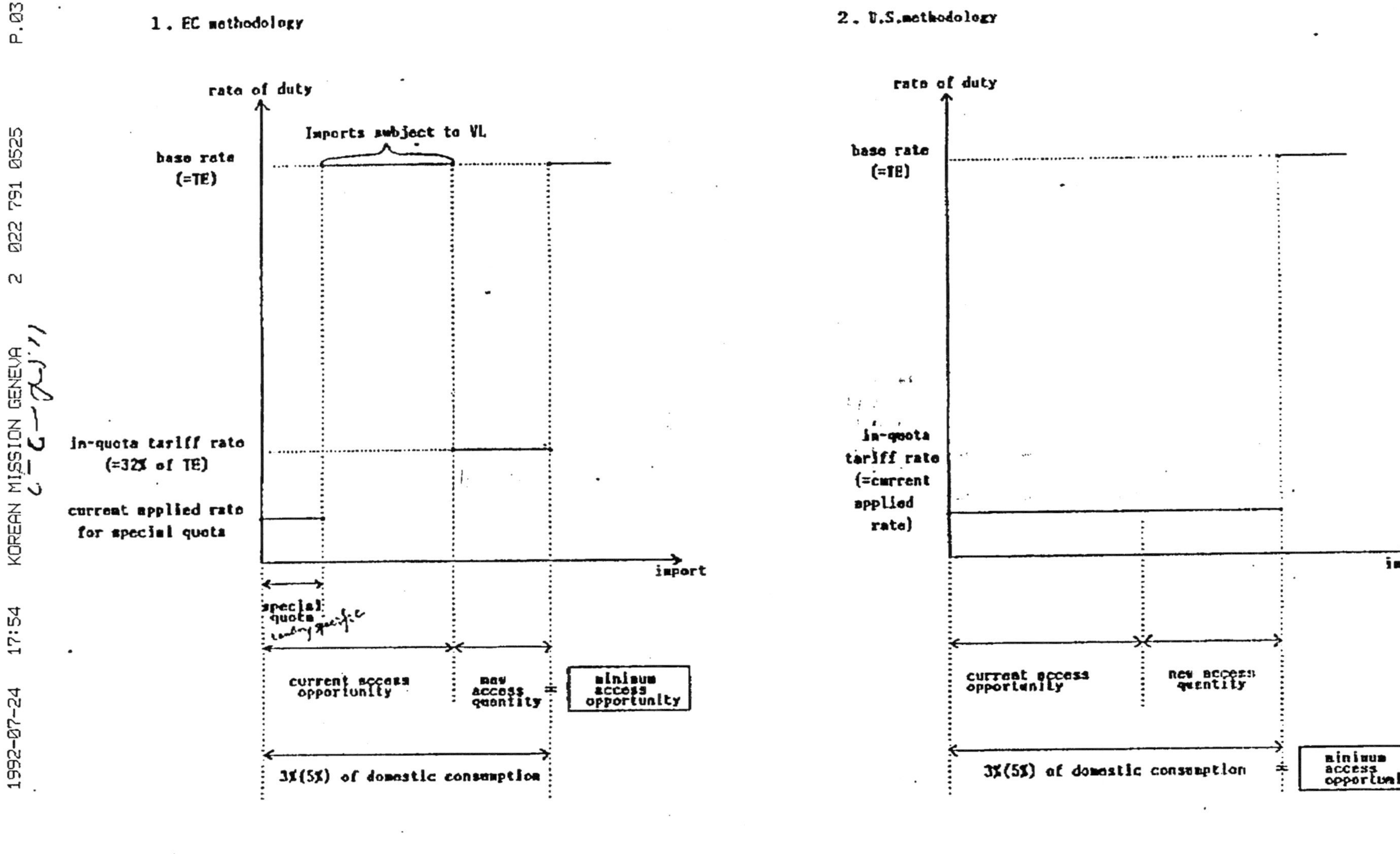
Minimum Access Opportunity & Current Access Opportunity
1. EC methodology
rate of duty
Imports subject to VL
base rate
(=TE)
in-quota tariff rate
(=32% of TE)
current applied rate
for special quota
import
special
quota
current access
opportunity
new
access
quantity
minimum
access
opportunity
3%(5%) of domestic consumption
2. U.S.methodology
rate of duty
base rate
(=TE)
in-quota
tariff rate
(=current
applied
rate)
import
current access
opportunity
new access
quantity
3%(5%) of domestic consumption
minimum
access
opportunity

0225

관리 번호	92-506

외 무 부

종 별 :

번 호 : ECW-0987 일 시 : 92 0727 1900

수 신 : 장관(통기,통삼,농수산부) 사본: 주제네바-직송필

발 신 : 주 EC 대사

제 목 : UR 협상

연: ECW-0986

EC 집행위 DGI 의 GATT 담당 ABOTT 국장은 연호 정공사와의 면담시, UR 협상 전망에대해 아래와같이 언급하였음을 보고함

1. EC 의장국인 영국은 지난 뮌헨 G-7 정상회담에서 좀더 구체적인 UR 협상의 타결책을 모색하였으나 각국의 상이한 정치적 상황 (대통령선거를 앞둔 미행정부의 입장약화, 참의원 선거를 앞둔 일본의 소극적태도, 92.9 월 마스트리히트 조약에대한 국민투표 실시 이전 협상의 본격추진을 반대하는 불란서 입장등) 으로 별다른 성과를 도출해내지 못하였음

2. 현재 미-EC 간 UR 타결을위한 아무런 협상이 진전되고 있지 않으며, 하계휴가 이후에도 미대통령 선거이전까지는 본격적인 협상이 이루어지기가 매우 어렵다면서, 특히 미국이 EC 의 CAP 개혁안의 중요성을 계속 인정하지 않고 EC 측 협상 자세에 상응한 융통성을 보이지 않은 한, 연내 타결 가능성이 희박한 것으로 평가함. 끝

(대사 권동만-국장)

예고: 92.12.31. 까지

통상국	장관	차관	2차보	통상국	분석관	청와대	안기부	농수부

PAGE 1

92.07.28 02:52

외신 2과 통제관 FM

0226

관리번호 92-529

원 본

외 무 부

종 별 :

번 호 : JAW-4420 일 시 : 92 0810 1841

수 신 : 장 관(통기,농림수산부)

발 신 : 주 일본 대사(일경)

제 목 : UR 농산물 협상 비공식협의

대 : WJA - 3401

표제관련, 방일중인 김정용 축산국장과 김농무관은 8.10. 농림수산성 아즈마 국제부장과 비공식 면담을 가진 바, 동 부장의 발언요지 아래 보고함.

1. 던켈 사무총장이 8 월말경 일본을 방문, 이어서 9 월초에 한국을 방문할 것 같음.

2. 금번의 던켈 방문은 예외없는 관세화에 대하여 약간의 신축성(예외가 아니고 FLEXIBILITY)을 보임으로써 교착상태에 빠진 던켈초안에 대한 타협안을 모색 할 것으로 예상됨.

3. 타협안의 내용은 3-5 년의 유예기간 이후에 전면 관세화이거나 아니면 각국마다 한가지 중요 품목에 대해 유예기간 인정조건하에 관세화하는 타협 가능성을 모색하는 것으로 보여짐.

4. 이와는 별도로 미국과 EC 는 던켈초안에 대한 모종의 수정안을 일방적으로 제시할려는 움직임도 감지되고 있음.

5. 일본은 현재로서는 기본입장의 변경은 전혀 고려치 않고 있으며, 이러한여러가지 가능성에 대해 한국정부와 긴밀히 협의하기 위하여 자신이 8 월 21 일 오후에 서울을 방문하여 22 일(토) 오전중 농림수산부 방문을 희망함(동 제안에 대한 본부입장 조속 회시바람). 끝.

(공사 이재춘-국장)

예고:92.12.31. 까지

통상국	장관	차관	2차보	아주국	경제국	분석관	청와대	안기부
농수부								

PAGE 1 92.08.10 18:53

* 원본수령부서 승인없이 복사 금지 외신 2과 통제관 BS

0227

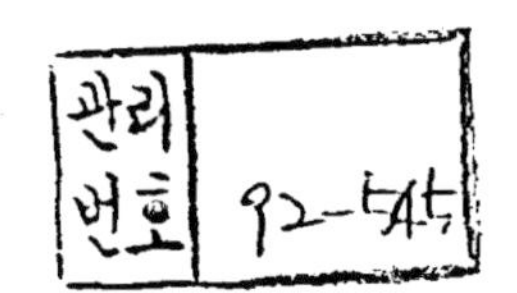

농 림 수 산 부

우 427-760 / 주소 경기 과천시 중앙동 1번지 / 전화 (02) 503-7227 / 전송 503-7249

문서번호 국협20644- 156

시행일자 1992. 8. 12(년)

(경유)

수신 외무부장관

참조 통 상 국

선결			지시		
접수	일자 시간	1992. 8. 12	결재공람		
	번호	3331			
처리과					
담당자					

제목 UR농산물협상 비공식회의

1992.12.31. 에 예고문에 의거 일반문서로 재분류됨

1. 관련 : JAW-4420('92.8.10)

2. 표제관련 일본농림수산성 아즈마 국제부장의 UR농산물협상에 관한 양국간의 사전협의를 위한 방한제안에 대하여 당부는 이견 없음을 알려드립니다. 끝.

농 림 수 산 부 장 관

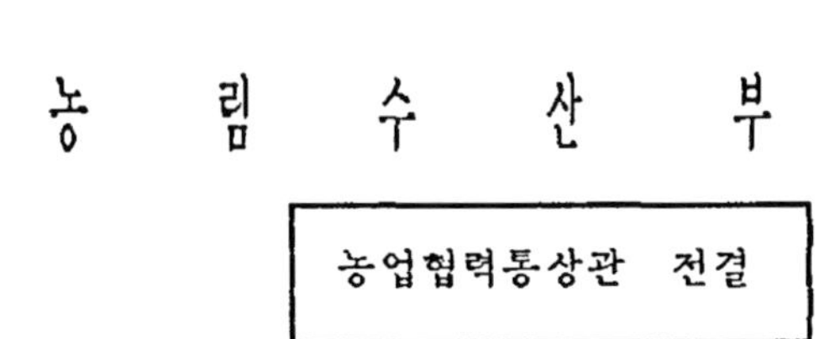

농업협력통상관 전결

0228

관리번호	92 - 544

	분류번호	보존기간

발 신 전 보

번 호 : WJA-3469 920814 1417 WG 종별 :

수 신 : 주 일 대사. 총영사

발 신 : 장 관 (통 기)

제 목 : UR 농산물 한.일 비공식 협의

1992.12.31. 에 예고문에 의거 일반문서로 재분류됨

대 : JAW-4420

대호 일본 농무성 국제부장의 방한 희망에 대해 이의없는바, 동인의 방한 일정 확정시 보고 바람.

(통상국장 김 용 규)

보안통제	

앙고재	92년 8월 14일	통기과	기안자 성명		과 장	심의관	국 장		차 관	장 관
			안명수				전결			

외신과통제

0229

관리 번호 92-552

원 본

외 무 부

종 별 : 지 급

번 호 : JAW-4575 일 시 : 92 0819 1849

수 신 : 장관(통기,농수산부)

발 신 : 주 일 대사(일경,농무관)

제 목 : UR 농산물 한.일 비공식협의

1992.12.31. 에 예고문에 의거 일반문서로 재분류됨

대: WJA-3489

연: JAW-4449

대호, 일본 농림수산성 아즈마 국제부장의 방한일정 아래 보고함

-8.21.(금) 18:05 김포착(KE-001)

-8.22.(토) 10:00-12:00[84f-8.22.(토) 10:00-12:00 농수산부 관계자 면담

-8.23.(일) 16:50 김포 발(UA-826). 끝

(대사 오재희-국장)

예고: 92.12.31. 까지

통상국 2차보 농수부

PAGE 1 92.08.19 19:12

* 원본수령부서 승인없이 복사 금지 외신 2과 통제관 EC

0230

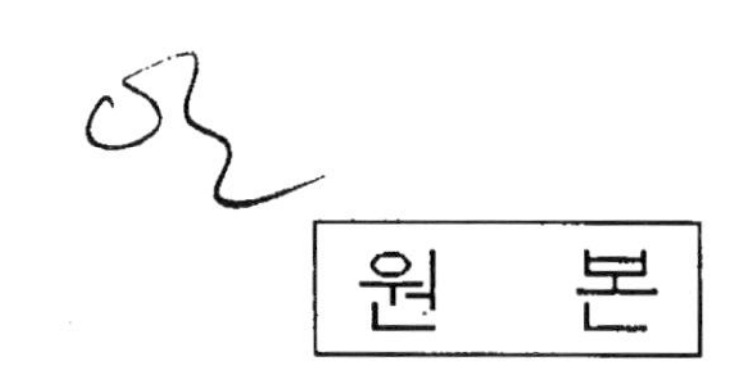

외 무 부

종 별 :

번 호 : ECW-1044 일 시 : 92 0820 1730

수 신 : 장관(통기,경기원,농림수산부)사본:제네바직필

발 신 : 주 EC 대사

제 목 : 미.EC 간 OILSEEDS 분쟁

연: ECW-0788

1. 8.19 EC 집행위의 MAC SHARRY 농업담당 집행위원은 미국이 표제분쟁과 관련한보복관세 부과 LISTS 발표를 보류하고 9월중 미.EC 간의 양자협상을 계속키로 결정한 것을 환영한다고 말하고, 모든 국가들이 미.EC 간의 무역전쟁을 원치않고 있음에 비추어 표제분쟁도 원만히 해결될 것으로 본다고 말함

2. 한편, 당지의 전문가들은 금번 미국의 상기와같은 결정을 하게된 배경으로서미국은 EC 와의 OILSEEDS 분쟁으로 말미암아 갓트/UR협상에 심각한 영향이 미치는 것을 원치않으며, 비록 미국의 대두협회는 행정부에 보복결정을 촉구하고 있으나 여타미국의 경제단체들은 보복에 반대하고 있으며, 7월말 EC 가 제시한 타협안이 만족스럽지는 못하나 어느정도 합리적인 수준이라는 점및 갓트규정상 8.18DEADLINE 이라는것이 강행규정은 아닌점이 감안된 것으로 분석하고 있음. 끝

(대사 권동만-국장)

통상국 경기원 농수부

PAGE 1

92.08.21 08:35 EG

외신 1과 통제관

0231

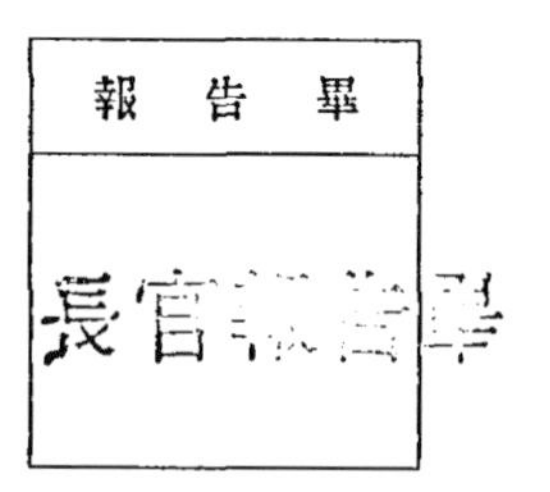

長 官 報 告 事 項

1992. 8. 20.
通 商 局
通 商 機 構 課(44)

題 目 : 美.이씨間 oilseed 紛爭

1. 경 위

o EC는 1962년 oilseed(대두, 해바라기씨등)를 무관세로 양허하였으나, 70년대부터 oilseed 생산자 및 가공업자에게 보조금 지급

o 미국은 관세양허 효과 저해를 이유로 88.4. GATT에 제소하여 승소하였으나, EC는 가공업자에 대한 보조금만 철폐

o 미국은 이에 불복, 91.12. 다시 제소한바, 패널은 92.3. EC에 대해 보조금 제도 수정 또는 양허 재협상(GATT 28조)를 권고

2. 현 황

o EC는 92.6.19. 갓트 이사회시 60일간의 양허재협상 개시승인을 요청하였으며 미국등이 동의.

- 보상협상기간(92.6.20-8.19)중 EC가 2차의 보상안을 제시하였으나 미국등의 거부로 보상협상 실패.

o 보상협상 기간이 8.19.로 종료됨에 따라 미국은 10억불 상당의 EC 산 수출품 (주로 포도주, 치즈등 농산물)에 대해 보복관세 부과 예정.

o EC는 미국이 보복관세 부과시 대응보복 조치를 취하겠다는 입장.

3. 전 망

o 미국이 보복조치를 시행할 경우 이는 미.EC간 전후 최대의 무역분쟁으로 비화하게 되어 농산물 등 UR 협상타결에 악영향을 미칠 것으로 예상.

o 따라서 미국은 당분간 보복조치 시행을 연기하고 9월초에 EC와 협의를 개최하여 타협안을 모색할 것으로 전망.

4. 국회 및 언론대책 : 해당없음. 끝.

0232

報 告 畢

長 官 報 告 事 項

1992. 8. 20.
通 商 局
通 商 機 構 課(44)

공람	통상기구과	92년 월 일	담 당	과 장	심의관	국 장	차관보	차 관	장 관
			안세호						

題 目 : 美.이씨間 oilseed 紛爭

1. 경 위

o EC는 1962년 oilseed(대두, 해바라기씨등)를 무관세로 양허하였으나, 70년대부터 oilseed 생산자 및 가공업자에게 보조금 지급

o 미국은 관세양허 효과 저해를 이유로 88.4. GATT에 제소하여 승소하였으나, EC는 가공업자에 대한 보조금만 철폐

o 미국은 이에 불복, 91.12. 다시 제소한바, 패널은 92.3. EC에 대해 보조금 제도 수정 또는 양허 재협상(GATT 28조)를 권고

2. 현 황

o EC는 92.6.19. 갓트 이사회시 60일간의 양허재협상 개시승인을 요청하였으며 미국등이 동의.

- 보상협상기간(92.6.20-8.19)중 EC가 2차의 보상안을 제시하였으나 미국등의 거부로 보상협상 실패.

o ~~이에~~ 보상협상기간이 8.19.로 종료됨에 따라 미국은 10억불 상당의 EC 산 수출품(주로 포도주, 치즈등 농산물)에 대해 보복관세 부과 예정.

o EC는 미국이 보복관세 부과시 대응보복 조치를 취하겠다는 입장.

3. 전 망

o 미국이 보복조치를 시행할 경우 이는 미.EC간 전후 최대의 무역분쟁으로 비화하게 되어 농산물 등 UR 협상타결에 악영향을 미칠 것으로 예상.

o 따라서 미국은 당분간 보복조치 시행을 연기하고 9월초에 EC와 협의를 개최하여 타협안을 모색할 것으로 전망.

4. 국회 및 언론대책 : 해당없음. 끝.

0233

관리번호 92-564

주 일 대 사 관

지급

일본(농) 1176-594　　1992. 8. 24

수신 : 외무부장관

참조 : 농림수산부장관 (축산국장)

제목 : UR관련 자료 송부

표제관련, 김정용 농림수산부축산국장이 아즈마 농림수산성 국제부장에게 요청한 별첨자료를 입수하여 송부합니다.

첨부 : 자료 1부. 끝.

선 결			결재(공람)		
접수일시 1992. 8		번호			

주 일 대

0234

C. A new Annex 4: <u>Relationship to the Uruguay Round</u> is added, which reads as follows:

1. Noting that during the term of the 1988 Measures, as amended, an agreement on agricultural trade may be reached in the Uruguay Round, the Government of Japan recognizes that the 1988 Measures, as amended, will not provide the basis for refraining from the application of measures consistent with Uruguay Round commitments to the relevant agricultural products covered by the 1988 Measures, as amended.

2. The Government of Japan recognizes that market access for a particular product covered by the 1988 Measures, as amended, during JFY 1992 through JFY 1994 will be as stipulated in the 1988 Measures, as amended, except in cases where the 1988 Measures, as amended, do not provide access more favorable than would a Uruguay Round agreement for a product or unless otherwise duly negotiated bilaterally.

외 무 부

110-760 서울 종로구 세종로 77번지 / (02)720-2188 / (02)720-2686 (FAX)

문서번호 통기 20644-109

시행일자 1992. 8.28.( )

34144

수신 주 제네바 대사

참조

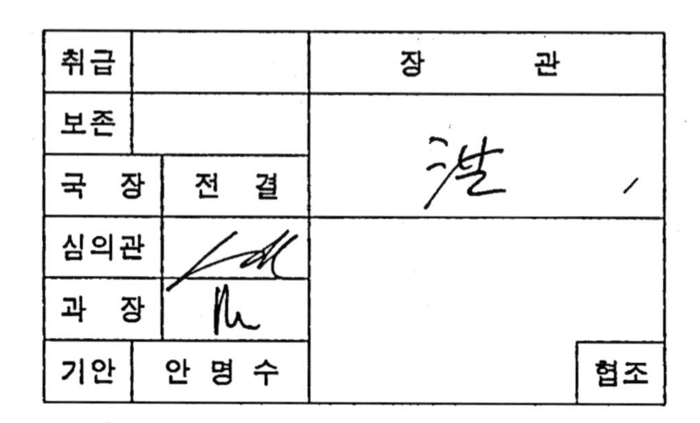

취급		장 관
보존		
국 장	전 결	
심의관		
과 장		
기안	안 명 수	협조

제목 일본 농림수산성 국제부장 면담 결과 송부

아즈마 히사오 일본 농림수산성 국제부장이 92.8.21-23간 방한하여 UR 농산물 협상과 관련하여 아국 농림수산부 기획관리실장 및 농업협력통상관과 비공식 협의를 가졌는 바 동 면담 결과를 별첨 송부하니 귀업무에 참고하시기 바랍니다.

첨 부 : 동 면담결과 1부. 끝.

0236

농 림 수 산 부

우 427-760 / 주소 경기 과천시 중앙동 1번지 / 전화 (02)503-7227 / 전송 503-7249

문서번호 국협 20644-775
시행일자 1992. 8.26. (년)
(경유)
수신 외무부장관
참조 통상기구과장

선결			지시	
접수	일자 시간	1992. 8. 27 :	결재·공람	
	번호	30816		
처 리 과				
담 당 자				

제목 일본 농림수산성 국제부장 면담결과 송부

일본 농림수산성 아즈마 히사오 국제부장의 당부 면담결과를 별첨과 같이 송부하오니 업무에 참고하시기 바랍니다.

첨부 : 면담자료 1부. 끝.

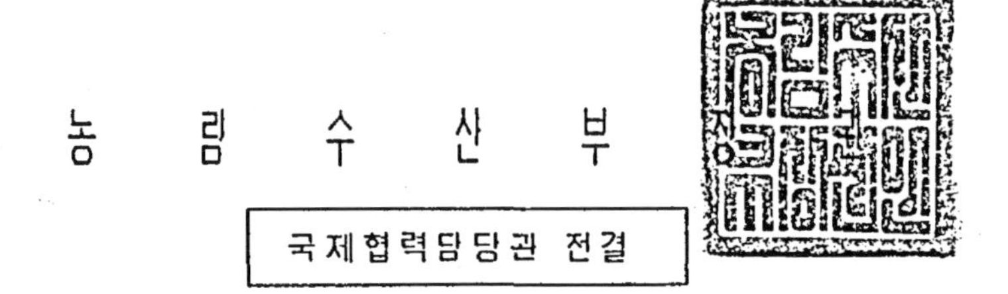

농 림 수 산 부

국제협력담당관 전결

0237

일본 농림수산성 Azuma Hisao 국제부장 면담결과

1. 면담일시 및 면담자

'92.8.22(토), 10:00 ~ 10:20 기획관리실장

10:20 ~ 12:00 농업협력통상관

2. 면담내용

< 기획관리실장 면담 >

- Azuma부장은 자신의 방한 목적을 던켈방일에 즈음하여 한국에 일본의 입장을 전달하고 공동보조를 취할 사항을 협의키 위한 것이라 설명

- (던켈의 방일 예정에 대하여) 던켈은 일본수상과의 면담계획이 없으며 관방장관, 대장대신, 통산대신, 농림수산대신, 가끼자와 외무차관(와타나베외상은 그때 Moscow 러시아 방문 계획)을 각각 방문할 것임.

0238

- 자민당측 면담계획은 사무총장과 정책위 간부등이 예정되어 있으며, 조찬을 함께 할 것임.

- 지난 7월 Azuma의 던켈면담시(제네바) 일본의 쌀재배농가 방문을 원하였으나 일정관계로 이번 방일중에는 곤란하고 농협방문을 고려중에 있음.

- 또한 일본의 Press Club에서 던켈은 1시간 30분짜리 연설을 할 예정임.

o (미국,EC합의하면 일본은 어떻게 할 것이냐는 질문에 대해) 일본은 미국.EC의 타협결과로 고립화될 것을 우려하고 있으며, 미.EC가 합의하면 궁극적으로는 따를 수 밖에 없을 것이나, 일본이 입장을 양보하려면 식량관리법을 개정하여야 하는바 이는 참의원의 야대 협상으로 곤란할 것임.

o (미국과 EC의 입장차이는?) 미국의 입장은 던켈최종안과 일치하고 있다고 볼수 있으며 EC의 수출보조물량감축 확대를 요구하고 있음.

- 따라서 미국과 EC의 합의는 어떤형태로든 기존입장의 수정(amendments)이 될것임.

o (각국은 UR을 중요시하는가, 또한 일본의 입장은?) UR에 대해 나라마다 그 입장이 다르나 일본의 경우 UR이 타결되지 않는 경우 GATT패널 제소, 수퍼 301조 적용등 양자간으로 비화될 우려가 크므로 UR타결이 중요한 것으로 생각하고 있음.

o 7월이후 남미를 시작으로한 던켈의 각국 순방은 협상재개에 대비한 각국의 입장 및 그 대안 (Option)을 확인코자 하는 것임.

o 일본과 한국은 입장도 비슷하고 그간 협조관계를 잘 유지하여 왔음. 앞으로도 긴밀한 협조를 부탁함.

0239

<국 장 면 담>

o (던켈의 UR진행 입장에 대하여) 미국.EC가 합의하면 그 합의안 (EC의 감축율, 유예기간등의 수정안)을 가지고 드니 시장접근 그룹의장이 새로운 제안 (New Proposal)을 할 것으로 예상되며 UR타결을 위하여 던켈은 어떤 형태의 이니셔티브를 쥐어야 할 것인가와 미국.EC타결안을 가지고 어떻게 협상을 진행시켜야 할 것인가등 두가지 결정을 하여야 함.

o 일본의 농산물협상에서의 입장은 확고하며 이는 NAFTA결성과 관련하여 부시 미대통령의 일본에 대한 UR협조요청 사신에 대한 미야자와 일본수상의 답변에서도 그 입장을 명백히 하였음.

o (뮌헨 G-7공동 커뮤니케중 UR관련 발표내용에 대하여) 미국은 EC의 공동농업정책 (CAP) 개혁이 국내보조 감축에 기여하였지만 향후 작업이 더 필요하다는 문안을 삽입하였고, 곡물류 무역과(EC주장) 시장접근(미국주장)에 대한 각국의 관심사항이 해결되어야 할 숙제로 남아있다는 내용을 포함키로 함.

o (향후 협상진행 전망에 대하여) 던켈이 주도적으로 평가회의(assessment meeting) 등을 활용하여 끌어갈 것으로 예상되며 이는 EC가 채유종자(oilseed) 문제를 UR로 끌어들이기를 원하고 있고, 미국 또한 대통령 선거 이후 새정부로 이 문제를 끌고 가기를 원치않는 만큼 협상재개는 9월말쯤 (프랑스 국민투표 이후)이 될 것임.

0240

o (던켈 방일시 일본의 대응방안)

- 쌀만 예외품목으로 할 것인가 또는 여러품목을 추가할 것인가에 대한 질문에 대하여 일본은 정치적으로 식량관리법(쌀, 보리, 밀)개정이 불가능하며 낙농생산법 또한 개정이 곤란하다고 답변할 것임.

- 스위스식의 유예기간후 관세화 방안에 대하여도 일본은 거부할 것임.

o (미국과 EC간의 남아있는 의견차이에 대하여) 가장 중요한 것은 각자의 입장에 근거한 정치적인 문제라 생각되며, 기술적인 문제로는 다음과 같은 것이 있음.

- 국내보조 : 미국은 6년내 전체의 20%이상 생산감축, 재정지출 증가 억제와 유휴지의 농지사용 금지등을 조건으로 허용정책으로 분류 주장

- 수출보조 : EC는 보조물량의 18%감축, 미국은 8년동안 24% 또는 6년간 20% 감축 주장

o (한국의 입장에 대한 질문에 대하여) 한국이 던켈최종안에 근거하여 제시한 기본 입장에는 변함이 없고 새로운 수정안이나 절충안을 제시할 계획도 없음을 분명히 함.

o (한국의 개발도상국 원용에 대하여) 미국은 한국, 싱가포르 및 홍콩이 개발도상국이 아니라는 확고한 입장을 가지고 있음. 따라서, 개도국 원용에 관한 새로운 논리 마련, 인정을 위한 협상전략등 구체적 대응방안 마련이 있어야 할 것임.

o 끝으로 Azuma부장은 던켈의 방일시 면담내용등 구체적인 정보를 한국으로 즉시 보내주겠다고 약속함.

0241

정 리 보 존 문 서 목 록

기록물종류	일반공문서철	등록번호	2020030102	등록일자	2020-03-12
분류번호	764.51	국가코드		보존기간	영구
명 칭	UR(우루과이라운드) / 농산물 협상, 1992. 전4권				
생 산 과	통상기구과	생산년도	1992~1992	담당그룹	
권 차 명	V.3 9-11월				
내용목차	* 4.10. 한국 국별 이행계획서 GATT 사무국 제출 - 사절단 대표: 김영욱 농림수산부 통상협력 2담당관 5.21. EC CAP(공동농업정책) 개혁안 타결 11.20. 미.EC oilseed 및 UR 농업보조금 협상 타결 12.7.-23. 농산물 협상 - 수석대표: 김광회 농림수산부 기획관리실장				

0001

원 본

외 무 부

종 별 :

번 호 : ECW-1065 일 시 : 92 0901 1800

수 신 : 장관 (통삼,통기,구일,농림수산부,기정동문)

발 신 : 주 EC 대사, 사본: 주아일랜드,제네바-필

제 목 : EC 집행위 동향(자료응신 92-69)

1. EC 집행위 MACSHARRY 농업담당 집행위원(아일랜드 출신)은 금년말 EC집행위원임기가 종료되는대로 공직에서 은퇴할 것이라고 발표함.

2. 이에따라 내년 1월 새로운 집행위원 임기개시시에는 현 17명 집행위원중 MACSHARRY 집행위원을 포함 그리스 출신 PAPANDREOU(고용및 사회문제 담당) 집행위원 및룩셈부르그출신 DONDELINGER 집행위원(문화.정보담당)등 3명의 집행위원의 교체가 확실시되며, DELORS 집행위원장이 9.20 의 마스트리히트 조약에 대한 프랑스 국민부표결과가 비준거부로 나타날 경우에는 집행위원장직에서 사임 하겠다고 밝힌점을 감안할때, 동 국민부표 결과에 따라서는 최대 10명정도의 집행위원의 경질도 가능한 것으로보고 있음.

3. MACSHARRY 집행위원은 아일랜드 재무장관 역임후 89년 농업담당 EC 집행위원으로 임명된 후, 각 회원국간 이견폭이 컸던 공동농업정책(CAP) 개혁 안을 성공적으로 추진하였으며, 미국과의 UR 농산물협상에서 양측의 입장차이를 좁히는데 크게기여한 것으로 평가받고 있음. 끝.

(대사 권동만-국장)

통상국 구주국 통상국 안기부 농수부 . 외정실, 2차보

PAGE 1 92.09.02 06:11 FN

외신 1과 통제관

0002

원 본

외 무 부

종 별 :

번 호 : FRW-1768 일 시 : 92 0902 1830

수 신 : 장 관 (통기,통삼)사본:경기원,농수부

발 신 : 주 불대사

제 목 : 미-EC 식용유 농산물(콩)분쟁과 UR협상(4)

연:FRW-1271

1. 미국과 EC 는 현안중에 있는 식용유 농산물(콩) 생산 농민에 대한 EC 보조금문제와 UR 협상 타개를 위한 고위급실무회의를 8.31-9.1간 브랏셀에서 개최하였는바,동 회의에서 ANDRIESSEN EC 대외관계담당 부위원장과 HILLS 미대표등 양측은 콩분쟁이 9월말 이전 그리고 UR 협상은 금년말 이전에 타결되기를 희망하고 있음을 강조하였으나, 실제로 주목할 만한 구체적인 진전은 없었다고 함.

2. 상기 회의에서 미측은 EC 측에게 콩 보조금제도의 수정을 요구하면서 EC 농산물에 대한 관세 보복조치 경고를 계속하였으며, 이에 대해 EC측은 주요 콩수출국(미,카나다, 브라질, 아르헨티나,우루과이, 폴란드등)에게 일부 상품에 대한 수입관세인하 형태로 보상하는 방안을 제의하였으나 미측은 불충분하다는 반응을 보였다고 함.이와관련, EC 측은 관세 보복조치를 피하기 위해(9.29 GATT 이사회 개최시까지 연기중) 콩보 조금 제도를 불가피하게 재검토 해야할 상황에 처하게 되는것을 우려하고있음.

3. 한편 UR 협상 관련,불란서의 마스트리트 조약비준을 위한 국민투표(9.20)가 임박해 있고, 미대통령 선거전이 고조되고 있는등 양측의 당면 정치현안으로 인해 금번 회의에서는 주요 진전이 이루어지기가 어려웠던 것으로 보이나, 불 미테랑대통령이지난 7월 G-7 뮌헨 정상회담에서 9.20 국민투표 이후에 타협할 가능성을 시사한바있고 미 HILLS 대표도 8.31 회의에서 대통령선거로 인해 부시 행정부의 입장이 경직되지는 않을 것이라고 언급하였음에 비추어,9.20 불 국민투표이후 미.EC 양측은 콩분쟁 및 UR 협상 타개 노력을 재개할 것으로 예상됨.

4. EC 측 협상 대표단은 금번 회의에서 UR협상 타결을 위해서는 최근 CAP 개혁에이어 농산물 분야에서 새로운 양보를 감수함이 불가피하다는 인식을 감추지

통상국 통상국 경기원 상공부 , 2차보 . 농수부

PAGE 1 92.09.03 17:42 WH

외신 1과 통제관

0003

않은 반면, 미측도 그동안 협상대상에서 제외할 것을 주장해온 서비스 교역의 시장개방에 대해 보다 유연한 입장을 취해줄것을 기대하고 있다고 함.끝.

(대사 노영찬-국장)

PAGE 2

0004

報告畢

1992. 9. 4.
通 商 局
通商機構課(51)

長官報告事項

題 目 : 美國의 밀 補助金 支給

부시 미대통령은 9.3. EC에 대한 경쟁력 회복을 위해 밀에 대해 10억달러의 수출 보조금을 지급하겠다고 발표한 바, 관련사항 아래 보고 드립니다.

1. 배 경

   o 미국은 세계 최대의 밀 수출국이나 세계 총수출에서 차지하는 비중이 '87년 38%에서 '91년 33%로 감소한 반면, EC는 동기간중 13%에서 21%로 증가

   o 11월 대통령 선거를 앞두고 밀생산 지역의 지지표 확보 필요

2. 보조금 지급 내용

   o 밀에 대한 수출보조액을 향후 1년간 사상 최대수준인 10억불로 증액

   - 수출장려 계획에 의거 밀 수출에서 발생하는 적자를 보전

   o 현재 미국의 총 밀 수출량(약 6,000만톤)중 절반인 약 3,000만톤에 보조 혜택

   - 현 보조혜택 물량은 약 1,800만톤

3. UR 협상에 미치는 영향

   o 지금까지 EC등에 대해 농산물 보조 감축을 요구해 온 자국 입장에 정면으로 배치

   o 5.21. CAP 개혁안을 통해 곡물류에 대한 국내보조 감축을 결정한 EC 및 주요 밀 수출국들(카나다, 호주, 아르헨티나)로 부터 강한 반발 예상

   o 유지작물(oilseed) 보조금 문제를 둘러싼 기존의 미.EC간의 대립구도를 더욱 첨예화 함으로써 UR 협상 타결에 부정적인 영향을 미칠 것이 우려됨.

4. 언론 및 국회대책 : 해당사항 없음. 끝.

0005

報 告 畢

長官報告事項

1992. 9. 4.
通 商 局
通商機構課(51)

題 目 : 美國의 밀 補助金 支給

> 부시 미대통령은 9.3. EC에 대한 경쟁력 회복을 위해 밀에 대해 10억달러의 수출 보조금을 지급하겠다고 발표한 바, 관련사항 아래 보고 드립니다.

1. 배 경

   o 미국은 세계 최대의 밀 수출국이나 세계 총수출에서 차지하는 비중이 '87년 38%에서 '91년 33%로 감소한 반면, EC는 동기간중 13%에서 21%로 증가

   o 11월 대통령 선거를 앞두고 밀생산 지역의 지지표 확보 필요

2. 보조금 지급 내용

   o 밀에 대한 수출보조액을 향후 1년간 사상 최대수준인 10억불로 증액

   - 수출장려 계획에 의거 밀 수출에서 발생하는 적자를 보전

   o 현재 미국의 총 밀 ~~수출~~생산량(약 6,000만톤)중 절반인 약 3,000만톤에 보조 ~~혜택~~ 근거로 대해 톤당 약 40불의 수출

   - 현 보조혜택 물량은 약 1,800만톤

3. UR 협상에 미치는 영향

   o 지금까지 EC등에 대해 농산물 보조 감축을 요구해 온 자국 입장에 정면으로 배치

   o 5.21. CAP 개혁안을 통해 곡물류에 대한 국내보조 감축을 결정한 EC 및 주요 밀 수출국들(카나다, 호주, 아르헨티나)로 부터 강한 반발 예상

   o 유지작물(oilseed) 보조금 문제를 둘러싼 기존의 미.EC간의 대립구도를 더욱 첨예화 함으로써 UR 협상 타결~~의 전망~~에 부정적인 영향을 미칠 것~~으로 평가~~이 우려된 모든 우려

4. 언론 및 국회대책 : 해당사항 없음. 끝.

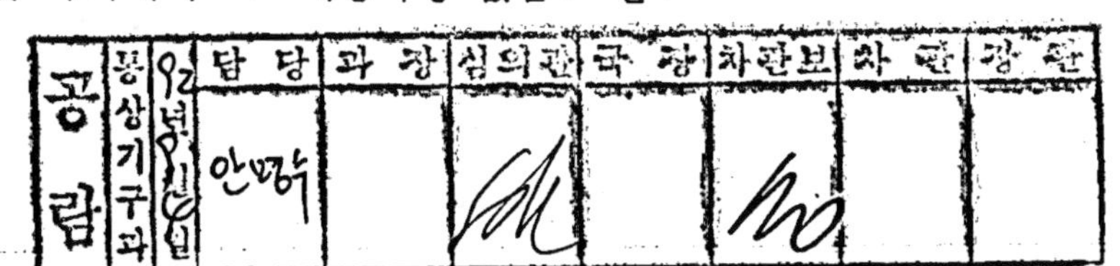

공람	통상기구과	92년 9월 8일	담 당	과 장	심의관	국 장	차관보	차 관	장 관
			안명수		[signature]		[signature]		

0006

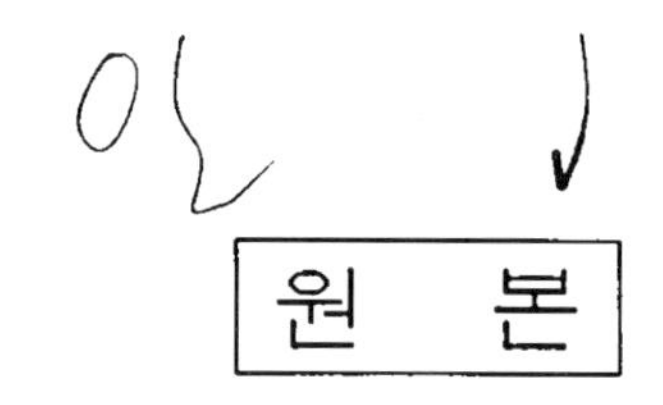

외 무 부

종 별 :

번 호 : ECW-1079 일 시 : 92 0904 1530

수 신 : 장관 (통기,경기원,농림수산부) 사본:주제네바대사-직송필

발 신 : 주 EC 대사

제 목 : EC 바나나 수입제도 개편 추진동향

연 : ECW-0789

1. 8월초 EC 집행위가 채택하여 농업이사회에 상정한 EC 바나나 수급제도 개편안의 주요골자는 아래와 같음.

가. 바나나 수입쿼타 설치운영

0 수입쿼타량을 설정함에 있어 총수요량의 70프로는 기존 공급국(달라바나나)의계속적인 공급을 보장하고 잔여량에 대하여는 ACP 및 EC 국가의공급으로 충당함을 원칙으로 함.

0 연간 EC 바나나 수요량 3.4백만톤(90기준)중 2백만톤에 대하여는 20프로 관세를 부과하는 조건으로 기존 공급국가에 할당함.

0 잔여 수요량에 대하여는 EC내 생산량 및 수요증가등을 감안하여 매년 수입쿼타량을 할당하되, ACP 국가에는 0프로 관세율을 적용함.

0 수입쿼타를 관리하기 위하여 회원국 및관련단체 대표로 구성되는 특별위원회를설치하며, 향후 10년간 존치함.

나. 소득손실보상

0 EC 바나나 생산자의 소득보장을 위해 세계바나나시장 가격과 생산자 가격의 차액에 대한 보상금을 지급함(시행 첫해의 톤당 보상금지급액은 226ECU이며 총소요액은 94백만 ECU으로 추정)

0 EC 바나나 생산면적의 5 해당분에 대하여는 폐경조치하고, HA당 1000 ECU씩보상금을 지급함.

0 ACP 국가의 생산자에 대한 소득손실보상지급 여부에 대하여는 추후 검토함.

2. 동 집행위안은 9.21 농업이사회에서 토의될 예정이나, 독일, 벨지움, 화란 및 덴마크가 수입쿼타설정 자체에 대해 반대하고 있으며,불란서는 동 제안에 대해

통상국 경기원 농수부

92.09.05 01:07 ED

외신 1과 통제관

긍정적인 입장을 취하고 있으나, 불충분하다는 반응을 보이고 있어 회원국간의 합의도출이 용이하지 않을 것임.

3. 한편, 달라바나나 국가대표들은 9.8-9 제네바에서 갓트 제22조에 의한 협의개최 이전에 9.3 독일을 방문중이며 덴마크, 영국, 이태리를 방문할 예정이며, ACP국가들도 동 EC 집행위안에 대해 반발하고 있는 것으로 알려짐. 끝.

(대사권동만 - 국장)

PAGE 2

0008

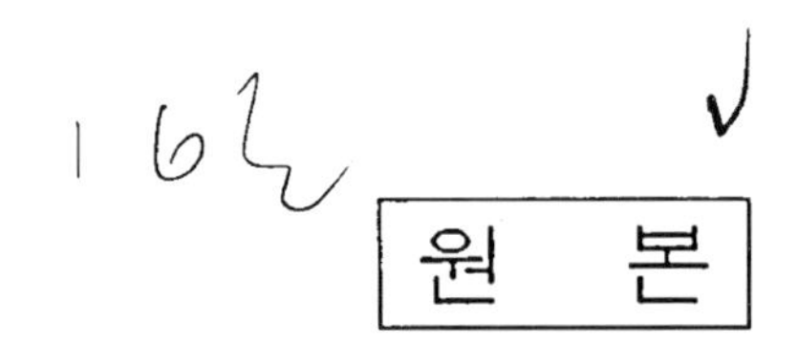

외 무 부

종 별 :

번 호 : FRW-1784 일 시 : 92 0904 1750

수 신 : 장관(통기,통삼,통이,경일,구일)

발 신 : 주불 대사

제 목 : 미국의 곡물 수출 보조금 지급 결정

9.3. 미 정부가 92/93 년도 소맥 수출을 위한 10 억불이상의 보조금을 지불키로 일방적으로 결정한데 대한 당지 주요언론 반응 아래 보고함.

- 아래 -

1. 금번 조치는 미 농민등과 같이 동 조치로 즉각적인 혜택을 볼수있는 유권자층의 이해에 부합하고,UR 등 제반 무역협상에서 EC 에 대해 보다 공개적인 압력자세를취하는 한편,부쉬 정부가 그간 대외문제에 비해 국내문제를 소홀히 해왔다는 국내적비난에 대처키 위한 다각적 차원의 정치적 결정임.

2. 또한 동 조치는 F16 150대의 대만판매결정과 함께 사실상 대 EC 무역전쟁을선포한바와 다름없으며,특히 마스트리트 조약에 대한 9.20 불 국민투표를 앞두고 EC 모 든 회원국의 국내적 관심이 EC 통합 전망에 집중되고있는 정치적으로 민감한 시기에 발표되었다는 점에서,미정부가 선거전략 차원에서 우발적으로 취한 조치로 만은 볼수 없음.

3. 특히 금번 조치는 단순히 보조금의 강화뿐 아니라 전통적으로 EC 곡물수출 시장으로 분류되는 남아공,파키스탄,인도,루마니아,폴란드등을 대상국에 포함시켰다는점에서 EC 를 크게 자극시키고 있으며,불 농민단체는 미국이 합법,비합법적 수단을가리지 않고 유럽 농업을 파괴코자 시도한다며 강력히 비난함.

4. 또한 동 조치는 UR 협상과 관련,미국이 그간 대외적으로는 호혜적인 조기 타결을 강조하면서도 실제목적은 EC 의 공동 농업정책에 타격을가하고 유럽의 농산물 판로를 봉쇄키 위한데 있다는 점을 확실히 들어낸 것으로 볼수있음.

5. 불란서는 이제 미국에 대해 더이상의 양보를 할필요가 없다는 점을 EC 에 주지시킬수 있게된 반면,EC 내 UR 조기 타결론자의 입지가 약화될 것으로 예상됨에 따라그간 EC 내에서 외교적으로 고립되었던 불란서의 입장이 보다 강화될 것임.

통상국 구주국 경제국 통상국 통상국

PAGE 1 92.09.05 01:48 ED

외신 1과 통제관

0009

이와관련,BRUNO DURIEUX 불대외무역장관은 그간 불란서가 계속 주장해왔듯이 EC 가 대미 협상에 있어 강력한 자세를 취해야 한다는 점을 재확인하게 되었다고 언급함.

6. UR 협상 전망과 관련,부쉬 대통령의 재선가능성이 극히 불투명한 가운데,미 선거전에 UR이 타결된다 하여도 현재로서 집권이 예상되는 신정부나 미 의회가 이를 수 락할 전망도 확실치 않으므로,EC 가 이러한 시점에서 굳이 협상타결을 위해 추가로양보를 할 필요가 없을것이라는 견해가 점차 강하게 대두될수 있을 것임.

7. 한편 이와는 달리,9.20 마스트리트 조약에 대한 불국민투표 직후 미 정부가 수주간 집중적인 교섭을 통해 협상을 타결함으로써 이러한 '역사적성과'를 막판 선거전 의 호재로 활용할 것이라는 예측도 할수 있으나,최소한 향후 몇주는 미 정부의 공세적이고 다분히 고압적인 통상조치가 추진될 가능성이 큼.끝.

(대사 노영찬-국장)

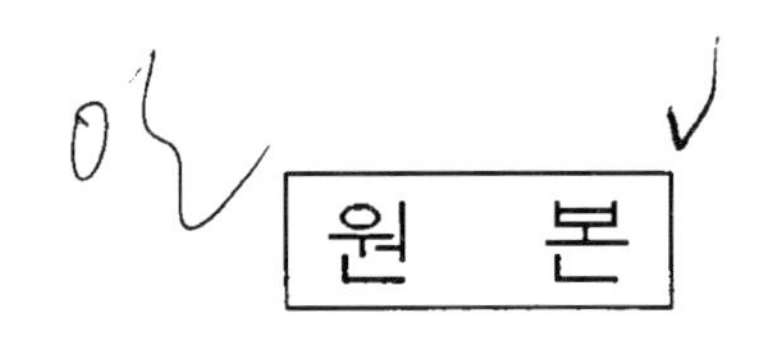

외 무 부

종 별 :

번 호 : ECW-1080 일 시 : 92 0904 1530

수 신 : 장관 (통기,경기원,재무부,농림수산부,상공부)주미,제네바-중계필

발 신 : 주 EC 대사

제 목 : 미소맥 수출보조 확대발표에 대한 EC 의 반응

1. 9.3 EC 집행위대변인은 미국의 소매수출보조금 확대(EXPORT ENHANCEMENT PROGRAM에 의한 92소맥수출 예정량 29.1백만톤에 대해 수출보조금액을 10억불로 인상하고 EEP 적용국가도 전통적으로 EC 소맥수입국을 포함한 28개국으로 확대) 발표에 대해, 세계 소맥시장 질서의 혼란과 UR 협상에서 의미. EC간의 협조분위기가 저해될 것을 우려하고, EC의 소맥수출에 미칠 영향은 미측의 구체적인 실행계획이 입수되는대로 집행위내에 설치된 소맥관리 위원회가 분석할 것임을 전제로 아래와 같은 EC의 일반적인 입장을 발표함.

가. 미국의 구체적인 실행계획의 발표를 기다릴것임.

나. BUSH 대통령의 EC에 대한 도전적(BELLICOSE)인 언급은 유감스러우며, 특히이러한 언급은 미.EC간의 우호적인 관계에 유익하지 않을 것임을 지적함.

다. EEP 확대조치가 UR 협상의 전제조건인 STAND-STILL 원칙에 합치되는지 여부에 의문을 가짐.

라. 금반 EEP 확대적용 대상국가들이 전통적인 EC 소맥 수입국가라는 점을 주목함.

마. EC는 동 조치이행으로 말미암아 시장질서 교란초래 여부를 주시함.

바. EC는 UR협상의 긍정적인 결과가 조속히 도출되어야 한다는 점과,특히 금년말까지 UR 협상을 종료키로 한 뮌헨 G-7 회담의 결정을 재확인함.

2. 참고로 동건과 관련하여 최근 3년동안의 미.EC의소맥수출량 추이를 보면 89년도-EC 26.58, 미 29.1, 90년도-EC 54.27, 미 34.7 및 91년도-EC 49.37, 미32백만톤이었음. 끝.

(대사 권동만 - 국장)

통상국 경기원 재무부 농수부 상공부 2차보

PAGE 1

92.09.05 01:11 ED

외신 1과 통제관

0011

02(9.29. 갓트이사회대비 농정과과의)

원 본

외 무 부

종 별 :

번 호 : GVW-1685 일 시 : 92 0908 2230

수 신 : 장 관(통기, 통이, 농수산부) 사본 :주EC대사,주미대사(직송필)

발 신 : 주 제네바대사

제 목 : 미국의 소맥수출 보조금 확대지급

92.9.3 BUSH 미국대통령의 EXPORT ENHANCEMENTPROGRAM에 의한 92-93 시장년도의 10억불 상당의 소맥 수출 보조금 지급 발표와 관련 EC, 호주, 카나다, 알젠틴등 소맥 수출국이 강한 반발을 보이고 있는 바, 동 발표 관련 UR 협상에 미칠영향등에 관한 당지 의견 및 당관 평가를 아래보고함.

1. 동 조치는 90 미 농업법에 수출보조금 10억불 추가지급 규정이 있는점, 85년이후 계속된 EEP계획에 따른 조치라는 점(91.-92 시장년도 7.9억불 보조), 실제 수출물량에 큰 변동을 가져오게 될 가능성이 크지는 않은 것으로 예상된다는 점등에서 기본적으로 대통령 선거를 앞둔 부시행정부의 선거전략의 일환인 것으로 일반적으로 보고 있음.

2. 동 발표이후 EC 호주, 알젠틴등 직접이 해당사국은 즉각적인 반응을 보이고 있는 바, 특히 호주, 알젠틴등 케언즈 그룹은 전통적 시자야참식 우려로 상드한 반발을 보이고 있고, 호주는 동 조치 발표즉시 GATT 사무국에' 미국 및 EC의 농산물 수출보조' 문제를 9.29에정 이사회 의제로 상정해 줄 것을 요청하는등 가장 강한 반발을보이고 있음.

3. 한편 EC는 외형적으로는 DELORS 집행위원장의 대미 비난 발언 및 EC 대변인의즉각적인 EC 입장 발표등 강한 반발을 보이고 있으나, 내면적으로는 미국의 국내정치적 고려라는 점에 이해를 하고 있으며 동조치가 앞으로 EC의 소맥 수출에 미칠 구체적인 영향을 분석해 가면서 대처할 것으로 전망됨.

4. 이와 관련 일부 GATT 실무진간에는 미.EC간에 통상 현안에 대한 접근 방식의차이 즉 미국은 강한 대 EC 압력이 UR의 조기타결을 촉진 시킬 것이라는 시각인데 반해, EC의 경우 이를 미국의 도전적인 조치로 간주하는 경향이 있음에 비추어 금번 조치가 UR 협상에 어떠한 영향을 미칠 것인지는 예단키 어려우나 일응 UR 협상의 순조로운

통상국 통상국 농수부

PAGE 1 92.09.09 16:57 WH

외신 1과 통제관

0012

타결에 불리한 영향을 미칠 수도 있다는 우려를 가지고 있음.

5. 또한 미국이 금번 조치는 89. 4월 중간평가 합의사항인 STANDSTILL에 배치된다는 주장이 제기되고 있고, 앞으로 UR 협상과정에서 최종의 정서상 수출보조금 감축기준이 86-90년 평균으로 되어 있어 일응 수출보조금 감축 기준에 포함되지 않는 것으로 보나, UR협상의 지연등 상황의 발전여하에 따라서 보조금 감축 논의의 문제 대상이 될수 있을 것이라는 우려도 제기되고 있음.

(대사 박수길 - 국장

0L

외 무 부

종 별 :

번 호 : AUW-0769 일 시 : 92 0909 1620

수 신 : 장관(통일,통기,아동)

발 신 : 주호주대사

제 목 : 미국의 농업보조금 증액조치

1.BUSH 대통령이 지난주 발표한 새로운 수출증진계획(EEP)하의 밀수출 보조금대폭증액 조치와 관련, 주재국 정부는 지난 9.3.외무무역부장관 명의의 항의 성명을 발표한데 이어 작 9.8. KEATING 수상은 BUSH 대통령앞 서한을 통해 강한 경고를 함.

2. 주재국 수상의 동 서한은 동 조치에 대한 호주의 이해를 구하기 위해 보낸 미국대통령 서한에 대한 답한으로서, 호주측은 동 서한에서, (1) 호주는미국의 동 농업보조금문제를 GATT에 제기하는수 밖에 없고 (2) 호주의 기존 밀 수출대상 시장(예 : 인도네시아)에 손상을 주는 동 미국수출보조금 문제는 양국간의 중요한 정책차이의 문제로 등장 되었으며 (3) 금번건으로 말미암아 양국관계에 있어서 호주국민의 대미국지지에 금이가는 바람직하지 못한 효과가 계속될것이라는 요지의 강한 반응을 보임.

3. 동 미국의 조치와 관련 제2야당(국민당)은 미국을 'ENEMY NO.1'이라고까지 혹독히 매도하는가하면 제 1야당 (자유당) J. HEWSON 당수는 호주도 NAFTA에 가입함으로써 동종 조치에 대응해야된다고 했으며, KEATING 수상 서한에 대해 자유당은 정부의 이러한 대응이 늦은 감이 있는 동시에 미온적이며 주미대사를 소환하는 등 동조치에 일찍 보다 강한 항의를 제기했어야만 했다고 비판함.

4. 언론에서는 미국대통령이 그 서한에서 타협적인 제스쳐를 쓰기는 했지만 금번 조치가 호주에 미치는 영향을 생각했기 보다는 어디까지나 미국의 이익을 계속 앞세우고 있는 것에 틀림이 없다고보고 있으며, GATT에 문제를 제기하는 방안외에도 일대일로 대결하는 방법과 지역적으로 대응하는 방안도 생각했어야만 한다고 평하고 있음.

5. BUSH 대통령의 동 수출보조금 대규모 증액조치는 선거를 염두에 둔 것으로서

통상국 2차보 아주국 통상국 외교안

PAGE 1

92.09.09 15:51 CM

외신 1과 통제관

0014

미국국내외로 논난이 많은 바, 주재국으로서도 농업정책상 차질이 초래될 가능성이 크므로 내년 전반기중 (5월경) 치를 것으로 예상되는 선거와관련 주요 정치쟁점화된 것임. 관련 사항추보함.

6. 외무무역부 성명 AUW(F)-0063 로 별도 전송함.끝.

(대사 이창범 - 국장)

주 호 주 대 사 관

AUW(F) : 0063 년월일 : 20809 시간 : 1620

수 신 : 장 관 (통일.통기 아동)

발 신 : 주 호주 대사

제 목 : AUW-0768 첨부물

보 안	
통 제	

(출처 :)

Page
(63-2-1)

외신 1과	
통 제	

0016

MINISTER
FOR TRADE AND
OVERSEAS DEVELOPMENT NEWS RELEASE

No. MT03 Date: 3 September 1992

STATEMENT BY THE ACTING MINISTER FOR FOREIGN AFFAIRS AND TRADE, NEAL BLEWETT

In a statement in the early hours of Thursday September 3 the Prime Minister announced our strong objection to the new United States Export Enhancement Program (EEP) for wheat. He also foreshadowed Australian action under the General Agreement on Tariffs and Trade (GATT) against the export subsidy practices of the United States and the European community.

I have today instructed the Department of Foreign Affairs and Trade to commence this action under the relevant GATT procedures.

Provisions of the GATT set out standards of behaviour on the use of export subsidies in agriculture and procedures for settling disputes where these standards are not being observed.

The current provisions of the GATT on export subsidies are inadequate. This is one reason why the Australian government places so much importance on a successful conclusion to the Uruguay Round, which can deliver effective relief from the agricultural export subsidies of the US and the EC.

However, the Australian Government believes it should pursue every avenue open to it to redress the problems caused by export subsidies.

As a first step, we will formally commence action to take up our GATT concerns bilaterally with the United States and the European Community. Mr Kerin will be doing this in Washington and Brussels later this month.

In our discussions with the United States we are particularly concerned that it effectively honours its commitment to take special account of the interests of non-subsidising exporters in the markets affected by its agricultural export subsidies.

We will also be taking the issue of US and EC export subsidies to the GATT Council, which meets later this month in Geneva. This action will ensure that our grievances will be heard within the framework of specific GATT rules and internationally recognised behaviour.

As a third step, we will pursue formal consultations with both the United States and the European Community within the GATT.

On the basis of these discussions we will decide what action to take under GATT and which of the Articles provides us with the best prospect of a successful outcome.

63-2-2

0017

원 본

외 무 부

종 별 :

번 호 : FRW-1818 일 시 : 92 0910 1800

수 신 : 장 관 (통기,구일)

발 신 : 주 불 대사

제 목 : 미 곡물수출 보조금 지급(2)

연:FRW-1784

1. 연호 미정부의 9.3자 곡물수출 보조금 11억불지급결정 관련,불정부는 강력한비난태도를 취하고 있는바,MARTIN MALVY 불정부 대변인발표에 의하면 미테랑 대통령은 9.9 국무회의석상에서 미국의 곡물수출 보조금 결정에 관한 대통령 자신의 우려를 표명한 서한을 미 BUSH대통령 앞으로 발송한 사실을 밝히고,미국의금번 조치는 UR협상의 조속한 타개를 희망하는 국가들을 혼란에 빠뜨리고 협상타결을 지연시키는 행위라고 언급하였다고 함.

2. 이와관련,9.11자 LE MONDE 지는 또다시 농업문제가 대통령 선거와 마스트리트 비준을 위한 국민투표를 각각 목전에 두고있는 미.불 양국간불화의 씨앗이 되고 있다고 논평하면서,미테랑대통령의 상기 서한발송 외에도 카나다,호주,EC,브라질, 아르헨티나도 미국의 조치에 대해 불만을 표명하고 있다고 보도함.

3. 동지는 미국의 11억불 보조금 지급 결정은 사실상 21백만불만 신규 자금이고나머지 금액은 과거 보조금중 사용되지 않은 잔액을 합친것에 불과하므로 유럽등 곡물 수출국에 대한 경제전쟁 선포행위라기 보다는 선거를 앞둔 국내용 정치적 행위에불과하다고 보여지나,미테랑대통령은 최근 여론조사에서 '마스' 조약 비준에대해 77프로 가량이 반대 투표할 것으로 나타난 농민계층을 의식,미정부를 비난하고 있다고분석함.

4. 불정부 지도자들은 미국의 조치에 대한 적절한대응을 위해서는 남미국가들이보조금을 지원받는 미 곡물수입 금지에 관해 공동보조를 취하고 있듯이 EC 국가도 보다 단결된 태도를취할 필요가 있다고 보고 있으며,불 BEREGOVOY수상은 미국이 금번과 같은 태도를 유지하는한, UR 협상의 타결은 결코 없을것이라고 언급하였다고 함.끝.

통상국 구주국

PAGE 1 92.09.11 06:04 ED

외신 1과 통제관

0018

(대사 노영찬-국장)

PAGE 2

0019

오

관리번호	92-604

외 무 부

종 별 :

번 호 : USW-4439　　　　일 시 : 92 0910 1700

수 신 : 장관(통이,통기,경기원,농수산부) 사본:주제네바, EC 대사

발 신 : 주 미 대사

제 목 : UR/농산물 협상 및 미.EC간 OILSEED 분쟁

1992.12.31. 에 예고문에 의거 일반문서로 재분류됨

당관 이영래 농무관은 9.9 미농무부 해외농업처 KALLEMEYN 부처장보 및 GRUEFF 과장등을 면담, 표제관련 사항을 문의한바, 요지 하기 보고함.

1. UR/ 농산물 협상

. 미국의 FAST TRACK AUTHORITY 만료를 감안, 93.3.1 이전까지 협의가 완료되어야 한다는 목표아래 미.EC 간에 협의를 계속 진행해 오고있으나 EC 통합과 관련한 불란서의 9.20 국민투표 이전에는 별다른 진척이 없을 것으로 보고있고 9.21-24 제네바에서 개최예정인 G-8 국가 모임에서도 기술적인 사항 중심으로 협의가 있을 것이라고 하며, 동 기간중 한국과도 기술적인 사항 중심으로 협의코자 제네바 대표부를 통하여 교섭중에 있다고 함.

. 그러나 미측은 9.21 이후에는 가능한 빠른 시일내에 CARLA HILLS 대표 및 MIDIGAN 농무장관등이 나서 EC 와 고위급 협상을 개최하여 UR 관련 농산물을 물론 SERVICE, MARKET ACCESS 등도 동시에 협상을 진행할 계획으로 있다고 말하고 동 협상의 타결을 위하여 영국, 독일의 적극적인 중재를 희망하고 있으며, EC 의 우려에도 불구하고 미국대통령 선거가 특별한 영향을 받지 않을 것으로 본다고 말함.

. 그리고 미측은 그동안의 협상진행 과정에서 종전과 같이 수출 보조금의 물량기준 24% 감축을 계속하여 주장해 왔으며, 국내보조금 분야는 CAP REFORM 과 관련하여 탄력적으로 대응하고 있다고 함.

. 또한 지난 9.2 BUSH 미대통령이 EEP 에 의한 미국 소맥 10 억불 수출 보조금 확대지급 발표에 대하여 EC 와 호주, 카나다, 알젠틴등 CAIRNS GROUP 이 크게 반발하고 있음을 지적하고 이의 대응방안을 문의한바, 소맥보조금 확대지급은 AATT 규정상 합법적일 뿐 아니라 EC 의 경우 매년 110 억불의 수출보조금을 지급하는데 반하여 미국은 10 억불 정도의 보조금을 지급하고 있다고 주장하고 호주에 대해서는

통상국	장관	차관	2차보	미주국	통상국	[illegible]	분석관	청와대
안기부	경기원	농수부	중계					

PAGE 1　　　　92.09.11 07:00

외신 2과 통제관 FM

0020

FAS 처장인 STEPYEN CENSKY 가 미국 농무관회의 주재차 호주 방문시 동건을 협의할 계획이라고 말함. 아울러 소맥보조금 확대가 UR 협상과 관련한 미국과 EC 간 수출보조금 감축문제에 영향을 미칠것으로는 보지않는다고 언급하였음을 참고 바람.

2. OILSEED 관련 협상

. OILSEED 분쟁문제를해결하기 위하여 미구과 EC 간에 그동안 수차례에 걸쳐 협의를 한 바 있고 오는 9.13 부터는 제네바에서 다시 협의가 재개될 계획이라고 하면서 금번 협상에는 EC 측으로부터 생산감축 부문에 대한 새로운 제안을 기대하고 있다고 말함.

. 특히 미측은 CAP REFORM 에서 SET-ASIDE 에 의한 생산감축은 9% 밖에 되지 않을 것으로 보면서 보상은 물론 OILSEED 의 직접 생산감축이 뒤따라야 할 것이라고 강조하고 있으며, 미측은 보복보다는 협상을 통하여 동 문제를 해결하기를 희망하고 있다고 함.

(대사 현홍주-국장)

92.12.31 까지

관리번호	92-603

원 본

외 무 부

종 별 :

번 호 : USW-4455 일 시 : 92 0910 1920

수 신 : 장관(통기,통이,미일) 사본:경기원,농수산부,주제네바,EC 대사

발 신 : 주 미 대사 -중계필

제 목 : UR 동향

1. 당관 장기호 참사관은 9.10 USTR DOROTHY DWOSKIN 부대표보를 면담, 최근 CARLA HILLS 미 USTR 대표의 EC 방문 관련 특히 UR 협상에 대해 어떤 논의가 있었는지에 대해 문의한바, 동 부대표보는 상세 언급은 피하고 요지 아래와 같이언급하였음.

가. HILLS 대표는 EC 방문시 영국의 MAJOR 수상, ANDRIESSEN EC 부위원장 MACSHERRY 위원등을 접촉한바 UR 협상과 관변하여서는 현재 어디에 문제가 있고 앞으로 어떤 방향으로 협상을 진전시켜야할것인지를 알기위해 주로FACT FINDING 에 목적을둔 것이었으며, EC 의장국인 여국의 MAJOR 수상에게는 UR 타결을 위한 영국의 역할이 중요하므로 영국의 보다 적극적인 역할을 당부하였다함.

나. HILLS 대표는 EC 국가들이 최근 NAFTA 문제에 대해 많은 우려를 표명하고 있기 때문에 NAFTA 내용에 대한 설명과 아울러 이것이 UR 타결의 방해가 될 수 없음을 강조하고 특히 미국으로서는 행정부의 신속협상권 시한이 얼마 남지 않았기 때문에 금년말까지는 UR 협상을 마무리 짓는다는 일정을 잡고 있으므로 관계국들이 가급적 빨리 제네바에서 분야별 양자협상등을 추진, UR 협상을 재개하도록 노력해야 한다는 MESSAGE 를 EC 에 전달한데 뜻이 있다고 하였음.

다. 영국의 MAJOR 수상도 MAASTRICHT 조약에 대한 불란서 구민투표의 향방에 대해 우려를 표명하고 결과가 좋지 않으면, UR 협상에도 영향을 미칠 것으로 우려가 된다고 하였지만 미국과 영국은 이것이 UR 협상의 커다란 장애가 될수 없으며, 불란서도 현재로서는 국내정치적으로 어려움이 있지만 기본적으로는 UR 협상타결을 BLOCK 하는 역할은 하지 않을 것이라는데 인식을 같이 하였다고 하였음.

라. DEWOSKIN 부대표보는 HILLS 대표가 NAFTA 타결을 BUSH 대통령에 보고 했을 때 BUSH 대통령은 UR 협상은 언제 타결할 것인지에 대해 강한 관심을 표시했음을

통상국	장관	차관	2차보	미주국	통상국	분석관	청와대	안기부
중계								

PAGE 1

92.09.11 21:40

외신 2과 통제관 FK

0022

상기시키면서 불란서가 국민투표가 끝나면 재차 UR 협상타결을 위하 노력을 기울려야할 것이라고 하였음.

2. 장기호 참사관이 최근 BUSH 대통령의 소맥 수출 보조금 지급 발표에 대한 EC 등 주요국으로 부터의 반응을 언급하고 이에 대한 미측의 입장을 문의한데대해 동 부대표보는 이러한 자원계획은 새로운 것이 아니고 전에부터 내려온 EEP(EXPORT ENHANCEMENT PROGRAM) 계획의 일환으로서 금번의 EEP 발표는 사전에 그 내용에 대한 상세한 설명이 없어 미국이 지원보조금을 상당히 증액한 것으로 오해를 받게된 것이라고 하였음. 동인은 또한 금번의 발표금액(10 억불 상당)은 여러개의 관련 보조금을 묶어서 내놓은 것이므로 전체 액수를 증액시킨 것이 아니라고 설명하면서 이것이 UR 협상에 걸림돌이 될수 없을 것이라는 의견을 피력하였음.

(대사 현홍주-국장)

예고:92.12.31 까지

	분류번호	보존기간

발 신 전 보

번 호 : WGV-1366 920915 1507 WG 종별 :

수 신 : 주 제네바 대사. 총영사

발 신 : 장 관 (통 기)

제 목 : UR 농산물 비공식 회의

~~외신 보도에 의하~~면 UR 농산물 G-8 전문가 비공식회의가 각국이 제출한 이행계획표와 관련된 기술적인 사항(계산방법, 품목별 수출입 동계 등) 검토를 위하여 9.21. 시작주중 귀지에서 개최될 것~~으로 예상된다고 하는바~~, 이라는 외신보도가 있는바, 관련 동향을 파악 보고 바람. 끝.

(동상국장 홍 정 표)

보 안 통 제	

앙 고 재	92년 9월 15일	통상기구과	기안자 성명		과 장	심의관	국 장		차 관	장 관
			안명수				전결			

외신과통제

0024

암(신)

원 본

관리번호	92-615

외 무 부

종 별 :

번 호 : GVW-1714 일 시 : 92 0915 1700

수 신 : 장관(통기,경기원,재무부,농림수산부,상공부)

발 신 : 주 제네바대사

제 목 : UR 농산물 협상(한.미 양자 협의)

1992.12.31.에 예고문에 의거 일반문서로 재분류됨

1. 9.14(월) 당지 미국대표부의 THORN 농무관은 당관 최농무관에게 9.28 주간중 표제 협상과 관련 한. 미 양국의 국별이행 계획서(C/S)에 대한 양자협의를 갖자고 제의해 왔는바 조속 검토 회신바람.

2. 참고로 미측은 동 협의를 10.2(금) 개최키로 희망하며, USTR 의 CHATTIN과장, USDA 의 GRUEF 과장 및 실무자 2-3 인으로 대표단이 구성될 예정이라고 함. 끝

(대사 박수길-국장)

예고:92.12.31. 까지

통상국 장관 차관 2차보 미주국 청와대 안기부 경기원 재무부
농수부 상공부

PAGE 1

92.09.16 07:59
외신 2과 통제관 BX

0025

다 ✓

관리번호	92-618

원 본

외 무 부

종 별 :

번 호 : GVW-1727 일 시 : 92 0917 0900

수 신 : 장관(통기,경기원,재무부,농림수산부,상공부)

발 신 : 주 제네바대사

제 목 : UR/농산물 협상(최근동향)

1. 9.21-23 당지에서 개최 예정인 G-8 회의의 의제를 별첨 FAX 송부함.,- 동 회의는 주로 각국의 C/S 와 관련된 기술적 사항이 논의될 예정이며, 대표단은실무자(과장급) 중심으로 구성될 것으로 알려짐.(미국의 OMARA, 카나다의 GIFORD, 일본의 AZUMA 등은 참석치 않을 것이라고 함)

- 동 회의 결과는 추보하겠음.

2. 미.EC OILSEED 분쟁관련 제네바에서 9.16(수)-17(목) 미-EC 간 협상치 재기될 예정임.

- EC 의 보상방안에 대하여 미국은 OILSEED 보조제도 자체의 변화를 요구하고 있어 금번 미-EC 협상에서도 타협을 쉽게 이루기 어려울 것으로 관측되고 있으며, 그경우 9.29 이사회에 동 문제가 상정되어 미국의 소맥 수출보조금과 함께논란이 있을 것으로 예상됨.

3. EC 의 농업이사회가 9.21-22 개최될 예정이며 그에 앞서 9.18(금) 113 위원회가 개최될 예정임.

- OILSEED 문제, 바나나 문제등이 논의될 것으로 예상

첨부: G-8 회의 의제 1 부(GVW(F)-545). 끝

(대사 박수길-국장)

예고:92.12.31. 까지

통상국	장관	차관	2차보	분석관	청와대	안기부	경기원	재무부
농수부	상공부							

PAGE 1

92.09.17 17:44

외신 2과 통제관 CH

0026

주 제 네 바 대 표 부

번 호 : GVW(F) - 0545 년월일 : 20917 시간 : 0900

수 신 : 장 관 (통기, 경기원, 재무부, 농림수산부, 상공부)

발 신 : 주 제네바대사

제 목 : 첨부

보 안	
통 제	

총 3 매(표지포함)

외신과	
통 제	

545-3-1

0027

INFORMAL TECHNICAL CONSULTATIONS ON AGRICULTURE

21 - 23 September 1992

Market Access

1. Average rate of reduction of base tariff rates

The assessment of the average 36 per cent reduction.

2. Current access

The base period used to define existing import opportunities. The use of quota quantities versus actual imports.

3. Consumption data used in the calculation of minimum access opportunities

Definition and measurement of domestic consumption.

4. Tariff equivalents for processed products

The use of coefficients in the calculation of tariff equivalents for processed products. Tariff lines incorporating products with differing proportions of inputs. Examination of methods used to reflect additional elements of tariff protection to industry.

Domestic Support

5. Definition of basic products

The product coverage of AMS commitments and equivalent commitments.

6. Credit claimed for actions undertaken since 1986

Need for consistency in the method which may be used to reflect credit in the domestic support chapter of the draft Schedules (i.e. choice of the base period, size of AMS reduction, etc.).

0028

545-3-2

7. Application of the 'de minimis clause'

Calculation of the 'de minimis' level.

Export Competition

8. Line-by-line specification of products within the individual product and incorporated product export subsidy commitments

Need for a consistent means of identifying subsidised products, including in order to monitor "no-new-products" provisions.

General

9. Provision of data sources

Identification of data including:

(i) data required in order to initially verify base commitments.

(ii) data required to interpret commitments on an ongoing basis; and,

(iii) means to formalize interpretive data as part of the obligations. The procedural aspect of the on-going data requirements.

545-3-3

0029

관리 번호	92-621

원 본

외 무 부

종 별 :

번 호 : GVW-1729 일 시 : 92 0917 1600

수 신 : 장관(통기,경기원,재무부,농림수산부,상공부)

발 신 : 주 제네바대사

제 목 : UR/농산물 협상(양자협상)

1992.12.31. 에 예고문에 의거 일반문서로 재분류됨

연: GVW-1714

1. 9.16(수) 당지 뉴질랜드대표부 HAMILTON 공사는 당관 최농무관에게 9.21.주간중 표제협상 국별 이행계획서와 관련한 양자협의를 갖자고 제의해 왔음.

2. 또한 9.17(목) 당지 호주대표부 JORDANA 참사관도 같은 성격의 양자 협의를 9.21. 주간중 개최하자고 최농무관에게 요청해온바, 조속 검토 회시 바람. 끝

(대사 박수길-국장)

예고:92.12.31. 까지

통상국	차관	2차보	청와대	안기부	경기원	재무부	농수부	상공부

PAGE 1

92.09.18 04:35

외신 2과 통제관 FK

0030

관리 번호	92 - 627

분류번호	보존기간

발 신 전 보

번 호 : WGV-1399 920921 1904 FY 종별 : 지 급

수 신 : 주 제네바 대사. 총영사

발 신 : 장 관 (통 기)

제 목 : UR/농산물 협상

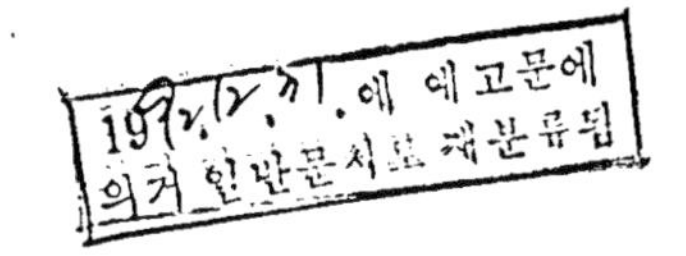

대 : GVW-1729

대호 뉴질랜드, 호주가 제의한 UR/농산물 양자협상에 농수산부는 대표 파견을 검토중인바, 관련사항 추후 통보 예정임. 끝.

(통상국장 홍 정 표)

보안 통제	

앙 고 재	92년 9월 21일	통기과	기안자 성 명		과 장	심의관	국 장		차 관	장 관
			申				전결			

외신과통제

0031

관리 번호	92 - 631

	분류번호	보존기간

발 신 전 보

번 호 : WGV-1407 920922 1855 FY 종별 :

수 신 : 주 제네바 대사. 총영사

발 신 : 장 관 (통 기)

제 목 : UR/농산물 협상

1992.12.31.에 예고문에 의거 일반문서로 재분류됨

대 : GVW-1714, 1729

연 : WGV-1399

1. 대호 미국, 호주, 뉴질랜드와의 UR/농산물 양자협상과 관련, 미국측이 제의한 10.2(금) 회의 개최를 수락하며 호주, 뉴질랜드와의 양자협상 일정은 10.1.(목) 오전(호주), 오후(뉴질랜드)로 제의 바람.

2. 상기 양자 협상시 농수산부 대표가 참석 예정임. 끝.

(통상국장 홍 정 표)

보안 통제	

앙고재	92년 9월 22일	통기과	기안자 성명		과 장		국 장		차 관	장 관
			申							

외신과통제

0032

관리 번호 92-635

원 본

외 무 부

종 별 :

번 호 : GVW-1759 일 시 : 92 0922 1000

수 신 : 장 관(통기,경기원,재무부,농림수산부,상공부)

발 신 : 주 제네바대사

제 목 : UR/농산물 협상(최근동향)

9.21. 당관 최농무관은 당지 불란서 대표부의 HENRY 농무관과 접촉, 최근의 표제 협상 동향 및 미-EC 간 유지작물 분쟁경과등에 대하여 의견 교환 하였는바 동인 언급 요지 하기 보고함.

1. 불란서 국민투표이후 UR 협상 전망

- 국민투표결과 매우 근소한 차이로 통과되었기 때문에 불란서 입장에서는 협상에 융통성을 보여주기가 매우 어려운 상황임.

0 또한 미국 대통령 선거 이전에는 미국측이 융통성을 보이지 않을 것으로 예상되기 때문에 11 월 이전까지 실질적인 진전을 기대하기는 어려움.

- 미-EC 간 가장 큰 쟁점은 수출보조 물량 감축문제임.

(BLUE BOX 는 비교적 쉽게 타협점을 찾을 것이고, REBALANCING 문제는 수출 보조 협상과 연계된 일종의 LEVERAGE 성격의 강함)

0 품목군내 융통성 부여는 미국측이 거절한바 있음.

0 8 년간 24 퍼센트 또는 6 년간 18 퍼센트 감축안은 지난번 G7 정상회담시 독일 농무장관이 제시한 것임.

- 금일부터 당지에서 개최되는 G-8 회의는 WOLTER 농업국장이 주재하며, 별다른 진전이 없을 것으로 예상됨.

0 DENIS 의장은 9.21. 주말경 당지에 와서 9.28 주간중 시장접근그룹(MA) 회의를 개최할 것으로 예상됨.

2. OILSEED 분쟁

- OILSEED 문제는 CAP 본질과 직결되므로 EC 의 CAP 개혁안을 재조정 하지 않은 범위내에서 타결되기를 바람.

- 9.16(수) 당지에서 개최되었던 미-EC 간 협의는 별다른 결론없이 짧게 마쳤는바,

통상국 장관 차관 2차보 외정실 분석관 청와대 안기부 경기원
재무부 농수부 상공부

PAGE 1 92.09.22 19:18

* 원본수령부서 승인없이 복사 금지 외신 2과 통제관 BS

0033

금일부터 개최되는 EC 농업이사회에 해결방안을 기대한 것으로 보임

- OILSEED 생산 감축은 여타곡물 생산과 연계되기 때문에 약속을 이행하기 어려운점이 있음. 현재까지 타결 방안을 찾지 못했다고 해서 미국의 HIT LIST 를곧 발표하지는 않을 것으로 봄. 계속해서 28 조에 의한 해결방안을 모색할것임.

3. BANANA 문제

- EC 의 200 만톤 QUOTA 제안을 중남미 국가들이 거부하고 있으나, 갓트 22 조에 의한 협의는 계속해 나갈것임.(아직 확정된 내용이 아니므로 23 조 대상은 아님)

0 금년말까지는 어떤 형태로든 결론을 내야 할 문제임.

(UR 과 관련해서는 명시적인 관세화의 예외 규정방법보다는 해당국가와 별도의 AGREEMENT 형식으로 해결지을 가능성이 있음)

4. 미국 소맥수출 보조금

- EC 에 별다른 타격이 없음.

0 일부 중동국가, 아프리카국가에 대하여 EC 와 경합이 있지만, 호주, 알젠틴등이 더 큰 타격을 받을 것으로 예상됨.

- 그러나 UR 정신 및 중간 평가 합의사항(STANDSTILL) 에 위배되므로 금번 9.29 이사회때 강력하게 항의할 것임.끝.

(대사 박수길-국장)

예고:92.12.31. 까지

0034

안(이시)

관리번호	92-636

원 본

외 무 부

종 별 :

번 호 : USW-4709　　　　일 시 : 92 0922 1538

수 신 : 장관(통기,통이,경기원,농수산부)

발 신 : 주 미 대사

제 목 : 농협중앙회 방미 결과 보고

IMF 연차총회 참석차 당지를 방문한 한호선 농협중앙회장은 9.22 USTR 의 CARLA HILLS 대표와 MACHAEL MOSKOW 부대표를 면다, UR/ 농산물협상과 관련하여 한국농촌 실정등을 설명한바 요지 하기보고함.

1. 농협 한호선회장의 한국 농촌실정 설명

0 한국은 미국 제 5 위의 농산물 수입국이며 남북한이 대치된 상태에서 6 백만 한국농민들은 식량안보를 항상 의식하면서 농업분야에 생계를 유지하고있음.

0 지난 9.3 서울을 방문한 DUNKEL GATT 사무총장을 만났을때도 강조한 배와같이 각국의 농업은 각자 그특성이 있으며 한국이 강조하는 쌀농사의 경우에도 몬순기후로서 농민들의 70 프로가 쌀농사에 종사 (이중 85 프로는 소규모 농가)하고 쌀이 농업소득중 50 프로이상의 비중을 차지하고있는 점을 감안해야하며 지난번 BUSH 미대통령의 방한에 즈음하여 40 일의 짧은 기간동안 쌀수입개방 반대 서명운동을 전개하여 1300 만명의 호응을 받았던 바와같이 쌀은 우리국민들에게는 아주 민감한 품목이며 최근 BUSH 대통령의 10 억불 소맥보조금 지급 확대도 이러한 맥락에서 이해하고자함.

0 지난번 DUNKEL TEXT 에서 제시된 예외없는 관세화와 최소시장접근등에대하여 한국으 이를 시장개방으로 생각하고있는바 한국은 UR 협상을 기본적으로 반대하는것이아니고 각국 농업의 특성과 입장이 충분히 반영되기를 희망함.

0 따라서 한국이 금년부터 10 개년 계획으로 농업구조조정 사업에 착수한 점을 감안하여 충분한 유예기간의 확보가 필요함을 강조하였음.

2. USTR CARLA HILLS 대표 및 MOSKOW 부대표 반응

0 UR 협상은 미국이 무역분야 협상에서 제일 우선순위로 추진하고있으며 세계 100 여개 국가가 동협상이 성공되기를 바라고있음로 한국도 UR 협상에 적극 참여하기를

통상국 장관 차관 2차보 통상국 분석관 청와대 안기부 경기원
농수부

92.09.23 07:44
외신 2과 통제관 BX

0035

희망함.

0 한국의 쌀이 일본과같이 아주 민감한 품목임을 인정하나 모든 국가가 예외를 인정할경우 UR 협상은 성공할수없으며 관세화는 UR 협상에서 가장 중요한 항목임.

0 따라서 미국은 관세화의예외를 인정할수없으며 한국은 가장 빨리 발전한 성공적인 국가로서 개도국 조항을 적용할수도없다고봄.

0 따라 한국이 쌀의 경우 어렵더라도 서서히 수입을 시작하므로서 현재의 국제 쌀 가격의 5-6 배나되는 국내 쌀 가격을 적절히 조정할 필요가 있다고 보며 늦어도 1997 년에는 수입자유화를 하여야할것이며 이렇게 하므로서 한국은 장기적으로는 이익을 볼수있을것임.

3. 미측의 상기 반응에 대하여 한호선 회장은 MOSKOW 대사가 한국농업을 잘알고있어서 다행스럽게 생각하며 한국노업이 일본과 다를뿐아니라 DUNEKL TEXT 에서 금유, 유봉등 SERVICE 분야에서는 예외가 있는데 가장 예외를 인정받아야할농업분야에서 예외없는 관세화를 주장하는데 대해서 우리농민들은 이해할수없음을 강조하면서 UR 협상은 성공되어야하며 그과정에서 다소의 예외가 인정되는 가운데 타결될것으로 희망한다고 하였음.

4. 한호서 회장은 IMF 정기총참석 및 NATIONAL COUNCIL OF FARMER COOPERATIVE 의 WAYNE BOUTWELL 회장은 면담하고 오는 9.24 귀국예정임.끝

(대사 현홍주-국장)

예고: 92.12.31 까지

PAGE 2

0036

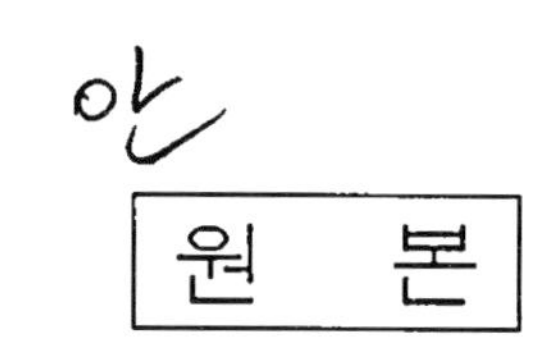

외 무 부

종 별 :

번 호 : FRW-1899 일 시 : 92 0923 1650

수 신 : 장 관(통기,경일,농림수산부) 사본:주 제네바대사-직송필

발 신 : 주 불 대사

제 목 : EC 공동 농업 정책

1.지난 9.20 '마스'조약비준 관련 불 국민투표시 표명된 불 농민계층 80 프로 이상의 유럽통합 반대 태도는 주재국 정부로 하여금 UR 협상에 있어 기존 입장을 유지하도록 압력을 주고 있는바, 9.21-22 브뤼셀 개최 EC 농업 이사회에 참석한 주재국 LOUIS MERMAZ 농업장관은 대 EC 및 대 미 협상에 있어 불 농민의 이익을 계속 보호해나갈것이라고 밝힘.

2.또한 동 장관은 UR 농업분야 미국과의 협상에서 EC 의 단결된 입장유지를 촉구하고,최근 미 정부가 소맥 수출 보조금을 증대 하는 등협상을 더욱 어렵게 만들고 전혀 타협적 태도를 보이지 않고 있음에 비추어 EC 측이 자발적으로 입장을 완화시킬이유가 없다고 지적함.

3. CAP 개혁과 관련, 동 장관은 젖소에 대한 장려금 확대, 사료용 소맥에 대한 장려금 지급지역 확대등 2개항의 CAP 개혁 개선안을 제시하고 농민들의 불만을 해소하기 위해서는 각회원국은 CAP 개혁 조치를 개혁정신에 위배되지 않는 범위내에서 각지역 실정에 맞게 적용시켜 나갈것을 제의 한바 일응 호의적인 반응이 있었으며 차기 농업 이사회에서 계속 논의키로 한 것으로 보도됨. 끝

(대사 노영찬-국장)

통상국 구주국 경제국 농수부

PAGE 1 92.09.24 01:15 FN

외신 1과 통제관

0037

원 본

외 무 부

종 별 :

번 호 : ECW-1153 일 시 : 92 0923 1800

수 신 : 장 관 (통기,경기원,재무부,농림수산부,상공부)

발 신 : 주 EC 대사 사본: 주미-중계필, 주제네바대사-필

제 목 : 갓트/UR 협상동향

9.20 불란서 국민투표 실시이후 표제관련한 당지의동향을 아래 보고함

1. 최근 미국이 UR협상의 재개촉구 및 미대통령 선거 실시 이전에 동 협상의 타결을 희망 (9.22 뉴욕 에서의 DUMAS 불란서 외무장관 회담후 EAGLEBURGER 미 국무장관서리의 발언등)한다는 의사표시를 하고 있음에도 불구하고 당지 전문가들의 견해는아래와같이 양분되어 있음.

가. 긍정적 으로 보는 측에서는 불란서 국민 투표결과 상당수의 농민들의 반대투표는 있었으나,국민투표 의 통과라는 긍정적인 결과가 도출 되었으므로 미대통령 선거 이전에도 표제협상의 타결 계기가 마련될 수 있다는 의견을 표시하고 있음

나. 다른 한편 에서는 미국이 대통령 선거 이전에는 실질적이고 적극적으로 협상에 참여할 수 없고 또한 EC 로서도 불란서 국민투표의 찬성율 이 근소한 차이에 불과했을 뿐 아니라, 상당수의 농민들이 반대 하였기 때문에 불란서 정부가 앞으로의 국내적 어려운 입장에 비추어 UR협상에서 어떤 양보를 하기는 어려우며, 계속 강경한입장을 고수할 수 밖에 없을 것으로 전망 되므로 동 협상의 타결 계기가 조기에 마련되기는 어려울 것으로 보고 있음.

2. 한편, 9.22. 개최된 농업 이사회에서 회원국의 농무장관들은 MAC SHARRY 위원에게 미국이 대통령 선거 이전에 UR 협상을 타결 하려는 의지를 갖고 있는지 여부를 확인, 보고할 것을 요구 하는등 UR 협상 관련된 당지의 움직임은 다소간 활발해지고 있는 바 주요 동향은 아래와같음.

가. GUMMER 영국 농무장관(이사회의장)은 EC가 UR 협상 MANDATE를 변경하는 것은 어려우나, 미측이 협력 하는 경우 10월말까지 동협상은 타결될 수도 있으며, EC는이를 위해 노력할 것이라고 말함.

통상국 경기원 재무부 농수부 상공부 2차보 외정실 파견

PAGE 1

92.09.24 03:20 FN

외신 1과 통제관

0038

나. HERMAZ 불란서 농무장관은 미국의 소맥 보조금 증액결정이 UR 협상 타결을더욱 복잡하게 만들고 있다고 비난하면서 미국이 동협상에 대한 입장을 변경 해야 한다고 강조하고,그러나 대통령 선거운동 기간중 미국의 입장을 바꾸는 것은 어려울 것이라고 전망함.

다. BURKMAN 화란 농무장관은 불란서 국민투표 결과로 인해 EC의 UR 협상 입장을 변경 하는 것은 어렵게 되었다고 평가하고, 동협상이 정체될 수 밖에 없는 요인은미 대통령 선거와 NAFTA 협정에 있다고 말함.

라. MAC SHARRY 집행위원은 UR 협상의 적극적인 추진 방안을 모색하되, 여하한희생을 무릅쓰고까지 타결을 추진하지는 않을 것이라고 말함.

3. 동건관련, EC 집행위 관계관들을 접촉, 결과 추보 하겠음. 끝.

(대사 권동만 - 국장)

양(이시)

원 본

외 무 부

종 별 :

번 호 : ECW-1154 일 시 : 92 0923 1800

수 신 : 장 관(통기,경기원,재무부,농수부,상공부,기정동문)

발 신 : 주 EC 대사 사본: 주미-중계필, 주제네바-중계필

제 목 : EC/농업이사회 개최결과

9.21-22 개최된 표제이사회 결과를 아래 보고함.

1. 갓트/UR 및 OILSEEDS 분쟁

가. MAC SHARRY 위원은 동건 관련한 7월이후 진전상황을 보고함. 동인은 미정부의 소맥수출 보조금 증액결정에 대하여 유감을 표명하고,OILSEEDS 패널 결과에 따른EC의 입장은 동품목에 대한 EC의 보조체계를 변경 하는 것이 아니며, 지난 8월에 갓트에 제시한 보상방안을 추진하는 것임을 재천명함. 다만, 동인은 미국이 OILSEEDS분쟁과 관련하여 발표한 보복 LIST를 이행할 것으로는 보지 않는다고 말하고,따라서불란서가 주장하고 있는 EC의 보복조치에 대하여는 반대 입장임을 밝힘.

나. 상기 MAC SHARRY 위원의 보고에 대해 동 이사회는 집행위 의견을 지지함을표시하고, UR협상 및 OILSEEDS 문제에 대해 이해 관계국들이 수락할 수 있는 적절한해결 방안을 모색하고 이해 관계국들과 협상을 추진할 것을 요구함. 또한, 동 이사회는 MAC SHARRY 위원에게 미국이 대통령 선거 이전에 진실로 UR협상을 타결하려는 의지를 갖고 있는지를 재확인 보고해 줄 것을 요청함.

2. 단일시장 관련 사안

0 금번 이사회 에서는 신생 가축의 등록 규정안,농업보조금의 종합관리를 위한보조대상 작물의 파종면적 보고에 관한 규정안 및 AGRI-MONETARY 관리체계 개정안을상정하여 토의한 바, 각회원국의 의견이 다기하여 COREPER 및 관계특별 위원회에서재 검토키로 함.

3. CAP 개혁관련 사안

가. 이태리의 우유생산 쿼타 증량문제와 관련하여 이태리는 95년까지 자국의 현행 우유생산량 11.5백만톤을 9.9백만으로 감축키로 결정한 내용을 보고함. 이태리의우유생산 쿼타 증량 문제는 차기 이사회(10.26-27)에서 재검토 키로함.

통상국 안기부 경기원 재무부 농수부 상공부 2차보 외정실

PAGE 1 92.09.24 03:25 FN

외신 1과 통제관

0040

나. 불란서가 요청한 바 있는 CEREAL과 OILSEED의 소득손실 보상방법 차등화 및젖소 PREMIUM 지급방법 변경 문제에 대하여 집행위는 젖소 PREMIUM 지급방법 변경에관한 제안을 신규로 제출하였는 바, 동 제안 및 기타 불란서 요청사항은 관계 전문가로 구성된 특별위원회의 검토를 가진 후, 차기 이사회에 재상정키로 함. 끝.

(대사 권동만 - 국장)

0041

관리 번호	92 -631

	분류번호	보존기간

발 신 전 보

번 호 : WGV-1424 920925 1922 FY 종별 :

수 신 : 주 제네바 대사. 총영사

발 신 : 장 관 (통 기)

제 목 : UR/농산물 협상

대 : GVW-1729

연 : WGV-1407

1. 호주, 뉴질랜드와의 농산물 양자협상과 관련, 농림수산부측은 상호 균형된 협의를 위해 이들 양국으로 부터 본부 대표단이 참석하는 경우 연호대로 10.1. 협의를 갖겠다는 입장임.

2. 호, 뉴 양국의 본부대표가 참석치 못하는 경우 주재관간에 의견을 교환하는 선에서 대처하는 것이 바람직하며, 협의일자는 제네바 대표부간 협의 결정해도 무방하다 하니 참고바람. 끝.

(통상국장 홍 정 표)

보안 통제	(서명)

앙 고 재	92년 9월 25일	통상기구과	기안자 성명		과 장	심의관	국 장		차 관	장 관
			안명수		(서명)		전결			(서명)

외신과통제

0042

원 본

외 무 부

종 별 :

번 호 : GVW-1786 일 시 : 92 0925 1700

수 신 : 장 관(통기, 미중, 미남, 경기원, 농림수산부)사본;주EC대사 직송필

발 신 : 주 제네바 대사

제 목 : EC-중남미 국가간 바나나 분쟁

1. 9.21(월) 5개 중남미 갓트 체약국 (코스타리카,콜롬비아, 과테말라, 니카라과, 베네주엘라)은 갓트/66년 개도국을 위한 분쟁해결 절차에 따라 갓트 사무총장에게 표제 분쟁해결을 위한 중재를 요청하였는바, 갓트사무총장은 향후 2개월내에 분쟁국들이 상호 만족할 만한 해결책을 제시하지 못할 경우 자신이 동건 해결을 위하여 취한 조치에 관하여 갓트 총회또는 이사회에 보고서를 제출하여야 하며 총회나 이사회는 동 보고서 접수시 패널을 구성 하도록 되어있음.

2. 당지 코스타리카대표부 SABORIO 참사관에 의하면 금번 중재 요청은 EC의 현행 바나나 수입제도상의 수입제한 철폐를 그 내용으로 하고 있으며, EC의 장래 바나나 수입 제도에 관한 내용은 포함되지 않았다고 함.

(대사 박수길 - 국장)

통상국 2차보 미주국 미주국 경기원 농수부

PAGE 1

92.09.26 09:59 EF

외신 1과 통제관

0043

관리번호 92-641

원 본

외 무 부

종 별 :

번 호 : GVW-1795 일 시 : 92 0925 2000

수 신 : 장관(통기,경기원,재무부,농림수산부,상공부)

발 신 : 주 제네바 대사

제 목 : UR/농산물 협상(최근 동향)

9.25(금) 당관 최농무관은 당지 카나다 대표부 HANSEN 농무관을 오찬에 초대, 9.21-23 기간중 당지에서 개최된 G-8 회의결과 및 최근 동향에 관해 협의하였는바, 동인 언급 요지 하기 보고함.

1992.12.31.에 예고문에 의거 일반문서로 재분류됨

1. G-8 회의

가. 회의 개요

- 9.21-23 기간중 WOLTER 농업국장 주재로 개최

- 협상 대표는 실무급으로 구성되었으며, C/S 와 관련된 기술적 쟁점 중심으로 논의

0 미국(CHATTIN), 카나다(NORMAN), 일본(KITAHARA), 북구(LUOTONEN)등의 실무급 대표 참석

나. 시장접근

- 관세삭감 방법: 대부분 국가가 단순 평균 삭감 방법을 사용하였으나 EC 의 경우 종량세 설정등 다른 삭감 방법을 사용하였는바 단순 평균 삭각 방법에 대체적인 컨센서스가 형성

- TQ 내의 관세 삭감에 대해서는 대부분 국가가 부정적 입장 표명(단, 자발적 삭감은 무방)

- CMA 에 대한 기준년도 문제는 86-88 기준 주장과 최근년도(수입증가 경우) 주장이 대립되었으며, 컨센서스가 형성되지 못함.

- MMA 와 관련해서는 소비량 통계의 자의성 문제가 제기되었음. 특히 미국 유제품의 기초자료에 대한 호주, 뉴질랜드의 문제 제기가 있었음.

- 가공품의 TE 계산 방법과 관련 가공계수 산정 방법, 기존 관세의 가산, 산업에 대한 보호수준 처리 방법등이 제기 되었음.

통상국 장관 차관 2차보 분석관 청와대 안기부 경기원 재무부 농수부 상공부

PAGE 1 92.09.26 05:26

* 원본수령부서 승인없이 복사 금지 외신 2과 통제관 FM

0044

나. 국내 보조

- AMS 산출 기준 및 품목의 분류 문제가 제기 되었음. 특히 품목 세분 문제와 AMS 계측 기준(농가문전 가격 또는 도매가격등)등이 논의되었으나 구체적으로 컨센서스가 형성된 사항은 없었음.

- 삭감 실적(CREDIT)인정 방법은 미국식 방법과 EC 식 방법이 논의되었으나 미국식 방법을 지지하는 국가가 많았음.

- 한계 보조(DE MINIMIS)계측 경우는 전체 생산량을 기준으로 해야 한다는데 컨센서스가 형성됨.(시장가격 지지는 ELIGIBLE PRODUCTS 대상) 동 한계 보조 기준을 이행기간중 일정 기간마다 재조정하는 방안이 제기되었으나 깊이 논의되지 못하였음.

라. 수출 보조

- 수출 보조 삭감 약속은 관세 항목별로 구체적으로 이루어져야 한다는데 의견이 접근 되었음. EC ?

- 삭감 약속 수출 물량은 실제로 보조금이 지급된 물량만을 기준으로 한다는 것에 대체적인 의견이 모아졌음.

기타 C/S 기초 자료의 검증 방안이 제기되었으며 TRANSPARENCY 를 높이기 위해서는 MONITOR 제도가 필요하다는 의견이 많았으나 깊이 있게 논의되지는 못하였음.

2. 최근 협상 동향

가. 금일 오전 당지에서 케언즈 그룹 국가의 모임이 있었으며, 불란서 투표이후 UR 협상 전망등이 논의되었음.

- 동 회의에서 호주 대사는 최근 KERIN 호주 통상장관의 최근 브랏셀, 파리, 런던, 워싱턴 방문 결과를 설명하였음.

0 미국과 EC 가 현재 계속 접촉을 하고 있으며, 양측 모두 UR 을 계속 밀고 나가려는 의사를 갖고 있는 것으로 알고 있음.

- 그러나 협상 전망에 대해서는 접촉한 사람마다 약간씩 다른 견해를 갖고 있었다함.(미국과 불란서 방문시는 미국 대선전 타결이 비관적이라는 인상을 받았으나 MACSHERRY 집행위원 면담 및 영국 방문이후 다소 낙관적인 인상을 갖게 되었음.)

나. QUAD 회의

- 9.23(수) 개최된 QUAD 회의에서는 (미국 LAVORREL EC 는 PAEMAN 참석) 실질적 문제에 대한 깊은 논의는 없었으나 현재의 협상 정체 상태를 타개하는 방안(UNBLOCK)이 논의되었다함.

- 동 회의 직후 10.7-8 기간중 당지에서 G-8 회의를 개최한다는 협상 일정이 결정되었다함.

- 동 G-8 회의는 DENIS 의장이 주재할 예정이며, 9.21 개최된 G-8 보다는 고위급 회의가 될것으로 전망(카나다는 GIFORD 협상 대표 참석 예정)

- DENIS 의장은 10.5 주간중 당지에 올 예정임.

(대사 박수길-국장)

예고 92.12.31. 까지

0046

안(01.1)

관리 번호	92-640

원 본

외 무 부

종 별 :

번 호 : ECW-1174 일 시 : 92 0925 1730

수 신 : 장관 (통기,경기원,재무부,농림수산부,상공부,기정동문)

발 신 : 주 EC 대사 사본: 주 미-중계필, 주제네바-직송필

제 목 : 갓트/UR 협상

연: ECW-1153

9.25. 당관 이관용농무관은 EC 집행위 대외총국의 GUTH 농산물 담당과장을 방문, 표제관련 협의한바 동인의 주요 발언요지 하기 보고함

1. 미.EC 양자협상

가. 9 월초 HILLS 대표가 브랏셀을 방문한 이후, 미.EC 는 보안통제하에 총국장수준 (EC 는 LE GRAS 농업총국장 참석) 의 양자협상을 하고 있음. 동 협상에서는 OILSEEDS 문제를 포함한 UR 협상과 관련된 전반적인 문제가 검토되고 있으나 진전이 없는 것으로 알고 있으며, 7 월초 뮌헨 G-7 정상회담이전의 상황과 다른것이 없음

나. 미.EC 간의 농업분야에 있어서의 쟁점은 수출보조금 감축방법과 CAP 개혁에따른 소득보조금의 GREEN BOX 적용문제이며, PEACE CLAUSE 문제에 대하여는 어느정도 의견접근이 이루어졌음. 상기 현안쟁점 중에서도 소득보조의 감축보조 제외여부 (즉, 미국은 BLUE 또는 YELLOW BOX 적용을 주장한 반면, EC 는 GREEN BOX 적용을 주장) 가 가장 중요한 문제이며, EC 가 BLUE 또는 YELLOW 적용을 받아드린다는 것은 가격보조 인하로 인한 소득손실 보상을 한시적으로 지급한다는 의미이므로 불란서나 독일의 경우 이를 정치적으로 수용하기 어려울 것임. 한편 수출보조감축문제에 있어서 EC 의 입장은 품목군별 감축과 장기유예기간 부여이나 동건에 대해서도 의견접근이 이루어지지 않고 있음

2. 협상전망

가. UR 협상이 정치적인 결단과 밀접한 관련이 있다는 것을 부정하기는 어려우나, 93.3 월 프랑스 총선거등 EC 회원국들의 국내정치 일정이 계속되므로 어느 특정국가의 정치적 일정과 UR 협상을 계속 연계시킨다면 동 협상의 타결은 어려워질 것임. 동

통상국 장관 차관 2차보 구주국 분석관 청와대 안기부 경기원
재무부 농수부 상공부 중계

PAGE 1 92.09.26 05:37

* 원본수령부서 승인없이 복사 금지 외신 2과 통제관 FM

0047

협상타결의 관건은 EC 의 소득보조 감축문제에 대한 미국 또는 EC 의 정치적 결단여하에 달려있음

나. 9 월초 HILLS 대표가 브랏셀을 방문한 목적은 UR 협상이 미대통령 선거이전에 타결되면 BUSH 대통령의 지지도확대에 도움이 될 것이라는 미측의 입장을 전달하기 위한 것으로 알고 있음. 따라서 미국으로서는 대통령선거 이전에 동 협상이 타결되기를 희망하고 있는 것으로 알고 있으나 다만 동 협상이 타결되려면 미국이 기존입장을 어느정도 양보하여야 하나 그 결정이 용이하지는 않을것임

다. 상기와같은 미국과 EC 의 미묘한 입장을 고려할때, 미대통령 선거이전 또는 연내에 동 협상타결 여부를 예측하는 것은 매우 어려우나 개인적인 판단으로는 회의적으로 봄. 끝

(대사 권동만-국장)

예고: 92.12.31. 까지

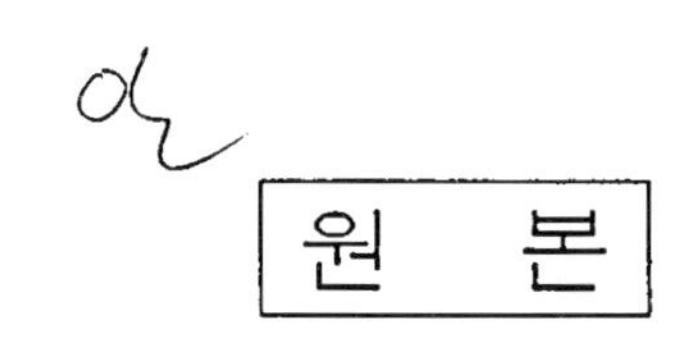

외 무 부

종 별 :

번 호 : ECW-1172 일 시 : 92 0925 1730

수 신 : 장 관 (통기,경기원,농림수산부)

발 신 : 주 EC 대사 사본: 주미-중계필, 주제네바-필

제 목 : 미.EC 의 OILSEEDS 분쟁

1. 9.24 EC의 113 위원회는 표제와 관련한 미측의 피해액을 확정하기 위한 제3의PANEL 을 설치 하자는 미국의 제안을 거부키로 하고,그 대신에 갓트내에 WORKING PARTY의 구성을 제의키로 결정함. 동 위원회는 최근까지 개최된 OILSEEDS 분쟁과 관련한미.EC간의 양자협상에서 우호적인 해결방안의 합의에 실패 하였음을 인정 하면서도동건이 UR 협상의 성공적인 타결에 미치는 영향등을 고려할 때, PANEL 형식보다는 WORKING PARTY를 구성하여 합리적인 해결방안을 모색하는 것이 바람직 하다는 입장으로 미측을 설득하기로 함.

2. 한편, MAC SHARRY 집행위원은 미측의 PANEL 설치 제안은 바람직한 해결 방안이 될 수없다고 말하고, EC의 대두생산량이 급격히 감소되고 있음에도 불구하고 미국산 대두가 EC시장 점유율을 계속 상실하고 있는 것은 브라질및 알젠틴산 대두에 비해 경쟁력을 잃은데 기인하며, EC의 보조정책 매문이 아니라고 강조함.참고로 미측은 EC의 보조 정책으로 인한 피해액은 10억불에 달한다고 주장하고 있으나, EC는 미국산대두의 경쟁력 상실요인등을 감안할 때 3억불 정도에 불과 하다는 입장을 견지하고있음. 끝.

(대사 권동만 - 국장)

통상국 경기원 농수부 [handwritten]

PAGE 1 92.09.26 06:41 FN

외신 1과 통제관

0049

관리번호	92-647

원 본

외 무 부

종 별 :

번 호 : GVW-1791 일 시 : 92 0927 1500

수 신 : 장관(통기,통이,통삼,경기원,재무,농수산,상공부장관) 사본: 주미, 주 EC 대사(중계필)

발 신 : 주 제네바 대사

제 목 : UR 협상 전망

1992.12.31. 에 예고문에 의거 일반문서로 재분류됨

1. 평화그룹대사급 오찬(9.23 본직 참석), ARIF HUSSEIN 사무차장등 갓트사무국 간부, 주요국 대사 및 협상 담당관등을 통해 파악한 불란서 국민투표이후의 UR 협상 전망에 관한 당지의 일반적 분위기 및 평가와 당관 의견을 아래 보고함.

가. 일반적 관측

- MAASTRICHT 조약안 국민투표 결과를 긍정적 방향으로 해석.평가하면서, 10월부터 미결사항에 대한 협상을 착실히 진행해 나간다면 내년 2 월까지 협상종결이 가능하다는 일부의 견해(특히 사무총장, 호주등 일부국가)도 없지는 않았으나

- 불란서 국민투표의 근소한 표차에 의한 가결, BLUE COLLAR 및 농민층의 반대, 단일 통화등 구주통합 장래에 대한 불투명, 미국대통령 선거전 양상, EC 집행위 개편등 최근의 일련의 상황 및 장래 일정등에 비추어 비관적 견해가 상당히 팽배해지고 있음.

나. 투표결과의 해석 및 EC 의 내부사정

- 당지에서는 MAASTRICHT 조약 투표결과를 한마디로 "YES BUT" 으로 특징 짓고 있음.

- 국민의 양분화현상(WHITE COLLAR 와 BLUE COLLAR, 도시와 농촌등) 이 뚜렷해지고 내년 3 월 총선에서의 사회당의 패배 및 CO-HABITATION 의 부활 가능성, EC COMIMISSION 에 대한 반발로 인한 DELORS 의 상대적 위상저하와 ROCARD CHIRAC 의 부상등 상황은 UR 에 대한 불란서의 양보를 더욱 어렵게 만든 개관적 정세로 판단되고 있음.

- 구라파 전체 차원에서는 영국의 EMS 이탈, LIRA 의 평가절하등 현상이 MAASTRICH 부표 결과와 병합되어 구주통합의 장래에 불확실성을 가져옴으로써 UR 의 PRIORITY 를 상대적으로 저하 시키는 결과를 초래함. 또한 통화.환율 문제를 둘러싼

통상국 장관 차관 2차보 통상국 통상국 분석관 청와대 안기부
경기원 재무부 농수부 상공부 중계

PAGE 1 92.09.28 04:40
외신 2과 통제관 FS

0050

마찰등으로 당분간은 주요사안에 대한 회원국간의 내부적 합의를 기대하기 어려운 분위기(TOTAL DISARRAY) 등은 UR 의 장래를 더욱 불확실하게 하고 있음.

- DELORS 위원장의 정치적 타격과 집행위의 전반적 사기저하, MCSHARRY, ANDRIESSEN 등 UR 관련 핵심 집행위원의 퇴진 예정등 EC 집행위 내년초 재개편등 사정 또한 UR 과 같은 중요 정책결정을 어렵게 만드는 요인으로 작용할 것으로 전망

다. 미국측사정

- BUSH 행정부로서는 현재의 어려운 입장에 비추어 선거전에 대 EC 양보를 통한 타협을 할수는 없을 것이며, 최근의 어려운 선거 양상은 이러한 관측을 더욱 강하게 뒷받침 하고 있음. 따라서 대선전까지는 협상의 본격화 및 의미있는 진전이 어려울 것으로 관측되고 있음(BAKER 비서실장이 NAFFA 의 경우와 같이 UR을 선거전에 이용키 위한 조치를 취할 가능성이 있다는 일부 관측도 있음)

- CLINTON 후보가 당선 될 경우에는 동인이 UR 협상에 대한 결정을 내리는데, 적어도 1 년이상 소요될 것이라고 전망함.(현 PACKAGE 하에 종결한다 하더라도 1 년이상 소요, 환경, 노동문제 포함보다 광범위하고 새로운 협상 추진시 2-3 년 소요)

라. UR 협상측면

- 미.EC 간 기술적 사항에 대한 합의는 이미 상당히 진전된 상태이며 양측의 정치적 결단만 내려지면 바로 움직여 질수 있다는 일부의 견해는 근거가 약함

- 아직도 양국간에는 수출 보조문제 뿐만 아니라 국내보조 분야에서도 이견이 많이 남아있는 것이 현실임.

- 또한 10 월중 미결문제에 대한 실질적 진전을 보이지 않은체 미대통령 선거가 끝나고 난후 협아에 착수한다면 MA, 써비스분야에서 아직도 남아있는 작업량에 비추어 볼때 2 월시한을 맞추기 어려울 것이라는 견해가 유력함.

마. DUNKEL 총장의 노력

- 상기와 같은 사정하에서 DUNKEL 총장은 MASSTRICHT 국민투표이후 일부 주요국 대사들과 당지 협상 재개 가능성을 조심스럽게 타진하면서 10.16 EC 긴급정상회담, 10.16-18 토론토 QUAD 통상장관 회담에서의 UR 의 처리를 보아가면서 미결문제에 대한 본격협상을 계획하고 있는듯하나 아직 당지에서는 공식적인 대사급 협상을 개시하지는 않고 있음.

- 이와관련 ARIF HUSSEIN 사무차장에 의하면 DUNKEL 총장으로서는 EC, 미국으로 부터 양자타결에 관한 분명한 SIGNAL 없는한 TNC 또는 GREEN ROOM 소집등의 공식적인

협상재개는 하지 않겠다는 방침을 갖고 있다고 하며 이러한 방침은 더이상 자기의 CREDIBILITY 를 훼손치 않겠다는 의도에서라고 함.

. 그대신 가능한 분야에서 계속 노력한다는 차원에서 10 월중 실무수준에서 T1,2,3 협상은 부분적으로 움직여 나갈 생각이라고 함(단, TR 는 관련이해 당사국간 충분한 협의를 거쳐 협상용의 및 가능성이 확인되는 경우에만 가동한다는방침에는 변함이 없다함)

- 이에따라 현재 CARISLE 사무차장이 의장직을 맡고 있는 써비스분야에서는 10.5 부터 양자협상이 예상되어 있고(7 월 하계후계전에 일정 확정) MA 분야의 경우 DENIS 의장이 DUNKEL 의장이 DUNKEL 의 종용을 받아 10.5 주간부터 ZERO FOR ZERO 대상 품목별로 주요국간 실무교섭대표자를 소집, 비공식 협의를 가지는 일정이 확정되고 있으며, T3 분야는 당초 9 월말경 회동하여 협상계획을 논의하려던 계획을 10 월 초순경으로 연기하고 있는 상황임.

- 한편 미, 일, EC, 카나다 4 개국(QUAD) 고위급협상 담당자(LAVORREL, ENDO, PAEMAN, DENIS) 는 9.23. 당지에서 오찬회동을 가졌으나 실질문제 논의나 진전은 전혀 없었으며, 한편 QUAD 통상장관 회의가 10.16-18 토론토에서 개최 예정임

바. 미.EC 협상대표 반응

- 미대표부 STOLER 공사는, UR 협상이 수개월내 종료되느냐 또는 수년간 더계속될수 밖에 없느냐하는 것은 EC 의 태도여하에 달려 있다고하면서 제네바협상 본격화 시점에 대해서는 아직은 시기 상조인것으로 본다는 반응을 보임.

- EC 대표부 JOHN BACK 공사는 MAASTRICHT 조약안 가결이 UR 협상 진전에 큰 도움이 되지 못하며, 농업 문제에 관한 EC 의 입장을 더욱 어렵게 만들었다는점을 시인하고, 협상의 본격화 문제에 대해서는 뚜렷한 VISION 이 없다는 반응을 보임. 동인은 또한 미국이 진정한 협상추진 의지를 가지고 있는지의 여부를 확실히 파악키 어렵다고 언급함.

2. 당관 평가

가. MAASTRICHT 조약에 대한 근소한 표차의 가결, 통화, 금융문제를 둘러싼 EC 회원국 내부의 갈등, BUSH 대통령 재선 여부에 관한 불확실성 증대등 제반여건은 UR 협상타결에 대한 전망을 크게 불부명하게 하고 있음(GATT 사무국 내에서 조차 이를 인정)

나. 이러한 불확실한 상황하에서 T1,2,3 중심으로 10 월중 실무수준에서 부분적

진행시킬 것으로는 보이나, 미.EC 양측의 내부적 사정으로 볼때 돌파구 마련이 어려울 것으로 예상되므로 부분적 협상 재개에도 불구하고 미대통령 선거전까지는 결국 의미있는 협상의 재개나 실질적 진전은 기대하기 어려움.

다. BUSH 대통령이 재선될 경우, 내년 2 월 FAST TRACK 이전 협상종결을 목표로 미측이 적극적 자세로 협상에 임하고 EC 도 상응하는 노력을 보일수도 있을것이므로 미.EC 간 상호 양보에 의한 타협 가능성이 없지 않다고 보나 불국민투표이후의 EC 내 상황은 미측의 양보가 없이는 미.EC 간 최종합의 도출을 더욱 어렵게 만들고 있다고 할 것임.

(10.16 EC 긴급정상회담을 통해 EC 가 내부적 불화를 어느정도 진화시키느냐의 여부 및 동 회담에서 UR 이 차지하는 PRIORITY 등은 UR 의 타결여부에 대한 유력한 시사(INDICATOR)가 될것임)

라. 반면 BUSH 대통령이 재선에 실패한다면, 신행정부 발족에 따르는 초창기의 공백기간 및 PRIORITY 의 설정문제, FAST TRACK 재연장 문제이외에도 신행정부가 현재의 DRAFT FINAL ACT 를 기초로 협상을 계속 할수 있을것인지의 여부 자체가 극히 불투명하며, 동 행정부가 이제까지의 협상결과를 전면적으로 재검토키로 한다면 노동문제, 환경문제등이 새로이 협상대상으로 포함될 가능성이 높게됨으로 이경우 새로운 협상은 다시 상당한 시한이 소요된다고 예견될수 있음

3. 이상 제반 상황에 비추어 볼때 금번 MAASTRICHT 국민투표는 찬성투표에도 불구하고 UR 에 관한 MITTERAND 정부의 행동반경을, 또한 EC 집행정부에 대한 민주적 통제문제를 제기함으로써 EC 집행부의 재량권도 크게 축소시키는 결과를 가져왔으므로 미국선거전망의 불투명성과 함께 UR 타결전망을 더욱 흐리게 하고 있다고 평가할수 있음. 끝

(대사 박수길-국장)

예고 : 92.12.31. 까지

이시(이) V

관리 번호	92-649

원 본

외 무 부

종 별 :

번 호 : GVW-1801 일 시 : 92 0928 1810

수 신 : 장관(통기,경기원,재무부,농림수산부,상공부) 사본:주미,주EC대사-필

발 신 : 주 제네바 대사

제 목 : UR 협상 동향

1992.12.31. 에 의거 일반문서로 재분류됨

연: GVW-1791

1. DUNKEL 총장 및 일부 주요국 대사간의 소규모 비공식 그룹 접촉이 9.27(일) 있었는바, 동 회동에서 DUNKEL 총장은 10.5 부터 당지 개최 예정인 써비스 양자 협상 및 시장접근 분야 협상의 성과를 기초로 UR 현황 평가 및 전망등을 새로이 논의하기 위하여 10.9 경 GREEN ROOM 회의를 개최하겠다는 의사를 표명하였다함.

2. DUNKEL 의 GREEN ROOM 소집 예정 배경에는 1) 미국이 대통령선거 일정과는 관계없이 일단 협상을 해 나가자는 뜻을 보이고 있고, 2) 현재와 같이 속수무책의 상태에서 좌시만 할수도 없지 않느냐는 의견이 일부국으로부터 제시되었기 때문이라고 함.

3. 동 그룹은 DUNKEL 총장 및 10 개국(QUAD 및 호주(대양주), 스웨덴(북구), 브라질(남미), 싱가폴(아세안), 모로코(개도국 대표), 항가리(동구)) 대사간 소규모 비공식 모임으로 UR 협상 전망 및 추진 방향등에 관한 의견 교환을 목적으로 MAASTRICHT 국민투표 전후 번갈아 주최하는 형식으로 2-3 차 모임을 가져오고 있음.

4. DUNKEL 총장은 현재 10.16 EC 정상회담에 큰 기대를 갖고, 동 회담이후 미국의 대선까지의 기간을 최대한 활용해 보려는 의도를 갖고 있는 것으로 파악되고 있으나 당지의 많은 대사들은 DUNKEL 의 시도는 일종의 "MAKE-BELIEVE EXERCISE" 라고 평가하고 있음.

(대사 박수길-국장)

예고 92.12.31 까지

통상국	장관	차관	2차보	분석관	청와대	안기부	경기원	재무부
농수부	상공부	중계						

PAGE 1 92.09.29 06:22

외신 2과 통제관 FM

0054

	분류번호	보존기간

발 신 전 보

번 호 : WGV-1440 920929 1759 FY 종별 :

수 신 : 주 제네바 대사. 총영사

발 신 : 장 관 (통 기)

제 목 : UR 농산물 한.미 양자 협의

92.10.2. 개최되는 표제 양자협의와 관련 농림수산부가 작성한 미국 C/S에 대한 질문서를 별첨 FAX편 송부함.

첨부(FAX) : 동 질문서 1부. 끝.

WGVF-381

(통상국장 홍 정 표)

보안통제	

앙고재	92년 9월 29일	통기과	기안자 성명		과장	심의관	국장		차관	장관
			안명수				전결			

외신과통제

0055

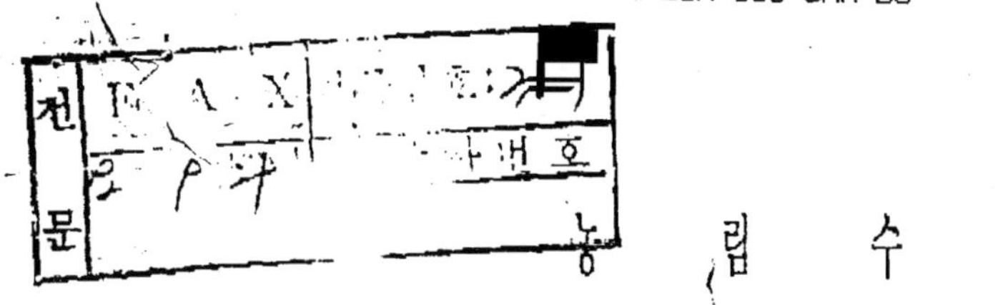

농 림 수 산 부

우 427-760 / 주소 경기 과천 중앙동 1번지 / 전화 (02)503-7227 / 전송 503-7249

문서번호 국협 20644-803
시행일자 1992. 9. 29 (1 번))
(경유)
수신 외무부장관
참조 통상국장

선결			지시	
접수	일자 일시	1992. 9. :	결재·공람	
	번호			
처리과				
담당자				

제목 UR농산물협상 한.미 양자협의

1. '92. 10. 2 개최예정인 표제회의시 미측에 제기할 미국 C/S에 대한 아국질문서(안)을 별첨과 같이 보내드리오니 주제네바 대표부에 사전 전달될 수 있도록 협조하여 주시기 바랍니다.

첨부 미국 C/S에 대한 아국질문서 1부. 끝.

농 림 수 산 부 장

농업협력통상과 전결

0056

List of Questions about the Country Schedule of the U.S.

Republic of Korea

A. Market Access

(1) Tariffication of items under import restriction

In your C/S, we found some differences from your 1990 C/L regarding product specification.

o The products under non-tariff measures are differentiated more specifically than those in the 1990 C/L.

o The level of tariff equivalents(TE) was generally higher, compared with those in C/L of 1990 in spite of the use of the same base period.

o Some of these products which should be tariffied are excluded from tariffication and are defined to be the products of Special Safeguard Provision which are not subject to MMA and CMA.

o To the products excluded from tariffication, base tariff rates are committed as a base of reduction and these rates are not subject to reduction. However, MMA and CMA for these products are committed.

According to your C/S, you are planning to differentiate the non tariffied products by commodity group and tariffy some of these products and commit MMA or CMA without tariffication for other products. Please explain your current non tariff measures and plans of commitment by comparing to Dunkel's Final Text.

(2) Reference Year

o Various reference years were utilized such as Calendar year, Marketing year, and Fiscal year. Calendar or Marketing year was used for TE, and Fiscal year for export subsidy. However, there is no specific reference year for domestic support. Does it mean that you plan to commit differently depending on the reference year?

(3) Minimum Market Access (MMA)

o Final text says that there should be low or minimum tariff rates applied to MMA products. According to your C/S, all products associated with basic products are committed to MMA or CMA comprehensively. However, the tariff rate for these products are different from one another by tariff line. There would be a substantial effect for market access by the method of quantity distribution of MMA. Please explain the basic plan for distribution of quantity of MMA or CMA by tariff line basis.

(4) The calculation of Tariff Equivalent

o Generally speaking, the level of tariff equivalents (T.E.) is higher compared to those in C/L of 1990 in spite of the same base period. Could you comment on this fact?

o Calculation of TE should be based on HS 4 digit. For the case of beef, you are calculating the TE of HS 0201 and HS 0202 comprehencively by carcass. Do you think that this method can represent the real price difference of fresh and chilled beef, cuts with bone in and boneless meat? What is the price difference between the beef produced in your country and imported beef by the type of sales and delivery?

o You are exporting and importing agricultural products. Some products are imported under the quota scheme allowed by the GATT Waiver. Therefore, it would appropriately represent the real situation when using wholesale prices in major production areas as the internal price, CIF price as an external reference price. Please explain the reason why you did not use these prices but use the price listed below.

Products	Internal Price	External Reference Price
Beef	Price of Carcass of Omaha+Transportation cost(below:"TC")	FOB Price of Carcass of Australia)+Transportation cost
Skimmed Milk	Central Points FOB Price+East Coast "TC"	IDA minimum price+TC, Operational cost(below:"OC")
Butter	Delivery Price of Chicago Metropolitan Area+East Coast "TC"	IDA minimum price+"TC",OC"
Cheddar Cheese	FOB price of Wisconsin +"TC"	IDA minimum prices+"TC, "OC"
Peanuts	Monthly Average FOB price of Southeast Section	Monthly Average Minimum Price of Roterrdam
Refined Sugar	Wholesale Price of Refined Sugar+"TC"	Price of London #5+"TC"
Cotton	US, mill delivered price	Annual average of weekly low quatas

o Was the component ratio of raw material in calculating TE of processed products based on the data collected at any time period or was the mixture stipulated in the manufacturing process of processed products? In the case that the component ratio is based on the data collected, please suggest the collected data used for calculating component ratios of HS 1704.9053, 1806, 2101.10, 2103.90, 2106.90 products.

B. Internal Support

(1) Dunkel's Final Text used the years '86-'88 as the base period in domestic support, '86-'90 for the base price in export subsidies and exceptionally allowed the credit for the amount of the domestic support which has been reduced since 1986. You can get the amount of credit equivalent to $3,227.5 Mil. for 12 products such as beef, corn, cotton, milk and dairy products, rice, rye, sorghum, soybean, tobacco, and wheat. In this case, it is possible to increase the amount of domestic support for cotton and sorghum compared to those of 1986-1988, while rice and wheat are not subject to reduction commitment. Dunkel's Final Text would deepen the imbalance of the burden taken on by exporting and importing countries because of the difference in reference years used in calculating domestic support and export subsidy and, recognition of credit in domestic support without permitting credit in market access. Korea's position is that the base year used for domestic support and export subsidy be changed to 1989, otherwise the amount of equivalent credit for market access should be allowed as it is in domestic internal support. What is your position on our opinion?

(2) Product Specific AMS

(a) According to your C/S, I understand that It is possible to support farm income through various kinds of support measures and to give substantial amount of agricultural subsidy according to agricultural policy even after the 6 year implementation period as dictated in Dunkel's Final Text. Deficiency payment is the major source of farmer's income support. What is the difference between the basic deficiency payment and the 0-50 / '92 deficiency payment in terms of objectives, instrument, and methods? Isn't there a possibility of double calculating support by using two different definitions?

(b) Calculation of Deficiency Payment(for barley, corn, cotton, rye, rice, sorghum, wheat etc.)

According to Dunkel's Text, deficiency payment should be calculated either by using the gap between the fixed reference price and the applied administered price multiplied by the quantity of production eligible to erceive the administered price or using budgetary outlays. However, according to your C/S, implementation base subsidy(deficiency payment) was calculated by multiplying fixed reference price which was rearranged on the basis of basic loan, Findley loan, market year average price and the amount of product which is derived from multiplying eligible acres and program yield without using the amount of actually subsidized product.

o If you use the above mentioned calculation method, there would be a possibility that the amount of subsidy calculated by your own method is different from that calculated by Dunkel's Final Text. Did you adjust this difference by using the adjustment required ratio?

- Is the quantity of subsidized product usually decided by multiplying eligible acres and program yield?

- Is there any relation between subsidized products calculated by multiplying eligible acres and program yield, and the actual amount of subsidized products?

(3) Domestic Support Commitments

(a) Beef

o According to Annex 5 para.8 of Dunkel's Final Text, Market Price Support(MPS) shall be calculated using the gap between a fixed external reference price and the applied administered price, multiplied by the quantity of production eligible to receive the applied administered price. Why doesn't the US submit the supporting data for the calculation of the MPS?

- We think that the market price support for beef should be managed in the category of export competition as a red meat sales program. What is your opinion on this issue?

(b) Dairy product

o Market price support

- What is the supporting data for the calculation of market price support?

- Why was the price gap between domestic and world price of dairy product derived using differences between the adjusted price of market price and the world price of butter and skimmed milk?

- Why was the quantity of production eligible to receive the applied administered price derived using total milk production?

o We think this kind of calculation method is different from that of Dunkel's Final Text, and the quantity of production eligible to receive the applied administered price should be used in calculating market price support. What is your opinion on this?

(c) Peanuts

o In calculating market price support, domestic price shall be the applied administered price and the fixed external reference price shall be based on the average f.o.b. unit value for the product concerned in a net exporting country and the average c.i.f. unit value for the product concerned in a net importing country in the base period.

- Why was the prevailing domestic price under the tariff and quota system used as the domestic price?

- If the guaranteed price was used as the domestic price, then does the support price suggested in your C/S mean the guaranteed price of each year?

- Why was the export price of shelled peanuts at Rotterdam used as external reference price without using the import price of imported peanuts under the quota system?

- Please explain the "buyback system".

(d) Rice

o Is the quantity of subsidized product decided using eligible acres multiplied by program yield identical with the quantity of production eligible to receive the applied administered price?

o Is it possible to calculate the quantity of production eligible to receive the applied administered price after finishing administerial procedure.

o Please explain the object and detailed implementation method and procedure of diversion payment.

(e) Sugar

o Market support price should be the applied administered price of each year. However, $396.832 was suggested as market support price in the period of 1986-1988 in your C/S. Is this price ($396.832) the applied administered price of each year or the adjusted price?

o Why was the market price of other exporting countries used as external reference price?

o Why was the quantity of total production used as the quantity of support without using the quantity of production eligible to receive the applied administered price?

o Loan rate was used as the support price for sugar. What is the difference between deficiency payment and market price support calculated using the loan rate?

o There is no quantity of price support quota in your C/S. Does this mean that support for sugar is not for market price support but for deficiency payment?

(f) Tobacco

o Why was tobacco included in product specific AMS category despite the fact it has no market price support program and deficiency payment?

(4) Non-Product Specific AMS

o Please explain the meaning, the implementation method and the procedure of Water Subsidies.

- Please explain how to calculate the amount of water subsidy in 1986 and the reason it was used as the amount of subsidy in 1987-1988.

- We think the subsidy for crop insurance which was paid to producers by Federal Crop Insurance Corporation should be included in the Green Box. Would you explain the reason why it was included in non-product specific AMS?

(5) Green Box

o Please explain the concept of programs listed below.

a. Building & Facilities of ARS in general services

b. Wheat Reserve Program for food security in CCC

c. The reason that food aid for Puerto Rico was included in Domestic Food Aid

d. Support measure and method of domestic food aid

e. Support criteria and method of natural disaster payment.

f. Contents of support for structural adjustment through investment support(Farmer's Home Administration)

- object, receiver of support, method of support, calculation method of amount of support, etc.

g. Contents and calculation method for the amount of support for Agricultural Conservation Program, Soil Conservation Service, and Soil and Water Loans Program

C. Export Competition

(1) Whereas Dunkel's Final Text despite it only allows for a limited number of exceptions in domestic support and market access, wide range of exceptional provisions were allowed in export competition sector

a. By using the period 1986-1990 as base year, Dunkel's Final Text represents a country's recent increase of quantity of export eligible to receive export subsidy for certain products.

b. It is possible to adjust quickly against the domestic and external price change by allowing reduction commitment by product group in Dunkel's Final Text.

c. It allows a large amount of export subsidy at the end of the implementation period by setting the reduction rate of outlay by 36 percent and reduction rate of quantity by 24 percent and by freezing the amount of export subsidy for new markets and new products,. Dunkel's Final Text deepens the imbalance between the countries that already have given export subsidy and the countries which have not given export subsidy.

d. Dunkel's Final Text allowed the exception for the principle that the base levels be reduced by an amount corresponding to the reduction on the basis of equal installment.

o According to the above mentioned contents, there would be a serious imbalance of commitments among participating countries. Hwo do you think about the fact that Dunkel's Final Text might fail to balance the interests of participating countries?

(2) Do all export subsidies from export support programs such as Export Enhancement program, Foreign Market Development Program, Target Export Assistance Program, Sunflower and Cottonseed Oil Assistance Program, Red Meat Sales Program, Dairy Export Incentive Program, and Dairy Product Sales From CCC Inventories included without omission?

(3) Please explain the methods in calculating the outlays and quantity of production eligible to receive export subsidy for certain products.

(4) Was the export credit program which dominate the major part of the U.S export support program included in the reduction commitments?

- If it was excluded in accordance with Dunkel's Final Text, is there any internationally approved principle for that?

- Any country which does not have this kind of program would consider the Export Credit Program to be an unfair trade practice.

- Was this issue agreed by the major negotiating countries?

(5) Please explain the reason why you did not submit the lists of commitments for new market and new products, based on Table 8.

외 무 부

110-760 서울 종로구 세종로 77번지 / (02)720-2188 / (02)720-2686 (FAX)

문서번호 통기 20644-326
시행일자 1992. 9. 29.( )

취급		장 관	
보존			
국 장	전 결		
심의관			
과 장			
기안	안 명 수		협조

수신 경제기획원장관, 재무부장관
농림수산부장관
참조

제목 UR 농산물 한.미 양자협상 참가 정부대표 임명 통보

92.10.2. 제네바에서 개최되는 UR 농산물 한.미 양자협상에 참가할 정부대표가 "정부대표 및 특별사절의 임명과 권한에 관한 법률"에 의거, 아래와 같이 임명되었음을 통보합니다.

- 아 래 -

1. 회 의 명 : UR 농산물 한.미 양자협상

2. 기간 및 장소 : 92.10.2, 스위스 제네바

3. 정부대표

농림수산부	국제협력담당관	김 영 욱
경제기획원	통상조정2과 사무관	정 무 경
재 무 부	국제관세과 사무관	박 재 식
농림수산부	개발기획과 사무관	배 종 하
"	국제협력담당관실 주사	최 대 휴

/ 계속...

0070

4. 출장기간 : 92.9.30-10.4.

(단, 재무부 국제관세과 박재식 사무관은 92.10.2. UR 농산물 한.미 양자협상 참가후 10.5-8간 제네바에서 개최되는 UR/시장접근 협상 참가를 위해 출장기간을 92.10.1-10.간으로 연장)

5. 훈 령 : 별 첨

6. 소요경비 : 소속부처 자체예산

첨부 : 훈 령. 끝.

0071

외 무 부

110-760 서울 종로구 세종로 77번지 / (02)720-2188 / (02)720-2686 (FAX)

문서번호 통기 20644-
시행일자 1992. 9.29.( )

수신 내부결재
참조

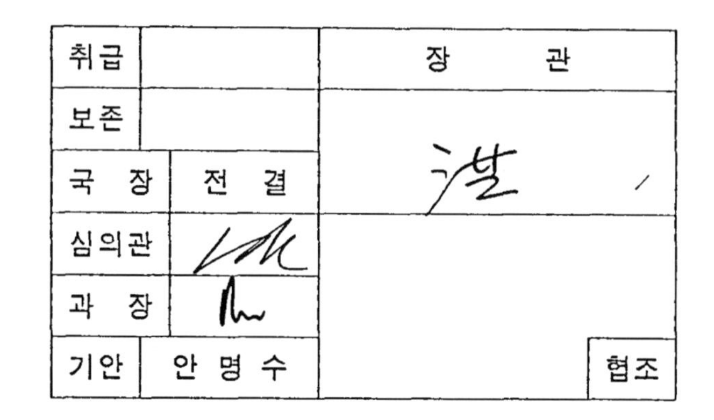

취급		장 관
보존		
국 장	전 결	
심의관		
과 장		
기안	안 명 수	협조

제목 UR 농산물 한.미 양자협상 참가 정부대표 임명

92.10.2. 제네바에서 개최되는 UR 농산물 한.미 양자협상에 참가할 정부대표를 "정부대표 및 특별사절의 임명과 권한에 관한 법률"에 의거, 아래와 같이 임명할 것을 건의합니다.

- 아 래 -

1. 회 의 명 : UR 농산물 한.미 양자협상

2. 기간 및 장소 : 92.10.2, 스위스 제네바

3. 정부대표

농림수산부	국제협력담당관	김 영 욱
경제기획원	통상조정2과 사무관	정 무 경
재 무 부	국제관세과 사무관	박 재 식
농림수산부	개발기획과 사무관	배 종 하
"	국제협력담당관실 주사	최 대 휴

/ 계속...

0072

4. 출장기간 : 92.9.30-10.4.

(단, 재무부 국제관세과 박재식 사무관은 92.10.2. UR 농산물 한.미 양자협상 참가후 10.5-8간 제네바에서 개최되는 UR/시장접근 협상 참가를 위해 출장기간을 92.10.1-10.간으로 연장)

5. 훈 령 : 별 첨

6. 소요경비 : 소속부처 자체예산

첨부 : 훈 령. 끝.

0073

훈 령(안)

1. 기본 입장

ㅇ 아국의 농산물 이행계획 수립시 확정된 정부의 기본방침에 따라 대처함.

2. 양자협상의 범위

ㅇ 금번 한.미간 협의시 UR 농산물 협상 이행계획 수입에 관한 기본입장과 이행계획에 대한 상호 사실확인에 국한토록 함.
- 기본입장의 변경을 초래할 우려가 있는 협상은 사전배제

3. 아국 이행계획 설명

ㅇ 한국은 원칙적으로 던켈초안에 기초하여 C/S를 작성했음을 강조하고, 쌀등에 대한 관세화 예외, 기준년도 적용, 개도국우대 등에 대하여 우리 입장을 설명함.

ㅇ 아국 이행계획에 대한 문제 제시기 작성배경과 입장반영 필요성을 설명하고 우리입장의 정당성을 설명함.

4. 상대국 이행계획에 관한 문제제기

ㅇ 상대국 이행계획표중 우리의 관심 품목등과 관련 협정초안과의 불일치 또는 불분명한 부분의 사실확인을 통하여 문제점을 지적함.끝.

0074

재 무 부

우 427-760 경기도 과천시 중앙동 1 / 전화 (02)503-9297 / 전송

문서번호 국관 22710-201
시행일자 1992. 9. 24. ( )

수신 외무부장관
참조 통상국장

선결			지시	
접수	일자 시간		결재·공람	
	번호			
처리과				
담당자				

제목 UR 농산물 협상 참석

1. GVW-1714('92.9.15) 관련입니다.

2. '92.10.1~10.2간 스위스 제네바에서 개최 예정인 UR 농산물 협상에 당부대표가 아래와 같이 참석코자하는 바 필요한 조치를 취하여 주시기 바랍니다.

- 아 래 -

- 참 석 자

소 속	직 급	참 석 자
관 세 국	5급	박 재 식

- 출장기간 및 장소 : '92.9.29 ~ 10.4 (6일간), 스위스 제네바
'92. 10.1 ~ 10.10

재 무 부 장 관

차 관 전결

0075

UR 농산물 협상 참석 계획

1. UR 농산물 협상 개요

- 기간 및 장소 : '92.10.1 ~ 10.2, 스위스 제네바
  - o 10.1(목) : 호주, 뉴질랜드와 양자협상
  - o 10.2(금) : 미국과 양자협상

- 아국 참석자 : 농림수산부, E P B 등 관계부처 실무자
  - o 당부대표 : 국제관세과 박재식 사무관

- 주요 예상 협의사항
  - o 아국이 '92.4월 GATT에 제출한 농산물 국별이행계획서 내용 논의
  - o GATT BOP 협의('89.10)와 관련 자유화 대상 품목의 T·E 적용 가능성 문제
  - o 기타 T·E, 국내보조 산정과 관련된 기술적 사항 등

2. 참석목적

- 아국이 '92.4월 GATT에 제출한 농산물 국별이행 계획서에 대한 미국, 호주, 뉴질랜드등 농산물 수출국의 입장타진
- UR 농산물 협상 진전사항 파악
- '93년 관세법 개정에서 UR 농산물 협상 결과 반영을 위해 농산물에 대한 관세상당치(T·E) 부과 가능성 파악

0076

3. 아국입장(안)

- 쌀등 기초식량에 대한 관세화예외 인정 및 쌀에 대한 최소시장접근 보장 불가입장 개진

  o 쌀은 어떤 형태로든 개방불가

  o 쌀이외 14개 품목은 최소시장접근을 허용하여 국내소비의 2% (10년후 3.3%)까지 수입허용

    15개 품목 : 쌀, 보리, 쇠고기, 돼지고기, 닭고기, 우유 및 낙농제품, 고추, 마늘, 양파, 감자, 고구마, 감귤, 대두, 옥수수, 참깨

- 관세인하, 보조금 감축 및 최소시장접근(MMA)에 있어 개도국 우대 인정

구 분	던 켈 초 안	아 국 입 장
관세인하	평균 36% 인하 (개도국은 2/3)	평균 24% 인하 (개도국 우대 적용)
국내보조감축	20% (개도국은 2/3)	13.3% (개도국 우대 적용)
최소시장접근	최초년도 3%에서 7년후 5%로 확대	최초년도 2%에서 10년후 3.3%로 확대

0077

- UR 타결시에는 BOP 대상 품목도 UR 협상결과에 따라 관세화(T・E)를 적용할 수 있다는 점을 밝힘.

o '89.10 GATT.BOP 협의시 아국의 잔존 수입제한 품목에 대해 1차('92~'94) 및 2차('95~'97)에 걸쳐 단계적으로 자유화하거나 GATT 규정에 합치시키도록 합의

o 따라서 미국등은 BOP 대상 품목은 GATT/BOP 협의결과에 따라 T・E 적용대신 기본관세율을 적용하여야 한다는 입장임.

관세화(T・E) 대상품목 : 151개 품목

- 수입제한 승인품목 143개중 58개 품목 : GATT BOP 대상품목
  소, 면양고기, 천연꿀, 조제꿀, 매니옥, 잣, 대추 등

- 통합공고 대상품목 132개중 93개 품목 : 돼지, 닭, 녹두, 팥, 귀리, 단옥수수, 메밀, 곡물류, 밀, 홍삼 등

0078

경 제 기 획 원

우 427-760 / 경기도 과천시 중앙동1 정부제2청사 / 전화 503-9149 / 전송 503-9141

문서번호 통조이 10520-78
시행일자 1992. 9. 25
(경유)
수신 외무부장관
참조 통상국장

선결			지시	
접수	일자 시간	. . :	결재·공람	
	번호			
처리과				
담당자				

제목: UR/농산물분야 협상참가

스위스 제네바에서 개최되는 UR/농산물분야 협상그룹회의에 참가할 당원대표를 다음과 같이 통보하오니 적의 조치하여 주시기 바랍니다.

- 다 음 -

가. 출장자

소 속	직 급	성 명
대외경제조정실 통상조정2과 Int'l Policy Coordination Office	사무관 Assistant Direcotr	정 무 경 Jung, Moo Kyung

나. 출장기간: '92.9.29~10.5

다. 출장목적: UR/농산물분야협상 그룹회의 참석

라. 여행경비: 당원부담 끝.

경 제 기 획 원 장

0079

R CEIVED FROM 5039141 1992.09.25 17:52 P. 2

전문	F A X	접수번호: 3658
	년 월 일	국자번호
	시 분	

농 림 수 산 부

우 427-760 / 주소 경기 과천시 중앙동 1번지 / 전화 (02) 503-7227 / 전송 503-7249

선결			지시		
접수	일자 시간	1992. .	결재공람		
	번호				
처리과					
담당자					

문서번호 국협20644-785

시행일자 1992. 9.28(년)

(경유)

수신 외무부장관

참조 통상국장

제목 UR농산물협상 이행계획에 관한 양자협의 참석

1. UR농산물협상 국별이행계획에 관한 양허협상과 관련 미국,호주,뉴질랜드의 대 아국 양자협의 요청에 대하여 이들 국가와의 양자협의는 아직 협상이 타결되지 아니한 단계에서 실질적인 양허협상이 추진될 수는 없는 상황이나 하반기 협상재개에 앞서 동향을 파악하고 상호간의 입장 확인등을 통하여 향후 아국협상대책 추진에 유익한 기회가 될 것으로 판단되어 이를 받아들이고 아래 일정으로 양자협의를 추진키 위하여 당부 대표단을 파견코자 하오니 협조하여 주시기 바랍니다.

가. 대표단 구성(안)

구 분	소 속	직 위	성 명	비 고
본부대표	농림수산부			
	농업협력통상관실	국제협력담당관	김 영 욱	
	농어촌개발국	행 정 사 무 관	배 종 하	
	국제협력담당관실	행 정 주 사	최 대 휴	
현지대표	주제네바 대표부	농 무 관		

나. 본부대표 출장기간 및 출장지 : '92.9.30-10.5(6일간), 스위스 제네바

0080

6-1

우 427-760 / 주소 경기 과천시 중앙동 1번지 / 전화 (02) 503-7227 / 전송 503-7249

다. 출장목적

0 UR농산물협상 동향파악

0 UR농산물협상에 대한 기본입장 확인

0 국별이행계획에 관한 사실자료 확인

라. 협의일정(세부일정은 주제네바대표부가 당사국과 협의하여 결정)

0 '92.10.1 : 호주, 뉴질랜드(양국의 제안에 대한 우리 희망일자, 당사국 본부대표단과의 협의를 전제로 추진)

0 '92.10.2 : 미국

마. 출장자 소요경비 부담 : 농림수산부 부담

첨부 : UR농산물협상 국별이행계획에 관한 양자 협의대책 1부. 끝.

농 림 수 산 부 장

6-2

0081

출장일정 및 소요경비 내역

1. 출장일정

'92. 9. 30 12:55 : 서울발(KE 901)
18:10 : 파 리 착
20:45 : 파 리 발(SR 729)
21:50 : 제네바 착

10. 1 ~ 10. 2 양자협의(호주, 뉴질랜드, 미국)

10. 3 : 양자협의 결과분석 및 향후대책 협의(대표단)

10. 4 18:10 : 제네바 발(AF 2893)
19:15 : 파 리 착
20:30 : 파 리 발(KE 902)

10. 5 17:30 : 서 울 착

2. 소요경비 내역

(1) 국외여비 : $8,019(지변과목 : 1113-213)

구 분	김영욱 과장	배종하 사무관	최 대 휴
항 공 료	$ 2,103	$ 2,103	$ 2,103
체 재 비			
- 일 비	$20x6일=$120	$20x6일=$120	$16x6일=$96
- 숙박비	$66x4일=$264	$66x4일=$264	$59x4일=$236
- 식 비	$42x5일=$210	$42x5일=$210	$38x5일=$190
계	$594	$594	$522
합 계	$ 2,697	$ 2,697	$ 2,625

6-3

0082

UR농산물협상 이행계획에 관한 양자협의 대책

1. 금차 양자협의 대상국 및 추진일정

- o '92. 10. 1 (목) : 호주, 뉴질랜드 (양국의 '92. 9. 21주간 제의에 대한 우리의 희망일자)
- o '92. 10. 2 (금) : 미국

2. 양자협의 추진배경

- o UR농산물협상 이행계획서 제출후 각국의 이행계획서에 나타난 기술적 입장차이에 관하여 주요 8개국 중심의 비공식 협의는 간헐적으로 개최되어 왔으며, 이들 국가간의 양자 협의도 병행추진됨.
  - 주요 8개국 이외의 국가들과는 관심국가간 별도의 양자협의를 개최
- o 미국은 당초 아국에 대하여 '92. 5. 4 제네바에서 한.미간 양자협의를 제안한데 대하여 아국은 각국 이행계획 분석작업 일정상 5. 18주간 개최를 제의한바 미국의 본부대표일정 관계로 추후 협의기회를 갖기로 약속
- o 하반기 협상재개와 더불어 9. 21주간 주요 8개국의 기술적 의제 협의가 재개될 예정이며, 이 일정을 활용, 미국은 10. 2 아국과 양자협의를 요청
  - 호주와 뉴질랜드도 9. 21주간 양자협의 요청

6-4

0083

3. 양자협의 참가대책

가. 기본방침

o 농산물 이행계획 수립시 확정된 정부의 기본방침에 따라 대처하되 다음사항을 고려

1) 양자협의의 성격규정

o 양국간 이행계획 수립에 관한 기본입장과 이행계획 수립 결과에 대한 사실 확인에 국한

- 입장변경이 초래될 수 있는 협상으로서의 성격은 사전배제

2) 아국 이행계획에 관한 설명방안

o 한국은 원칙적으로 던켈초안에 기초를 두고 C/S를 작성했음을 강조하고, 쌀등에 대한 관세화 예외, 기준년도 적용, 개도국우대등에 대하여 우리 입장을 명확히 밝힘.

o 아국이행계획에 대한 문제제기시 작성배경과 입장반영 필요성을 설명하고 우리 입장의 정당성을 강조

3) 상대국 이행계획에 관한 문제제기

o 우리나라 교역관심 품목에 대한 문제를 제기하고 협정초안과의 불일치 또는 불분명한 부분의 사실확인을 통하여 문제점을 적시, 예외적인 입장고려의 필요성을 인식시키는데 주력

6-5

0084

나. 협상대표 파견

(1) 협상대표단 구성

구 분	소 속	직 위	성 명	비 고
본부대표	농업협력통상관실	국제협력담당관	김 영 욱	
	농어촌개발국	행정사무관	배 종 하	
	국제협력담당관실	행정주사	최 대 휴	
현지대표	주제네바 대표부	농무관실 (수정: 농무관)	김 종 진 (수정: 최 용 규)	

※ 경제기획원, 재무부에서 담당사무관 각 1명 협상대표단에 합류예정

(2) 출장일정 : '92. 9. 30 ~10. 5 (6일간)

(3) 소요경비

- 국외여비 : $ 8,019 (지변과목 : 1113 - 213)

6-6.

0085

관리 번호	92 -650

	분류번호	보존기간

발 신 전 보

번 호 : WGV-1436 920929 1149 GA 종별 :

수 신 : 주 제네바 대사. 총영사

발 신 : 장 관 (통 기)

제 목 : UR 농산물 한.미 양자협상

1992.12.31에 예고문에 의거 일반문서로 재분류됨

연 : WGV-1407

1. 10.2. 개최 예정인 UR 농산물 한.미 양자 협상에 참가할 본부 대표가 아래와 같이 임명되었는바, 귀관 관계관과 함께 동 협상에 참가토록 조치 바람.

- 아 래 -

농림수산부	국제협력담당관	김 영 욱
경제기획원	통상조정2과 사무관	정 무 경
재 무 부	국제관세과 사무관	박 재 식
농림수산부	개발기획과 사무관	배 종 하
"	국제협력담당관실 주사	최 대 휴

(단, 상기 대표중 재무부 박재식 사무관은 92.10.2. UR 농산물 한.미 양자협상 참가후 10.5-8간 제네바에서 개최되는 UR/시장접근 협상 참가)

/ 계속...

보안 통제	

앙 고 재	92년 9월 29일	통상기구과	기안자 성명		과 장	심의관	국 장		차 관	장 관
			안명수				전결			

외신과통제

0086

2. 훈 령

가. 기본 입장

o 아국의 농산물 이행계획 수립시 확정된 정부의 기본방침에 따라 대처함.

나. 양자협상의 범위

o 금번 한.미간 협의시 UR 농산물 협상 이행계획 수입에 관한 기본입장과 이행계획에 대한 상호 사실확인에 국한토록 함.

- 기본입장의 변경을 초래할 우려가 있는 협상은 사전배제

다. 아국 이행계획 설명

o 한국은 원칙적으로 던켈초안에 기초하여 C/S를 작성했음을 강조하고, 쌀등에 대한 관세화 예외, 기준년도 적용, 개도국우대 등에 대하여 우리 입장을 설명함.

o 아국 이행계획에 대한 문제 제시기 작성배경과 입장반영 필요성을 설명하고 우리입장의 정당성을 설명함.

라. 상대국 이행계획에 관한 문제제기

o 상대국 이행계획표중 우리의 관심 품목등과 관련 협정초안과의 불일치 또는 불분명한 부분의 사실확인을 통하여 문제점을 지적함.끝.

(통상국장 홍 정 표)

0087

D01

주 제 네 바 대 표 부

번 호 : GVW(F) - 0567 년월일 : 20820 시간 : 1800

수 신 : 장 관 (통기, 경기원, 재무부, 농림수산부, 상공부)

발 신 : 주 제네바대사

제 목 : UR/농산물(미국 질문서 송부.)

보 안	
통 제	

총 3 매(표지포함)

외신국	
통 제	

장관실	차관실	一차보	二차보	외정실	분석관	아주국	미주국	구주국	중아국	국기국	경제국	통상국	문협국	외연원	청와대	안기부	공보처	경기원	상공부	재무부	농수부	동자부	환경처	과기처	
			/	/								0						/	/	/	/				

0088

567-3-1

FAS-966 (REV. 2-85) U.S. DEPARTMENT OF AGRICULTURE
FOREIGN AGRICULTURAL SERVICE

CONTROL NUMBER

FACSIMILE TRANSMISSION COVER SHEET

DATE SUBMITTED	DOCUMENT TITLE	NO. OF PAGES
9/29/92	USG Questions for Korea	cover + 1

	NAME AND ADDRESS OF RECIPIENT (Agency & Div. or Post) (List multiple recipients in comments block.)	RECIPIENT'S TELEPHONE NO.	FACSIMILE TELEPHONE NO.
TO:	Mr. Choi and Mr. Kim Permanent Mission of Korea	791 01 11	791 05 25

	NAME AND ADDRESS OF SENDER (Agency & Div. or Post)	SENDER'S TELEPHONE NO.	FACSIMILE TELEPHONE NO.
FROM:	OFFICE OF AGRICULTURAL AFFAIRS Geneva, Switzerland	(41-22) 749 5247	(41-22) 749 4894

COMMENTS:

Dear Mr. Choi and Mr. Kim:

Attached is a list of technical questions on Korea's country schedule. Please note that because this meeting is to be a technical in nature, we have omitted the following political issues from the list:

- comprehensive tariffication (including non-trade concerns)
- treatment of balance of payments commodities
- special and differential treatment

These issues will undoubtedly be touched upon in the course of our meeting.

We look forward to our meeting with you on Friday.

With sincere regards,

Craig Thorn

5-67-3-2

0089

KOREA COUNTRY SCHEDULE REVIEW
QUESTIONS

MARKET ACCESS

Reduction Commitments

o We note that Korea created 29 ex-outs in its tariff schedule. Were cuts in these new tariff lines counted towards the reduction commitment?

o Will Korea explain why the ex-outs were created and what portion of the trade in the affected products is supposed to be covered?

o Will Korea be able to provide us product descriptions for the ex-out commodities?

Balance of Payments Commodities

o The U.S. Government does not accept tariffication of balance of payments items. However, after examining Korea's country schedule, we have a few questions on these commodities.

o Does Korea consider the list of commodities subject to balance of payments restrictions in GATT document BOP/289/Add.1 date 16 June 1989 to be complete and accurate?

o Are all the products scheduled to be liberalized between 1989 and 1991 according to that document currently subject to tariff-only protection?

Tariff Bindings

o What is Korea's reason for refusing to bind and reduce tariffs for 214 items (including BOP items) for which Korea calculated tariff equivalents?

EXPORT COMPETITION

o Could Korea provide information on the procurement and disposal practices of the Korea Tobacco and Ginseng Corporation for domestically-produced tobacco?

INTERNAL SUPPORT

o Why did Korea use 1989-91 as the base period for calculating aggregate measures of support?

o When will Korea be able to provide AMS calculations for products such as rice, beef and veal, pork, and eggs?

o Could Korea provide more information on the changes made in 1991 to the way budget data are defined and reported in the Agricultural Cooperatives Yearbook?

567-3-3

0090

報 告 畢

長 官 報 告 事 項

1992. 9. 29.
通 商 局
通 商 機 構 課(52)

題 目 : 9.20 프랑스 國民投票以後 UR 協商展望

1. 9.20 마스트리히트 조약에 대한 프랑스 국민투표가 근소한 표차로 가결된 이후에도 농산물 보조분야에서 미국과 EC간 견해차이가 좁혀지지 않고 있으며, 특히 하기 EC와 미국의 내부사정으로 UR 협상전망이 불투명

   가. EC측 사정

   ㅇ 93.3 프랑스 총선을 앞두고 미테랑 정부의 UR 협상에서의 양보 곤란

   ㅇ 최근 금융위기에 따른 구주통합 장래의 불확실성

   ㅇ 프랑스의 마스트리히트 조약 국민투표이후 EC 집행위의 재량권 축소 및 UR 관련 집행위원의 93년초 퇴진

   나. 미국측 사정

   ㅇ 부시 후보에 불리한 대통령선거 양상

   ㅇ 클린턴 후보 당선시 신행정부가 UR 협상에 대해 결정을 내리는데 최소 1년 소요

2. 10월중 UR 협상 동향

   ㅇ 10월중 제네바에서 시장접근, 서비스 분야에서 실무급 협상 진행 예정

   ㅇ 던켈 사무총장은 UR 현황 평가 및 전망을 논의키 위해 10.9경 대사급 비공식 회의(green room 회의)를 개최할 예정

3. 전 망

   ㅇ 10월중 실무급 협상 및 green room 회의에도 불구하고 돌파구 마련 난망 예상

   ㅇ 결국 프랑스 국민투표이후 EC 집행위의 재량권 축소, 미국 대통령선거 전망의 불투명성 등으로 인해 UR 협상의 연내 타결~~이 어려울 것으로 전망~~ 이 어려울 예상

4. 언론 및 국회대책 : 해당 사항 없음. 끝.

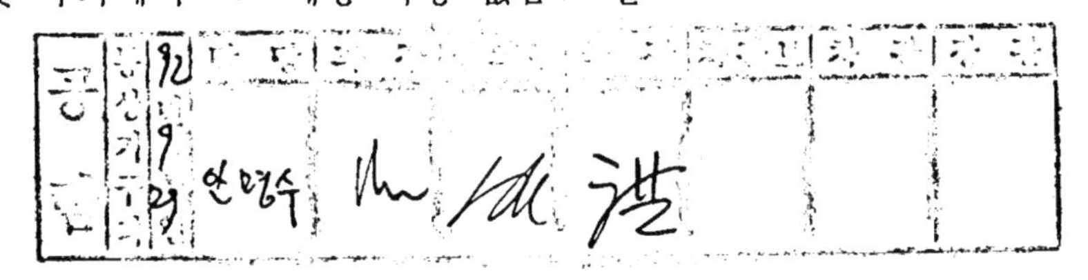

0091

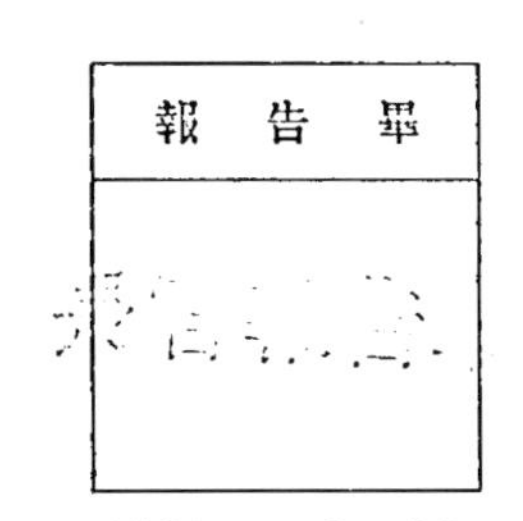

長官報告事項

1992. 9. 29.
通 商 局
通商機構課(52)

題 目 : 9.20 프랑스 國民投票以後 UR 協商展望

1. 9.20 마스트리히트 조약에 대한 프랑스 국민투표가 근소한 표차로 가결된 이후에도 농산물 보조분야에서 미국과 EC간 견해차이가 좁혀지지 않고 있으며, 특히 하기 EC와 미국의 내부사정으로 UR 협상전망이 불투명

   가. EC측 사정

   - 93.3 프랑스 총선을 앞두고 미테랑 정부의 UR 협상에서의 양보 곤란
   - 최근 금융위기에 따른 구주통합 장래의 불확실성
   - 프랑스의 마스트리히트 조약 국민투표이후 EC 집행위의 재량권 축소 및 UR 관련 집행위원의 93년초 퇴진

   나. 미국측 사정

   - 부시 후보에 불리한 대통령선거 양상
   - 클린턴 후보 당선시 신행정부가 UR 협상에 대해 결정을 내리는데 최소 1년 소요

2. 10월중 UR 협상 동향

   - 10월중 제네바에서 시장접근, 서비스 분야에서 실무급 협상 진행 예정
   - 던켈 사무총장은 UR 현황 평가 및 전망을 논의키 위해 10.9경 대사급 비공식 회의(green room 회의)를 개최할 예정

3. 전 망

   - 10월중 실무급 협상 및 green room 회의에도 불구하고 돌파구 마련 난망 예상
   - 결국 프랑스 국민투표이후 EC 집행위의 재량권 축소, 미국 대통령선거 전망의 불투명성 등으로 인해 UR 협상의 연내 타결에 어려움 예상

4. 언론 및 국회대책 : 해당 사항 없음. 끝.

0092

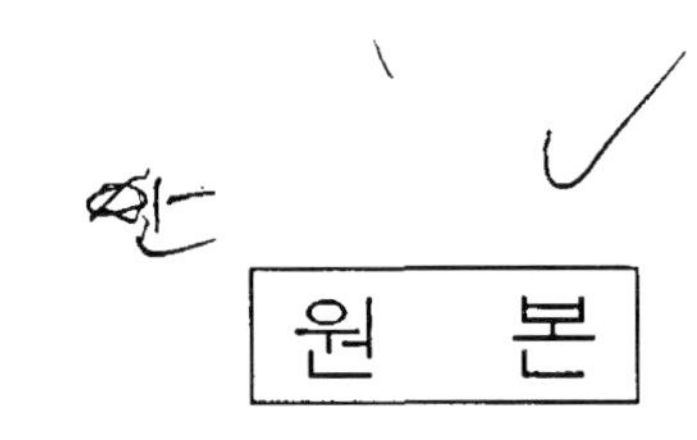

외 무 부

종 별 :

번 호 : GVW-1813 일 시 : 92 0930 0930

수 신 : 장관(통기,경기원,재무부,농림수산부,상공부)

발 신 : 주 제네바 대사

제 목 : UR/농산물(미국 질문서)

한.미 양자 협상관련, 9.29(화) 당지 미대표부로 부터입수한 미측의 아국 C/S 에 대한 예상질문서를 별첨 FAX(GVW(F)-567, 기송부) 송부함.

(대사 박수길-국장)

통상국 경기원 재무부 농수부 상공부

PAGE 1

92.09.30 20:53 DZ

외신 1과 통제관

0093

외(이시) 원 본

외 무 부

종 별 :

번 호 : GVW-1829 일 시 : 92 1001 2020

수 신 : 장관(통기,통이,통삼,경기원,재무부,농수산부,상공부)

발 신 : 주제네바대사 사본:주미,주아르헨트나대사(중계필)주EC대사(필)

제 목 : 9월 갓트이사회

연: GVW-1828

9.29-10.1 개최된 표제 이사회에서의 OILSEEDS문제(의제 7,8,9)관련 토의 결과를아래 보고함.

1. OILSEEDS 관련 양허재교섭(의제 7,8) 현황

(의장의 제의로 EC가 상정한 의제 7과 미국이상정한 의제 8을 동시에 논의한바, 9.29 회의에서결론을 내리지 못하고 10.1 까지 비공식 협의를가졌으나 합의에 이르지못함)

가. EC 는 별첨 NON-PAPER 를 체약국단에회람하면서 6월 이사회이래 3차례 가진양허재협상 과정에서 제기된 기술적인 문제(6개해당품목에 대한 협상을 별도로 해야하는지아니면 예외적으로 한꺼번에 할수있는지, 한꺼번에 하는 경우에는 각품목의 PSI.SI.INR등의 재협상권에 미치는 영향을 어떻게감안할것인지, 각국이 입은 실제 피해 액을어떤 방식으로 산정할 것인지등 별첨 EC문서 참조)의 선결이 해결의 관건임을지 적하고, 갓트 28조 4항 D 에 따라 이사회가 상기기술적인 사항들에 대한 해석을 제시 해 줄것을요청하면서, 이를 위해 필요하다면 WORKING PARTY를 구성할 것을제의함.

나. 미국은 2차에 걸친 패널결론, 동 이행문제에관한 협상등으로 6년이상이 소요되었음을상기시키고, EC가 상기와 같이 기술적인문제점을 내세우는 것도 문제해결을지연하려는의도에 불과하다고 반박하면서, 남아있는 유일한문제는 피해액의 산정뿐이므로 30일 기한의구속력 있는 중재 패널에 피해액 산정을의뢰하는 것이 유일한 해결방안이며 EC 가제의한 구체성이 결여된 WP 구성에는반대한다고 대응함.

다. 이에대해 EC 는 중재패널에 회부할경우에는 이사회가 승인한 28조 절차가 중단될가능성(당초 60일은 이미 초과)및 미국이 일방적보복 조치를 취할 근거를

통상국 통상국 통상국 경기원 재무부 농수부 상공부

PAGE 1 92.10.02 08:26 FX

외신 1과 통제관 ✓

0094

제공할 가능성이 있으며,동 보복조치는 미국이 주장하고 있는 엄청난액수의 피해액에 기초할 가능성이 있다는점에서, 이는 28조 4항 양허 재협상의 본 취지에어긋날뿐 아니라, 중재제도는 어디까지나당사자간의 합의에 기초하는 자발적인 절차임을들어 미국의중재패널설치 제의를 받아들일수없다는 입장을 분명히함.

라. 아국,아르헨티나,카나다,인도,우루과이,헝가리,브라질,파키스탄, 일본,칠레,아세안, 뉴질랜드등 다수국이 정도의 차이는 있으나 미국의 중재패널설치제안이 문제 의 조속한 해결을 위한현실적인 제안임을 들어 이를 지지하면서도, 그러나중재패널이 설치되는 경우에도 28조 4항양허재협상은 계속되어야 한다는 점등을 강조함.

마. 반면, 스위스, 오지리는 중재패널의 유용성은인정하나 이의 전제 조건인 당사자간의 합의가없으므로 유일한 대안은 28조 4항의 양허재협상진행상황에 대한 이사회의 검토임을 들어 EC의 WORKING PARTY 구성제안에 동조함.

사. EC 는 미국을 비롯하 여 다수국이 EC 가작업반 (WORKING PARTY)를 구성하여기술적인사항을 논의하자는 것으로 잘못 이해하고 있으나,EC 의 제의는 W.P 와 같은개방적(OPEN-ENDED)인 기구에서 논의를 하자는것이아니고, 미국, 파키스탄등 직접 이해 당사국을제외한 소수국(10 여국정도)로 구성, 피해액뿐아니라 관련 법적 문제등도 아울러 검토하되,한정된(FINITE)시한 (구체적 시한 불제시)내임무를 종료시키자는 것이었다고 다소 입장을단화시킴. 이에 대해 미국은 다수국이 조속한해결을 바라며, 이런 관점에서 자국의 현실적 인대안으로 생각하고 있음을 EC 는 유의해야한다고 언급후 의장의 권유에 따라 이해 당사국간추가 협의를 갖는데 동의함.

아. 이에 따라 9.29 야간부터 10.1 오전까지 당사국만이참석한 비공식 협의가 있었으나 동 협의를통해서 양측간 합의를 보지못함에 따라 10.1속개된 이사회에서는 양측이 아래 요지의 기존입장을 되풀이한후 동 문제를 차기 이사회에서재론키로 하고토의를 종결함.

0 EC 는 28조 4항 협상 절차의 최종단계인체약국단의 의견 제시 (28조 4항 D)가없는현재로서는 구속력 있는 중재 절차를 수락할수없으며 차기 이사회에서 논의하기를 희망함.

0 미국은 EC 가 문제해결을 지연하고 있음을매우 유감스럽게 생각한다고 언급하고 다자협상을통해 문제가 조속히 해결 할것을 희망함.

0 아르헨티나, 우루과이, 카나다, 헝가리, 폴라니드,파키스탄등 이해 당사국도 다자협상을 통한 조속한해결을 촉구함.(특히, 아르헨티나는 자국의 주공급국 지위(PSI), 우루과이, 파키스탄은 자국의직접 교섭국 지위(INR)를 인정해 줄것을 촉구)

자. 참고로 9.20-10.1 EC - 수출국간 협의에서제시된 미국 타협안 내용은 아래임.

- 이해 당사자가 아닌 3개 회원국으로 특별검토작업반 구성

- 검토 범위: 패해액 산정, 직접 교섭국 지위,주요공급국 지위등 재협상 관련사항

- 검토기간: 92.10.30 까지 검토의견을 체약국단에보고

- 검토의견의 성격: 동 검토의견은 20조 4 항(D)상의 체약국단(이사회)의 의견으로수정없이 받아들이되 단 동 의견에의 승복여부는양측의 자유임.

단, 동 검토의견을 일방이 거부하는 경우 타방은이사회의 별도 승인없이 양허 철회 가능

2. OILSEEDS 양허 재협상권 문제(의제 9)

0 아르헨티나는 6월 이사회에서 승인받은 OILSEEDS에 관한 양허 재협상과정에서자국이 PSI(주수출국으로서의 권리)를 갖고 있는 2개품목(대두, 대두박)에 대해 EC가 동권리를인정하지 않고 있음을 지적하면서 분쟁해결절차 개선에 관한 UR 중간 평가 합의사항F(F) 5항의 긴급한 임무를 처리하는 패널설치(패널 설치후 3개월내 보고서 작성)를요청한바

0 EC 는 아르헨티나의 PSI 문제는 OILSEEDS문제의 전반적인 해결 차원에서 이루어질수있을 것이라는 입장을 개진함.

0 이에 대해 미국 및 남미제국이 아르헨티나의 패널설치 요청을 지지한바, 차기이사회까지 문제가해결되지 않으면 차기 이사회에서 논의하기로 함.

첨부: 1. 아국 발언문

2. EC 의 제안문서 (GVW(F)-571) 추후 배포

(대사 박수길-국장)

PAGE 3

0096

관리 번호	92-669

	분류번호	보존기간

발 신 전 보

번 호 : WGV-1468 921002 1856 FO 종별 : 지급

수 신 : 주 제네바 대사. 총영사

발 신 : 장 관 (통 기)

제 목 : 잔존 수입제한 조치와 UR 협상결과 적용문제

1992.12.31. 에 예고문에 의거 일반문서로 재분류됨

연 : WGV-1351

1. 93년도 이후 쇠고기 수입제도 관련 양자 협상시 미국, 호주, 뉴질랜드는 UR 농산물 협정 초안 footnote를 근거로 한국이 쇠고기에 대해 관세화를 할 수 없다고 주장하였으며, UR 농산물 양자 협상에서도 동 footnote를 근거로 아국의 잔존 수입제한 조치에 대해 관세화 불가를 주장할 것으로 예상되는바, 이에 대한 대책 수립이 필요함.

2. 상기 농산물 수출국들의 주장에 대해 아국으로서는 하기 2가지 논거로 쇠고기 포함 관세화가 가능하다는 입장을 제시하였는 바, UR 농산물 시장접근 양자 협상에서도 이에 따라 대처 바람.

   가. 아국이 90.1.1부로 갓트 18조 B항의 원용을 중단하였으므로 잔존 수입제한 조치는 법적으로 BOP 조치가 아니며, 따라서 footnote 자체가 적용되지 않음.

   나. 아국의 잔존 수입제한 조치가 BOP 조치라고 가정하더라도 관세화 의무로부터의 제외가 자발적인 관세화를 금지하는 것은 아님.

/ 계속...

보안 통제	

앙 고 재	92년 10월 2일	통상기구과	기안자 성명		과 장	심의관	국 장		차 관	장 관
			안명수				전결			

외신과통제

0097

3. UR 농산물 협정초안 footnote의 해석등과 관련 대책자료를 별첨과 같이 송부하니 귀관 판단하에 BOP 조항 원용국 포함 주요국을 접촉, 아국의 입장을 설명하고 이들의 반응 및 귀관 검토의견을 아울러 보고 바람.

4. 연호 전문가 용역을 통해 추가 논리를 10월말까지 개발토록 조치 바람.

첨부(FAX) : 동 자료 1부. 끝.

WGVF-389

(통상국장 홍 정 표)

0098

과거 BOP 품목관련 잔존 수입제한 조치에 대한 UR 농산물 협상결과 적용 문제

92. 10. 1.

통 상 기 구 과

0099

- 목 차 -

1. 문제의 제기 ---------------------------------- 1

2. UR 농산물 협상결과의 적용문제 ------------------ 2

3. 대 책 ------------------------------------ 6

별첨 1. BOP 협의결과 및 쇠고기 ------------------- 8
패널보고서 이행현황

2. 아측 논리 영문안 ------------------------ 10

0100

과거 BOP 품목관련 잔존 수입제한 조치에 대한 UR 농산물 협상결과 적용 문제

1. 문제의 제기

o 아국은 90.1.1. 갓트 제18조 B항(BOP 조항)의 원용을 중단함에 따라 현재 '92-'94 수입자유화 계획을 시행중이며, 또한 93년도 이후 쇠고기(과거 BOP 품목) 수입제도와 관련 미국, 호주, 뉴질랜드와 쇠고기 양자 협상을 진행중임.

o 이와관련 아국은 91.4.24. 갓트이사회에서 아국의 '92-'94 수입자유화 계획 논의시 UR 협상이 타결되는 싯점에서 미 자유화 상태에 있는 품목에 대한 잔존 수입제한 조치를 UR 협상결과(관세화 포함)에 일치시키겠다는 입장을 공식 표명한 바 있으며, 쇠고기에 대해서도 필요한 경우 관세화를 고려하겠다는 입장

- 이에대해 농산물 수출국들은 한국이 UR 협상결과와 관계없이 과거 BOP 품목에 대한 잔존 수입제한 조치를 97.7.1까지 자유화해야 한다는 입장을 표명

o 이러한 상황에서 91.12.20. 던켈 갓트사무총장이 최종의정서 초안을 제시하였으며, 동 의정서 초안중 농산물 협정안 Part B, Annex 3 footnote에 "BOP 조치등은 관세화 대상에서 제외된다"는 문구가 포함됨.

- 이에따라 농산물 수출국들이 동 footnote를 근거로 한국은 잔존 수입제한조치를 관세화 할 수 없다는 주장을 펼 소지가 발생하였으며, 실제로 지난 92.6월 및 9월중에 개최된 1,2차 쇠고기 양자 협상시 미국, 호주, 뉴질랜드는 동 footnote 를 근거로 한국은 쇠고기에 대한 수입제한 조치를 관세화 할 수 없다고 주장

o 따라서 동 footnote가 아국의 잔존 수입제한 조치에 적용되는지 여부 및 동 footnote 의 해석에 대한 아국의 입장을 정립하여 대처할 필요가 있음.

(※ 89 BOP 협의결과 및 쇠고기 패널보고서 이행현황 별첨)

2. UR 농산물 협상결과의 적용 문제

가. 농산물 수출국 입장

o 91.4.24. 갓트이사회에서 '92-'94 자유화 계획 문제 논의시 미국, 뉴질랜드, 호주, 카나다는 특별한 법적 논거를 제시치 않은채 BOP 합의 사항은 UR 협상과 상관없이 이행되어야 하며, UR 협상과의 연계는 수락 불가입장 표명

o 특히 던켈 사무총장이 UR 최종의정서 초안을 91.12.20. 제출한 이후인 92.6.11. 제1차 한.미 쇠고기 협상, 92.9.1. 제2차 한.미 쇠고기 협상, 92.9.21. 제2차 한.호주 쇠고기 협상에서 미국과 호주는 UR 농산물 협정초안 Part B Annex 3 footnote를 근거로 한국은 쇠고기에 대한 수입제한 조치를 관세화 할 수 없다는 입장 표명 (92.6.11. 제1차 한.미 쇠고기 협상시 미측 수석대표인 N.Adams USTR 부대표보는 동 footnote 포함 UR 농산물 협정 초안을 미국이 작성하였다고 언급하였는바, 과거 BOP 품목에 대한 잔존 수입제한 조치를 UR 협상 결과에 일치시키려는 아측의 의도를 사전에 봉쇄하기 위하여 footnote를 마련하였을 것이라는 추정도 가능)

나. 아측의 논리 정립

1) 아측의 대응 논리

o 아국이 과거 BOP 품목에 대한 잔존 수입제한 조치를 UR 협상결과에 일치시킬 수 있는지 여부와 관련, 갓트사무국 법률국 및 농업국

전문가들은 UR 협상결과가 갓트에 수용되면 갓트 규정의 일부를 형성하며, UR 협상 타결시 자유화가 이행되지 않은 과거 BOP 품목에 대한 잔존 수입제한 조치를 갓트에 일치시키는 것은 BOP 합의에 어긋나는 것이 아니라는 견해로서 아국의 입장과 일치함.

o 따라서 농산물 수출국들은 UR 농산물 협정 초안이 나오기 이전에 별다른 법적인 논거를 제시치 못하면서 단순히 한국은 잔존수입 제한 조치를 UR 협상결과에 일치시킬 수 없다는 주장을 펴 왔으나, UR 농산물 협정초안이 나온후에는 footnote를 근거로 들면서 관세화 불가 주장을 하는 등 공세적인 입장으로 전환하였는바, 본부로서는 이에 대해 하기와 같은 대응논리가 가능할 것으로 보고 있음.

가) footnote의 대아국 잔존 수입제한 조치 적용 가능성

o 현재 가장 문제가 되고 있는 농산물 협정 초안 footnote와 관련, 아국의 입장에서는 "아국의 과거 BOP 품목에 대한 잔존 수입제한 조치는 90.1.1. 갓트 18조 B항 원용을 중단한 시점에서 법적으로는 BOP 조치가 아닌 단순한 수량제한 조치로서 footnote 자체가 적용될 수 없다"는 논리로 대응하는 것이 가장 효과적인 대응 방안인 것으로 판단됨.

o 이경우 아측 논거를 보강하는 논리로서 특정조치가 BOP 조치인지 여부에 대한 중요한 기준은 동 조치가 갓트 BOP 위원회에서의 협의 대상 여부이며, 한국은 쇠고기를 포함 과거 BOP 품목에 대한 잔존 수입제한 조치들을 90.1.1이후 더이상 갓트 BOP 위원회에 통고치 않고 GATT 이사회에 자유화 계획과 실적을 통보하고 있음을 지적함으로써 법적으로 현행 잔존 수입제한 조치가 BOP 조치가 아니며, 따라서 BOP 조치를 적용대상으로 하고 있는 footnote의 규정은 아국의 잔존 수입제한 조치에는 적용되지 않는다는 논거가 가능

나) footnote의 해석

미국, 호주, 뉴질랜드측은 현행 아국의 쇠고기 수입제한 조치가 BOP 조치라는 전제하에 "BOP 조치가 관세화 의무 대상에서 제외된다"는 footnote 규정을 들어 관세화 할 수 없으며, 97.7.1. 부터는 20%의 관세만을 부과할 수 있다는 주장을 펴 왔음.

이러한 미국등의 주장에 대하여는 하기와 같은 반론이 가능함.

- 동 잔존 수입제한 조치가 미국 등이 주장하는 대로 BOP 조치라고 가정한다고 하더라도 "관세화 의무로 부터의 제외"를 규정한 footnote의 취지가 갓트 18조 B에 의거하여 수량제한 형태로 BOP 조치를 유지하고 있는 개도국이 동 수량제한 조치를 계속 유지할 수 있도록 융통성을 부여하자는 것임.
- 또한 UR 농산물 협상이 수량제한 조치를 관세화 함으로써 농산물 교역 자유화를 달성하는 것을 목표로 추진되고 있음에 비추어 footnote가 18조 B항 원용개도국이 자발적으로 수량제한 형태의 BOP 조치를 관세로 전환하는 것을 금지하는 것으로 해석할 수 없음.

2) 쇠고기 양자 협상시 미국과 호주의 반응

o 93년 이후의 아국의 쇠고기 수입제도와 관련 미국은 1,2차 양자협상, 호주는 2차 쇠고기 협상에서 footnote를 근거로 한국은 쇠고기 수입제한 조치를 관세화 할 수 없다고 주장하였으며, 이에 대해 아측은 미국 및 호주와의 동 협상에서 상기 가)의 논리에 따라 현행 쇠고기 수입제한 조치는 법적으로 BOP 조치가 아니므로 footnote의 적용 대상이 아니며, 따라서 UR 농산물 협정초안 Part B Annex 3 제1항 상의 quantitative import restriction으로서 관세화 대상이 된다는 입장을 제시한 바 있음.

4

0104

o 상기 아측의 입장에 대해 미국과 호주는 별다른 반론을 제기치 않고 UR 협상에서 다룰 문제라고 언급하는데 그침. (특히 제2차 한.호주 쇠고기 협상에서는 최근까지 주제네바 호주 대표부 공사로 근무하면서 쇠고기 패널 및 대아국 BOP 협의에 계속 참여해 온바 있는 Peter Hussin이 참석하였으나, 아측 논리에 대해 아무런 반론을 제기치 못함)

o 다만, 미국의 경우 제2차 한.미 쇠고기 협상시 "BOP 규정을 원용하여 수입을 제한해 오던 특정 개도국이 BOP 사정이 호전되어 갓트에서의 협의결과 동 규정을 원용 중단하는 경우 관세화는 불가하며, 이행계획에 따라 자유화 하는 방법 밖에 없으며, 한국도 이러한 경우에 해당하므로 관세화는 불가하다"는 입장을 표명하였으나, 이러한 미측의 주장은 정당한 법적 근거가 의문시 되며, 현행 갓트 규정에 의하더라도 관세양허 품목이 아닌 경우 관세율 재조정은 체약국의 고유의 권리이므로 미국의 주장에 논리적 결함이 있다는 반론이 가능

- 아국 쇠고기의 경우 동경라운드시 20%로 관세를 양허하였으나 UR 농산물 협정초안은 관세양허 품목도 수량제한 조치가 존재하는 경우 관세화를 인정하고 있으므로 UR 농산물 협상결과에 따라 관세화가 가능

3) 갓트 사무국의 견해

o 제1차 한.미 쇠고기 패널 직후인 6.22. 아측이 쇠고기에 대한 수입제한 조치의 관세화 가능 여부에 대해 갓트사무국 농업국장에게 문의한바, 동 국장도 아국의 잔존 수입제한 조치가 법적으로 BOP 조치가 아니라는 아측의 해석에 동의하였으며, 농산물 협정안의 관점에서 볼때 잔존 수입제한 조치를 관세화 하는 것이 가능하다는 의견을 표명

- 단, 동인은 관세화 여부는 미국등과의 협상을 통해 결정될 사항이라는 점을 지적

3. 대　　책

현재 진행중인 쇠고기 양자협상에서 미국, 호주, 뉴질랜드가 UR 농산물 협정 초안상의 footnote를 근거로 관세화 불가를 주장하고 있으며, 여타 과거 BOP 품목에 대한 잔존 수입제한 조치와 관련 하여서도 동일한 주장을 할 것으로 예상되므로, 첫째, 이에대한 반박논리를 정립하고, 둘째, 실제로 아국의 잔존 수입제한 조치에 대한 품목별 관세화는 관심국가와의 UR 농산물 시장접근 양자 협상에서 결정될 사항이므로 UR 시장접근 협상에 대한 대책이 필요함.

가. 아측 논리 정립

o 아측으로서는 쇠고기 뿐아니라 UR 협상 타결 시점까지 미 자유화 상태로 남아 있는 과거 BOP 품목에 대하여 상기 2 page의 대응 논리를 바탕으로 잔존 수입제한 조치의 관세화가 가능하다는 논리 정립

o 이와관련 특히 쇠고기의 경우 패널에서 패소한 사안에 대해 한국이 UR 협상결과를 이용하여 패널 권고사항의 완전한 이행을 회피하려 한다는 농산물 수출국들의 비난이 가능할 것이므로 관세화 가능성에 대한 법리적 논거 제시와 병행하여, 97.7.1이전 관세화가 무역자유화를 앞당긴다는 점을 부각시킬 필요가 있음.
(동 아측 논리 영문안 별첨)

나. UR 농산물 및 시장접근 협상에서 제3국들의 지지 확보

o 아측이 UR 농산물 협정에 따라 잔존 수입제한 조치의 관세화가 가능하다는 논리에 기초하여 UR 농산물 및 시장접근 협상에서 잔존 수입제한 조치를 관세화 하려는 경우 미국 등 농산물 수출국들이 공동으로 반발할 것으로 예상됨.

o 90.1.1. 갓트 18조 B항의 원용을 중단하고 과거 BOP 품목에 대한 잔존 수입제한 조치를 97.7.1.까지 수입자유화 또는 갓트 규정에 일치시켜야 하는 상황에서 동 조치들에 대해 UR 농산물 협정상의 관세화 조항을 원용 하려는 우리의 입장은 특수한 경우로서 아국과 유사한 처지에 있는 체약국은 없는 것으로 판단됨.

- 그러나, 아측의 입장이 수입자유화를 앞당긴다는 측면에서 UR 협상의 기본정신에 부합하며, 또한 법리적으로도 타당하므로 설득력이 있을 것으로 보이는바, 제3국, 특히 개도국들을 접촉하여 지지를 사전에 확보토록 함.

- 아울러 농산물 보조금 분야에서 EC와 미국간의 타협이 이루어짐으로써 UR 농산물 협상에서 실질적인 진전이 이루어지는 싯점에서 농산물 및 시장접근 협상 그룹회의에서 아측의 입장을 공식 제기하여 여타 개도국들의 지지를 바탕으로 잔존 수입제한 조치의 관세화 가능성을 기정사실화 한후, 미국 등과의 UR 시장접근 양자협상에 임하는 전략을 택하는 것이 바람직함.

다. 전문가 용역

전문가 용역을 통해 추가적인 논리 개발. 끝.

《별 첨》

1. BOP 협의결과 및 쇠고기 패널보고서 이행현황

가. '89 BOP 협의결과 이행

o 아국은 89.10.27. BOP 협의결과에 따라 90.1.1.부터 갓트 제18조 B항의 원용을 중단하고 '92-'94 자유화 계획을 91.4.5. 갓트사무국에 제출

- '92-'94 자유화 계획에 따라 92년중에 43개 품목이 자유화 되었으며, 93년에 45개, 94년에 45개 품목이 자유화 될 예정

- 잔여 150개 품목은 '95-'97 자유화 계획 대상(동 자유화 계획은 '94.3까지 갓트이사회에 제출하여야 함)

o '92-'94 자유화 계획은 91.4.24. 갓트이사회에서 논의되었으며, 미국, 호주, 뉴질랜드, 카나다, EC 등 농산물 수출국들의 요청으로 91.9.1. 주 제네바 대표부에서 비공식 협의 개최

나. 쇠고기 협상

o 89.11.7. 갓트이사회에서 쇠고기 패널 보고서가 채택된 이래 패널 권고 사항에 따라 89.12월부터 미국, 호주, 뉴질랜드와 양자협상을 개최하여 90년도 상반기중 이들 국가들과 '90-'92(3년간) 쿼타에 합의(90년 58,000톤, 91년 62,000톤)하였으며, 93년도 이후 쇠고기 수입제도에 대해 92.6. 협상을 개시하여 지금까지 2차의 양자 협상을 개최

- 2차에 걸친 양자 협상에서 미국, 호주, 뉴질랜드는 97.7.1. 완전 자유화를 전제로 실수입량을 기초로 97.7.까지 쿼타를 설정하여야 하며, 쇠고기에 대한 관세화는 불가하다는 입장

- 이에대해 아측은 UR 협상결과에 따른 권리를 유보하며, 과거 3년간 수입물량을 기준으로 '93-'95(3년간) 쿼타설정 방안 제시.

2. 아측 논리 영문안

As a result of the consultation with the Committe on Balance of Payments Restrictions in October 1989(BOP/R/183/Add.1), Korea undertook to eliminate its remaining restrictions or otherwise bring them into conformity with GATT provisions by 1 July 1997. Ever since, Korea has been faithfully implementing its commitments deriving from the BOP consultation of October 1989 and submitted its 1992-1994 import liberalization programme to the GATT Council on 30 March 1991.

In the communication addressed to the Chairman of the Council (L/6834) introducing the 3-year import liberalization programme, Korea indicated, inter alia, that, with regard to the items not liberalized at the time of the conclusion of the Uruguay Round negotiations, Korea shall bring the remaining restrictions thereon into conformity with final results of the Uruguay Round agricultural negotiations, including tariffication. In this regard, it is generally accepted that the results of the Uruguay Round multilateral trade negotiations would be incorporated into and constitute an interal part of the GATT provisions in the meaning of the para 12 of the BOP consulation with Korea(BOP/R/183/Add.1).

On 20 December 1991, the Director-General of GATT Mr. Dunkel presented the Final Draft Act including draft Agreement on Agriculture in which the principle of tariffication is established as a means of achieving substantial progressive reductions in agricultural protection. Korea embraces the concept of tariffication in principle and once the UR negotiations are concluded successfully, Korea intends to resort to tariffication in respect of those items including beef which would not yet be liberalized by that time.

At the GATT Council meeting of 24 April 1991 under the item No.2 "Korea-1992-1994 Program of liberalization", Korea reaffirmed its commitment to pursue trade liberalization both in terms of its undertaking in the BOP consultation and through the implementation of the results of the Uruguay Round negotiations in which Korea has been actively participating.

Since the final results of the Uruguay Round negotiations would be incorporated as part of GATT provisions, bringing the remaining restrictions still in place at the time of conclusion of the Uruguay Round negotiations into conformity with the Round's final results is not in violation of the undertaking Korea assumed in the BOP consultation. On the contrary, by linking Korea's undertaking in the BOP consultation with the Uruguay Round results which are expected to emerge prior to the 1 July 1997 deadline agreed to in the BOP consultation for liberalization of Korea's remaining restrictions, Korea intends to advance the trade liberalization through tariffication. Korea does not have any intention to dilute the result of the BOP consultation nor to delay the process of trade liberalization.

Recently, on the occasion of the bilateral beef consultations, the United States, Australia and New Zealand came up with the allegation that Korea can not tariffy its import restrictions on beef, citing the footnote of Annex 3 of Part B of the draft UR Agreement on Agriculture. This allegation has the potential to apply to Korea's other remaining restrictions to be liberalized by 1 July 1997 since beef was one of Korea's former BOP items.

Korea is rather surprised by the way these 3 contracting parties interpret the footnote, which needs to be examined closely in order to judge the merits of the allegation of these 3 countries. In response, Korea has counterarguments as follow :

The footnote says, <u>inter alia,</u> that measures maintained for balance-of payments reasons (Articles XII and XVIII of the General Agreement) are excluded from the policy coverage of tariffication. The U.S., Australia and New Zealand rely on this footnote and allege that Korea can not tariffy its import restriction on beef because the footnote excludes the BOP measures from tariffication.

The basic premise of those countries' allegation is that Korea's present import restriction on beef is BOP measure under Article XVIII of GATT. However, this basic premise is misplaced. Upon examining the legal status of Korea's present import restriction on beef and other remaining restrictions, one can easily find out that those restrictions are legally no longer BOP measures. Instead, they are quantitative import restrictions in the meaning of the para 1. of Annex 3 of Part B of the draft UR Agreement on Agriculture. One of the important criteria for a certain measure's being B.O.P measure or not is whether or not the measure is subject to the BOP consultations in GATT. As is well known, Korea disinvoked Article XVIII B of GATT on 1 January 1990 and, ever since, its remaining restrictions are no longer subject to the BOP consultations in GATT. Rather, Korea submits to the GATT Council the liberalization programmes for remaining restrictions and implementation reports thereon. Therefore, it follows that the footnote does not apply to Korea's remaining restrictions at all.

Besides, even assuming, for assumption's sake, that Korea's remaining restrictions are BOP measures in the sense of the footnote of Annex 3 of Part B of the draft UR Agreement on Agriculture, one arrives at the conclusion that Korea is entitled to tariffy its remaining restrictions.

The legal status of tariffication is an obligation. That is, generally speaking, under the draft UR Agreement on Agriculture, those contracting parties participating in the UR agricultural negotiations are required to tariffy their import restrictions on agricultural products. However, by virtue of the footnote in question, those contracting parties maintaining quantitative import restrictions under Article XII or Article XVIII of GATT are not required to tariffy these restrictions. At the same time, however, those contracting parties maintaining BOP measures, while not being required to tariffy these measures, can autonomously convert these measures into the price-based measures. At this juncture, it is worth mentioning that the purpose of the footnote, as it appears, is to give special consideration to contracting parties who find their BOP and general safeguard covers can not be tariffied because of their economic difficulties. Therefore, these contracting parties are free to tariffy the restrictions it they wish to do so despite their difficulties. Simply put, being excluded from tariffication does not mean that autonomous tarifficaion is prohibited.

In conclusion, by any standards, Korea has legitimate right to resort to tariffication with regard to its remaining restrictions under the eventual UR Agreement on Agriculture.

Apart from the legal interpretaion of the footnote, Korea is well aware that there exists some concern over the recent trend to link the implementation of panel recommendations to the Uruguay Round negotiations. The on-going dispute on oilseeds between the U.S. and the E.C. is a case in point.

Upon closer look, however, one would soon realize that it is not the case with Korea's intention to tariffy its remaining restrictions. Unlike the panel cases whose implementation is delayed as a result of linkage to the Uruguay Round, Korea has been sincerely implementing its commitments emanating from both the beef panel reports and the result of the 1989 BOP consultation since their adoption at the Council. Besides, Korea's intention is to advance the trade liberalization through tariffication, in line with the spirit of the Uruguay Round. Therefore, any concern over Korea's intention to bring its remaining restrictions into conformity with the final results of the Uruguay Round agricultural negotiations may be safely laid to rest.

안 2 ✓

관리 번호	92-660

원 본

외 무 부

종 별 :

번 호 : GVW-1843 일 시 : 92 1003 0900

수 신 : 장관(통기,경기원,재무부,농림수산부,상공부)

발 신 : 주 제네바대사

제 목 : UR/농산물(한미 양자협상)

10.2(금) 당지 미대표부에서 개최된 표제 양자협의 결과 하기 보고함.

1. 협의개요

- 일시 : 10.2.09:00-12:00

- 참석자

0 아측: 최농무관, 농림수산부 국제협력과장, 배사무관, 경기원 정사무관, 재무부 박사무관등

0 미측 : USA FAS 의 HAFEMEISTER, HOWES 및 당지 대표부의 THORN 참사관, BYLENGA 농무관

- 성격: 사전 교환한 상대국 C/S 에 대한 질문서를 기초로 주로 기술적 쟁점에 대하여 협의하였음. 정치적 쟁점에 대하여는 양국의 입장을 간단히 언급하였으며 깊이 있는 논의는 없었음.

2. 표제협상 동향

- 미국은 양국의 C/S 협의에 앞서 최근 협상 동향에 대하여 다음과 같이 언급하였음.

0 금년봄부터 EC 측과 같은 ISSUE 를 놓고 계속 협상해 오고 있으나 아직 별다른 진전이 없음. EC 측이 정치적 결단을 해야 함.

0 미국은 UR 타결의 최적시기를 10 월초부터 미대선전까지로 보고있으며, 금년말까지 결론을 짓는다는 목표로 노력하고 있음. 앞으로 수주내에 중요한 진전이 있기를 기대함.

0 10.5 주간에 개최 예정인 G-8 회의는 협상을 위한 것이 아니고 기술적 문제를 주로 협의하기 위한 것이라는 점에서 9.21. 주간에 개최되었던 G-8 과 차이는 없으나 고위급 협상 대표가 참석하게 될것이며 정치적 쟁점사항도 일부 논의될 가능성이

통상국	장관	차관	2차보	분석관	청와대	안기부	경기원	재무부
농수부	상공부							

PAGE 1 92.10.03 20:33

* 원본수령부서 승인없이 복사 금지 외신 2과 통제관 FK

0115

있음.

0 향후 표제 협상의 진행방식과 관련 사무국은 당분간 주요국의 C/S 를 중심으로 기술적 문제에 대한 협의를 G-8 을 통해 계속해 나가는 한편 본격적인 협상 단계에 접어들었다고 판단될 경우 참여국가를 점차 확대해 나갈 의도를 갖고 있는 것으로 파악됨.

3. 미국 C/S 에 대한 아측 질문 및 답변 요지

가. 시장접근

- 평균 삭감율 및 삭감목표 달성 여부에 관한 아측 질문에 대하여 미국은 시장접근 분야 평균 삭감율은 던켈 초안이 제시한 36 퍼센트를 정확히 충족하고 있으며, 일부 민감품목과 관세화 품목은 15 퍼센트 최저 삭감한 반면 여타 품목의 경우 삭감율 이상으로 삭감한 경우도 있다고 하면서, 개별품목의 삭감율은 향후 협상의 대상이라고 언급함.

- 관세화 품목의 관세항목을 세분한 이유에 대하여 미국은 TQ 시스템과 HS 시스템이 현재 일치하지 않기 때문이라고 하고, TQ 내의 수입물량에 대해서는 관세 삭감 의무가 없으므로 삭감하지 않았으며, 전체 평균삭감율 계산시 포함하지 않았다고 답함. 또한 MMA 해당품목으로서 기존 쿼타외에 추가적인쿼타 설정이 필요한 경우는 새로운 관세 항목(HS LINE) 을 설정하였다함.

- 쇠고기의 경우 MMA(CMA) 를 HS 4 단위로 나누지 않고 몇개 품목을 통합한이유를 아측이 질문하였는바, 이에 대하여 미측은 대체성 있는 품목을 통합하였다고 답하면서, 소비량 통계가 세부품목별로 조사되지 않는 경우 통합필요성이있다고 하였음. 동 사항은 G-8 에서 계속 논의되고 있다고 함.

- TQ 할당 방식 질문에 대하여 현재 유일한 원칙은 무역의 장애요소가 되지않게 한다는 것뿐 아니라고 답하였음.(대체로 각국사정에 적합한 방법을 사용할수 있도록 융통성이 인정될 것으로 전망됨)

이와관련 미국 치즈의 TQ 배분 방법은 동경라운드때 합의된 유럽국가에 대한 쿼타는 국별로 할당하고 나머지는 MFN 원칙에 입각 배분할 것이라고 함.

- 설탕 함유가공품의 CMA 질문에 대하여 미측은 가공품의 경우는 MMA 약속 의무가 없다고 하면서, 따라서 CMA 만 인정하였으며, 현재 CMA 가 0 인 경우는 향후 양허 물량도 0 으로 제시했다고 함.

- 90 C/L 보다 TE 가 높다는 아측 질문에 대하여 미측은 EC 의 TE 계산 방법

PAGE 2

0116

때문에 협상 전략상 금번 C/S 에서는 TE 를 높게 책정했다고 하면서 EC 가 입장을 변화시키면 90 C/L 수준으로 낮출 의향이 있다고 답함.

나. 국내보조

- 유제품에 IDA(유제품 협정) 최저가를 사용한 이유를 질문한데 대하여 미측은 EC 가 동 가격을 사용하였기 때문이라고 답하고, EC 가 협상 입장을 변경할경우 수정 의사가 있다고 언급함.

- 결손지불(DEFICIENCY PAYMENT) 계산시 복잡한 조정계수를 사용한 것을 지적한데 대하여 미측은 불가피성을 설명하면서 대신 구체적 계산 방식을 양허할 용의가 있음을 표명함.

- 쇠고기 국내보조 질문관련 미국은 국경조치외에는 가격지지 정책을 유지하지 않는다고 전제하고 다만 86/87 년 젖소 수매 및 도축을 정부가 실시한바 있으며 동 정책에 투입된 재정지출액은 한계보조 범위내에 든다고 답함.

- 땅콩의 BUYBACK SYSTEM 및 면화의 FIRST HANDLER PAYMENT 질문에 대한 답변은 추후 제공하겠다고 함.

4. 아국 C/S 에 대한 미측의 질문 및 답변

가. 시장접근

- BOP 품목 관세화 문제에 대하여 미국과 아국은 각각 기존입장을 반복하였음.(정치적 사항이므로 금번 협의에서는 깊이 있게 논의하지 않기로 함)

- 29 개 EX-OUT 품목에 대하여 품목내역이 불확실하다는 미국질문에 대하여아국은 추후 동 내역을 제시하겠다고 하였음. 또한 EX-OUT 품목도 평균삭감율 계산에 산입되었다고 답하였음.

- 일부 품목의 TE 계산 자료가 미비하다는 지적에 대하여 빠진 부분은 추후보완하겠다고 답하였음.

- 217 개 품목을 양허하지 않았다는 미측 지적에 대하여 아국은 공산품도 100 퍼센트 양허되지 않은 상황에서 국내적 어려움에도 불구하고 현 21 퍼센트에서 75 퍼센트로 양허폭을 확대한 것은 아측으로 최대한 노력한 결과라고 하고, 개도국에게는 100 퍼센트 양허를 요구해서는 않된다고 하였음.

0 이에 대하여 미국은 아국을 개도국으로 볼수 없다고 하면서 동 문제도 정치적인 사항이라고 함.

나. 국내보조 및 수출보조

- 담배인삼 주식회사의 수매 및 처분 방식 질문에 대하여 재무부등 관련 부서가 자료를 준비, 추후 설명하겠다고 하였음.(미국 관련 업계에서 아국의 담배 및 인삼의 수매 및 처분방식에 대해 보조금적 성격이 있는 것으로 보고 있다고 함)

- 쇠고기, 닭고기, 계란의 AMS 수치를 제시해 달라는 미측 질문에 대하여 아국은 동 품목에 대하여는 국경보호 조치이외에 시장가격 지지 정책은 없다고 하였음.

쌀에 대하여도 미측은 AMS 제시를 요구하였는바 아국은 수매정책이 식량안보를 위한 것이며 허용되어야 한다고 주장하였음.

0 이에 대하여 미국은 비록 아국이 생산량의 일부(15 퍼센트)만 수매 한다고 하지만 동 가격지지 효과가 전체 생산량에 영향을 준다고 하면서, 분명한 가격지지 정책이라고 주장하였음.

다. 기타

- 미국은 돼지고기, 닭고기 및 두류(BEANS) 의 TE 가 너무 높게 책정된 것 같다고 하면서 근거자료 제시를 요구하였으며 감자 후레이크의 수입제도에 대한 구체적인 자료를 요청하였음.

5. 관찰 및 평가

- 금번 협의는 실무급의 기술적 협의 성격이었으나 미측은 BOP 품목의 관세화문제, 기준년도, 아국의 개도국지위, 쌀의 수매정책에 대한 기존입장을 언급하였는바 향후 본격 협상시 동문제에 대한 집중적인 거론이 예상됨.

- 현재 G-8 회의, 양자협의등을 통해 C/S 의 기술적 문제에 대한 협의가 이루어지고 있는바, 기술적 문제가 보다 명확해지면 각국이 C/S 를 재작성 제출할 필요성이 있을 것으로 전망됨. 끝

(대사 박수길-국장)

예고:92.12.31. 까지

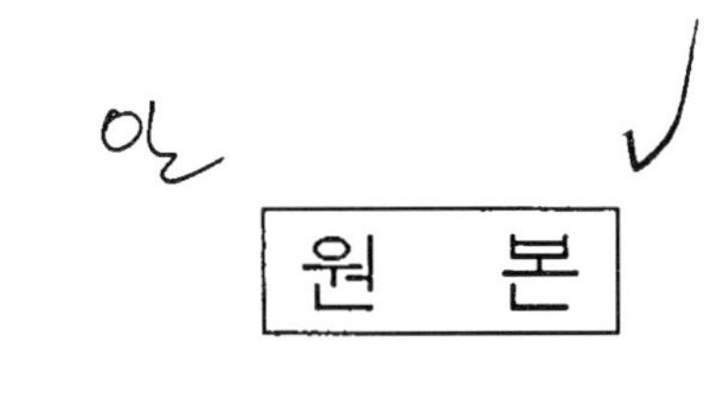

관리번호	92-662

외 무 부

종 별 :

번 호 : GVW-1844　　　　일 시 : 92 1003 0900

수 신 : 장관(통기,경기원,재무부,농림수산부,상공부)

발 신 : 주 제네바대사

제 목 : UR/농산물 협상(한.뉴 양자협의)

10.1(목) 당지 BISLEY 뉴질랜드대사는 한. 미 농산문 양자협의가 아국, 본국대표단이 내왕한 기회를 인용, 본직 및 농산물 대표단을 오찬에 초청 양국의 농산물 이행 계획서에 대하여 의견교환 하였는바 요지 하기 보고함.

(아측은 최농무관, 농림수산부 통상협력과장, 배사무관, 뉴측은 HAMILTON 공사 동석)

1. BOP 품목의 관세화

- 뉴질랜드는 BOP 품목은 관세화 대상이 아님이 던켈 초안의 FOOTNOTE 에 명시되어 있으므로 어떤 경우에도 관세화해서는 안된다는 종전의 입장을 반복함.

- 이에대해 아측은 동 FOOTNOTE 에 대한 견해를 달리한다고 하고 먼저 동 FXT 의 아국의 관세화 예외입장을 강조하고 동 TEXT 상의 FOOT NOTE 는 BOP 원용국가의 관세화를 제한(LIMIT) 하는 것이 아니고 수입개도국에 융통성을 부여하는의미로 해석한다고 하였음.

- 본직은 국제법 규정에 대해 서로 다른 해석을 하는 경우는 종종 있는 일이며 그예로 한국전쟁이후 포로송환 문제에 관해 미.소간에 정반대의 해석을 한 경우가 있음을 언급하였음.

2. C/S 의 대응

- 뉴질랜드측은 한국이 C/S 를 매우 성실하게 많은 노력을 들여 작성하였다고 평가하면서, 그러나 농산물 분야에 내용면에서는 만족할만한 수준이 못된다고하였음.

3. 개도국 우대

- 뉴질랜드는 경제가 사실상 퇴보하고 있음에도 불구하고 개도국 우대를 주장하지 않고 있으나 한국은 지난 30 년간 년 9 퍼센트의 경제성장을 이룩한 국가인데 100 퍼센트 개도국 우대를 주장하는 것은 납득하기 어려우며 이러한 생각을가진 나라는

통상국 장관 차관 2차보 분석관 청와대 경기원 재무부 농수부
상공부

PAGE 1　　　　92.10.03 19:05

* 원본수령부서 승인없이 복사 금지　　　　외신 2과 통제관 FK

뉴질랜드만이 아닐것이라고 함.

- 이에대해 본직은 뉴질랜드 한나와와 협상을 하는것이 아니고 모든 국가와협상을 하고있으며, 특히 다른 산업분야에 비해 농업은 낙후되어 있어 개도국 우대가 반드시 필요함을 강조하였음.

4. 기타

- 뉴질랜드는 아국의 던켈초안과 다른 기준년도를 사용하고 있는데 이의를 제기하면서 모든 나라가 기준년도를 마음대로 정한다면 곤란하다고 하고

- - 또한 아국의 국내정책의 상당부분을 GREEN BOX 에 포함 시키고 있다고 하면서 GREEN BOX 범위의 해석에 관해 이견이 있음을 언급하였음.

5. 평가

- 금일 협의는 구체적이거나 세부적인 사항은 논의되지 않았고 자국의 관심사항을 표명하고 입장을 재강조하는 성격을 가졌음. 끝

(대사 박수길-국장)

예고:92.12.31. 까지

안,미시

관리번호	92-665

원 본

외 무 부

종 별 :

번 호 : USW-4915 일 시 : 92 1005 1916

수 신 : 장 관(통기,통이,미일,경기원,농수산부,상공부,경제수석)

발 신 : 주 미 대사 사본: 주 제네바,EC 대사(중계망)

제 목 : UR 동향 전망

1. 최근의 UR 교섭동향과 관련 당관 장기호 참사관은 이영래 농무관과 함께10.5 DOROTHY DWOSKIN USTR 부대표보 및 MARY RICKMAN 담당과장을 접촉, 미측 동향을 파악한 바, 요지 아래 보고함.

가. (신문에 보도된 10.10. 미.EC 각료회담 전망에 관해)

0 FAST TRACK AUTHORITY 에 따라 앞으로 UR 협상을 위해 남은 시간이 매우 제약되어 있으며, 10.16. 버밍햄 EC 긴급 정상회담 이전에 미.EC 간 고위수준에서의 토의가 필요하다는 판단하에 동 각료회담이 개최될 것으로 보나 CARLA HILLS 대표가 이에 참가할 수 있는지는 아직 미지수임.

나. (앞으로 미.EC 각료회담, EC 정상회담등이 예정되어 있고 마스트리히트조약에 대한 불란서의 국민투표 결과 등으로 보아 UR 타결이 가능하다는 일부 견해에 대해)

0 지난 G7 정상회담에서 UR 의 성공적 타결을 위해 주요국들이 정치적 결단이 필요하다는 인식을 같이 한 바 있으므로, EC 국가들은 금번 EC 긴급정상회담에서 지엽적인 문제에 집착하기보다는 보다 더 큰 정치적 지도력을 발휘하여야 할 것임.

앞으로 불란서의 향배가 중요한 변수로 작용할 수 있겠으나, 영국이 EC 의장국으로서 적극적인 역할을 하고 있으며, 독일로부터도 어떤 역할을 기대하고 있으므로 EC 정상회담에서 전기가 마련될수 있기를 기대한다고 언급하고, UR 타결 전망을 조심스럽게 긍정적으로 ("CAUTIOUS OPTIMISM") 평가하였음.

0 자신으로서는 금번 EC 정상회담이 앞으로 UR 협상의 전망과 향후의 계획에 중요한 영향을 미칠 것으로 생각함.

다. (최근 미.EC 간의 농산물 협상의 진전사항에 대해)

0 최근 미.EC 간 실무선에서는 OIL SEEDS 문제를 포함 UR 협상과 관련 기술적인 협의가 진행되고 있지만 미.EC 간의 기존입장에 변화를 줄 만큼 양측 의견이 접근이

통상국 장관 차관 2차보 미주국 통상국 분석관 정와대 총리실
안기부 경기원 농수부 상공부 중계

PAGE 1

92.10.06 09:29
외신 2과 통제관 EC

0121

되어 있다고는 볼 수 없음.

그러나 앞으로의 상기 각료급회담, EC 정상회담에서 양측간의 주요 쟁점에 대한 문제를 어떻게 풀어가느냐에 달려 있으며, UR 협상이 농산물 분야타결에만 국한된 것이 아니고 서비스, 금융, ANTI-DUMPING 등 여러가지 분야를 포함한 하나의 PACKAGE 가 되어야 하므로 전체의 균형이라는 측면에서 보아야 할 것이라고하였음. 그러나 농산물의 타결이 없이는 UR 의 성공적 협상은 어려울 것이라는기존입장을 되풀이 하였음.

라. (OIL SEEDS 문제와 관련 대 EC 보복 조치가능성등 미측의 입장)

0 보복 조치여부에 대한 상반된 견해가 미행정부내에 있는 바, 보복 조치시에는 UR 협상진전에 부정적인 영향을 줄 우려가 있으므로 신중한 검토가 필요하다는 입장이 있는 반면, 아무런 조치도 취하지 않음으로서 UR 에 대한 진전은 물론 오히려 문제의 해결을 어렵게 하는 결과만 가져오므로 공세적인 조치가 미측에 도움이 될 것이라는 견해도 있음. 따라서 보복 조치여부는 선거를 앞두고 있는 BUSH 대통령이 어떤 카드를 구사할 것인지에 달려 있다고 봄.

2. 상기 면담시 미측은 EC 정상회담에서의 정치적 결단을 강조하고 있으며 UR 협상의 시한이 매우 제한되어 있다는 점에서 앞으로의 전망에 대해 매우 조심스런 표현 ("CAUTIOUS OPTIMISM")을 하고 있는등 UR 에 대한 확실한 전망을 하지 못하고 있는 것으로 보임.끝.

(대사 현홍주 - 국장)

예고: 92.12.31.까지

주 제 네 바 대 표 부

통상국

번호 : GVW(F) - 0582 년월일 : 21006 시간 : 1530

수신 : 장 관 (통기, 경기원, 재무부, 농림수산부, 상공부)

발신 : 주제네바대사

제목 : 첨부

보 안 통 제	

총 5 매(표지포함)

외신관 통 제	

582-5-1

0123

Japanese Harmonization Proposal in the Electronics Sector (Including Medical Equipment)

Japan submits the following proposal on the harmonization of customs duties on electronics products. This list contains tariff items on which Japan is prepared to reduce tariffs if the United States, Canada, the European Community and other major producing countries agree to harmonize their tariff at or below the given level.

Product Coverage

#:All or part of the H.S. heading is covered by the medical equipment 0-0 proposed by the U.S.

1) Medical Equipment

HS			
# 8419.20 and 90	0%	# 9019	0%
# 8421.19	0%	9020	0%
# 8713	0%	# 9021	0%
# 8714.20	0%	# 9022	0%
# 9018	0%		

2) Measuring or Checking Equipment

HS			
9010	3.5%	# 9025	3.5%
9011	3.5%	# 9026	3.5%
9012	3.5%	# 9027	3.5%
9013	7%	# 9028	0%
9014	3.5%	9029	7%
9015	3.5%	# 9030	7%
9016	3.5%	# 9031	3.5%
9017	3.5%	# 9032	3.5%
# 9023	0%	9033	3.5%
# 9024	3.5%		

3) Electrical Machinery and Equipment

HS			
8504	3.5%	8526	3.5%
# 8505.20,30,90	0%	8527	7%
8507	3.5%	8528	7%
8508	0%	8529	3.5%
8509	0%	8530	0%
8510	0%	8531	0%
8514	0%	8534	0%
8517	3.5%	8536	0%
8519	7%	8537	0%
8520	3.5%	8540	7%
8521	7%	8541	7%
8522	3.5%	8542	7%
8523	0%	# 8543	0%
8524	0%	8544.41 and 51	3.5%
8525	3.5%		

5-82-5-2

0124

4) Machinery and Mechanical Appliances

HS 8414	0%	8452	7%
8415	0%	8456	0%
8418	0%	8464	0%
8424	0%	8476	0%
8450	0%	8479(except 8479.10 and 20)	0%
8451	0%		

5) Office Machines

HS 8469	0%	8473	3.5%
8470	7%	9009	3.5%
8471	0%	9612.10	3.5%
8472	0%		

Country Participation

Participation by the following countries is required.

Australia
Austria
Canada
European Community
Finland
Japan
Korea
Malaysia
Norway
Singapore
Sweden
Switzerland
Thailand
United States

Staging of Concessions

The staging of concessions would conform to the general staging rules called for in the market access protocol.

Non Tariff Measures

Participants agree not to maintain or introduce non tariff measures on trade of the above products which are inconsistent with the General Agreement and various GATT codes.
It is anticipated that specific non-tariff measures of concern to participants will be addressed bilaterally between relevant countries.

582-5-3

0125

(July, 1991)

Japanese Zero Zero Proposal in the Construction Machinery Sector

Product Coverage (Japan-U.S. joint proposal)

H.S. 8408.20 (part)
8408.90 (part)
8409.99 (part)
8425
8426
8427
8428 (part)
8429
8430
8431
8432
8433 (part)
8474
8479.10
8701 (only 8701.10, 8701.30, 8701.90)
8704.10
8705
8708 (part)
8709

Country Participation

Participation by the following countries is required. Other countries may be added to the list.

Australia, Austria, Canada, European Community, Finland, Japan, Korea, Norway, Sweden, Switzerland, United States

Staging of Concessions

The staging of concessions will conform to the general staging rules called for in the market access protocol.

Non-Tariff Measures

Participants agree not to maintain or introduce non-tariff measures on trade of the above products which are inconsistent with the General Agreement and various GATT codes.

It is anticipated that specific non-tariff measures of concern to participants will be addressed bilaterally between relevant countries.

5 82-5-4

0126

(July, 1991)

Product Coverage of Suggested Sector

Food Processing Machinery

HS 8433.60	Machines for cleaning, sorting or grading eggs, fruit or other agricultural produce (Entire 6- digit category)
HS 8434	Milking machines and dairy machinery (Entire 4- digit category)
HS 8435	Presses, crushers and similar machinery used in the manufacture of wine, cider, fruit juices or similar beverages (Entire 4- digit category)
HS 8436	Other agricultural, horticultural, forestry, poultry-keeping or bee-keeping machinery, including germination plant fitted with mechanical or thermal equipment; poultry incubators and brooders (Entire 4- digit category)
HS 8437	Machines for cleaning, sorting or grading seed, grain or dried leguminous vegetables; machinery used in the milling industry or for the working of cereals or dried leguminous vegetables, other than farm-type machinery (Entire 4- digit category)
HS 8438	Machinery, not specified or included elsewhere in this Chapter, for the industrial preparation or manufacture of food or drink, other than machinery for the extraction or preparation of animal or fixed vegetable fats or oils (Entire 4- digit category)
HS 8479.20	Machinery for the extraction or preparation of animal or fixed vegetable fats or oils (Entire 6- digit category)

582-5-5

0127

오ㄴ

관리 번호	92-672

원 본

외 무 부

종 별 :

번 호 : GVW-1872 일 시 : 92 1007 1200

수 신 : 장관(통기,경기원,재무부,농림수산부,상공부)

발 신 : 주 제네바 대사

제 목 : UR/농산물 협상

1. 10.7-8 당지에서 개최예정인 표제 협상 G-8 회의 의제를 별첨 FAX 송부함. (당관 최농무관이 일본 대표부 하야시 참사관을 접촉 입수)

2. 동 G-8 회의는 고위급 협상 대표가 참석할 것으로 알려져 있으며, 10.9 그린룸 회의를 앞두고 그동안의 실무급 G-8 협의 결과를 STOCK TAKING 하는데 주안점이 있는 것으로 관측됨.

3. 10.12 주간중 당지에서 QUAD 회의가 개최될 것으로 알려짐. 끝

첨부: G-8 회의 의제 1 부

(GVW(F)-585)

(대사 박수길-국장)

예고 92.12.31. 까지

통상국 장관 차관 2차보 분석관 청와대 안기부 경기원 재무부
농수부 상공부

PAGE 1 92.10.07 21:07

* 원본수령부서 승인없이 복사 금지 외신 2과 통제관 FR

0128

주 제 네 바 대 표 부

번 호 : GVW(F) - 0585 년월일 : 21001 시간 : 1200

수 신 : 장 관 (통기, 경기원, 재무부, 농림수산부, 상공부)

발 신 : 주 제네바대사

제 목 : 첨부

보 안	
통 제	

총 2 매(표지포함)

외신국	
통 제	

585-2-1

0129

Negotiating Group on Market Access

INFORMAL AGRICULTURAL CONSULTATIONS

7-8 October 1992

Draft Agenda

1. Review of state of play

2. Report on informal technical consultations (September 1992)

3. Market Access

(a) Tariff equivalents

(i) tariff equivalents calculated directly (including: technical issues concerning the calculation of tariff equivalents; and 'appropriate solutions' in the context of paragraph 9 of Annex 3 of Part B).

(ii) tariff equivalents for processed products (including: the 'matrix' versus other approaches for tariff lines containing varying mixtures of raw product(s); and industrial protection).

(b) Minimum access (including: aggregation versus a product-by-product approach; the treatment of variable levies and free trade areas; the allocation of minimum access tariff quotas to individual tariff lines; and in-quota tariffs).

(c) Current access (including: the base period for defining current access opportunities).

(d) Treatment of products whose border measures have been liberalised since 1 September 1986.

(e) Assessment of the average tariff reduction (including: assessment methods; and the treatment of in-quota tariff rates).

4. Domestic Support

(a) Calculation of AMS and equivalent commitments (including: the definition of basic products; and outstanding technical issues).

(b) Credit claimed for actions since 1986.

(c) Application of the de minimis clause (including: the definition of total production; the base period; and operational aspects).

5. Export competition

Specification of commitments (including: the line-by-line specification of products; and the content of Table 3 of the Schedules).

6. General

Matters relating to the completion of draft schedules and to the monitoring of commitments (including: the provision of data sources; and the Committee on Agriculture).

585-2-2

0130

07/10/92 13:28 KOREA MISSION GENEVA → 735 7753 NO.320 P003

오; 이시

관리 번호	92-675

원 본

외 무 부

종 별 :

번 호 : FRW-2025　　　　　　일 시 : 92 1007 1830

수 신 : 장관(통기) 사본:주EC, 제네바대사-직송필

발 신 : 주 불 대사

제 목 : UR 협상 동향

연-FRW-2001

표제건 관련 당지 동향 및 전망 아래 보고함.

1. EC 외무통상장관 회담

가. 10.6. 룩셈부르크 개최 EC 외무, 통상장관 회담에서 영국과 독일은 미대통령 선거이전 UR 타개를 서두르는 미측의 분위기를 적극 활용해야 할것임을 주장한 반면, 불란서 STRAUSS-KAHN 상공장관은 ''미국이 농산물을 포함한 전분야에서 보다 유연한 자세를 보이지 않는한 협상 타결은 불가능하다''는 기존 입장을 고수함.

나. 동 회의에서는 UR 협상을 10.16. 버밍검 개최 EC 특별 정상회담의 의제에 포함시키기로 합의하였는 바, STRAUSS-KAHN 장관은 최근 미국 및 EC 여타 제국으로 부터 협상타결 압력이 고조됨에따라 자국입장이 더욱 고립되어 가고 있음을 인정코 EC 가 미국으로 부터 상응하는 양보없이 협상이 타결될 가능성에 우려를 표함.

다. 이와관련 JEAN-PIERRE SOISSON 신임 농업장관 역시 현재 불란서의 입장이 고립되어 있다고 말하고 미테랑 대통령이 KOHL 총리에 대해 미 대통령 선거이전 조기 타결을 서두르는 미측의 압력에 양보하지 말것을 직접 촉구하고 있다고 주장함.

2. 당관 전망

가. 금주말 개최되는 미.EC 통상 각료회담은 사실상 금년말 UR 타개 여부와관련 양측입장을 최종 타협할수 있는 마지막 기회로 관측됨. 특히 EC 특별정상회담을 앞두고 동 회담에서 긍정적 결과가 나오면 UR 협상이 예상보다 빠르게 단기간내 진척될수 있을것으로 예상됨.

나. 비록 불란서는 대외적으로 기존 입장을 상금 유지하고 잉나, 최근 미국이 일반적 예상과는 달리 UR 협상 타개를 위해 EC, 일본등에 공세적 입장을 취하고 있음을 주목코 내부적으로 대책마련에 부심하고 있는 형편이며 연호 미테랑 대통령의

통상국　장관　차관　2차보　외정실　분석관　청와대　안기부

PAGE 1　　　　92.10.08　06:13

외신 2과　통제관 BZ

0131

지시도 이렇한 차원에서 이루어지고 있는 것으로 보임.

다. 이와관련 불란서는 EC 내 자국의 정치 경제적 입지가 종전과 같지 않음에 따라 (특히 불란서는 최근 독일로 부터 '마스'조약 국민투표 통과, 불 프랑화가치유지를 위한 대규모 외환 시장개입등 정치경제적 지원을 받은바 있음) 금번 미.EC 회담에서 미국이 어느정도 양보 입장을 표하면 불란서도 협상타결을 위해 EC 의 추가 양보에 궁극적으로 동조할 것으로 예상됨. 끝

(대사 노영찬-국장)

예고:92.12.31 까지

PAGE 2

0132

안 (외인관련자, 재제판, 외신문의 소각)

관리 번호	92-676

원 본

외 무 부

종 별 :

번 호 : GVW-1880　　　　일 시 : 92 1007 1800

수 신 : 장관(통기, 경기원, 재무부, 농림수산부, 상공부)

발 신 : 주 제네바대사

제 목 : UR 농산물 협상(잔존수입 제한조치의 관세화 문제)

대: WGV-1468

1. 대호관련 당관에서 쇠고기등에 대한 잔존 수입제한 조치의 관세화 문제를 그간 검토해 왔는바, 특히 9.28 주간 개최된 주요국과의 C/S 양자 협의에 대비하여 당관이 작성한 검토자료를 별첨 FAX 송부함.(동건 내용은 대호 본부검토 요지와 유사함)

2. 아국의 대응조치 관련 대호의 본부가 검토한 의견과 당관의견이 일치하므로 향후 협상시 두가지 논거 모두를 병행 사용토록 함이 좋다고 생각함.

가. 단 대호 별첨 아측 논리 영문안과 관련 당관 의견은 원칙론적 논거를 먼저 제시하고 아국의 특수상황을 덧붙이는것이 아국 입장을 더욱 강하게 뒷받침한다고 사료됨.

나. 당관이 검토한 대응논리

(교역자유화 정신과 주석조항해석)

0 관세화는 기본적으로 자유화를 의미함. 따라서 가능한 광범위한 비관세 조치를 철폐하고 관세화하는것이 UR 협상목표에 합치함.

0 동 주석 조항은 특히 BOP 조항을 현재 원용하고 있는 개도국이 즉각적으로 관세화 하는데 현실적 어려움이 있는것을 감안, 이들 국가가 원할 경우 BOP 조치를 계속 유지할 수 있도록 합법적 근거를 마련해 준것이 입법취지임.

0 동 주석은 개도국의 BOP 조치의 자발적 관세화를 금지한다는 문구가 없을뿐 아니라 그와같이 해석 될수도 없으며, 자발적 즉각 관세화를 하려는 개도국이있는 경우 자유화(관세화를 통한) 의 조기 이행으로 긍정 평가되어야 함.

(아국 특수 상황)

0 더우기 아국은 89 년 BOP 협의결과 90.1.1 부터 18 조 원용을 중단 했으므로 현재의 잔존수입제한은 BOP 조치가 아니고 따라서 동 주석조항과 관련이 없으며,

통상국 장관 차관 2차보 경제국 분석관 청와대 안기부 경기원
재무부 농수부 상공부

PAGE 1　　　　92.10.08 04:50
외신 2과 통제관 BZ

0133

오히려 부속서 본문상에 적시된 현존하는 제한조치로서 당연히 관세화 되어야 하는 것임.

(단 NTC 품목으로 관세화 예외를 주장하는 것은 동 부속서 문안해석과는 별개임)

3. 대호 3 항 개도국등 주요국과의 접촉 관련 해서는 동문제가 아국에만 해당하는 특수한 문제이고, 대부분의 BOP 원용 개도국 으로서는 관세화를 통한 자유화를 해야하는 부담을 제거해 주고 있으므로 던켈초안 문안에 별다른 불만이 없는 상황이며 따라서 동문제 타개를 위해 아국과의 공동보조등을 기대하기는 어려운 상황임을 참고로 보고함.

- 또한 동 주석사항은 포괄적 관세화에 대한 예외 설정과도 밀접한 관련이 있으므로 대부분 국가에게 민감한 사항으로 받아들여지기 때문에 이들국가의 신중한 대응이 예상됨.

4. 대호 4 항관련 당관의견

- UR 협상의 연내 타결여부는 아직도 불투명한 상황이지만, 10 월중순경에 중요한 계기가 마련되어 연내 또는 내년초까지 협상이 타결될 수 있을 것이라는 시나리오에 따른 협상에 사용하기 위해서는 시간적 제약이 따르며

- 대호 및 당관 검토 논리에 추가적인 논거가 용역을 통해서 새로이 뒷받침될 것으로 크게 기대하기는 어려움이 있고

- 동 사안이 양측의 논리에 의해서라기보다는 결국 아국 C/S 에 대한 양다자간 협상에 의해 결론이 날 사항으로 판단되는 점 등에 비추어 현단계에서 용역추진은 실익이 크지 않을것으로 봄.

첨부: GVW(F)-0590

(대사 박수길-국장)

예고:92.12.31. 까지

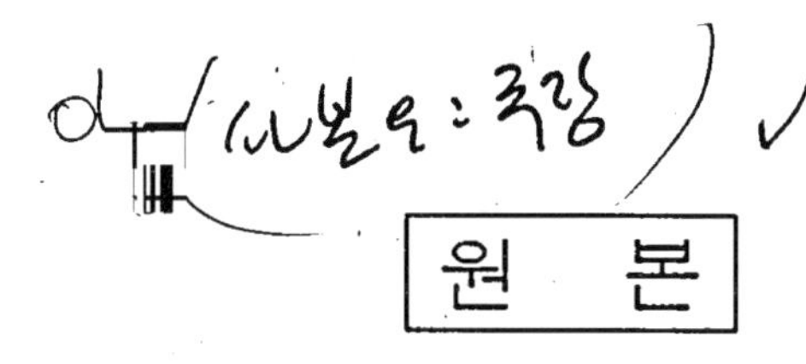

관리번호	92-684

원 본

외 무 부

종 별 :

번 호 : GVW-1886　　　　　일 시 : 92 1008 1900

수 신 : 장 관 (통기,경기원,재무부,농수산부,상공부)

발 신 : 주 제네바 대사

제 목 : UR/농산물(잔존수입제한 조치의 관세화)

1992.12.31. 에 예고문에 의거 일반문서로 재분류됨

대: WGV-1468

연: GVW-1880

10.7(수) 표제 잔존수입제한 조치의 관세화와 관련 갓트사무국 LINDEN 특별보좌관을 면담, 법적인 문제에 대하여 협의하였는바 동인 언급 요지 하기 보고함.

(최 농무관, 이성주 참사관 , 김 농무관보 참석)

1. 던켈초안 주석 해석

- 동 주석 조항은 관세화의 일반 원칙에 대한 예외를 규정한 것임.

0 즉 현재 BOP 를 이유로 수입제한을 유지하고 있는 국가는 관세화 의무에서 면제된다는 의미를 함축하고 있음.

- 동 조항은 개도국이 BOP 조치를 자발적으로 관세화하는 것을 금지하고 있는 것은 아니므로 동 국가가 원할경우 UR 협상을 통해 관세화 할수 있다고 해석됨.

- 그러나 UR 이 타결된 연후 동 개도국이 BOP 조치를 관세화 하는것은(예컨대 UR 협상 결과가 95.1.1 부터 시행되고 특정개도국이 95 년도에 BOP 조치를 관세화 하고자 할 경우) 어렵다고 판단됨.

0 던켈 초안에 제시된 관세화(주석 규정 포함)는 UR 시장접근 협상에서 적용될 메카니즘이므로 UR 협상기간에만 유효하며 따라서 UR 이 타결된이후에는 동 개도국이 관세화를 주장할 권리가 없다고 함.

2. 아국 잔존수입 제한 조치의 법적 성격

- 엄격히 본다면 잔존 수입제한 조치는 BOP 조치로 볼수 없음.

0 현 잔존 수입제한 조치는 90.1.1 이전에는 BOP 조치이지만 현재는 더이상 BOP 조치가 아니며, BOP 졸업과 연계된 SPECIAL ARRANGEMENT 에 의해 97 년까지 유지할 수 있도록 양해된 것으로 봐야됨.

통상국	장관	차관	2차보	분석관	청와대	안기부	경기원	재무부
농수부	상공부							

PAGE 1　　　　　92.10.09　09:36

외신 2과　통제관 CM

0135

0 따라서 사견으로서는 BOP 조치와 갓트에 근거없는 불법 조치의 중간영역 (GRAY AREA)에 해당된다고 봄.

- 참고로 일부선진국에 아직도 남아있는 잔존 수입제한 (영국의 바나나등) (RESIDUAL RESTRICTIONS) 은 55 년도에 채택된 HARD CORE WAIVER 에 의거 62 년까지 법적으로 허용되었으나 그이후에는 법적 근거를 상실하였으므로 불법조치로봐야함.(동 잔존수입제한 조치는 현 UR 협상의 관세화 대상임)

0 그러나 동 잔존 수입제한에 대하여 이해 당사국이 분쟁해결절차에 들어간 경우는 1 건(불란서의 완구류에 대한 홍콩제소) 뿐이었음.

0 한국이 97 년이후에도 자유화 하지 않은 품목이 있다면 상기 RESIDUAL RESTRICTIONS 과 법적으로는 같은 위치에 서게됨.

3. 아국 잔존수입제한의 관세화

- 한국의 잔존수입 제한은 주석조항에 해당되지 않는다고 판단됨.

- 따라서 쇠고기등 외권의 잔존수입제한은 현 협상 TEXT 를 기준으로 본다면 법적으로 관세화 하는데 문제가 없다고 봄.

0 다만 이해당사국(미국, 호주, 뉴질랜드)과 구체적인 C/S 협상과정에서 TE수준, 삭감폭, 삭감기간, TQ 등은 논란의 대상이 될수 있음.

- 97 년이후에도 계속 수입제한을 유지하고자 한다면 협상을 통하여 현 던컬 TEXT 를 수정하여야 함. 끝

(대사 박수길-국장)

예고 : 92.12.31. 까지

PAGE 2

0136

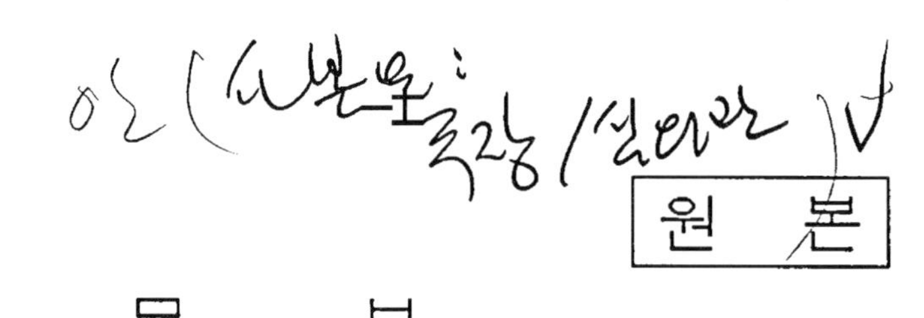

관리 번호	92-687

원 본

외 무 부

종 별 :

번 호 : GVW-1902 일 시 : 92 1009 1940

수 신 : 장관(통기,경기원,재무부,농림수산부,상공부) 사본: 주미,주 EC대사

발 신 : 주 제네바 대사 -중계필

제 목 : UR/농산물(G-8)

1992.12.31. 에 예고문에 의거 일반문서로 재분류됨

10.7-8 기간중 당지에서 개최된 표제 G-8 비공식 회의(DENIS 의장주재) 관련 당관 최농무관이 카나다 대표부 한센 농무관 및 일본대표부 하야시 참사관을 접촉 파악한 요지 하기 보고함.

1. 참석자: 미국(슈뢰터 해외농업 처장보), EC(뮐러 농업부총국장), 카나다(기포도 협상대표), 일본(아즈마 국제부장), 호주(캐년협상대표), 뉴질랜드(그로서국장), 북구(부미엔 농업국장), 알젠틴(스탄카넬리 공사)

2. 10.7(수) 회의

- 9.21-23 개최되었던 G-8 회의 논의 요지를 뮐터 농업국장이 보고(동 보고서 사본은 별첨 FAX 송부함)

- 각국이 쟁점별로 기술적 사항에 대하여 발언하였으나 깊이있는 논의는 이루어지지 못하였고, 대체로 9 월 G-8 회의때 거론 되었던 사항을 되풀이 하였다고함.

0 특기사항은 카나다가 TQ 내 관세의 삭감 필요성을 제기하였고, CMA 기준 년도에 대하여 미국이 최근년도 사용을 지지하였다함.

0 상당수 국가가 TE 를 실제보다 높게 책정한것과 관련하여, 동 TE 를 재조정 하는 것은 국내관련 업계 설득이 용이하지 않으므로 그대신 양자 협상을 통해 CMA 를 추가 인정해주는 방안이 거론되었음.

0 시장개방분야의 CREDIT 문제와 관련 일본의 쇠고기와 미국의 설탕이 거론 되었음(미국은 설탕의 TE 를 계산)

3. 10.8(목) 회의

- 협상 수석대표들만 참석하여, 현재의 협상현황을 평가하고 향후 진행방안에 대하여 협의하였음

통상국	장관	차관	2차보	분석관	청와대	안기부	경기원	재무부
농수부	상공부	중계						

PAGE 1 92.10.10 06:14

외신 2과 통제관 FM

0137

0 DENIS 의장은 금주말로 예정된 미.EC 각료회담에서 진전이 있을 경우에는 10.19 주간중 농산물 협상회의를 개최할 계획임을 밝혔음.

0 동 의장은 기준 G-8 보다 폭을 넓혀 참여국을 확대시킬 예정임(LARGER FORUM)을 시사하였다고 함.(종전 G-36 보다는 축소될 것으로 예상됨. 참고로 일본은 동 협상회의에 한국이 참여하여야 한다는 입장을 개진하였다함)

첨부: 비공식 협의 보고서(GVW(F)-0599). 끝

(대사 박수길-국장)

예고:92.12.31. 까지

외

주 제 네 바 대 표 부

번 호 : GVW(F) - 588 　　년월일 : 21008 　　시간 : 1800

수 신 : 장 관 (통기, 경기원, 재무부, 농림수산부, 상공부)

발 신 : 주 제네바대사

제 목 : UR/농산물 (G-8)

보 안 통 제	외

총 6 매(표지포함)

외신국 통 제	

배부처	장관실	차관실	一차보	二차보	외정실	분석관	아주국	미주국	구주국	중아국	국기국	경제국	통상국	문협국	외연원	청와대	안기부	공보처	경기원	상공부	재무부	농수부	동자부	환경처	과기처		
													O						/	/	/	/					

6-1

588-64

0139

CHAIRMAN'S REPORT ON THE INFORMAL TECHNICAL CONSULTATIONS

ON AGRICULTURE (21-23 SEPTEMBER 1992)

1. Following the agreement reached at the meeting of this group in July, informal technical consultations were held on 21-23 September. The consultations were based on an initial set of issues for which it was considered that technical solutions could be within reach or that further work may facilitate the narrowing down of the options evidenced in the draft Schedules. The Agricultural Text in the Draft Final Act (DFA) was taken as the reference for discussions, in particular Part B of that text.

2. The discussion was very open and constructive and the group moved ahead in some areas. Consideration should be given to the need and possibility of continuing the process at the technical level at some stage. The following report has been prepared on the basis of the discussions held on the various agenda items.

Agenda Item 1: Average rate of reduction of base tariff rates

3. Under this item, alternative methods of assessing tariff reductions as required in Part B of the DFA were discussed. The methods discussed were: (i) the reduction of the simple average tariff should be at least 36 per cent; and, (ii) the simple average of all reductions should be at least 36 per cent. Most participants were in favour of method (ii) often referring to the technical difficulties of assessing ad valorem equivalents for specific tariffs as would be required for method (i). One participant reserved its position as it had not completed its draft Schedule in this area.

4. In addition under this agenda item, the treatment of tariffs applying to tariff lines solely representing tariff quotas was discussed in the context of the assessment of tariff reductions. The consensus tended towards such tariff lines being excluded in the assessment context. Participants would welcome the reduction of such tariffs however, especially tariffs that are high, but as a voluntary exercise rather than as part of the balance of concessions deriving from the Uruguay Round. There were variations on this view put forward by one participant.

Agenda Item 2: Current access

5. Concerning the base period used to define existing import opportunities, there was a split in views concerning whether the period should be the average of the years 1986 to 1988 or, if it was greater, the 'current' period. There did not appear to be technical problems dictating views, although a precise definition of 'current' was not forthcoming.

6. Participants had generally respected the use of the greater of the quantity of product permitted to be imported under non-tariff measures and the actual imported quantity in order to define current access opportunities. Concerns where raised by a number of participants concerning the treatment of imports occurring within variable levy systems and free trade areas in the context of the establishment of current access opportunities. One participant in its draft Schedule has excluded both types of such imports from the provision of current access opportunities

SPP-6-2

0140

and another participant excluded imports covered by the variable levy system. Most participants considered that further examination of this subject would be useful, including in relation to minimum access requirements.

Agenda Item 3: Consumption used in the calculation of minimum access opportunities

7. Participants agreed that where no minimum access background data was shown because current access is greater than 5 per cent of domestic consumption, data would be provided to other participants indicating consumption levels, etc. (one participant was in a position to do so during the meeting). One participant reiterated its major concerns in the tariffication and minimum access areas, but was prepared to participate in technical discussions.

8. There was a common thought in the group concerning the need for greater transparency in the minimum access area and participants would endeavour to make further efforts to provide background material for all products, particularly with respect to the line-by-line definition of consumption data. Most participants considered that, in some cases, the coverage of minimum access commitments may need to be reviewed for some product areas such as fresh dairy products. In addition, the different methods used by different participants may in some cases lead to results that could not at present be considered comparable, for example methods involving the aggregation of products in the minimum access context versus a product-by-product treatment. Some particular questions of detail were left open including a quantitative assessment of the current access occurring through tariff-only tariff lines that has been subtracted from new access requirements in the establishment of initial minimum access tariff quota quantities.

9. Participants raised a further issue concerning the allocation of minimum access opportunities to particular tariff lines. Both the means of choosing such tariff lines and the licence allocation system may need further examination. One participant expressed its willingness to discuss the allocation issue with those interested.

Agenda Item 4: Tariff equivalents for processed products

10. It was generally accepted that a detailed examination of the coefficients used to calculate tariff equivalents for processed products could not be undertaken in the group, but participants would be prepared to discuss the issues in a bilateral context. The need for comparable methods in this complex area was stressed and particular areas of concern noted. Concerns were raised by one participant about the use of a single tariff equivalent for tariff lines containing varying mixtures of raw product as opposed to the system it had used which involves the use of a "matrix" to calculate the actual tariff that would apply to each shipment. In this light, one participant indicated it was prepared to look at any particular problem products identified by other participants. The participants using a matrix system did not consider that the level of binding would be a

5PP-6-3

0141

problem, but agreed difficulties may arise in the context of assessing tariff reductions for such tariff lines.

11. Concerning current industrial protection elements that may be added into the tariff equivalents of processed products, participants examined the methods that had been used by others to make the calculations and will reflect on the comparability of the results. Most participants noted that in the event of a tariff equivalent being calculated directly from a price comparison, it was not necessary or correct to add that tariff equivalent to an existing ad valorem tariff as to do so would overstate the total import charge.

Agenda Item 5: Definition of basic products

12. It was generally agreed that "basic products" had been put into practice adequately in the draft Schedules although concern was expressed about basic products being added together in one participant's case, and the incomplete coverage of all of the production of one product area in the case of another participant. It was agreed that basic products in the AMS sense should not be restricted to a particular list of products, but only be restricted in terms of the practicability of calculating the AMS. Where it was not possible to calculate an AMS, equivalent commitments should be used with any remaining (currently unsupported) products automatically being covered by the de minimis clause.

13. With respect to differentiating between the use of a product-specific AMS and the non-product-specific AMS for policies that may affect 2, 3 or 4 different products, etc., most participants believed that such support should be allocated to product-specific AMS rather than being placed in the non-product-specific AMS. Such an allocation could be made in a pragmatic manner reflecting the type of the support, e.g. allocation by average value of output, etc.

Agenda Item 6: Credit claimed for actions undertaken since 1986

14. Following the mandate given in the July meeting, the group attempted to reach consensus on this issue. Three methods for calculating credit were discussed: (i) the use of the 1986 AMS as the basis for reductions where this was greater than the 1986-88 average; (ii) as method (i) except reductions would be calculated on the 1986-88 average and then deducted from the 1986 AMS; and, (iii) a method involving the disaggregation of the AMS into its components. There was little support for method (iii) - the one participant that used method (iii) in its draft Schedule indicated that it would be prepared to follow any consensus favouring either method (i) or (ii). Most participants favoured method (i). One participant which has not yet indicated AMS reduction commitments could not yet give a preference between method (i) and (ii).

Agenda Item 7: Application of the "de minimis clause"

15. Participants agreed that total production should form the denominator for the de minimis calculation even where eligible production used in the

5PP-6-4

0142

AMS calculation is less than total production. One participant however, thought it may be necessary to reconsider this general approach if the eligible production concerned was principally destined for export. Participants also agreed that the valuation of this production should be made at domestic market prices and, in the case of the non-product-specific AMS should include only the value of "basic products" rather than further processed agricultural products. For equivalent commitments, it was agreed that it should be up to the claiming participant to show the de minimis requirements had been met for each commitment concerned.

16. Views of the group were mixed with respect to whether the base period for total production used to calculate the de minimis level should be: fixed, i.e. the 1986-88 average; fixed for a period of time, e.g. 5 years, but then reviewed; a moving average of years; or, moving in the sense that it should be the current year, i.e. the year in which support is granted. Most participants expressing a view favoured a fixed base (with or without review) for the simplicity of calculation, compliance and monitoring. Two participants noted that a fixed base would reduce the inherent flexibility of the clause. One participant considered that for some forms of support, the current year would have advantages in terms of ease of compliance hence participants should have the option to choose, once and for all, whether a fixed period or the current year would be used for each of their products. Although it was recognised that no conclusion could be reached until the base period issue was agreed, a useful first discussion was held on operational aspects of the de minimis clause including: how the draft Schedules could be completed for products with support levels below the de minimis level and those with support levels slightly above the de minimis level; the ongoing operation of the clause; the implications for the basic monitoring function; and how support introduced on previously unsupported products could be treated.

Agenda Item 8: Line-by-line specification of products within the individual product and incorporated product export subsidy commitments

17. The group agreed that product-specific export subsidy commitments be defined with reference to the tariff lines included for each product. The tariff lines to be included in the specification would only be those covering actual exports in the base period. Most participants believed that the line-by-line specification should also be extended to the incorporated products category, but two participants considered that the specification of the more basic products used to produce those in the incorporated products category was sufficient.

18. Most participants considered that the 'no-new-products' provisions in the DFA were automatic in the sense that once the scope of subsidies in the base period had been adequately defined, no further definition would be required to limit the scope of export subsidies during the implementation period. Participant's had sympathy however, for the approach to the no-new-products provisions shown in the draft Schedules of two participants. This approach involved a negative list in the form of a statement indicating that the participant concerned would undertake not to introduce any export subsidies on products not referred to in the

SPP-6-5

0143

line-by-line definition of products covered by reduction commitments. Concerning commitments negotiated to limit the scope of subsidies on exports of agricultural products as regards individual or regional markets, participants agreed that the nature of such commitments needed to be established before means of recording them, such as a negative or positive list, could be decided.

Agenda Item 9: Provision of data sources

19. Participants agreed on the need to maintain the data required in order to interpret commitments as part of the Schedules, but no decision on the actual means to do this was agreed at this stage. Data was recognised as being more than simply numerical data, but also included data sources, etc.

20. The group also considered for the first time possible monitoring requirements that may stem from the implementation of concessions and commitments in the Schedules without attempting to reach agreement on details. It was recognised that there was a balance to be made between the data required to monitor commitments and the effort that could be undertaken domestically to furnish such data. The general sentiment was that it would not be appropriate to overload the system with requirements not strictly related to the fulfilment of commitments although participants should be in a position to provide data on particular issues if requested.

SPP-6-6

0144

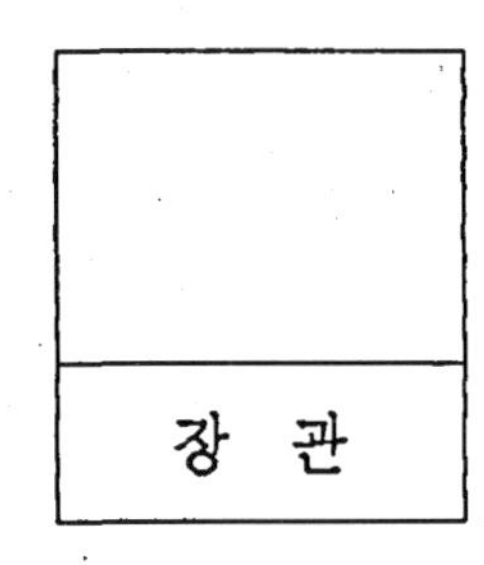

UR 협상 전망과 대책

(내부 보고 자료)

92. 10. 10.

통 상 국

- 목 차 -

1. 최근 협상 동향 1

2. 미.EC간 협상일정 2

3. 평가 및 전망 2

4. 대 책 4

0146

1. 최근 협상 동향

o 91.12.20. Dunkel 총장의 최종협정초안(Draft Final Act) 제시 이후에도 협상부진 상태 지속

- 미.EC간 농산물분야 이견으로 인해 T1(시장접근 양자협상) 및 T2(서비스 양허 양자협상) 협상의 부진
- T3(법제화 작업) 협상을 통해 기술적 협의는 계속
- T4(협정문 수정) 협상은 미개시 상태

o Oilseed 분쟁, 철강 덤핑제소 등 미.EC간 통상관계 악화로 인해 92년 상반기중 UR 농산물 보조금 문제에 대한 양측간 막후 절충도 답보 상태

o 미국 행정부, 9.20. 불란서 국민투표이후 UR 협상 년내 타결 노력 강화

- 미국 대통령 선거에서 산업부분의 Bush 대통령에 대한 지지 확보 모색
- 신속처리절차(Fast Track)에 의한 협상시한 고려 93년 2월말 까지 협정안 완성 필요

o 미측 노력에 대한 EC의 표면적인 호응태도

- 10.6. EC 외무.통상장관 회의에서 년내타결 의지를 표명하는 성명 채택
- 영국, 독일의 설득 결과, 불란서도 농산물 보조금 분야에서 미국의 양보가 있는 경우 타협안 협의 의사 표명

2. 미.EC간 협상 일정

o 미.EC는 10.11-12. 각료급 협의(브랏셀)를 갖고 타결방안 협의

- Hills USTR 대표, Madigan 농무장관 - Andriessen 집행위원, Mcsharry 집행위원 참석
- UR 농산물 보조금 문제, 시장접근 및 서비스 협상 문제와 Oilseed 문제 협의

o EC 집행위는 동 회의결과를 10.16. EC 긴급 정상회의(버밍겸)에 보고, 추인 예정

o 10.16-18. 4극 통상장관 회의(토론토)에서도 UR 협상 타결 방안 협의 예정

3. 평가 및 전망

o 미국 Fast Track 시한에 맞추기 위하여는 주요쟁점에 대한 타협안은 년내에 도출하고, 전체 협상은 93년 2월말까지 종결 필요

o 미국의 년내타결 의지 및 EC내 불란서의 입지를 감안할때 금번 브랏셀 각료회의에서 협상 돌파구 마련 가능성이 커진 것은 사실이나,

- 2 -

0148

o EC는 보조금 문제관련 미측의 양보를 계속 요구하고 있고, 불란서가 계속 강경 입장을 유지하고 있으므로, 브랏셀 각료 회의에서 완전한 합의 도출 및 이에 의한 협상의 년내타결 전망은 여전히 불투명

- 제네바 전문가들은 브랏셀 각료회의에서의 타결 전망을 50/50 으로 평가
- 10.16. EC 긴급 정상회담 등을 통해 영.독이 불란서를 계속 설득, 년내타결 모색 예상

o 미.EC 각료급 협의 및 EC 정상회담에서 협상 돌파구가 마련되는 경우, 10월말경 Green Room 회의개최, 다자간 협상일정 마련 예상

o 향후 협상이 순조로운 경우 아래 일정에 의한 협상 진행예상

- 92.10-12월 시장접근(농산물 포함), 서비스 양자협상 및 협정문 수정 협상(필요시)
- 93.1-2월 최종 정리 작업(법제화, MTO 협의 등)
- 93.1-2월중 각료급 또는 고위 TNC 회의(최종 협정안 채택)
- 93년중 각국의 국내비준 절차
- 93년중 UR 협정 발효시기 결정을 위한 각료회의
- 94.1.1. UR 협정 발효 (96.1.1까지 서명 개방)

※ 96.1.1까지 서명치 않은 국가는 신규가입 절차를 밟아야 함.

4. 대 책

가. 정부차원의 대책

o 미.EC 각료급 협의이후 협상의 진전이 있는 경우 관계부처 회의(경기원 주최) 개최 협상 대책협의 예정

- 관세화 문제 등 농산물 협상 대책 및 협상전략
- 대 국회 및 언론대책

나. 외무부 입장 (실무 검토안)

o 미.EC간 쟁점 타결시 보조금 감축율 등 UR 협정안 수정을 요하므로 이 기회를 활용 관세화 예외 관철을 위한 협정안 수정 협상 (T4 협상) 요구

o 식량안보 적용품목으로 1차적으로 쌀 및 1-2개품목(쇠고기는 제외)을 선정, 미국 등과의 양자협상에 제시한후, 관철이 어려운 경우 쌀만 대상으로 제시

o 쌀에 대한 개방 예외 불인정이 대세인 경우에 고려 가능한 대안

- 최소시장접근(MMA)만 인정(관세화 대상에서는 제외)
- 일정유예기간(예 : 10년)후 관세화 실시 및 최소시장접근(MMA) 허용, 감축폭에서의 우대확보 등
- 초년도부터 관세화 하되, 최소시장접근 등 수입허용 대상에서 Japonica(sticky rice)는 제외하는 방안 등

o 상기 입장을 협상일정 및 동향을 보아가며 단계별로 제시
o 필요시 주요국 수도에 고위교섭사절단 파견. 끝.

- 4 -

0150

외 무 부

종 별 :

번 호 : USW-5045 일 시 : 92 1012 1829

수 신 : 장 관(통삼,통이,통기,경일)

발 신 : 주 미대사

제 목 : 미. EC 통상, 농무장관회담

1.금(10.12)당지 W.P. 지와 F.T. 지의 작일 브뤼셀에서 개최된 미. EC 간 통상,농무장관회담에 대한보도 내용을 하기 보고함.

0 W.P. 지는 구체적인 회담내용이 공개되지않았다며 MADIGAN 농무장관의 말을 인용농업보조금에 관한 논의가 있었으며 10.12 오전중 회담이 재개될 것이라고 보도함.

한편 HILLS 대표와 ANDRIESSEN 대외무역장관은 시장접근분야 및 금융써비스분야의 이견해소를 위해 밤 늦도록 협의를 가졌다고 보도함 (F.T. 지는 회담이 10.13까지 연장될 가능성이 있다고 보도함)

0 W.T. 지와 F.T. 지는 상기 미. EC 회담을 앞두고 프랑스가 자국 농민의 이익에 저촉되는 양보를 EC 가 하는 경우 10.16 개최 예정인 EC긴급 정상회담을 보이코트하겠다고 위협하는등 강경한 입장을 보이고 있다고 보도함.

(W.P. 지는 미국 대통령 선거전이 진행되는동안 UR 을 타결하결하더라도 미국의 신행정부와 또다시 협상해야 할것이므로 금번 회의도 무의미한 것으로 본다는 프랑스의 STRAUSS-KAHN 산업장관의 말을 인용 보도함).

2. 관련 기사는 별첨 송부하며 금번 미. EC 간회담의 구체내용 및 미측평가는 명일 SUZANNEEARLY USTR 농업담당 대표보와 DOROTHY DWOSKIN UR담당 부대표보와 접촉후 파악되는대로 추보하겠음.끝

첨부: USW(F)6500

(대사 현홍주-국장)

통상국 경제국 통상국 통상국

PAGE 1

92.10.14 09:44 FX

외신 1과 통제관

0151

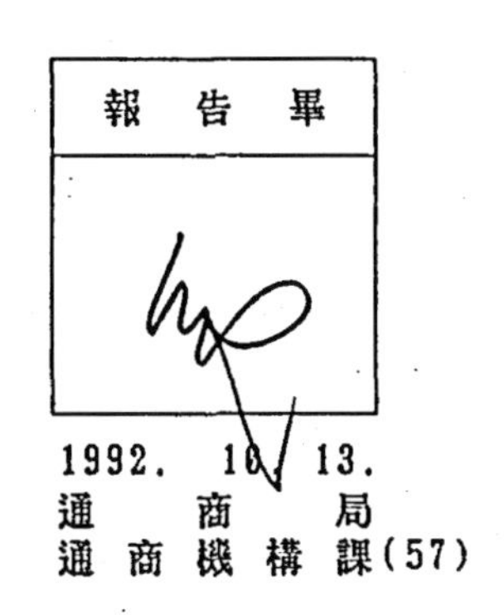

1992. 10. 13.
通 商 局
通商機構課(57)

長官報告事項

題 目 : UR 協商關聯 美.EC 閣僚級 會議 結果

1. 회의 개요

o 92.10.11(일)-12(월), 브랏셀에서 개최

o Hills 대표, Madigan 농무장관(미국), Andriessen 집행위원, MacSharry 집행위원(EC) 참석

o UR 협상의 년내타결을 위해 농산물, 시장접근, 서비스 협상 등 주요문제와 관련한 양측간 이견 조정을 모색

2. 회의 결과

o 각료급 회의는 합의사항 없이 종료

- 농산물 보조금 관련 이견 해소에 실패

o 농산물에 대한 기술적 협의를 위한 실무협의는 계속하고, 성과가 있는 경우 양측 농무장관이 재회합

3. 평가 및 전망

o 93.3월 총선을 앞둔 불란서의 강경 입장이 협의 결렬의 주요원인

- 미측으로서도 대통령선거 감안 실질적인 양보 곤란

o 년내타결을 목표로 한 협상노력은 당분간 계속될 전망

- 영.독은 10.16. EC 긴급 정상회의 등을 통해 불란서 설득 노력 계속 예정

- 10.17-18. 4극 통상장관회의(토론토)에서의 이견조정 노력등

o 년내타결 가능여부는 10월말경 가시화될 것으로 예상되나 타결전망이 어두움.

4. 국회 및 언론대책 : 별도 조치 불요. 끝.

0152

報 告 畢

長官報告事項

1992. 10. 13.
通 商 局
通商機構課(57)

題 目 : UR 協商關聯 美.EC 閣僚級 會議 結果

1. 회의 개요

   o 92.10.11(일)-12(월), 브랏셀에서 개최

   o Hills 대표, Madigan 농무장관(미국), Andriessen 집행위원, MacSharry 집행위원(EC) 참석

   o UR 협상의 년내타결을 위해 농산물, 시장접근, 서비스 협상 등 주요문제와 관련한 양측간 이견 조정을 모색

2. 회의 결과

   o 각료급 회의는 합의사항 없이 종료

     - 농산물 보조금 관련 이견 해소에 실패

   o 농산물에 대한 기술적 협의를 위한 실무협의는 계속하고, 성과가 있는 경우 양측 농무장관이 재회합

3. 평가 및 전망

   o 93.3월 총선을 앞둔 불란서의 강경 입장이 협의 결렬의 주요원인

     - 미측으로서도 대통령선거 감안 실질적인 양보 곤란

   o 년내타결을 목표로 한 협상노력은 당분간 계속될 전망

     - 영.독은 10.16. EC 긴급 정상회의 등을 통해 불란서 설득 노력 계속 예정

     - 10.17-18. 4극 통상장관회의(토론토)에서의 이견조정 노력등

   o 년내타결 가능여부는 10월말경 가시화될 것으로 예상되나 타결전망이 어두움.

4. 국회 및 언론대책 : 별도 조치 불요. 끝.

앙 고 재	통상기구과	92년 10월 13일	담 당	과 장	심의관	국 장	차관보	차 관	장 관
			안명수	(서명)	(서명)	(서명)			

0153

안(예시)

원 본

관리 번호	92-709

외 무 부

종 별 :

번 호 : USW-5113　　　　　　　　　　일 시 : 92 1015 1533

수 신 : 장관(통기,통이,경기원,농림수산부,재무부,상공부)

발 신 : 주 미 대사　　　　　　사본: 주 제네바,EC 대사(중계필)

제 목 : UR/농산물 협상 동향과 전망

1. 당관 이영래 농무관은 10.15. 미 농무부 해외농업처 RICHARD SCHROETER 처장보와 JAMES GRUEFF 다자협력 과장을 면담, 표제관련 미.EC 각료회의 결과 및전망을 문의한바, 요지 하기 보고함.

19 .12.31. 에 예고문에 의거 일반문서로 재분류됨

가. 미.EC 각료회의 결과

- 금번 브랏셀 회담에서 미측은 UR/ 농산물 협상과 관련하여 EC 의 CAP 개혁에 따른 손실보상 직접 보조금을 GREEN BOX 에 포함시켜 면제하도록 제의하는 대신에 수출보조금의 수량기준 24% 감축은 계속 고수코자 하였으며 OILSEED 문제는 MAGA(MAXIMUM GUARANTEE AREA) 개념을 도입, 이를 환산하여 EC 가 현재의 13 백만 M/T 생산량에서 7-8 백만 M/T 수준으로 감축시키도록 요구하였음.

- EC 측은 수출보조금의 수량기준 감축분야에서 24% 감축을 더 낮추어 주도록 요구하고 종전의 PEACE CLAUSE, REBALANCING 을 다시 주장하는 한편, 바나나의 QUOTA 허용도 요구하였으며, OILSEED 문제도 9.5-10 백만톤 수준으로 감축코자 하였음.

- 양자협상 결과 미측은 국내보조금 감축분야에서 신축적으로 대응한데 대하여 EC 측은 수출보조금 감축분야에서 DUNKEL TEXT 의 물량기준 24% 감축안에 많이 근접(22-23% 수준으로 추정)되었으나 합의에는 이르지 못했으며, PEACE CLAUSE 와 REBALANCING 은 타협이 가능한 분야로 보고 있고 바나나의 QUOTA 인정은미측에서 받아들이기 어렵다고 하였으며, UR 협상에 앞서 반드시 해결해야할 OILSEED 문제에 양측의 입장이 맞서 협상이 타결되지 못했다고함.

나. 앞으로의 계획과 전망

- 오는 10.20. 워싱톤에서 미.EC 간 농무장관 회담(MADIGAN 미 농무장관과 MACSHARRY EC 농업담당 집행위원)이 재개될 것으로 잠정적으로 예정하고 있다함.

- 10.16. 영국 버밍햄에서 개최되는 EC 정상회담과 카나다 토론토의 QUAD 통상장관

통상국	장관	차관	2차보	통상국	분석관	청와대	총리실	안기부
경기원	재무부	농수부	상공부	중계				

PAGE 1　　　　　　　　　　　　　　92.10.16 06:21

외신 2과 통제관 EC

0154

회담에서의 UR 협상 진전 가능성에 대해서는 크게 기대하고 있지 않다고 말하고 다음주 초에 있을 상기 미.EC 간 농무장관 회담에서 최선을 다할 것이라고 말함.

- 미측은 대통령선거 전에는 금번의 미.EC 간 고위협상이 마지막이 될 것으로 보고 이의 타결을 위해서 현재 MADIGAN 농무장관이 미국 OILSEED 관련 생산업자들에게 CAP REFORM 의 실행측면에서 EC 가 더 이상의 감축이 어렵다는 점을 설득하고 있는 중이라고 하며 EC 측에서 PEACE CLAUSE, REBALANCING 과 바나나 문제를 양보하고 근접된 수출보조금 감축분야만 합의되면 양자간 타결 가능성이 있다고 말함.

- 만약 미국 대통령 선거전에 UR/ 농산물 협상이 타결되지 못할 경우 금년내에 UR 협상은 타결이 어려울 것으로 보고 있다고 전망하고, OILSEED 문제의 미해결시 보복 여부는 정치적인 결정이 뒤따라야 할 것이라고 말함.

2. 이 농무관은 QUAD 통상장관 회담과 관련하여 금일 주미 일본대사관의 YOKOYAMA 농무관과 오찬을 하면서 일본의 입장과 전망을 문의한바, 일본도 쌀수입개방 반대등 기본입장에 변함이 없다고 하면서 미.EC 간 타결이 되지 않은 현상황에서 QUAD 회담에 특별한 성과를 기대하기는 어렵고 10.20. 경(잠정)에 있을미.EC 농무장관 회담결과가 중요하므로 이를 예의주시하고 있다고 말하였음을 참고바람. 끝.

(대사 현홍주-국장)

예고: 92.12.31. 까지

외 무 부

110-760 서울 종로구 세종로 77번지 / (02)720-2188 / (02)720-2686 (FAX)

문서번호 통기 20644-363
시행일자 1992.10.16.( )

수신 경제기획원장관, 농림수산부장관
참조

취급		장 관	
보존			
국 장	전 결		
심의관			
과 장			
기안	안 명 수		협조

제목 잔존 수입제한 조치와 UR 협상결과 적용문제

연 : GVW-1880

1. 93년도 이후 쇠고기 수입제도와 관련하여 개최된 1,2차 쇠고기 양자협상시 미국, 호주, 뉴질랜드가 UR 농산물 협정초안 Part B Annex 3 상의 footnote를 근거로 한국이 쇠고기(과거 BOP 품목)에 대하여 관세화를 할 수 없다고 주장 하였으며, 또한 UR 농산물 양자협상에서 미국 등은 동일한 논거로 과거 BOP 품목에 대한 잔존 수입제한 조치의 관세화가 불가하다는 주장을 펴고 있어 이에 대한 대책 수립이 필요한 상황입니다.

2. 이에 따라 당부는 잔존 수입제한 조치와 관련한 UR 농산물 협정초안 footnote의 해석 문제에 대한 대책자료를 10.1. 주 제네바 대표부에 송부하여 검토토록 하였으며, 주 제네바 대표부의 검토의견도 당부 견해와 일치하고 있는바, 동 대책자료를 별첨 송부하니 귀업무에 참고하시기 바랍니다.

3. 아울러 동건 관련 갓트 전문가 용역문제는 추가적인 논거가 용역을 통하여 새로이 개발될 것을 기대하기 어렵기 때문에 추진하지 않기로 하였음을 참고하시기 바랍니다.

첨부 : 상기 자료 1부. 끝.

외 무 부 장 관

0156

02(이신)

관리 번호	92-729

원 본

외 무 부

종 별 :

번 호 : GVW-1972 일 시 : 92 1020 1500

수 신 : 장관(통기,경기원,재무부,농림수산부,상공부)

발 신 : 주 제네바 대사

제 목 : UR/농산물 협상

10.19(월) 최농무관은 당지 불란서 대표부 HENRY 농무관을 오찬에 초대하여최근 표제 협상 동향에 대하여 의견 교환하였는바, 동인 언급 요지 하기 보고함. (김농무관보 동석)

1. 10.11-12 미-EC 양자 협상 내용

가. 국내 보조

- 미국은 EC 의 소득보상 직접 지불 정책, 미국의 결손 지불 정책 (DEFICIENCY PAYMENT)등 직접 지불 정책에 대하여는 AMS 삭감 약속 대상에서 제외시키도록 하는 제안을 하였음

0 어느국가든지 현행 보조정책을 상기 특수한 직접 지불 정책으로 수정(MODIFY)할 경우는 삭감 약속 대상에서 제외시킨다는 것임 (GREEN BOX 와는 별개의 개념)

- 불란서의 경우는 허용정책 (GREEN BOX)의 인정 범위에 큰 이해 관계가 없음.

0 불란서는 종래부터 허용정책을 확대하는데 적극적 입장이 아니었음.

0 CAP 개혁이 계획대로 추진된다면 소득 보상 직접 지불 정책이 허용정책으로 분류되지 않더라도 던켈 초안 삭감 목표를 충족하는데 별 문제가 없음(곡물의경우 6 년간 23-28 % 삭감이 예상되며, 소득 보상 직접 지불 정책이 허용될 경우는 30-35 % 삭감이 예상됨)

- 미국의 결손 보전을 삭감대상에서 제외시킬 경우는 케언즈 그룹 국가등의반발이 예상됨.

나. 국경조치(시장접근)

- 동분야에 대해서는 깊은 논의가 없었음.

- 미국과 EC 는 TE 계산방법에 차이가 있음(EC 의 경우 국내 개입가격 더하기 10 %)

통상국 장관 차관 2차보 분석관 청와대 안기부 경기원 재무부
농수부 상공부

PAGE 1 92.10.21 03:02

* 원본수령부서 승인없이 복사 금지 외신 2과 통제관 FR

0157

0 각국의 입장 차이에 대한 추가적인 기술적 논의가 필요하다고 봄.

- EC 는 바나나를 제외하고는 동 분야에 대하여별 문제가 없음.

다. 수출 보조

- 수출보조와 관련해서는 삭감폭 문제와 REBALANCING 이 논의되었음.

- 삭감폭과 관련해서는 하기 2 가지 방안이 논의되었음.

0 관세항목(TARIFF LINE) 별로 삭감하되 24 % 삭감폭을 조정하는 방안

0 품목을 묶어서 삭감하는 방안 (AGGREGATION)과 년도별 삭감 약속을 전용(SWING)하는 것을 인정하는 방안(미측이 다소 융통성을 보였음)

- REBALANCING 과 관련해서는 독일 농무장관이 제시한 방안(물량 기준 약속)에 대하여 미측이 다소의 융통성을 보였음.

0 곡물 대체품에 대한 수입량이 증가할 경우 수출물량을 억제하는 방향으로의견 근접 (당초 EC 안은 관세율을 재조정하는 것이었으나 현재는 물량을 통한재조정 방안 모색)

라. PEACE CLAUSE

- EC 입장에서는 매우 중요한 사항임.

- UR 협상에 의한 삭감 약속 의무와 함께 PANEL 에 의한 의무이행을 동시에부담하는 것은 부당함. 따라서 UR 이행기간중 보조수준 삭감 약속을 이행할 경우는 같은 보조문제를 이유로 PANEL 등 분쟁해결 절차에 의거 추가적인 의무를 부담하지 않아야 함.

- 금번 양자 협상과정에서 이문제에 대한 진정는 없었음.

0 미국이 다자간 약속대신 양자간 약속을 한다는 것은 과거 동경 라운드 경험에 비추어 무의미함.

0 갓트하에서 분명한 다자적 약속이 있어야 함.

마. OILSEEDS

- 미국은 종전 입장과는 달리 동문제를 UR 과 연계시켜 타결하려는 의도를 갖고 있음.

0 UR 과 연계시킬 경우 여타 EC 회원국에게 UR 타결 당위성을 들어 수용 압력을 높일수 있으며, OILSEEDS 에 대한 제재 조치를 받지 않으려면 조속히 UR 이타결되야 한다는 논리를 주장

- EC 는 현 OILSEED 보조체제의 기술적 측면을 다소 수정하여 미국과 타협할

PAGE 2

0158

용의가 있으나 생산량 QUOTA 를 정하는 것은 반대입장임.

0 미국은 이와 관련 최근 EC 의 OILSEED 생산량을 현 13 백만톤에서 7 백만톤으로 줄이는 방안과 생산면적을 현 5.6 백만 HA 에서 3 백만 HA 로 줄이는 방안을 제시해 왔음.

- EC 는 기본적으로 생산량 제한 보다는 생산면적 제한을 원칙으로 하여 세부 기술적 보완을 할 의향임. (SET ASIDE 등)

0 EC 의 OILSEED 생산성 증가 가능성을 감안하면 후자가 유리

- 또한 국제 경쟁력이 가장 높은 브라질, 알제틴등은 쇠고기, 옥수수등의 EC 시장접근 개선에 큰 관심을 보이고 있음.

2. 미, EC 농무장관 회담

- MADIGAN 미 농무장관과 MACSHARRY EC 집행위원과의 회담은 10.22(목) 개최될것으로 알려짐.

3. 바나나 문제

- 바나나는 EC 의 문제라기 보다는 ACP 국가와 중남미 국가 사이의 문제임.

(한국 및 일본의 쌀과는 상황이 다름)

- 현 상황에서는 관세화가 적절한 해결책이 되지 못함.

0 바나나를 관세화하면 미국에도 유리할 것이 별로 없음 (카리비아 국가의 경제가 악화되면 미국에 대한 밀입국 증가등의 문제가 생길수 있음.)

첨부: EC 정상회담(버밍햄) 커뮤니케 사본 1 부

(GVW(F)-625)

(대사 박수길-국장)

예고 92.12.31. 까지

관리번호 92-760

주 일 대 사 관

106 東京都 港區 南麻布 1-2-5. (03)3452-7611-9

문서번호 주일(농)1176-704

시행일자 1992. 10. 21.

수 신 장관 (통기)

참 조 농림수산부장관 (국제협력담당관)

선결			지시	은석감관.	
접수	일자 시간	92.10.24	결재 공람		
	번호	4540			
처 리 자					
담 당 자		이명근			

제 목 최근 UR 동향 보고

당관 김농무관은 10.21 농수성 아즈마 국제부장을 접촉하여 동인이 오전중 자민당 농림수산물 무역대책위원회 (호리위원장등 100명 참석)에 보고한 별첨자료를 입수하였기 송부합니다.

첨 부 최근의 UR 을 둘러싼 상황에 대하여 1부. 끝.

주 일 대

0160

最近のウルグァイ・ラウンドをめぐる状況について

平成４年１０月２１日
農　林　水　産　省

１．米・ＥＣ閣僚級協議

（１）１０月１１、１２日に、ブラッセルで米・ＥＣ閣僚級協議が行われ、米側はヒルズＵＳＴＲ代表、マディガン農務長官が、ＥＣ側はアンドリーセン副委員長、マクシャリー農業委員が出席した。

（２）今回の閣僚級協議においては、合意には到達しなかったが、継続協議となった模様である。

（３）記者団に対しては、コミニュケ等の発表はなされなかったが、次のような内容が伝えられた。

① １１、１２の両日の協議により、相当の進展が見られ、両者の立場は狭まった。

② これからテクニカルな面をもう少し話す。この結果によるが、更にマクシャリー・マディガン会談を行うこととなる（時期未定）。

③ アンドリーセン・ヒルズ会談を、１７、１８日の四極会合の機会に行う。

④ バーミンガムの欧州理事会（ＥＣサミット）では、交渉の現状について、ドロール、アンドリーセンから報告を行う。

（４）なお、その後のマクシャリー・マディガン会談については、未だ日程が確定していないが、アンドリーセン・ヒルズ会談は、四極貿易大臣会合の際に短時間行われた模様である。

２．バーミンガム欧州理事会

１０月１６日、欧州理事会が、英国バーミンガムで行われた。ウルグァイ・ラウンドに関する概要は、次のとおり。

① ＥＣ首脳は、アンドリーセンＥＣ副委員長から１０月１１、１２日に行われた米・ＥＣ協議について報告を受けた上で、ワーキング・ランチの際に、ウルグァイ・ラウンドに関して議論を行った。アンドリーセン副委員長の報告では、米・ＥＣ間の立場の差異は残っているものの、真の進展があり双方の立場は接近したとの認識が示された模様である。

0161

② 首脳間の議論においては、ウルグァイ・ラウンド交渉や油糧種子問題の詳細に立ち入ったわけではなく、ＥＣ委員会に対し、「現在の交渉権限の範囲内で、年末までの交渉完了を目指して、交渉を継続すべし」とのメッセージが出された。また、油糧種子問題についても早期決着を図るよう行動することを要請した。

３．四極貿易大臣会合

（１）１０月１７～１８日、カナダのトロント近郊のケンブリッジで四極貿易大臣会合が開催され、カナダのウィルソン国際貿易大臣を議長とし、日（渡部通産大臣）、米（ヒルズ通商代表）、ＥＣ（アンドリーセン副委員長）が参加した。

（２）本会議では、ウルグァイ・ラウンド交渉の全体的見通しと今後の段取りをはじめ、市場アクセス、制度的法的問題、貿易と環境等ウルグァイ・ラウンド交渉の各分野にわたり討議が行われた。

（３）ウルグァイ・ラウンドについての論議の概要は次のとおり。

① ウルグァイ・ラウンドに関して、米・ＥＣから二国間の交渉の進展状況について調整は進んでいるとの説明があり、さらに、バーミンガムでのＥＣ首脳会議について、アンドリーセンから説明があった。

② 早急にジュネーブでマルチのプロセスを開くことができるよう、米・ＥＣ間で、数日以内に農業に関して十分な前進が図られることを期待するとされた。

また、ウルグァイ・ラウンドの年内終結を目指して、１２月に全体としてのバランスのとれたパッケージに至るよう、四極貿易担当大臣ないしは次官級で交渉を行うことが必要であるとされた。

更に、ジュネーブにおいて、全分野（農業、市場アクセス、政府調達、金融を含むサービス等）で交渉を加速することについて討議した。

③ また、環境と貿易の問題についても話合いが行われ、多国間貿易交渉の中においても積極的に環境問題が取扱われることが必要とされた。更に環境はポスト・ウルグァイ・ラウンドの重要な問題であるとされた。

④ なお、渡部通産大臣より、我が国は、農業につき困難な問題を抱えており、今後のジュネーブでのマルチプロセスにおいて、この点について耳を傾けてもらいたい旨述べた。

0162

관리 번호	92 - 233

	분류번호	보존기간

발 신 전 보

번 호 : WGV-1590 921021 1549 WG 종별 :

수 신 : 주 제네바 대사. /총영사 (이성주 참사관)

발 신 : 장 관 (오행겸 심의관)

제 목 : 업 연

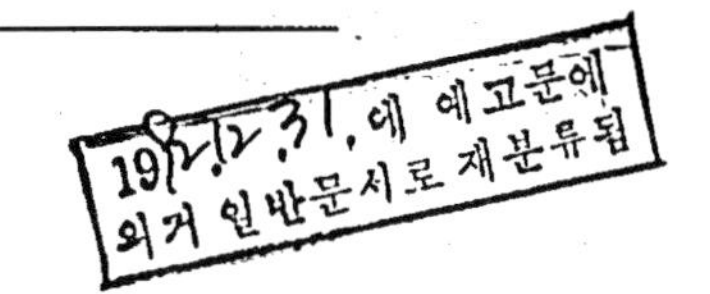

대 : GVW-1969

1. 대호관련 김 농무관보 및 동 후임의 귀 부임일자를 11월초 이후로 연기하는 방향으로 농림수산부 측과 협의중임.

2. 경협관보 후임의 경우 예정대로 파견하되 한 경협관보는 일단 11월초까지 본부귀임 연기를 협의중임을 참고 바람. 끝.

보안 통제	

앙 고 재	년 월 일	과	기안자 성명		과 장		국 장		차 관	장 관

외신과통제

0163

관리 번호 92-721

외 무 부

종 별 : 지 급

번 호 : GVW-1969 일 시 : 92 1019 1920

수 신 : 장관(총인,통기,경기원,농수산부)

발 신 : 주 제네바 대사

제 목 : 파견공무원 인사발령

대: WGV-1565

1. 대호 당관 농무관보의 교체발령은 현 시점에서 당관 업무 형편상 다음과같은 문제점이 있으므로 현 김종진 농무관보의 본부 귀임일자를 미국선거가 끝나고 UR 협상이 전망이 확실해 지는 시점에서 교체여부를 확정하는 것이 타당하다고 사료되므로 일단 11 월 초순 이후로 귀부임일자를 연기조치해 주시기 바람.

0 현재 당지에서 개최되고 있는 UR 협상은 11.3 대통령 선거를 앞두고 미-EC 양측의 지난 10.11-12 브랏셀 각료회담, 10.16 버밍함 EC 긴급 정상회담, 10.17 토론토 개최 미, EC, 일, 카나다 통상장관 회담, 금주중 예상되는 미-EC 농무장관 회담등 연쇄 접촉으로 협상의 정치적 돌파구 마련을 위해 최대의 노력을 하고 있으며 미-EC 고위 수준의 공개적 발언과 언론보도등은 협상의 돌파구 마련가능성이 상당히 큰 것으로 나타나고 있음.

0 동 돌파구가 마련되면 협상은 제네바에서 다시 다자화하여 금년말까지 막바지 실질협상을 전개, 내년 5 월말까지로 되어있는 미국 FAST TRACK MANDATE 시한 만료전에 협상을 완결해야 한다는 씨나리오이므로, UR 농산물 협상 목적으로 파견되어 그동안 지식과 경험을 축적한 해당직원이 최종 마무리 협상에 참여함이바람직하며, 따라서 이시점에서의 교체는 적절치 못한것으로 사료됨.

2. 동일한 목적으로 파견되어 있는 당관 한철수 경협관보(서비스 협상 담당)의 교체도(현재 진행되고 있는것으로 전문) 상기 사유로 당분간 연기하여 주시기 바라며, 향후 UR 관련 파견된 직원 교체시에는 당관과 사전 협의하여 주시기 바람 . 끝

(대사 박수길-차관)

예고:93.12.31. 까지

종무과 차관 통상국 경기원 농수부

PAGE 1

92.10.20 05:24

외신 2과 통제관 BZ

0164

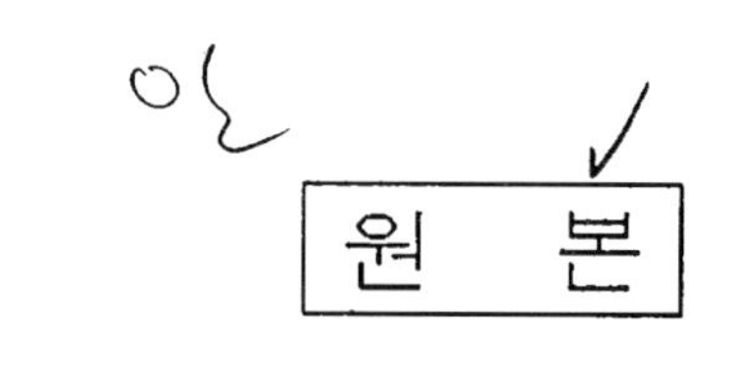

관리번호	92-761

외 무 부

종 별 :

번 호 : USW-5277　　　　일 시 : 92 1028 1548

수 신 : 장관(통이,통기,미일,경기원,농림수산부,상공부)

발 신 : 주 미 대사　　　　사본: 주 제네바,EC대사(중계필)

제 목 : 주 미 대사

UR 협상동향

연: USW-5181, 5193

1. 당관 이영래 농무관은 10.28. 미 농무부 SCHROETER 해외농업처 처장보와AMERICAN FARM BUREAU 의 DREZOEK 무역담당 책임자와 접촉, 표제관련 미.EC 간농무장관 회담 진행상황등을 점검한 결과, 요지 하기 보고함.

- SCHROETER 처장보는 MADIGAN 미 농무장관과 MACSHARRY EC 농업담당 집행위원간에 전화로 협의를 하고 있고 실무선에서도 JOE O'MARA 와 LEGRAS 가 계속 접촉하면서 UR 협상관련 수출보조금 감축문제와 OILSEED 문제에 대하여 양측의 이견을 축소코자 노력하고 있으나 현재까지 진척된 사항은 없으며 금주말 미.EC 간 농무장관 회담성사 여부도 상기 문제들의 진척 여부에 달려있다고 말함.

- 동 처장보는 현재 집중 거론중인 수출보조금 감축과 OILSEED 문제에 있어미측의 제안은 기히 EC 측에 전달되었으며 EC 측의 입장이 지난주 실무선 협상에서의 결렬과 달리 얼마나 미측(안)에 가까운 새로운 제안을 제시해 오느냐에 따라 농무장관 회담 성사 및 UR/ 농산물 협상 타결의 관건이 될 것이라고 말하고금번 주말 회담의 개최시도가 미 대통령 선거 이전에는 마지막이 될 것이라고 함.

- 만약 미.EC 간 협상이 결렬될 경우 OILSEED 와 관련한 보복문제 결정은 미 대통령 선거 이후가 될 것으로 본다고 말함.

- DREZOEK AFB 의 무역담당 책임자도 미.EC 간 농무장관 회담 성사여부는 현시점에서 불투명하다고 말하고 미국과 EC 간에 문제가 되고 있는 수출보조금 문제에서 EC 가 물량기준 21% 감축(안)을 제시하면서도 REBALANCING 은 물론 AGGREGATION(품목군별)과 SWING 요구등 많은 조건을 붙이고 있다고 말하고 OILSEED 문제에 있어서도 EC 측이 AMERICAN FARM BUREAU 와 OILSEED 생산자 단체들이주장하고

통상국	장관	차관	2차보	미주국	통상국	분석관	청와대	안기부
경기원	농수부	상공부	중계					

PAGE 1　　　　92.10.29 06:50

외신 2과 통제관 BZ

0165

있는 면적기준 3.75 백만 HA 까지 감축하고 생산량으로 환산하여 9 백만 M/T 까지 감축하는 선에서 타결해야 할 것이라고 강조하였음.(AMERICAN SOYBEAN ASSOCIATION 등 OILSEED 생산자 단체들은 지난 10.21. USTR 의 CARLA HILLS 에게 상기 3.75 백만 HA 를 고수하도록 촉구하는 서한을 발송한바 있음)

2. 앞으로의 UR 협상과 관련하여 SCHROETER 처장보는 미 대통령 선거 결과에 따라 협상 시기등에 있어 영향을 받을 것이나 미국의 기본입장에는 변함이 없을 것으로 본다고 말하였음을 참고바람.

3. 미.EC 간 농무장관 회담관련 진척 사항이 있을 경우 추보하겠음. 끝.

(대사 현홍주-국장)

예고: 92.12.31. 까지

주 제 네 바 대 표 부

20, Route de Pre-Bois, POB 566 / (022) 791-0111 / (022) 791-0525(FAX)

문서번호 :제네 (정) 20644-982

시행일자 : 1992. 11.2

수신 : 외무부장관

참조 : 통상국장,재무부장관
농림수산부장관,상공부장관

선결			지시		
접수	일자 시간		결재 공람	대사	
	번호			차석대사	
처리자				참사관	
담당자		이명수		서기관	

63167

제목 : UR/국별C/S송부

연 : 제네(경)20644-380

4.16-11.2기간중 갓트에 제출된 10개국의 국별 C/S(농산물 및 공산품)를 별첨 송부합니다.

첨부 : 10개국 국별 C/S각 1부(헝가리,모로코,혼두라스,브라질,짐바뷔,세네갈,
터키, 인니,아이슬랜드,오지리)

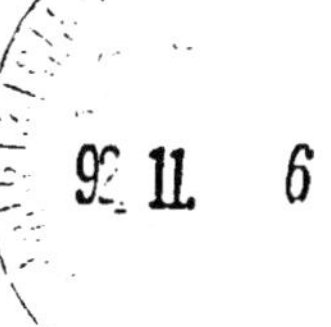

주 제 네 바 대 사

0167

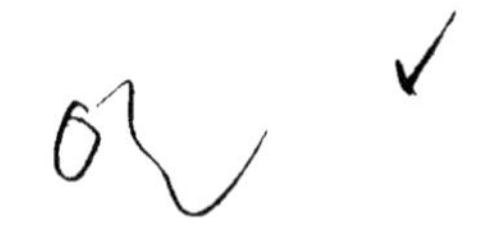

외 무 부

종 별 :

번 호 : USW-5351 일 시 : 92 1102 1723

수 신 : 장 관 (통기,통이,농림수산부)

발 신 : 주 미 대사

제 목 : 일본 농민의 쌀수입 개방대비 언론보도

일본의 벼농사 재배 농민들은 앞으로 닥쳐올쌀수입 개방에 대비하여 자국쌀의 품질고급화를 통하여 외국과의 경쟁을 준비하거나 수박, 양송이등으로 재배품목의 다양화를 시도하고 있다는 11.2일자 WASHINGTON POST 의 기사 내용을 별첨과 같이 송부하니업무에 참고하시기 바람.끝.

첨부: USW(F)-6960(3 매)

(대사 현홍주-국장)

통상국 통상국 농수부

PAGE 1 92.11.03 08:32 WG

외신 1과 통제관

0188

주 미 대 사 관

USW(F) : 6960 년월일 : 92.11.2 시간 :

수 신 : 장 관 (통기, 통이, 농림수산부)

발 신 : 주미대사

제 목 : 일본 농민의 쌀수입개방 대비현황보도 (USW-5351) (출처 : WP)

보 안 통 제	

Japanese Rice Farmers Get Ready for Foreign Competition (Imports)

(WP, 11/1/92)

By T. R. Reid
Washington Post Foreign Service

OMONOGAWA, Japan—It was just another family dinner at Masatoshi Shibata's farm, but on this night there was a palpable sense of anticipation, even tension, as three generations of Shibatas sat on the rice-mat floor around the low table and picked up their chopsticks.

After the soybean soup, the pickled eggplant and the American-style fried chicken, it was time for the rice. That's why everybody was so uptight. On this crisp mid-October evening, the Shibata family would get its first taste of the 1992 rice crop, which they had finished harvesting that very morning. This is a matter of grave importance for Japanese rice farmers, since the taste of their crop may make the difference between economic boom and bust.

For more than a thousand years, farmers have been growing rice in fields beneath the graceful green pyramid of Mount Chokai here in Akita Prefecture, far north of Tokyo. But now they are in danger of losing their captive domestic market as Japan's government faces global pressure to lift its ban on rice imports.

Japan's trade negotiators insist that this poses a dire threat to Japanese farmers. In fact, though, a visit to rice-growing country during harvest season reveals that the farmers have already adapted, using a variety of strategies that will make liberalization much less painful than the Japanese government likes to admit.

One approach—borrowed from Japanese manufacturers battling low-cost competitors around the world—is to emphasize quality. For the Shibatas and their neighbors, the key question is: Can they grow

See RICE, A38, Col. 3

better-tasting rice than their competitors in Taiwan, Thailand and California?

With this global challenge hanging over him, Masatoshi Shibata took his time sampling his 1992 crop.

First he held the rice bowl in his left hand and savored the aroma of the steam. He poked the rice with his chopsticks a few times, looking it over, feeling the texture. Finally, he took a bite—then another, and another, and in a flash the whole bowl was gone.

"This stuff," Shibata said proudly, "tastes great."

To an American palate, it was just white rice. But in Japan, where some people are as picky about their rice as wine snobs debating the latest Beaujolais, the Shibatas are banking on rice that "tastes great" to command a premium price when the market is opened.

"I hate to hear myself say it, but rice imports are coming," Shibata conceded in sadder-but-wiser tones. "If farming is your business, you have to find a way to cope with it."

(6960 - 1)

외신 1과 통 제	

92-11- 2 : 18:17 : EMBROK U.S. :# 1

0169

The Japanese government argues that farmers here could never cope. Farmland and fuel are so expensive, fields are so tiny and farming so inefficient that farmers must charge Japanese consumers exorbitant prices for their staple food.

A standard 22-pound bag of short-grain rice costs $52 in Tokyo (delivery included), or $2.36 per pound; at Washington, D.C., grocery stores, similar rice costs about 50 cents a pound.

An influx of cheap imported rice, the argument continues, would drive Japan's rice farmers out of business. At the General Agreement on Tariffs and Trade (GATT) agricultural talks in Canada this month, Japan's representatives once again sang that familiar refrain.

Another reason the Japanese have cited for rejecting rice imports is the concern about "food security." If Japan comes to depend on imports for a significant portion of its staple food, the negotiators say, it would face a threat of starvation in case of crop failure or political embargo overseas. But with growers on every continent eager to sell their grain here, and with Japan's diet diversifying, this contention has not been persuasive in international trade negotiations.

Out here amid the muddy fields, however, it seems clear that Japan's rice growers are ready and able—although not exactly willing—to face foreign competition.

As in other trade disputes, the Japanese have used their years of resistance to outside pressure to prepare for the inevitable. Rather than sitting around waiting for the import ax to fall, farmers like Masatoshi Shibata have developed various approaches that will help them dodge the blow.

The most common strategy has been simply to give up farming.

For those analysts who argue that Japan is growing more like the United States, a visit to a farm town like Omonogawa tends to confirm the theory. Just as farm communities all over the American heartland have turned into virtual ghost towns, Japan's farm country, too, is being deserted as long-time farmers leave their paddies for more congenial jobs in factories and offices.

Census figures show that Japan's farm population has fallen 25 percent in the past 10 years, but those statistics do not begin to tell the story. Of the people officially listed as farmers, according to the Japan Farmers' Association, fewer than 10 percent depend on farming for the bulk of their income.

Most Japanese "farmers" today actually work in factories or retail stores most of the time, tending their tiny rice plots only in spare hours. These "Sunday farmers" keep at it partly to maintain family tradition, and partly because government rice subsidies make it possible to turn a profit even on a single quarter-acre plot.

"A guy like me, who makes all his money from the farm, that's really rare now," said Shibata, a warm, generous 41-year-old who is as conscientious about building friendships as he is about growing rice.

"I'm probably the last Shibata who will farm this land," he added, in a voice touched with regret and resignation. "My two daughters, I bet they'll go to Tokyo and find some other kind of work."

The Shibata farm sits in a broad valley protected by a thickly forested mountain ridge on the outskirts of Omonogawa, a quiet town with four farm co-ops, one sake brewery, one pachinko parlor and 13,000 residents. Shibata's fields cover 9.9 acres; that would be a postage stamp in Kansas or Iowa, but it is one of Japan's larger farms.

Shibata has traveled through Japan, the United States and Canada looking for ideas that will help him maintain his farm income even after rice liberalization. Like several of his neighbors here, he has adopted two basic strategies: diversifying the crop and improving the quality.

The pale green rice shoots that used to cover every square foot of the Shibata farm in the summer are giving way to completely different crops.

One big success has been watermelons. The hot days and cool nights of this northern valley make for scrumptious fruit, and that pays off. In the tiny fruit stands seen on Tokyo sidewalks, a basketball-sized watermelon can easily sell for $24. This year, Shibata planted melons on a quarter of his acreage.

The biggest winner, though, has been the mushrooms the Shibatas raise in plastic pots inside their barn all autumn and winter. This crop takes far more work than rice or melon, but it pays more, too; last year, the mushrooms passed rice to become Shibata's biggest cash crop.

But it is still the rice planting that sets the rhythm for Masatoshi Shibata's year. The planting of the rice seedlings in May and the taking in of the mature grain in October are the two big events of the year, events marked by rituals at the local Shinto temple, where prayers are still offered for a bountiful crop.

But the rice business has changed, too. Unlike their fathers and uncles, who considered it a patriotic obligation to produce the biggest possible crop—"You know, after the war, this country was starving," Shibata said—the current generation of rice farmers in Omonogawa focuses more on quality.

"The politicians, they keep saying, 'No imports! Not a single grain of American rice!' " Shibata observed. "But nobody believes that. We know the foreign rice is coming, and we know we can't compete on price.

"So my job is to make the best rice I can possibly grow, and find a market that will buy it."

Perhaps the hottest new trend in rice farming in Japan is the recent emergence of several "brand name" species of the grain, designed to take advantage of Japanese consumers' obsession with labels.

Not all that long ago, a rice store here was a warehouse-like operation stacked with ordinary brown sacks marked "Rice." Today, in contrast, rice stores, grocery stores and even the most upscale department stores are stocking fancy "designer rice" brands with colorful packaging and evocative names like Shining Grains, and Silky Sheen.

Many Japanese say they can tell the difference among these brands of white rice. Some aficionados even say they can distinguish between a bowl of, say, *Sasanishiki* rice grown here in Akita and the same species grown in Sendai Province.

Shibata is depending on consumers with that kind of educated tongue to stick with his product even when there is cheaper competition from abroad. He currently grows two name brands, Akita Beauty and

1960 - 2

92-11-2 : 18:19 : EMBROK U. S. :# 2

0170

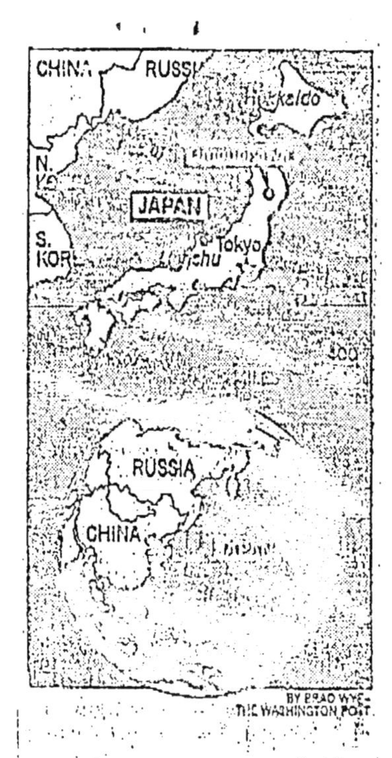

BY BRAD WYE—THE WASHINGTON POST

Woven Bamboo, and this year he also put in a test crop of a heavily advertised new brand called Love at First Sight.

In a blind taste test on two identical-looking bowls of white rice, Shibata easily differentiated between a top-of-the-line "designer" rice and bargain-basement rice.

"I think people will be willing to pay more for good rice," he said. "I think so. If I'm right, then I'll have customers even when the imports are coming in. If not, well—I'll have to find something else to sell."

Most Japanese rice farmers have already found something else, either on the farm or off it. All the furor over rice imports is really about the minute percentage of Japan's population that still depends on rice farming for its livelihood. And many of those people, like Shibata, have already started adjusting to the threat of import liberalization. But this doesn't offset the cultural importance of rice in Japanese society.

In a nation where the emperor himself still plants the first ceremonial seedlings every spring, rice cultivation is close to the heart of Japanese culture. Most Japanese still eat rice with every meal; a home without a *denkigama*, an automatic rice cooker, is as unthinkable as a home without a television would be in the United States.

Shibata made the point the other day when he celebrated the completion of his harvest with a trip to Yokote, a city down the road that boasts a graceful shogun-era castle.

Looking out from the castle's fortified inner tower, Shibata walked around pointing out the local sites. "That's Mount Chokai," he said, pointing west, "and Mount Mitake south of it. And down there in the valley," he continued, pointing to the long expanse of rice fields, "down there, that's the very heart of the country called Japan."

6960 -3.

92-11- 2 ; 18:21 ;' EMBROK U.S. ;# 3

0171

관리 번호	92-793

원 본

외 무 부

종 별 :

번 호 : USW-5389 일 시 : 92 1104 1452

수 신 : 장관(통기,통이,미일,경기원,농수산부,상공부)

발 신 : 주 미 대사 사본: 주 제네바 대사, 주EC 대사(본부중계요)

제 목 : UR 협상 동향(미.EC 농무장관 회담결과)

1992.12.31.에 예고문에 의거 일반문서로 재분류됨

연:USW-5277, 5328

대:WUS-4962

1. 미.EC 농무장관 회담결과0 MADIGAN 미농무장관과 MACCHARRY EC 농업담당 집행위원은 지난 11.1 부터 11.3 미대통령 선거일까지 CHAICAGO 에서 농무장관 회담을 가졌음. (당초 11.2 종료계획에서 회담일정을 하루 더연장)

0 미.EC 간 농무장관회담에서는 예정대로 OILSEED 문제에 먼저 촛점을 맞추어 타결에 노력하였으나 양측의 기존입장이 계속 앟서 결과 타협점을 찾는데 실패하였음.

0 또한 11.3 에는 UR/ 농산물 협상과 관련하여 수출보조금 감축 문제와 함께 EC 측이 주장하는 REBALANCING, PEACE CLAUSE 등 사항도 협의하였으나 상기 문제들도 양측이 이견을 해소하지 못한채 농무장관회담은 아무런 합의없이 끝나게되었음.

2. OILSEED 문제의 미해결에 따라 MADIGAN 미농무장관은 EC 에 대하여 보복을 하도록 부쉬 대통령에게 강력히 건의하겠다고 하였으며 앞으로 미측의 보복관세 부과 발표 여부가 촛점이 될것으로 보임. USTR 에서 11.5 경 보복관세 내역 (품목 LIST, 수량, 금액등)을 발표할 것이라고 하는바 진전사항이 있을경우 추보하겠음. 끝

(대사 현홍주-국장)

예고: 92.12.31 까지

통상국	장관	차관	2차보	미주국	통상국	분석관	청와대	안기부
경기원	농수부	상공부	중계					

PAGE 1 92.11.05 06:16

* 원본수령부서 승인없이 복사 금지 외신 2과 통제관 CM

0172

報告畢

長 官 報 告 事 項

1992. 11. 5.
通 商 局
通 商 機 構 課(65)

題 目 : 美.EC 農務長官 會談結果 및 UR 協商 展望

1. 미.EC 농무장관 회담 결과

o 미 대통령선거 이전에 UR 협상 돌파구 마련을 목표로 미국과 EC가 농무장관 회담(11.1-3, 시카고)을 개최, 유지종자(oilseed), 농산물 수출보조금 감축 문제등을 논의하였으나, 아무런 성과없이 끝남.

o 이에 따라 미국은 조만간 대 EC 보복조치를 발표할 것으로 예상

- 미국은 10억불에 상당하는 EC 농산물에 대해 보복관세 부과 예정인바, 1차로 불란서의 대미 수출품을 중심으로 약 3억불의 보복관세 부과 가능성도 상존

- EC측은 미국의 보복조치에 대해 대응보복조치 발동 방침임을 언명

2. UR 협상 전망

o 미국 행정부의 방침은 미 대통령선거 결과에 관계없이 UR 협상을 연내에 타결짓겠다는 것이나, 미.EC 농무장관 회담이 실패함에 따라 유지종자 (oilseed) 분쟁이 미.EC간 무역전쟁으로 발전하는 경우, UR 협상 분위기가 오히려 악화되어 UR 협상의 연내타결은 사실상 난망

o 미국과 EC간 협상 계속의 가능성은 남아 있으나, 클린턴 행정부가 통상 분야에서의 우선순위를 재조정하고 프랑스 총선(93.3)이 끝나는 내년 봄까지는 실질적인 UR 협상이 진행되기는 어려울 전망

o UR 협상 참가국들의 향후 협상대책은 11.6(금) Green Room 회의에서 논의될 예정

3. 언론 및 국회대책 : 별도조치 불요. 끝.

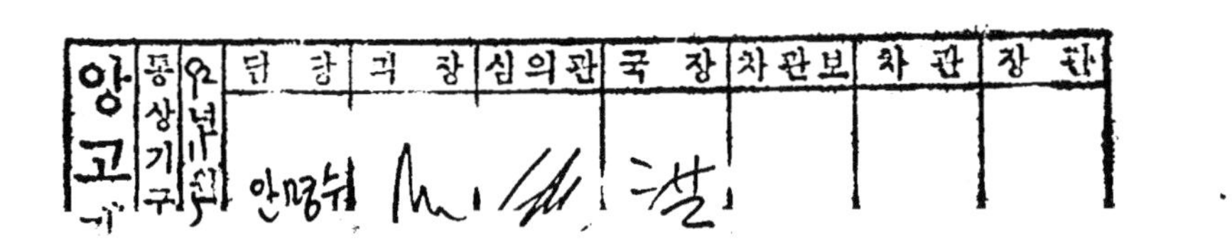

0173

관리번호	92-804

62 **원 본**

외 무 부

종 별 :

번 호 : USW-5434 일 시 : 92 1105 1955

수 신 : 장 관 (통기,통이,통삼,경기원,농림수산부)

발 신 : 주 미 대사 사본: 주 제네바,EC 대사(본부중계필)

제 목 : USTR, OIL SEED 분쟁관련 대 EC 보복조치 발표

1992.12.31. 에 예고문에 의거 일반문서로 재분류됨

대 : WUS-4962

1. 11.2-4 간 시카고에서 개최된 미.EC 농무장관회담에서 OIL SEED 협상이 결렬됨에 따라, 11.5. USTR 은 대 EC 보복조치를 발표하였는바, 요지 아래와 같음. (발표문 별첨)

0 92.12.5 부터 백포도주, 유채유 (RAPESEED OIL), 소맥글루틴에 대한 대 EC 양허를 철회하고, 동 품목에 대해 200% 관세부과

- 동 3 개 품목의 EC 로 부터의 연간 수입액은 3 억불

- 동 3 개 품목은 미측이 6.12. 발표한 보복대상품목 (연간 수입액 20 억불상당) 중에서 선정

0 그러나, 보복조치 발효이전 30 일동안 EC 측과의 계속 협상 용의

0 고율관세부과 추가 검토 품목 발표 (품목명 별첨)

- 동 품목의 EC 로 부터의 연간 수입액은 17 억불

0 동 결정은 EC 가 두차례에 걸친 GATT 패널 결정을 이행치 않고 있음에 따른 것이며, GATT 에 대한 신뢰도 저해를 방지하기 위해서도 미국은 이러한 조치를 취할 수 밖에 없었음.

2. 당지 언론은 미.EC 농무장관회담에서 OIL SEED 문제 타결에 실패함에 따라 미.EC 간 무역전쟁 가능성을 보도하고 있는바, 관련 기사 별첨 송부함. 끝.

첨부 : USW(F)-7045(7 매)

(대사 현홍주 - 국 장)

예고: 92.12.31. 까지

통상국	장관	차관	2차보	미주국	통상국	통상국	분석관	청와대
안기부	경기원	농수부	중계					

PAGE 1 92.11.06 11:03

* 원본수령부서 승인없이 복사 금지 외신 2과 통제관 BX

0174

주 미 대 사 관

USR(F) : 7045 년월일 : 시간 :

수 신 : 장 관 (통기, 통이, 통상) 경기원,

발 신 : 주 미 대 사 농림수산부 서울 :주제네바대사, ~~EC 대사~~.

제 목 : USW -5434 첨부 (17매) (출처 :)

보 안 통 제	

7045 .17 /)

외신 1과 통 제	

0175

OFFICE OF THE UNITED STATES
TRADE REPRESENTATIVE
EXECUTIVE OFFICE OF THE PRESIDENT
WASHINGTON
20506

92-62

FOR IMMEDIATE RELEASE
THURSDAY, NOVEMBER 5, 1992

Contact: KATHY LYDON
CHRIS ALLEN
PATRICIA NORMAN
202/395-3230

U.S. TO WITHDRAW TRADE CONCESSIONS IN OILSEEDS DISPUTE WITH EC

In response to the failure of the European Community (EC) to bring into GATT compliance its oilseeds subsidies regime, U.S. Trade Representative Carla A. Hills today announced that the U.S. will withdraw trade concessions by imposing increased duties on imports of white wine, rapeseed oil and wheat gluten from the EC.

These products have an average annual U.S. import value of about $300 million and were chosen from a $2 billion list of products published in the June 12, 1992 Federal Register. The U.S. Customs Service will begin assessing 200 percent duties on the products on December 5, 1992.

"We regret that we were forced to take this action," said Hills. "For five years, the EC has refused to provide the United States what it is clearly owed under international trading rules. The credibility and effectiveness of the GATT are at stake here."

"We have demonstrated extraordinary patience and we are open to further negotiation in the 30 days before the duties become effective," said Hills. "However, given the trade harm the United States is suffering, I must proceed with a compensatory trade action."

Hills today also released a list of additional EC products on which the U.S. is considering imposing increased duties in the event that negotiations with the EC fail to result in adequate reform. These products have an average annual import value of about $1.7 billion. The list and a request for public comment will appear in the Federal Register by November 10.

The U.S. Government estimates that the harm to U.S. oilseed producers due to the EC subsidies is about $1 billion annually. In the event further steps are warranted, the U.S. could draw from both the new list announced today and the remainder of the list published on June 12.

(MORE)

2005-17-2

0176

A GATT panel has twice found that the European Community's oilseeds subsidies impair the benefits accruing to the United States under the duty-free tariff bindings on oilseeds granted by the EC to the United States. The U.S. has made clear its willingness to submit to arbitration the determination of the amount owed the United States, but the EC rejected this procedure.

At yesterday's GATT Council meeting in Geneva, the EC blocked a U.S. request for GATT authorization to suspend tariff concessions, as is our right under GATT procedures. The United States again urged the EC to accept arbitration of the trade damage, but the EC did not respond favorably.

The United States began its GATT-sponsored consultations with the European Community in 1988 after the American Soybean Association filed a Section 301 petition alleging that EC oilseed subsidies were harming U.S. exporters and impairing the duty-free commitments.

After a GATT panel in 1989 ruled in favor of the United States, the European Community agreed to modify its oilseeds policies to comply with the GATT panel's recommendations. The same panel found in March this year that the EC's modifications did not remove the impairment and recommended that the EC move expeditiously to change its oilseeds regime.

Since that finding, the United States has worked with the EC, both directly and within the GATT, to find a negotiated solution. However, the EC has not been willing to take the steps needed to comply with the GATT panel findings.

"This action will not affect our determined effort to reach an Uruguay Round agreement," said Hills. "The United States remains committed to a strong and effective GATT system. Indeed, failure to take this action would undermine the credibility of the GATT system."

Today's announcement will be published in the Federal Register by November 10.

-- 30 --

7045 - 17 - 3

0177

November 5, 1992

USTR FACTSHEET: OILSEEDS

On December 16, 1987, the American Soybean Association filed a petition under section 302 of the Trade Act of 1974, alleging that the European Community's oilseed policies were denying the rights and benefits of the United States under the General Agreement on Tariffs and Trade (GATT).

On January 5, 1988, the Trade Representative initiated an investigation of these practices.

After extensive consultations failed to resolve the dispute, the United States requested the establishment of a GATT dispute settlement panel.

The GATT panel found in 1989 that EC oilseed production subsidies impaired benefits accruing to the United States under the duty-free tariff bindings on oilseeds granted by the EC to the U.S. under the GATT. The panel recommended that the EC conform its regulations to the GATT and eliminate the impairment of the tariff concessions.

On January 25, 1990, the GATT Council of Representatives adopted the panel report by consensus, and the EC representative confirmed the EC's intention to comply with the panel's recommendations. The EC advised that the necessary measures would be effective by the 1991 crop year.

The EC failed to take appropriate action for the 1991 crop year. On May 24, 1991, the EC advised that it would implement the panel's recommendations in a new oilseeds regime to be adopted by October 31, 1991, and that the reforms would apply to all oilseeds harvested during 1992 and thereafter.

After reviewing the proposed new regime, the United States concluded that the reforms would not comply with the panel's findings. The United States then proposed that the original panel be reconvened to consider whether or not the EC's proposed policy would implement the panel's findings.

On March 16, 1992, the reconvened panel released its report, which confirmed that the EC's new regime continues to impair the duty-free bindings on oilseeds.

The reconvened panel recommended that the Community act expeditiously to remove the impairment by either modifying its new support system or renegotiating its tariff concessions for oilseeds under Article XXVIII.

2045-17-4

0178

-- At the April 1992 GATT Council meeting the Community indicated that it was not yet prepared to agree to either course of action. Therefore, on June 12 the United States published a notice in the Federal Register asking for public comment on a proposal to increase duties on imports of EC goods into the United States.

-- At the June 1992 GATT Council meeting, the EC requested and received GATT authorization to renegotiate its tariff concessions on oilseeds under Article XXVIII:4 of the GATT.

-- The U.S. and the EC met four times under the terms of Article XXVIII:4. However, the EC failed to tender or accept any offer that would comply with its GATT obligations or compensate the United States for the continuing impairment.

-- At the September 1992 GATT Council meeting, the EC asked for a working party to review the Article XXVIII:4 negotiations. The U.S. and other oilseed exporters rejected the EC proposal because it would have resulted in further delay with no concrete result.

-- At the same GATT Council meeting, the United States requested that the EC agree to binding arbitration to determine the amount of damage caused by the EC oilseed subsidies. The EC rejected the U.S. proposal.

-- Following the September GATT Council meeting, the U.S. negotiated intensively with the EC on the oilseeds issue. The EC still has not found it possible to offer an acceptable solution.

-- At the November 4, 1992 GATT Council meeting, the U.S. reiterated its request for binding arbitration on the amount of damage and the EC did not respond favorably. The U.S. sought authorization by the GATT for a withdrawal of concessions, as is our right, but the EC did not support a consensus in favor of such authorization.

-- The United States estimates that the global damage caused by the EC's policies is approximately $2 billion; the U.S. industry loses about $1 billion annually. The EC's estimate of global damage is less than $400 million.

0179

Annex I

PRODUCTS ON WHICH U.S. WILL IMPOSE
INCREASED TARIFFS BEGINNING DECEMBER 5, 1992

Effective with respect to articles the product of the European Community entered, or withdrawn from warehouse for consumption, on or after December 5, 1992.

1. The HTS is modified by adding new note 7 to subchapter III of chapter 99 to the HTS as follows:

"7. For the purposes of subheading 9903.24.03, the expression wine means:

(a) any of the wines listed below--

Alba
Albana di Romagna
Albana
Alcamo
Aleila
Aligote
Alvarinho
Anjou Coteaux de la Loire
Ansonica
Ardenabesca
Avelede
Barsac
Batard - Montrachet
Beaujolais Blanc
Bergerac Cote de Sauaignac
Bernkastelar Doctor (Doktor)
Bianchello del Metauro
Bianco di Custoza
Bianco
Bianco Vergina Valdichiana
Bienvenue-Batard-Montrachet
Bijela
Blanc Fume de Pouilly
Blanc
Blanco
Blanquette de Limoux
Bombino Bianco
Bonnezeaux
Bordeaux Blanc
Bourgogne Aligote
Brucellas
Cadillac
Caluso
Carricante
Casa de Seara
Casal Mendes
Castel del Monte Bianco
Cerona
Chablis
Chardonnay
Charlemagne
Chassagne-Montrachet
Chasselas
Chateau Grillett
Chevalier-Montrachet
Cinque Terre
Clairette de Belegarde
Clairette de Die
Clairette du Languedoc
Condrieu
Conton Languettes
Coronata
Cortese
Cortese di Gavi
Corton Pousgets
Corton Charlemagene
Corton
Corvo Bianco
Coteaux du Layon
Coteaux de l'Aubance Chaume
Coteaux d l'Aubance
Coteaux de la Loire
Cotes de Blaye
Cotes de Bordeaux Saint-Macaire
Cotes de Montravel
Crepy
Croits Batard Montrachet
Ehrenfelser
Entre Deux Mers
Erbaluce di Caluso
Erbaluce
Etna Bianco
Etoile
Faberrebe
Feher
Feherbor
Forster Jesuitengarten
Franciacorta Pinot
Frano di Avellino
Frascati
Frascati Secco
Fume de Pouilly
Gaillac Premieres Cotes
Gaillac
Galestre
Gambellara
Gelber Muskateller
Genevrieres
Gewurztraminer
Graacher Himmelreich
Grand Roussillon
Granjo
Graves Superieures
Greco di Tufo
Greco di Geraca
Grüner Silvaner
Gutedel
Haut Montravel
Huxelrebe
Jasieres
Jaune
Jurancon
Kanzler
Kerner
L'Etoile
Lacrima d'Arno
Lacryma Christi
Lefkas
Liebfrauenmilch
Liebfraumilch
Lindos
Locorotondo
Loupias
Lugana
Lugenan
Macon Blanc
Mamertino
Marino
Martina Franca
Martina
Meursault
Mittelmosel
Monbasillac
Mono-Muskat
Montagny
Montecarlo Bianco
Montefiascone
Monterosso Val D'Arda
Montescudio
Montlouis
Montrachet
Montravel
Morio-Muskat
Moscato di Noto
Moscato di Pantelleria
Moscato d'Asti
Moscato di Siracusa
Mosel
Moselle
Muller Thurgau
Muller-Thurgau
Müller-Thurgau
Muscadet Coteau de La Loire
Muscadet
Muscadet de Sevre et Maine
Muscat d'Alsace
Muscat of Samos
Muskateller
Nuragus
Nuragus di Cagliari
Ockfener Bockstein
Optima
Ortega
Orvieto
Orvieto Secco
Pacherenc du Vic Bilh
Pacharenc
Pallini
Pampanuto
Parrina
Perriere
Petit Chablis
Picpoul de Pinet
Pinot Bianco
Pinot Chardonnay
Pinot Blanc
Pinot Dell Ol Trepo
Pinot Grigio
Pinot Gris
Platino
Pouilly sur Loire
Pouilly Vinzelles
Pouilly Fume
Pouilly-Fuisse
Pouilly-Loche
Prosecco de Conegliano
Prosecco
Prosecco di Congliano
Prosecco di Valdobbiadene
Puligny Montrachet
Quarts de Chaume
Quincy
Rasteau
Recioto di Soave
Ribolla
Riesling del Trentino
Riesling
Rivesaltes
Rosette
Roussette
Ruchottes
Rulander
Saint Foy Bordeaux
Saint Veran
Saint Peray
Sainte Croix du Mont
Sancerre
Sanseveró
Santa Helena
Santa Laura
Saussignac

7045-
17-6

0180

Sauternes
Sauvignon Dei Colli Orientali del Friuli
Sauvignon dell'Isonzo
Sauvignon Colli Bolognesi di Monte San Pietro
Sauvignon Colli Berci
Savenniéres
Scharz Hosberger
Scheurebe
Schwarze Katz
Seyssel
Siegerrebe
Silvaner
Soave
Sylvaner
Terlano
Tocai
Tokay d'Alsace
Torbato di Alghero
Torbato
Touraine-Azay-le-Rideau
Trebanse
Traminer Aromatico del Trentino
Traminer
Trebbiano di Romagna
Trebbiano
Trebbiano Val Trebbia
Trebbiano di Abruzzo
Velletri
Verdicchio di Jesi
Verdicchio
Verdicchio di Matelica
Verdicchio dei Castelli di Jesi
Verduzzo
Verduzzo del Piave
Vermentino Ligure
Vernaccia di San Gimignano
Vin Jaune
Vin Blanc
Vin Santo
Vin de Paille
Vouvray
Weiß Riesling
Weißer Burgunder
Weissburgunder or Weißburgunder
Weisser Gutedel or Weißer Gutedel
Weisswein or Weißwein
Zagarolo
Zeller Schwarze Katz; or

(b) any wine containing less than 20 ppm of anthocyanin compounds."

2. The HTS is modified by adding in numerical sequence the following subheadings to subchapter III of chapter 99 to the HTS. Bracketed matter is included to assist in the understanding of modifications. The following supersedes matter in the HTS. The subheadings and superior text are set forth in columnar format, and material in such columns is inserted in the columns of the HTS designated "Heading/Subheading", "Article Description", "Rates of Duty 1-General", "Rates of Duty 1-Special", and "Rates of Duty 2", respectively.

Heading/Subheading	Article Description	Rates of Duty 1-General	Rates of Duty 1-Special	Rates of Duty 2
	[Articles the product of the European Community (Belgium, Denmark, France, the Federal Republic of Germany, Greece, Ireland, Italy, Luxembourg, the Netherlands, Portugal, Spain, and the United Kingdom:]			
"9903.24.01	Wheat gluten, whether or not dried (provided for in heading 1109.00)................................	200%	No change	No change
9903.24.02	Rapeseed, colza or mustard oil, and fractions thereof, whether or not refined, but not chemically modified (provided for in subheadings 1514.10 or 1514.90)................................	200%	No change	No change
9903.24.03	Wine, as defined in U.S. note 7 of this subchapter, not effervescent, of an alcoholic strength by volume not over 14 percent vol., in containers each holding not over 4 liters (provided for in subheadings 2204.21.50 or 2204.29.20)......................................	200%	No change	No change"

2045 - 17 - 7

0181

Annex II

PRODUCTS ON WHICH U.S. MAY IMPOSE INCREASED TARIFFS

HTS Subheading	Article
	[The bracketed language in this list has been included only to clarify the scope of the numbered subheadings which are being considered, and such language is not itself intended to describe articles which are under consideration.]
	Other coloring matter; preparations as specified in note 3 to chapter 32 of the HTS, other than those of heading 3203, 3204 or 3205; inorganic products of a kind used as luminophores, whether or not chemically defined:
	Pigments and preparations based on titanium dioxide:
3206.10.0010	Containing 80 percent or more by weight of TiO_2
	Mixtures of odoriferous substances and mixtures (including alcoholic solutions) with a basis of one or more of these substances, of a kind used as raw materials in industry:
	[Of a kind used in the food or drink industries]
	Other:
3302.90.10	Containing no alcohol or not over 10 percent of alcohol by weight
3302.90.20	Containing over 10 percent of alcohol by weight
	Perfumes and toilet waters:
	Not containing alcohol:
3303.00.10	Floral or flower waters
3303.00.20	Other
3303.00.30	Containing alcohol
	New pneumatic tires, of rubber:
	Of a kind used on motor cars (including station wagons and racing cars):
4011.10.0010	Radial
	Paper and paperboard, coated on one or both sides with kaolin (China clay) or other inorganic substances, with or without a binder, and with no other coating, whether or not surface-colored, surface-decorated or printed, in rolls or sheets:
	Paper and paperboard of a kind used for writing, printing or other graphic purposes, of which more than 10 percent by weight of the total fiber content consists of fibers obtained by a mechanical process:
4810.21.00	Light-weight coated paper

7045-17-8

0182

Annex II

HTS Subheading	Article
	Glazed ceramic flags and paving, hearth or wall tiles; glazed ceramic mosaic cubes and the like, whether or not on a backing:
	Tiles, cubes and similar articles, whether or not rectangular, the largest surface area of which is capable of being enclosed in a square the side of which is less than 7 cm:
6908.10.10	Having not over 3229 tiles per square meter, most of which have faces bounded entirely by straight lines
	Other:
6908.10.20	The largest surface area of which is less than 38.7 cm^2
6908.10.50	Other
6908.90.00	Other
	Glassware of a kind used for table, kitchen, toilet, office, indoor decoration or similar purposes (other than that of heading 7010 or 7018):
	Drinking glasses, other than of glass-ceramics:
	Of lead crystal:
7013.21.10	Valued not over $1 each
7013.21.20	Valued over $1 but not over $3 each
7013.21.30	Valued over $3 but not over $5 each
7013.21.50	Valued over $5 each
	Other tubes and pipes (for example, welded, riveted or similarly closed), having internal and external circular cross sections, the external diameter of which exceeds 406.4 mm, of iron or steel:
	Line pipe of a kind used for oil or gas pipeline:
	Longitudinally submerged arc welded:
	Of iron or nonalloy steel:
7305.11.1060	With an external diameter exceeding 609.6 mm

7045-17-9

0183

HTS Subheading	Article
	Taps, cocks, valves and similar appliances, for pipes, boiler shells, tanks, vats or the like, including pressure-reducing valves and thermostatically controlled valves; parts thereof:
	[Pressure-reducing valves]
8481.20.00	Valves for oleohydraulic or pneumatic transmissions
	Check valves:
8481.30.10	Of copper
8481.30.20	Of iron or steel
8481.30.90	Other
	[Safety or relief valves]
	Other appliances:
	Hand operated:
8481.80.10	Of copper
8481.80.30	Of iron or steel
8481.80.50	Of other materials
8481.80.90	Other
	[Parts]
	Prepared unrecorded media for sound recording or similar recording of other phenomena, other than products of chapter 37:
	Magnetic tapes:
8523.13.00	Of a width exceeding 6.5 mm
	Records, tapes and other recorded media for sound or other similarly recorded phenomena, including matrices and masters for the production of records, but excluding products of chapter 37:
	[Phonograph records; magnetic tapes]
	Other:
	[Master records or metal matrices therefrom for use in the production of sound records for export; recordings on wire; video discs]
	Other:
8524.90.4040	Laser disc sound recordings
	Other furniture and parts thereof:
	Wooden furniture of a kind used in the bedroom:
	[Bent-wood furniture]
	Other:
	[Designed for motor vehicle use]
9403.50.90	Other

2045-17-10

0184

02

외 무 부

종 별 :

번 호 : CNW-1213 일 시 : 92 1106 1530

수 신 : 장관(통이,미일,상공부,농수부)

발 신 : 주 캐나다 대사

제 목 : 미.EC 농산물 교역 분규 관련 주재국 반응

최근 미.EC 간 농산물 교역 분규 특히 11. 5. 미국측의 EC 산 포도주등 일부품목 (연간 수입기준 3 억불 상당)에 대한 고율관세(200%) 부과 방침 발표 관련, 주재국 언론에 보도된 정부 및 업계의 반응 및 당관 평가를 아래와 같이 보고함.1. 주재국 언론보도 정부 및 업계반응

0 WILSON 산업과기 장관 겸 통상장관은 주재국 정부로서는 금번 미국측이 취한 일방적인 조치를 지지하지 않으며 이로 인한 무역 분규의 확산은 누구에게도 도움이 되지 않고 모두에게 손해를 끼칠 것이라고 주장하면서 미국 및 EC 측이 30 일간의 유예기간내에 양자간 의견차이를 해소하라고 촉구하였음.

0 그러나 동장관은 미국측 입장에 대해 약간의 동정을 가지고 있다고 발언하였는바, 이에 대해 일부에서는 대 EC 관계에 도움이 되지 않는 발언이라고 논평하고 있음.

0 연방정부 관리들도 미국측이 GATT 총회의 승인 없이 일방적인 조치를 취하게 된점에 주목하고 이로 인해 EC 측도 이와 유사한 대응조치를 용이하게 취함으로서 무역전쟁으로 확신시키지 않을까 하는 우려를 하고 있음.

0 이렇게 되는 경우 주재국 농산물 특히 유채작물(연간 대두 2.5 억 카불,카놀라 8 억 카불 생산)이 미국시장에서는 EC 측에 비해 유리하겠지만 해외시장에서는 EC 산 초과 물량과의 경쟁이 더욱 치열해질 것이며, 금번 분규가 확산되어 곡물등 타농산물은 물론 철강등 공산품으로 번지는 경우 주재국의 대외 교역에까지 타격을 초래할 가능성이 있다고 주재국 정부 및 업계는 우려하고 있음.

2. 당관 평가

0 주재국은 금번 무역분규가 확산되어 무역전쟁으로까지 발전하는 경우 미.EC 간 교역뿐 아니라 캐나다등 제 3 국에까지 부정적인 영향을 미침은 물론 특히 총생산의

통상국 장관 차관 2차보 미주국 분석관 청와대 안기부 농수부 상공부

PAGE 1 92.11.07 06:35

* 원본수령부서 승인없이 복사 금지 외신 2과 통제관 FK

25%를 수출에 의존하고 있는 주재국이 대외 통상정책면에서 최우선을 두고 있는 UR 의 성공적 타결에 심각한 타격을 미칠 가능성에 대해 크게 우려하고 있음.

0 막대한 보조금 혜택을 입은 EC 산 농산물 때문에 피해를 입고 있다는 인식을 가지고 있는 주재국은 그동안 EC 측의 보조금 삭감을 계속 주장해 왔으며, 이부분에서는 미국측 입장에 동조하고 있는 것으로 평가됨. WILSON 장관이 미국측의 일방적인 조치를 비난하면서도 미국 입장을 동정하는 발언을 한것도 이러한맥락으로 해석될 수 있음.

(대사 박건우 - 국장)

예고:93.6.30. 까지

PAGE 2

0186

Dh

관리번호	92-808

원 본

외 무 부

종 별 :

번 호 : GEW-2059 일 시 : 92 1106 1700

수 신 : 장관(통기,통삼) 사본: 주 EC, GV 대사(직필)

발 신 : 주 독 대사

제 목 : UR 협상동향

대:WGE-1554,1560

연:GEW-1929, 1818

1. 대호관련, 당관 정문수 참사관은 금 11.6. 경제부 GATT 담당 KIESOW 부과장을 접촉, 최근 동향에 관한 파악 내용 아래보고함

가. 미. EC 간 OILSEED 분쟁문제

- 미국측이 최근 미.EC 간 OILSEED 협상이 결렬됨에 따라, 작 11.5. 일방적으로 30 일 시한부의 대 EC 보복조치 결정을 발표하고, EC 측은 이에대비 내부적으로 대미국 보복관세 리스트를 준비하고 있음에 비추어 미.EC 간 무역전쟁으로의 비화될 위험이 없지 않음.

- 이에 불구, 향후 미.EC 간 협상노력이 계속 진행될 것으로 보는바, 미국의 강경입장 배후에는 미국농산물 생산자의 이익을 보호하는 목적뿐만 아니라, 장기 정체되어온 현안에 대해 EC 측의 양보를 끌어 내어, 협상타결의 전기를 만들고자 하는 협상전략의 성격도 많다고 봄.

- 지난 11.3. MAC SHARRY EC 농업위원과 MADIGAN 미 농무장관간 UR 농산물 및 OILSEED 협상이 실패한 연후 최근 미국측은 EC 측 연간 OILSEED 생산한도액을9.5 백만톤까지로 양해하는 새로운 양보안을 제시해온바, 미.EC 주장 상호 물량차이가 50 만톤으로 축소됨으로서 협상진전 전망에 고무적인 신호를 보내는 것으로 평가함. 시카고 협상에서 최종합의가 이루어지지 못한 이유는 미국측의 EC 생산한도 9 백만톤 주장에 대해 EC 측은 CAP 개혁으로 9.5 백만톤까지의 생산량 감축가능성을 시사하면서도 생산물량의 구체 감축한도는 10 백만톤 이하로는 보장할수 없다는 입장을 고수함에 따라 합의가 이루어지지 못했음.

(한편 UR 농산물중 주요품목인 밀수출 감축에 관해서는 당초 미국측 22 프로, EC

통상국	장관	차관	2차보	통상국	분석관	청와대	안기부

92.11.07 03:28

외신 2과 통제관 FK

0187

측 21 프로 감축 주장에서 미국측이 21.5 프로 감축 양보안을 새로이 제시 8 만 5 천톤의 근소한 물량차이로 좁혀짐)

- EC 측은 내주 11.9-10. 브랏셀 개최 EC 외무.경제장관회의에서 EC 측 대응책을 협의할 것으로 보이며, 상기관련 불란서측의 수용여부가 문제해결의 관건이나 상금 불란서측의 입장완화에 관한 시사는 없음에 비추어 동 협상 진전여부를 속단키는 어려운 상황임.

나.UR 협상

- 미.EC 간 시카고 협상 결렬이후 상금 구체적인 양자간 협상일정이 정해진바는 없으며, 93.3. 대통령 선거를 앞둔 불란서측의 획기적 태도변화 가능성이무망함에 비추어 연내 타결 전망은 어렵다고 봄.

- 그간 미 대통령 선거를 .계기로, UR 협상 타결의 기회로 활용코자 독.영 등이 적극 노력한데도 불구, 불란서측이 호응치 않은바, 향후도 불란서의 협조를필요로 하는 때문에 설득노력에 한계가 있음

- 최근 MAC SHARRY 농업위원의 UR 협상 대표 사퇴설과 관련, 향후 UR 협상에 차질이 전혀 없지는 않겠으나, LEGRAS 농업위원회 사무총장이 대리로 수행할수 있으므로 큰 어려움은 없다고 봄

2. 미.EC 간 OILSEEK 분쟁협상 결렬에 따라 작 11.5. 미국측이 30 일 시한부 일방적 대 EC 보복조치 결정을 발표함과 관련, MOELLEMANN 경제장관은 금 11.6. 동 유예기간 이전에 합의도출을 위한 최대한의 협상노력을 촉구한바, 동언론발표내용 전문 FAX 송부함. 끝

(대사-국장)

별첨:GEW(F)-0142

PAGE 2

0188

아

주 독 일 대 사 관

보 안 통 제	

(출처 :)

GEW(F) - 0142 21106 1700

수 신 : 장 관 (통기 . 통상)

발 신 : 주 독 대 사 사본 : 주EC , 제네바 대사

제 목 : ~~[illegible]~~ 별첨

(표지 포함 총 2 매)

배부처	장관실	차관실	1차보	2차보	외정실	분석관	아주국	미주국	구주국	중아국	국기국	경제국	통상국	문협국	외연원	청와대	안기부	공보처	경기원	상공부	재무부	농수부	동자부	환경처	과기처		

142 2-1

0189

Statement to the Press

The Federal Minister of Economics regrets the announcement of U.S. trade sanctions against the Community

The announcement of U.S. trade sanctions in the form of a 200-percent tariff on imports of white wine, rapeseed oil, and wheat gluten from the Community represents a considerable strain on trade relations between the Community and the U.S.

The Federal Minister of Economics greatly regrets this, partly because there are a number of signs that the EC and the U.S. are close to a settlement in the dispute over EC subsidies for oilseed production, the point of departure for the U.S. measures, and partly because the measures announced by the U.S. could lead to an escalating spiral of trade limits. All of those involved would suffer great harm as a result.

The Federal Minister of Economics calls attention to the fact that the German government as well as the EC have repeatedly spoken out clearly against one-sided measures. On the other hand, the fact cannot be overlooked that the "oilseed dispute" that is at issue here has been going on for several years and that the Community has already been called on in the GATT to eliminate the harmful effects of its oilseed subsidies to the trade interests of the U.S. ('to eliminate the impairment of its tariff concessions for oilseeds').

The Federal Minister of Economics speaks out most emphatically and with all seriousness, in light of the increasingly dangerous situation, for every possible effort by all sides to reach agreement on a solution before the U.S. measures go into effect on December 5, 1992, as announced. This is all the more true as escalating trade disputes could destroy the existing hope for a rapid, successful conclusion of the Uruguay Round that was also called for at the economic summit in München.

142 2-2 0190

=02(이시) ✓

원 본

관리번호	92-812

외 무 부

종 별 :

번 호 : USW-5465 일 시 : 92 1106 1903

수 신 : 장 관 (통기,통일,경기원,농림수산부)사본:주제네바,EC대사-본부중계필

발 신 : 주미 대사

제 목 : UR 협상 전망

1992.12.31.에 예고문에 의거 일반문서로 재분류됨

대 : WUS-4962

연 : USW-5435

1. 당관 장기호 참사관이 금 11.6. DEWOSKIN USTR 부대표보를 접촉 OILSEED문제 및 UR 전망에 관해 의견을 교환한바, 동인 언급요지 아래 보고함.

가. OILSEED 문제관련 미측의 11.5 자 보복조치 발표는 EC 를 협상의 테이블로 돌아오도록 유도하는 조치이며, EC 가 건설적인 방향에서 전향적인 입장을 취할수 있길 기대함.

미측으로서는 항상 협상재개를 위한 준비가 되어 있으므로 문제 해결의 열쇠는 EC 측에 달려있음.

나. 미측의 보복조치 발표는 UR 협상의 전망에 나쁜 영향(BAD FEELING)을 미칠수도 있겠지만 이는 EC 로 하여금 협상에 적극 임하게 하는 하나의 압력 수단 으로도 작용할 수 있다고 생각함.

EC 는 미측에 강경 대응조치를 취함으로서 UR 협상 결렬의 책임을 EC 스스로가 지게될 것인지 또는 협상으로 돌아올 것인지의 선택의 기로에 놓이게 되었 다고 보며, 불란서를 제외한 여타 EC 국가들의 일반적 입장은 UR 협상의 결렬 보다는 타결해야 한다는 정치적 의지가 더 강하기 때문에 아직은 OILSEED 문제로 UR 협상이 파국에 올 것인지 예단하기 어려움.

다. BUSH 대통령은 아직도 UR 타결에 강한 집념을 버리지 않고 있으며, 11.3. CLINTON 대통령 당선자도 세계무역 문제와 관련 BUSH 대통령과 함께 노력 하겠으며, UR 이 타결되어야 한다는 입장을 재차 표명하고 있어 UR 협상이 끝이났다고 보지않으며, EC 의 반응에 따라 앞으로도 협상의 계속이 가능할 것으로 봄.

2. 상기에 비추어 보면 앞으로 UR 협상 전망은 OILSEED 문제에 대해 EC 가 어떤

통상국 장관 차관 2차보 미주국 통상국 분석관 청와대 안기부
경기원 농수부 중계

PAGE 1 92.11.07 10:36

 외신 2과 통제관 BX

0191

반응을 보일 것인지가 하나의 척도가 될 것으로 보임.

USTR 은 아직도 UR 협상은 앞으로도 계속이 가능하다는 입장을 견지하고 있으나 연호 보고와 같이 국무부등은 과연 EC 가 협상의 테이블로 돌아올 것인지 또 협상이 재개된다 하더라도 미국내 대통령 선거결과등 제반여건의 변화에 비추어 UR 협상이 어느정도의 진전을 가져올 것인지에 대해서는 부정적인 견해를 표명 하는등 그 전망에 대해 확신을 갖지 못하고 있음. 끝.

(대사 현홍주 - 국 장)

예고: 92.12.31. 까지

PAGE 2

0192

이서(여)

원 본

관리 번호	92-813

외 무 부

종 별 :

번 호 : GVW-2105 일 시 : 92 1106 2000

수 신 : 장관(통기,통이,통삼,경기원,재무,농수산,상공부,특허청)

발 신 : 주 제네바 대사대리 사본:주미,EC,일,영,독,불대사(본부중계필)

제 목 : UR/그린룸 회의

1. 표제회의가 예정대로 금 11.6(금) 개최되어 UR 협상의 위기상황 타개방안을 논의, 아래 결론에 도달함.

- 처음에는 일부 국가로부터 향후 30 일간(미국의 대 EC 보복 조치 시행 유예기간) 미 EC 양자 협상에만 맡겨둘수는 없으므로 당지에서의 다자협상 재개가 필요하다는 의견이 제시됨.

- 상기에 대해 싱가폴이 우선 던켈총장이 워싱톤 및 브랏셀을 방문, 현 위기 상황에 대한 협상참가국 전체의 강한 우려를 전달하고 미.EC 양측의 정치적 의지 여부를 먼저 확인한후 동 결과에 입각하여 향후 방향을 정하는 것이 바람직하다는 의견을 제시하고 이에 다수국이 동조함.

- 던켈총장은 자신으로서는 워싱톤 및 브랏셀 방문 용의는 있으나 이를 위해서는 회원국 전체로 부터의 공식 MANDATE 부여가 필요하다는 입장을 강하게 표명

- 금일 회의는 11.10(화)에 TNC 를 개최하고 이에 앞서 11.9(월) 오후에 그린룸 회의를 재차 소집하여 TNC 에서 채택할 STATEMENT 문안을 협의키로 하고 종료함.

2. 동 회의 세부토의 내용은 아래와 같음.

- 먼저 던켈총장은 미국의 보복조치에 대한 공식적인 갓트통보(DS28/4 별첨) 접수 사실 및 동 사태에 대한 자신의 대언론 발표문(별첨) 배포 사실을 알린후 , 사태의 심각성에 비추어 각국의 협상 실무책임자(SUB-CABINET LEVEL) 간의 당지 회동 필요성 여부에 대한 의견 개진을 요청함.

- 호주, 스웨덴, 스위스, 멕시코, 노르웨이, 일본, 카나다등이 정도 차이는있었으나 재개의 필요성이 있다는 의견을 개진함. 특히 멕시코, 스위스, 일본이 다자협상 재개 필요성이 적극적인 자세를 보인바, 이들은 FAST-TRACK 에 따른시간부족의 문제점뿐만 아니라 여타 협상 참가국이 안고있는 문제점의 논의를

통상국	장관	차관	2차보	통상국	통상국	분석관	청와대	안기부
경기원	재무부	농수부	상공부	특허청	중계			

PAGE 1 92.11.07 10:05

* 원본수령부서 승인없이 복사 금지 외신 2과 통제관 BX

0193

위해서도 다자협상이 필요하다는 입장이었음.(특히, 일본은 금일중 TIME-TABLE 확정 요구)

- 미국은 충분한 여건(EC 의 확고한 내부입장 정립)이 조성되지 않은 가운데 협상의 다자화는 의미가 없다는 소극적인 반응을 보인후, 아래사항을 언급함.

. 행정부 교체와 관계없이 미국의 입장은 일관성을 유지할 것이므로 행정부교체가 미국의 UR 협상 추진결의 및 입장에 영향을 미치지 않을 것임.

(클린턴 대통려 당선자의 당선소감중 대외정책 일관성 유지 강조부분 인용)

. 문제는 EC 가 내부입장을 정립치 못한데(시카고 회담시 DELORS 위원장의 MCSHARRY 위원에 대한 압력 사실을 예시) 있으므로 EC 가 양보치 않으면 보복 승인을 하겠다는 결의 표명등 갓트 회원국의 대 EC 압력 행사가 필요함.

- 이에대해 EC 는 내부문제가 있음을 인정하면서도 OILSEEDS 등은 EC 로서는 중대한 사안이므로 EC 만 지나지게 궁지로 몰 경우 무역전쟁의 불사등 심각한결과가 초래될것이며, 앞으로 30 일간의 기간이 남아있으며, 동기간내에 완전 합의가 이루어지지 않더라도 미측이 보복 시행을 다소 연기할 가능성도 없지않다고 하면서, 미.EC 양자협상의 중요성만을 강조했을뿐 협상의 다자화 문제에 대해서는 아무런 입장도 표명치 않음.

- 홍콩이 다자화에 앞서 미.EC 가 정치적 의지가 있는지 여부 확인이 선행되어야 한다고한데 이어서, 싱가폴이 기본적으로 EC 의 책임이 크므로 EC 가 움직여야 할것이나 미국의 경우에도 신행정부에 대해 현상황을 정확히 인식시키고 UR 에 관한 신행정부의 의지확인도 필요하다고 보므로, 다자화에 앞서 던켈총장이 양측의 수도를 방문, 양측의 의사를 확인한후 향후 일정을 정하는 것이 바람직 하다는 의견을 제시한바, 이에대해 브라질, 인도, 뉴질랜드, 칠레등이 지지 입장을 표명함.

- 던켈총장은 협상의 다자화 요구에 대해서는 참가국 숫자를 늘인다는 의미밖에는 없으며 오히려 각국이 안고있는 문제점을 제기함으로써 상황을 더욱 어렵게 만들 것이므로 반대한다는 입장을 분명히 한후, 싱가폴 제의에 대해서는 양측지도자들 만나 효과적인 설득을 하기 위해서는 확고한 기초가 필요하다는 반응을 보임, 동 총장은 현재의 문제를 현 갓트체제(특히 분쟁해결제도)의 위기와 UR협상으로 구분, OILSEED 문제를 위요한 갓트 체제 문제는 특별이사회를 소집해서라도 자신에게 확고한 행동지침(패널보고서 미이행에 대한 응징 결의표명등)을주는 것이 필요하며 , 또 UR 협상과 관련해서는 TNC 소집을 통해 확고한 MANDATE 를 부여해 주어야 할것이라는

PAGE 2

0194

입장을 개진

- 이에대해 싱가폴, 인도, 알젠틴, 브라질등은 UR 협상이 실패할 경우 갓트체제도 붕괴하게 되므로 갓트와 UR 협상을 인위적, 도식적으로 구분하려는 던켈총장의 의도에 이의를 제기하였으며, 호주등 일부국은 UR 협상의 경우에도 TNC의 MANDATE 부여없이도 던켈총장의 중재가 가능하다는 의견을 표명하면서 동 총장의 양측 수도방문을 종용함(일본은 던켈총장이 TNC 로 부터의 구체적인 MANDATE 부여를 고집할 경우 문제를 더욱 어렵게 할것임을 언급)

- 이에따라 던켈총장은 이사회의 지침 부여 요구는 철회하겠으나, TNC 소집은 절대로 필요하며, 명확하고 구체적인 MANDATE 는 아니더라도 현 위기 상황에 대한 우려 표명, UR 협상의 실패의 심각한 결과, 협상 성공에 필요한 시간의 촉박성, 적절한 시점에서의 협상의 다자화 필요성, 미.EC 의 일차적인 책임 및 정치적 결단 필요성등을 내용으로 하는 STATEMENT 를 채택할 필요가 있다는 입장을고수함으로써, 사무국이 동문안을 작성, 11.9(월) 16:00 그린룸 회의를 재소집하여 검토, 확정한후 11.10(화) 오전 TNC 회의를 소집하여 동문안을 채택키로 합의함.(미국은 TNC 개최에 동의했으나, EC 는 언급이 없었음)

첨부: 1. 미국의 GATT 통보문

2. DUNKEL 총장의 언론발표문(GVW(F)-0673)

(차석대사 김삼훈-국장)

예고:92.12.31. 까지

주 제 네 바 대 표 부

번 호 : GVW(F) - 613 년월일 : 21106 시간 : 1P00

수 신 : 장 관 (통기, 통이, 통상, 경기원, 재무, 농수산, 상공부, 특허청)

발 신 : 주 제네바대사 사본 : EC, 영, 독, 불, 대사 (중계필)

제 목 : "첨부" : 주미, 주일 (본부중계요)

보 안	
통 제	

총 4 매(표지포함)

외신국	
통 제	

0196

NO.291 P02

GENERAL AGREEMENT ON TARIFFS AND TRADE

RESTRICTED

DS28/4
5 November 1992

Limited Distribution

Original: English

EUROPEAN ECONOMIC COMMUNITY - PAYMENTS AND SUBSIDIES PAID TO PROCESSORS AND PRODUCERS OF OILSEEDS AND RELATED ANIMAL-FEED PROTEINS

Follow-up on the Panel report (DS28/R)

Communication from the United States

The following communication, dated 5 November 1992 and addressed to the Director-General, has been received from the Office of the United States Trade Representative in Geneva with the request that it be circulated to all contracting parties.

The United States has always viewed the General Agreement as a contract among the contracting parties. It is a contract which is, and must always be, based on mutually advantageous and reciprocal arrangements governing the contracting parties' trading relations. This is the General Agreement's essential value. In the circumstances where a contracting party refuses to extend the General Agreement's contractual reciprocity to another contracting party, the GATT expressly contemplates the re-establishment of the equilibrium in the trading relationship through withdrawal of concessions.

The United States considers that it has exhibited extraordinary patience and largely unreciprocated flexibility in trying to arrive at a negotiated settlement to our long-running dispute with the European Community over EC oilseed subsidies. We have taken this approach despite a very difficult domestic political environment in which demands were constant for immediate and firm action against the EC. We have been tireless in our efforts, including extended negotiations at Ministerial level. Unfortunately, these efforts have not produced a solution to the dispute.

Five years ago, we began our efforts at seeking relief from EC oilseeds subsidies which we consider denied US exporters the trading opportunities they are guaranteed under GATT's contract. We have pursued our complaint in good faith in the GATT. We have prevailed in two panel proceedings and have been supported by a large number of other contracting parties. However, the EC has repeatedly made clear that our exporters cannot expect relief from the effects of EC subsidies and that the EC will not take action necessary to restore the equilibrium in our contractual trading relationship.

92-1630

673-4-2

./. 0197

In light of the continuing impasse, and in order to avoid a complete discrediting of the General Agreement, the United States is left with no choice but to take at least a limited step to restore the balance unilaterally upset by the Community so many years ago.

United States Trade Representative Carla Hills will be announcing later today in Washington that the United States intends to impose a 200 per cent ad valorem tariff on imports from the EC valued at some 300 million dollars annually effective 5 December 1992. The specific products in question are imports from the EC member States of white wine, rapeseed oil, and wheat gluten. Imports of these products from non-EC sources will not be subject to higher duties.

I want to stress the restraint inherent in this announcement. First, the United States continues to hope that the next thirty days can be used to avert tariff increases. Our delay also provides time for binding GATT arbitration of the value of the impairment suffered by the United States should this be accepted by the EC. Second, our action will affect trade amounting to less than one-third of the estimated one billion dollars in annual trade damages suffered by our exporters as a result of the EC oilseeds régime.

The United States hopes that the EC will not make the mistake of misinterpreting our restraint in this action. The action is designed to leave room for a negotiated solution. If negotiations fail, we will have to take further action. In the event that the EC takes any action to further impair the access of US exporters to the Community market -- action which would be completely without justification or authority -- the United States will respond.

Through its actions in this dispute, the European Community has completely and totally frustrated the operation of the GATT's multilateral dispute resolution mechanism. The EC's actions have seriously undermined the credibility of the General Agreement and called into question its value as a contract among trading partners. While I have repeatedly emphasized the United States' desire to resolve this question amicably in the GATT's multilateral framework, it now falls to the European Community to review its position and to honour its international obligations under the GATT contract.

173-4-3

0198

Statement by Mr. Arthur Dunkel, Director-General of GATT
Geneva, 5 November 1992

The United States authorities have today notified the contracting parties of their intention to impose tariff increases on certain imports from the European Community in the context of their unresolved dispute relating to the European Communities' oilseeds subsidies. This step is motivated by the continued non-implementation by the European Community of recommendations made to it by the CONTRACTING PARTIES through the normal dispute-settlement procedures of the GATT.

I note that the United States authorities have also expressed the hope that the next thirty days can be used in further negotiations to avert the proposed tariff increases. As custodian of the GATT system I can only express grave concern in respect of the adverse impact that all actions taken outside the authority of the CONTRACTING PARTIES have on the functioning of an effective and credible multilateral trading system - the only guarantee for an open world economy. I am, therefore, pleased to see that both the United States and the European Community have expressed determination to continue their efforts to find a mutually satisfactory solution to the oilseeds dispute in the days ahead.

The United States and the European Community have the major responsibility in safeguarding and strengthening the multilateral trading system. They are also major beneficiaries of the system.

6-7-3-4-4 0199

미.EC간 유지종자(oilseed)분쟁 전망

92. 11. 7.

통 상 기 구 과

공람	통상기구과	담 당	과 장	심의관	국 장	차관보	차 관	장 관

- 목 차 -

1. EC의 oilseed 보조금 체계 ------------------------------ 1

2. 미.EC간 oilseed 분쟁 ---------------------------------- 1

3. 미국의 대 EC 보복조치 발표 ---------------------------- 3

4. oilseed 분쟁과 UR 협상과의 관계 ----------------------- 4

5. 전 망 -- 5

0201

미.EC간 유지종자(oilseed)분쟁 전망

1. EC의 oilseed 보조금 체계

- o EC는 1960-61간 제네바에서 개최된 딜론라운드 관세 협상시 미국에 대해 oilseed를 무관세로 양허하였으며, 동 무관세 양허는 1963.1.12부터 발효

- o EC는 각 회원국 별로 상이한 oilseed 보조금 제도를 일원화하고 적정 생산수준 확보를 위해 1966년 9월 EEC Regulation 136/66을 채택하여 EC 역내에서 생산되는 oilseed에 대해 목표가격과 세계시장 가격차이 만큼의 보조금을 지급하는 가격보조제도 채택
  - 형식적으로는 EC역내에서 생산되는 oilseed를 목표가격에 구입하는 가공업자들(processor)에게 보조금을 지급하는 형식을 취함.

- o 90.1.25. 제1차 패널보고서 채택이후 EC는 oilseed 생산자에 대해 직접 보조금을 지급하는 직접보조 제도로 전환 (91.12)

2. 미.EC간 oilseed 분쟁

가. 1차 패널

- o 미 대두협회가 1986년부터 EC의 oilseed 보조금으로 인해 피해를 보고 있다고 주장하고 EC의 보조금 지급 중단을 요구함에 따라 USTR은 88.1월 동건과 관련하여 301조 발동

- o 미국과 EC 88.2.19 및 4.19. 2차에 걸쳐 갓트 23조 1항에 따른 양자 협의 개최

o 2차에 걸친 양자협의에서 합의가 이루어지지 않음에 따라 미국은 88.4. EC의 oilseed 생산 및 가공업자에 대한 보조제도가 갓트3조 (내국민 대우) 및 2조(관세 양허) 위반임을 들어 갓트에 제소

o 88.6. 설치된 패널은 89.12.14. EC의 보조금 제도 (EC산 oilseed 구입 조건으로 가공업자에 대해 보조금 지급)가 갓트 3조 및 2조 위반이라고 판정하고 EC가 동 보조금 제도를 합리적인 기간내에 갓트에 합치시키도록 하되 동기간중 체약국단이 보복조치를 취하지 않을 것을 권고 (동 보고서는 90.1.25. 채택)

o 상기 패널 권고사항에 따라 EC는 기존의 가격 보조금 제도를 oilseed 생산자에게 생산량에 관계없이 직접보조금을 지급하는 직접보조금 제도로 변경 (EC는 동 제도를 91.12. 공식 채택)

나. 2차 패널

o 미국은 상기 EC의 새로운 직접보조금 제도가 여전히 갓트 2조 및 3조 위반임을 들어 91.10.8. 원패널 재소집을 요구

o 갓트 총회는 91.12.3. 원패널 재소집을 결정하였으며, 재소집된 패널은 92.3.31. EC의 새로운 직접보조금 제도가 oilseed에 대한 무관세양허 효과를 계속 침해하고 있다고 판정하고 EC에 대해 동 보조금 제도를 수정하거나 갓트 28조에 의거 관세양허 재협상을 하도록 권고하는 2차 패널보고서 배포

o 상기 2차 패널 보고서는 92.4.30. 갓트이사회에서 EC의 거부로 채택되지 못함.

o EC는 92.6.19. 갓트이사회에서 갓트 28조 4항에 따른 양허 재협상 착수 승인을 요청하였으며, 이에 미국이 동의함에 따라 60일간의 양허 재협상 실시

o 미국과 EC는 92.6.19-8.18간 양허 재협상을 실시하여 타협을 모색하였으나 합의에 실패

o 92.9.29-10.1간 개최된 갓트이사회에서 미국은 EC에 대해 30일 시한의 구속력 있는 중재 패널설치를 요구하였으나 EC가 반대

3. 미국의 대 EC 보복조치 발표

o 미국은 EC가 92.6.5. 갓트이사회에 양허 재협상을 공식 요청한 것과 관련 EC의 동 요청을 지연 전술로 간주하여 92.6.12. 20억불상당의 보복관세 부과 대상품목 list를 발표

- 동 list는 30일간의 의견 수렴 과정을 거쳐 10억불 규모의 최종 보복 대상품목을 선정한다는 방침하에 농산물을 대상으로 작성

o 미국과 EC는 60일간의 보상협상 이후에도 양자 협상을 계속하였으나 92.10.19-21간 실무급 협상 및 92.11.1-3간 시카고에서 개최된 농무장관 회담에서도 끝내 이견을 좁히지 못함에 따라 92.11.5. 하기 내용의 대 EC 보복조치를 발표 :

- 발효시기 : 92.12.5.
- 대상품목 : 백포도주, 유채유, 소맥 글루틴(이들 3개 품목의 EC로부터 연간 수입액은 3억불로서 미국의 92.6.12. 발표한 보복대상 품목중에서 선정)
- 보복조치내용 : 동 3개 품목에 대해 양허철회 및 200% 관세부과 (단 보복조치 발효이전 30일간 EC와 계속 협상 용의)
- 추가보복 대상품목 : EC로 부터 수입액이 연간 17억불에 달하는 품목들을 추가 보복대상으로 선정

4. oilseed 분쟁과 UR 협상과의 관계

- o oilseed 분쟁은 미 대두협회의 제소로 시작되어 갓트 분쟁해결 패널에 의한 판정을 받은 사안으로서 원칙적으로 UR 농산물 협상과는 무관하나 사실상 UR 농산물 협상과 밀접한 관계를 가짐.

- o 즉 EC로서는 oilseed 보조금 문제가 매우 민감한 사안으로서 현실적으로 동 보조금을 갓트 패널 권고사항에 따라 갓트 규정에 일치시키기가 극히 어려운 사안이므로 동 패널보고서 이행문제를 UR 농산물 협상타결에 연계하여 UR 농산물 협정 이행을 통해 해결할 수 밖에 없는 입장임.

- o 미국은 UR 협상에서 농산물 협상의 성공적 타결에 커다란 비중을 두고 있으며 과거 동경라운드 협상과정에서 EC의 반대로 농산물분야가 최종협상 결과에서 제외되었던 경험을 되풀이 하지 않기 위한 전략의 하나로서 EC의 oilseed 보조금 문제를 활용한 측면도 있음.
  - 즉 미국은 UR 협상이 중반에 접어든 시점('88.6월)에서 패널을 설치하여 EC의 oilseed 보조금 제도에 대해 갓트 위반판정을 도출해낸후 UR 협상 막바지 단계에서 oilseed 패널 권고사항 이행을 무기로 UR 농산물 협상에서 EC로부터 최대한의 양보를 이끌어내어 궁극적으로 UR 농산물 협상 결과를 자국에 유리한 방향으로 유도한다는 전략을 구사

- o 현재 oilseed 분쟁과 관련 미국이 연간 EC의 oilseed 생산량을 900만톤으로 감축할 것을 요구하고 있는데 반해 EC는 950만톤으로 이하로의 감축에 반대함에 따라 타결이 지연되고 있음. 특히 EC는 연간생산량 상한선을 명시적으로 설정하는데 반대하고 있는바, 이러한 EC의 입장은 지난 5월 채택된 CAP 개혁의 범위내에서 UR 농산물 협상을 타결함으로써 별도로 oilseed 패널 권고사항을 이행치 않으면서 UR 농산물 협상결과의 이행을 통해 동 분쟁을 해결하려는 EC의 기본전략에서 비롯됨. (UR 농산물 협정 초안에 보조금 감축은 규정되어 있으나, 생산량 상한선 설정등 생산량 감축에 관한 명시적인 규정은 없음)

5. 전 망

o 미국이 보복조치 발표시 12.5까지 30일간의 유예기간을 설정한 것은 동 기간중에 EC와 양자적 타결을 계속하겠다는 의사를 암시하므로 미국이 보복조치를 실제로 발동하기 이전인 12월초까지 미국과 EC는 타협안을 계속 모색할 것으로 전망됨. (단, EC가 미국과의 협상에서 대등한 지위확보를 위해 대미 대응보복 조치를 일단 발표할 가능성도 있음)

o 미국과 EC가 12월 5일까지 oilseed 분쟁에 대한 궁극적인 해결책을 모색하는데 실패하더라도 양자합의에 의하여 미국이 보복조치의 발동을 몇개월 동안 연기할 가능성도 있음. (과거 미.EC간 citrus 분쟁시 미국이 85.6.20. 대 EC 보복조치를 85.7.13부터 발동하겠다고 발표한바 있으나 EC와의 협의를 통해 보복조치의 발동을 85.10.31.까지 연기한 전례가 있음)
  - 특히 미국과 EC는 보복조치 발동시 상호 커다란 피해를 보게 되며, oilseed 분쟁이 우선 해결되어야 UR 협상타결의 관건이 되고 있는 UR 농산물 협상에서의 돌파구가 마련된다는 점을 인식하고 있기 때문에 양측은 oilseed 분쟁으로 인해 UR 협상자체가 무산되는 사태를 방지하기 위해 가급적 보복조치를 실제로 발동하지 않는 방안을 모색할 것으로 보임.

o 실제로 미국과 EC가 보복조치를 발동한다 하더라도 전면적인 무역전쟁으로 확산되기 보다는 내년초에 Clinton 미 행정부가 들어서고 EC도 Andriessen 대외관계 집행위원과 MacSharry 농업담당 집행위원이 경질되는등 집행위원회가 개편되어 양측 모두 새로운 협상담당자들이 oilseed 분쟁의 해결 및 UR 농산물 협상의 타결을 모색할 것이므로 미. EC간 무역전쟁은 제한적이 될 것으로 전망됨.

o 결론적으로 현 단계에서는 oilseed 분쟁이 UR 협상 진전에 장애 요인이 되고 있으나 UR 협상 타결의 세계적인 중요성에 비추어 결국 미국과 EC가 oilseed 분쟁과 UR 농산물 협상을 동시에 해결하는 방안을 모색할 것으로 전망됨. 끝.

報告畢

長官報告事項

1992. 11. 9.
通商局
通商機構課(67)

題目 : oilseed 紛爭關聯 動向 및 展望

1. 미국의 대EC 보복조치 발표 및 EC의 반응

ㅇ 시카고 미.EC 농무장관회담(11.1-3)시 유지종자(oilseed) 분쟁관련 합의가 이루어지지 않음에 따라 미국은 11.5. 하기 대 EC 보복조치 발표

- 92.12.5부터 연간 수입액 3억불에 달하는 백포도주, 유채유, 소맥글루틴 등 3개 대 EC 수입품목에 대해 200% 보복관세 부과

ㅇ EC는 무역장관회담(11.6-7, 영국 브로킷홀)에서 대미 대응보복은 일단 보류하고 대미협상 조속 재개에 합의(11.9. 외무장관 회의를 개최, 대응방안 협의 계속 예정)

- 대부분의 EC 회원국들이 협상을 통한 해결책 모색을 선호하고 있으나, 프랑스 및 Delors EC 집행위원장은 대미 대응보복 주장

2. 전 망

ㅇ 양측 모두 oilseed 분쟁으로 인해 UR 협상 자체가 무산되는 사태를 방지하기 위해 가급적 보복조치를 발동치 않는 방안을 모색할 것으로 전망되며, 구체적으로 하기 3가지 시나리오 예상

① 12.5까지 30일간의 유예기간 동안에 타협안 도출

- Hills 무역대표와 Madigan 미 농무장관은 11.6. 대 EC 협상 재개용의 표명

공람	통상기구과	92년 11월 9일	담 당	과 장	심의관	국 장	차관보	차 관	장 관
			안명수	[signature]	[signature]	[signature]			

0207

② 양측이 12.5까지 궁극적인 타협안 도출에 실패하더라도 미국이 EC와 합의에 의해 보복조치의 발동을 일정기간 연기하면서 양자협상 계속 (미국은 통상법 301조에 의거 최대 180일까지 보복조치 발동 연기가능)

③ 타협안 도출에 실패하여 미국과 EC가 실제 보복조치를 발동하더라도, 내년초 미국 신행정부 출범 및 EC 집행위원회 개편후에 양측의 새로운 협상 담당자들이 타결 방안을 적극 모색하면서 양측의 보복 범위.기간을 축소조정

3. 국회 및 언론대책 : 별도조치 불요. 끝.

0208

안(이시) ✓

관리 번호	92-819

원 본

외 무 부

종 별 :

번 호 : USW-5472 일 시 : 92 1109 1708

수 신 : 장 관 (통기,통이,경기원,농림수산부,상공부)

발 신 : 주 미 대사 사본: 주 제네바,EC대사 (본부중계필)

제 목 : OILSEED 문제와 UR/농산물 협상 동향

대: WUS-4962

당관 이영래 농무관은 미 농무부 해외농업처 RICHARD B. SCHROETER 처장보와 면담, 표제관련 협상동향과 전망등을 문의한바 요지 하기 보고함.

1. OILSEED 관련 협상

- SCHROETER 처장보는 지난 11.5. USTR 에서 OILSEED 문제와 관련해서 3 억불 상당의 보복관세 부과를 발표하였으므로 앞으로의 협상진행 여부는 전적으로 EC 측에 달려있다고 말함.

- 미측은 현재 EC 의 입장 정립과 반응을 기다리고 있으며 금일(11.9) 브랏셀에서 EC 외무장관 회담이 개최되고 있고 내일(11.10) 제네바에서 TNC 회의가 있을 예정이므로 조만간 EC 의 대응책이 나오게 될 것으로 보고 있다고 하면서 미측은 상호 보복하는 심각한 상황을 피하고 협상을 통해서 문제를 해결하기를 원하고 있다고 강조하면서 EC 측이 비록 불란서가 강경한 자세를 견지하고 있지만 영국, 독일등이 협상하기를 원하고 있다고 하면서 EC 가 조만간 협상 TABLE 로 나오게 되기를 기대하고 있다고함.

- 또한 미측은 금번의 OILSEED 문제와 관련하여 보복관세를 부과한 것은 지난 5 개년간에 걸쳐 2 번이나 GATT 에 제소하여 미측이 승소되었고 EC 측과의 협상실패에 따라 상기 조치가 불가피했다고 하면서 EC 측이 적절한 대책을 강구하지 않고 계속 협상을 지연시킬 경우에는 10 억불 범위내에서 추가 보복도 가능할것으로 본다고 하면서 미-EC 간에는 OILSEED 관련 생산량과 면적 동시 감축분야에서 약간의 진척이 있었으나 아직도 생산량의 감축 수준에서 계속 이견이 맞서고 있다고 말함.

2. UR/ 농산물

- SCHROETER 처장보는 USTR 의 CARLA HILLS 대표가 말한바와 같이 금년내에UR

통상국	장관	차관	2차보	미주국	통상국	분석관	청와대	안기부
경기원	농수부	상공부	중계					

PAGE 1 92.11.10 09:18

* 원본수령부서 승인없이 복사 금지 외신 2과 통제관 BX

0209

협상이 마무리 되기를 바라고 그 가능성도 있다고 하면서 이를 위하여 미국과 EC 간에 농산물 관련 협상이 조기에 타결되어야 할 것이라고 하면서 미측이 EC 와 지난번 협상할때 INTERNAL SUPPORT 분야에서 CAP REFORM 의 영구면제를 허용해 주는 양보조치를 하였으므로 금번에는 EC 측이 양보해야 할 것이라고 말하면서 EC 측은 그동안 양보한 것이 아무것도 없다고 말하였음.

- 동 처장보는 또한 미측은 OILSEED 와 UR/ 농산물 협상을 분리하여 협상을진행시킬 수도 있으나 EC 측이 PACKAGE 로 협상하기를 원하고 있다고 하면서 UR 협상관련 수출보조금 및 국내보조금 감축, REBALANCING, PEACE CLAUSE 등이 계속 주요 협상 과제라고 말함.

3. 앞으로의 전망

- SCHROETER 처장보는 OILSEED 문제와 UR 협상 전망 문의에 대해서 우선 OILSEED 문제를 먼저 해결해야 할 것이라고 하면서 현재 모든 분야가 불확실한 상황(UNCERTAINTY)에 있으므로 이를 전망하기는 어렵다고 말하고 양자간에 정치적 의지 (POLITICAL WILL)가 무엇보다도 중요하다고 강조함.

- 또한 CLINTON 의 미국 대통령 당선과 관련하여 아직은 그의 무역정책이 구체적으로 제시되지 않았으므로 현시점에서 그의 UR 협상에 대한 견해와 우선순위등에 대하여 의견을 말하기는 어려우며 앞으로 무역관련 분야의 조직개편, 각료 임명과정등에서 그의 무역정책이 구체적으로 제시될 것으로 보고 있다고 하면서 UR 협상의 조기 마무리 문제는 사실상 시간이 촉박할수 있다고 하면서 이에따라 신행정부는 FAST TRACK AUTHORITY 의 연장도 가능할 것으로 본다고 말함.

- 동 처장보는 현시점에서 미측의 UR 협상에 대한 입장은 종전과 동일하다고 말하면서도 모든 것이 불확실하므로 EC 의 반응등 좀더 사태의 추이를 보아가면서 상기 문제들을 해결해 나갈수 밖에 없다고 말하였음을 참고바람. 끝.

(대사 현홍주-국장)

예고: 92.12.31. 까지

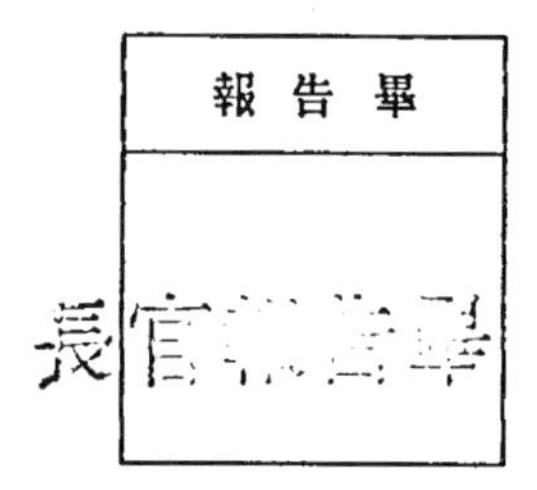

長官報告事項

1992. 11. 9.
通 商 局
通商機構課(67)

題目 : oilseed 紛爭關聯 動向 및 展望

1. 미국의 대EC 보복조치 발표 및 EC의 반응

o 시카고 미.EC 농무장관회담(11.1-3)시 유지종자(oilseed) 분쟁관련 합의가 이루어지지 않음에 따라 미국은 11.5. 하기 대 EC 보복조치 발표

- 92.12.5부터 연간 수입액 3억불에 달하는 백포도주, 유채유, 소맥글루틴 등 3개 대 EC 수입품목에 대해 200% 보복관세 부과

o EC는 무역장관회담(11.6-7, 영국 브로킷홀)에서 대미 대응보복은 일단 보류하고 대미협상 조속 재개에 합의(11.9. 외무장관 회의를 개최, 대응방안 협의 계속 예정)

- 대부분의 EC 회원국들이 협상을 통한 해결책 모색을 선호하고 있으나, 프랑스 및 Delors EC 집행위원장은 대미 대응보복 주장

2. 전 망

o 양측 모두 oilseed 분쟁으로 인해 UR 협상 자체가 무산되는 사태를 방지하기 위해 가급적 보복조치를 발동치 않는 방안을 모색할 것으로 전망되며, 구체적으로 하기 3가지 시나리오 예상

① 12.5까지 30일간의 유예기간 동안에 타협안 도출

- Hills 무역대표와 Madigan 미 농무장관은 11.6. 대 EC 협상 재개용의 표명

0211

② 양측이 12.5까지 궁극적인 타협안 도출에 실패하더라도 미국이 EC와 합의에 의해 보복조치의 발동을 일정기간 연기하면서 양자협상 계속 (미국은 통상법 301조에 의거 최대 180일까지 보복조치 발동 연기가능)

③ 타협안 도출에 실패하여 미국과 EC가 실제 보복조치를 발동하더라도, 내년초 미국 신행정부 출범 및 EC 집행위원회 개편후에 양측의 새로운 협상 담당자들이 타결 방안을 적극 모색하면서 양측의 보복 범위.기간을 축소조정

3. 국회 및 언론대책 : 별도조치 불요. 끝.

0212

	분류번호	보존기간

발 신 전 보

번 호 : WJA-4840 921113 1704 FY 종별 :

수 신 : 주 일본 대사. 총영사

발 신 : 장 관 (통 기)

제 목 : UR 농산물 협상

1. 농림수산부 대표단(김광희 기획관리실장 외 1명)이 FAO 이사회 참석후 귀로에 92.11.19(목) 08:55(BA 005편) 귀지 도착 예정임.

2. 동 대표단이 11.19(목)오후 일본 농림수산성 UR 농산물 협상 관계자와 면담할 수 있도록 조치바람. 끝.

(통상국장 대리 오 행 겸)

보 안 통 제	서명

앙 고 재	92년 11월 13일	통상기구과	기안자 성명		과 장	심의관	국 장		차 관	장 관
			안명수		서명	서명	전결			서명

외신과통제

0213

발 신 전 보

분류번호	보존기간

번 호 : WGV-1744 921113 1702 FY 종별 : 지급

수 신 : 주 제네바 대사. 총영사

발 신 : 장 관 (통 기)

제 목 : UR 농산물 협상

1. 농림수산부 대표단(김광희 기획관리실장 외 1명)이 FAO 이사회 참석후 귀로에 92.11.15(일) 14:45(AZ 408편) 귀지 도착 예정임.

2. 동 대표단이 11.16(월)오전 갓트사무국 UR 농산물 협상 관계자와 면담할 수 있도록 조치바람. 끝.

(통상국장 대리 오 행 겸)

보안 통제	

앙 고 재	92년 11월 13일	통상기구과	기안자 성명		과 장	심의관	국 장		차 관	장 관
							전결			

외신과통제

0214

	분류번호	보존기간

발 신 전 보

번 호 : WEC-0880 921113 1703 FY 종별 :

수 신 : 주 EC 대사. 총영사

발 신 : 장 관 (통 기)

제 목 : UR 농산물 협상

1. 농림수산부 대표단(김광희 기획관리실장 외 1명)이 FAO 이사회 참석후 귀로에 92.11.16(월) 17:50(SN 372편) 귀지 도착 예정임.

2. 동 대표단이 11.17(화) EC 집행위 UR 농산물 협상 관계자와 면담할 수 있도록 조치바람. 끝.

(통상국장 대리 오 행 겸)

보안 통제	

앙 고 재	92년 11월 13일	통상기구과	기안자 성명		과 장	심의관	국 장		차 관	장 관
							전결			

외신과통제

0215

0고

관리 번호	92-1197

외 무 부

종 별 :

번 호 : USW-5572 일 시 : 92 1113 1914

수 신 : 장관 (통이,통기,경일,경기원,농수산부,경제수석,외교안보수석)

발 신 : 주 미 대사 사본: 주 제네바 대사(본부중계필)

제 목 : 미 도정업계의 쌀 301조 청원 움직임

1992.12.31.에 예고문에 의거 일반문서로 재분류됨

연: USW-5547

1. 당관 장기호 참사관은 11.13. 연호관련 NANCY ADAMS, USTR 부대표보를 접촉 탐문한바, 동인 발언 요지 아래 보고함.

가. ADAMS 부대표보는 미 도정협회 대표가 금일 오후 USTR 을 방문, 관계인사들 을 면담할 계획이며, 이때에 자신도 동 면담에 참석하게 되어 있으므로 가능한대로 협의내용을 추후 알려주겠다고 하였음.

나. 미 도정협회는 1 년전 주요 교역국들의 쌀시장 개방을 위한 301 조 청원을 제출한 바 있으나 UR 협상을 이유로 USTR 이 동 청원을 기각, 동 협회의 움직임을 봉쇄한바 있다고 언급하고 국내법상 미 업계는 외국의 불공정무역 시정을위해 필요하다고 판단할 때는 언제든지 301 조 청원을 제기할 권리가 있으므로미정부가 이를 막을 방법은 없다고 하였음.

다. 금일 미 도정협회 대표와 USTR 관계자회의는 동 협회측이 앞으로의 계획을 설명하고 USTR 의 의견을 구하는 매우 예비적 성격의 회합이며, 여기서 어떤 결정이 내리게 될 것으로 보지않는다고 하였음.

라. 자신의 생각으로는 도정협회의 이러한 움직임은 301 조 청원을 제기하기 전에 통상 취하는 예비적 조치이며, UR 협상의 전망이 불투명하다는 판단 아래 문제를 제기하려는 것으로 판단된다고 하였음. 자신은 아직도 UR 협상이 끝이났다고 보지 않는다는 견해를 피력하였음.

2. 상기 관련 장참사관은 아직 UR 협상이 종결되지 않은 상황하에서 미 도정협회가 301 조 청원을 제기한다면, UR 협상에 관여하고 있는 국가들의 반발을 초래하게 되는등 그 여파에 대한 우려를 표명해 두었음.

3. 앞으로 미 도정협회가 301 조 청원을 제기한다면 미측으로서는 두가지의효과를

통상국 장관 차관 2차보 미주국 경제국 통상국 청와대 청와대
안기부 경기원 농수부

PAGE 1

92.11.14 11:02

외신 2과 통제관 BX

0216

겨냥할 것으로 봄. 만약 UR 협상이 실패할 경우에 대비, 사전 대비책의하나로 양자 압력을 모색하는 것이며, 이를 UR 협상과도 병행하여 추진, 쌀등 농산물의 관세화를 일본과 한국이 받아들이도록 압력을 가하므로서 UR 농산물협상의 조기 타결을 도모한다는 미측의 의도를 상정할 수 있을 것임.

4. 미 도정협회의 움직임은 앞으로 신행정부에 대해 쌀문제에 대한 관심을 촉구하는 의도도 있는바, 금후 UR 타결이 지연될수록 양자 차원에서의 쌀시장 개방문제는 큰 현안으로 대두될 것으로 관측됨. ADAMS 부대표보로 부터 USTR 과의 협의내용이 입수되는 대로 추보하겠음. 끝.

(대사 현홍주 - 국장)

예고: 92.12.31. 일반

관리번호	92-198

오

외 무 부

종 별 :

번 호 : USW-5573　　　　일 시 : 92 1113 1915

수 신 : 장 관 (통이,통기)

발 신 : 주 미 대사

제 목 : 미 도정업계 쌀 301조 청원 움직임

연: USW-5547, 5572

1. 당관 장기호 참사관은 11.13. 오후 늦게 NANCY ADAMS USTR 부대표보를 접촉, 연호 미 도정협회 대표의 USTR 관계자 면담 내용에 대해 문의한바, 동 부대표보는 회담 내용을 대외적으로 밝힐 수 없다고 전제하고 자신의 느낌만 을 전한다며 아래 요지로 언급하였음.

가. 미 도정협회는 주요 교역국들의 쌀시장 개방문제 해결을 위한 대안을 검토중이며, 대상국가에는 한국도 포함되어 있음.

나. 동 협회는 301 조 제소를 신중히 검토중이지만 조만간 제소할 것으로 보이지 않는다(NO IMMEDIATE CRISIS)고 느껴졌으며, 적어도 그러한 결정은 앞으로 수주내에는 (NOT IN THE NEXT FEW WEEKS) 없을 것으로 봄.

다. 자신의 이러한 언급은 동 협회 대표로 부터 받은 느낌에 불과하며, 301 조 제소 여부는 최종적으로 동 협회의 결정에 달려있는 것임.

2. 한편 SUZANNE EARLY USTR 농업대표보는 미 도정협회 대표들이 301 조 제소를 위한 문서작업을 어떻게 해야하는 지에 관심을 표시하는등 절차적이고 기술적인 사항에 대해 질문하였으며, 그 이상의 내용은 모른다고 구체적 답변을 회피하였음.

3. 미 도정협회는 UR 협상의 결과를 보아가면서 301 조 제소를 실무적으로 준비해 갈 것으로 관측되는바 참고바람. 끝.

(대사 현홍주 - 국장)

예고: 92.12.31. 일반

통상국 장관 차관 2차보 미주국 경제국 통상국 분석관 청와대
안기부 경기원 농수부

PAGE 1

92.11.14 10:58

외신 2과 통제관 BX

0218

원 본

외 무 부

종 별 :

번 호 : ECW-1460 일 시 : 92 1118 1700

수 신 : 장관(통삼,통기,경기원,재무부,농림수산부,상공부,기정)사본:GV,FR-중계필

발 신 : 주 EC 대사

제 목 : 주미-중계망 갓트

UR 협상동향표제협상과 관련, 최근 당지의 동향을 아래 보고함.

1. DELORS EC 집행위원장은 금 11.18.구주의회에서의 연설을 통해 금번 워싱턴 회담에서 농산물 문제에 대한 성공적인 결과가 있기를 희망한다고 말함. 한편, ANDRIESSEN부위원장은 금번 회담에서 협상이 타결되기를 절실히 기대하나 여하한 희생을 감수하면서까지 타결되는 것은 원치않는다고 밝히고, 양측 모두가 양보하지 않을 경우합의도출이 어려울 것이라고 말하였으나, EC측 양보안 내용에 대하여는 밝히기를 거부함.

2. 한편, 불란서 사회당 의원들은 성명을 통해 자국농민들에게 불리한 협상 결과는 거부되어야 한다고 주장하면서 EC 집행위가 그러한 협상결과의 수락을 요청할 경우에도 불 정부가 LUXEMBURG 조항에 의한 거부권을 행사하여 줄것을 요구함. 또한 신드골당도 성명을 발표하고 UR 협상은 불란서 농업의 붕괴를 초래할것이라 주장하고,동 협상을 거부할 것을 요구함.

3. 한편 11.16 EC를 방문, DELORS 위원장 및 ANDRIESSEN 부위원장, MACSHARRY 집행위원과 회담한 LOYD BENTSEN 민주당 상원의원 (상원재무위원장)등 미상원의원단은EC 측에 대해 클린턴 대통령 당선자는 부쉬대통령이 EC와의 UR 협상을 마무리지음으로써 무역전쟁 발발을 방지할 수있기를 바라고 있다고 전한 것으로 알려짐. 끝.

(대사 권동만 - 국장)

통상국 통상국 안기부 경기원 재무부 농수부 상공부

PAGE 1

92.11.19 02:28 EJ

외신 1과 통제관

0219

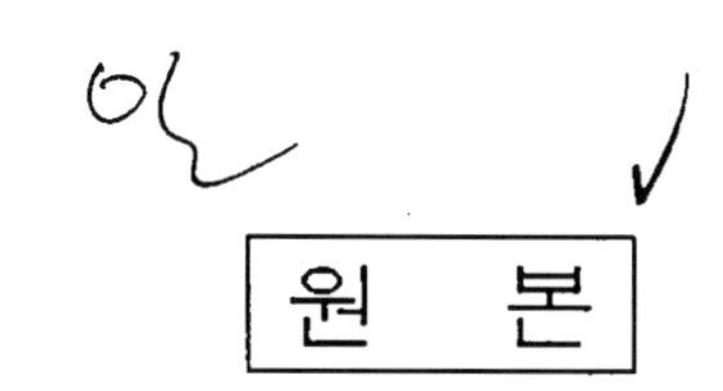

외 무 부

종 별 :

번 호 : FRW-2362 일 시 : 92 1119 1800

수 신 : 장 관 (통기,구일)

발 신 : 주 불 대사

제 목 : UR 협상 관련 주재국 농민 시위

1. EC-미국간 농산물 협상과 관련, 주재국 농민 수백명은 11.17 주불 미대사관 앞에서 ' 불 농민을 죽이지 말라 '등 구호와 함께 미 성조기를 불태우는등 반미 시위를 하였으며, 일부 농민은 파리 중심가에 위치한 맥도날드 햄버거점을 점거 파괴하는사태가 발생 하였음. 동 시위에 대해 주재국 경찰 당국은 강력한 진압 조치를 취하여작일 모두 해산 되었으나 동 진압 과정에서 경찰 20여명이 부상을 당함.

2. 상기 시위는 주재국 2개 농민단체 (FNSEA, CNJA)가 주도 하였는 바, 동 단체들은 워싱턴 회담의 결과가 불 농민에게 불리한 내용으로 타협될 경우엔 미 사료 곡물의 수입 금지와 대미 보복 조치를 취할것을 요청하는 한편 정부 당국에는 EC-미 간타 협안에 대해 3일내에 VETO 권을 행사 토록 촉구 하였음.

3. LUC GUYAU FNSEA 회장은 11.17 독일 농민단체 (DBV) HEEREMAN 회장과 BONN 에서 회동, 양국 농민 단체간 공동대회 방안을 협의 하였는 바, 동 회장은 향후 전유럽 농민 단체들과 결속을 이루어 연합 전선을 펴나갈 것이라고 강조 하였음.끝.

(대사 노영찬-국장)

통상국 구주국

PAGE 1 92.11.20 05:05 FO

외신 1과 통제관

0220

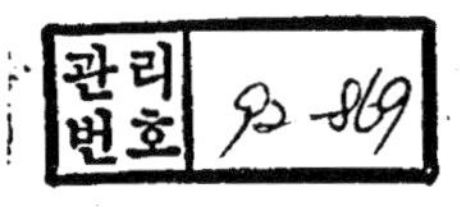

주 일 대 사 관

1992.12.31. 에 예고문에 의거 일반문서로 재분류됨

106 東京都 港區 南麻布 1 - 2 - 5 (03)3452-7611/9 (03)5476-3298

문서번호 일(경)764-778

시행일자 1992.11.20(금)

수신 장 관

참조 통상국장

선결			지시	공람및	
접수	일자 시간		결재·공람		
	번호	6647		국장	
처리과				심의관	
담당자	안병수			과장	

제목 UR협상 동향 및 주재국 입장

연 :

연호, 92.11.18 - 21간 당지를 방문한 김광희 농수산부 기획관리실장의 주재국 농림수산성 「교야」사무차관 및 「아즈마」국제부장과의 면담기록을 별첨 송부하오니, 업무에 참고하시기 바랍니다.

첨부 : 상기 면담록 2건 끝.

예고 : 92. 12. 31.까지

주 일 대

0221

농수산부 기획관리실장 방일관련 면담기록

(일본 농림수산성 사무차관 및 국제부장)

92. 11. 19(목)

주 일 대 사 관
경 제 과

0222

농림수산성 사무차관과의 면담기록

1. 일시 및 장소 : 92. 11. 19(목) 15:00 - 15:45

   농림수산성 사무차관실

2. 면 담 자 :

   (일측) 「교야」 농림수산성 사무차관

   (아측) 김광희 농수산부 기획관리실장

   (김종주 주일대사관 농무관, 황순택 주일대사관 1등서기관, 안광욱 농수산부 국제협력담당관실 사무관 배석)

3. 면담내용 :

(김실장)

ㅇ 금번 FAO 이사회 참석과 미국-EC간 UR협상의 급진전 움직임과 관련 제반 협의 목적으로 로마, 제네바, 브뤼셀 등지를 방문후 일본에 왔는 바, 차관님께서 바쁘신 가운데 시간을 내주셔서 감사함.

ㅇ 현재 한국은 추곡 수매가 문제로 국회 회기를 연장, 지금 시간 옐친 러시아대통령 국회 연설후 동 문제를 국회에서 논의할 예정임.

(교야 사무차관)

ㅇ 국회에서 추곡 수매가 관련 문제는 구체적으로 무엇인지?

(김실장)

ㅇ 일본은 물가심의회를 통해 농림수산성이 추곡 수매가를 결정하고 있는 것으로 알고 있으나, 한국의 경우는 정부가 가격을 결정하고, 이의 국회승인이 필요하여 국내정치등과도 연관되며 정당간의 협의가 큰 문제가 되고 있음.

ㅇ 즉, 쌀 문제는 경제논리로 결정되는 것이 아니라, 정치적으로 가격이 결정되므로 한국에서는 쌀을 「정치상품」이라고 부르고 있음.

ㅇ 쌀시장 개방관련 우리의 사정 및 동향을 다음과 같이 설명 드리고, 일본의 입장에 대해 질문하고자 함.

- 쌀이 특히 한국에서 문제가 되는 것은 경쟁력이 없어 시장이 개방된다면, 이는 농업의 포기를 의미하는 것으로 받아 들여지고 있음.
- 제네바에서 카라일 GATT 사무차장과의 면담시, 동인은 일본도 이미 Minimum Market Access를 5% 정도 허용할 의사를 비추고 있다고 하면서, 왜 한국은 전혀 입장 변화 없이 홀로 싸우려고 하는가 하고 묻고, 우리의 입장 변화를 촉구한 바 있음.
- 상기 사무차장의 요구에 대해, 본인은 5%의 부분 개방은 그것으로 그치지 않을 것인 바, 과거 한국은 쇠고기를

처음 5% 개방을 허용하였으나, 이후 연이은 압력으로 현재 65%선까지 개방하고 있는 실정으로, 쌀 시장도 결국 몇년후 상당한 개방으로 이어질 것이므로 이를 수용하기 힘들다고 답변한 바 있음.

- 차관께 드리고 싶은 질문은 다음과 같음. 일본이나 한국은 정도의 차이는 있겠지만 쌀 시장 개방은 농업의 포기와도 연결될 것으로 생각됨. 미국과 EC간에 Oil Seeds 생산량 및 수출보조금 삭감문제를 둘러싼 교섭이 타결 된다면, 일본 및 한국의 쌀시장 개방 문제가 대두 될 것이 확실한 바, 이에대한 일본의 입장이 상기 카라얄 사무차장의 이야기대로 변화를 보이고 있는지 알고싶음.

(교야 사무차관)

- o 김실장께서 말씀하신 카라일 GATT 사무차장의 이야기는 동인이 무슨 근거로 그런 이야기를 했는지 전혀 알고있지 못함.
- o 일본에 있어서도 쌀시장 개방 문제는 참으로 머리아픈 문제임은 김실장께서도 잘 알고 계시리라 생각됨.
- o UR 협상 추이는 미-EC간 교섭결과 여하에 따라 이어서 다국간 협상이 진행될 것으로 보이므로, 이에 따라 일본도 대응책을 국내적으로 검토하고는 있으나, 지금까지 상황을 보아 일본의 기존입장을 변화할 상황은 아니라고 말씀드릴 수 있음.

o 따라서, 일본은 미.EC간 교섭결과를 좀더 지켜보고 이를 잘 분석하여 최종 태도를 결정할 생각임.

o 지금까지 일본도 던켈 GATT 사무총장과의 협의 및 미국 교섭 담당자와의 협의시, 이들로 부터 년간 약1,000만톤 규모의 쌀 생산량 중 3-5% 정도의 부분 개방을 하여도 일본 농업이 파괴될 가능성은 없지 않느냐고 하는 공격을 김실장께서 제네바에서 받은 공격과 같이 받고 있는 실정임.

o 또한, 쌀시장 개방 문제에 대한 한국의 어려움에 대해서도 잘 알고 있으며, 일본도 최종적으로 동 문제를 어떻게 대응할 것인가 하는 것이 사실 중요한 과제로 대두하고 있는 실정임.

o 잘 알고 계시다시피, 일본의 쌀도 한국과 같이 정치적으로 밀접한 관계가 있는 농산물인 바, 농림수산성은 정치적인 문제에 관하여 국내적으로 너무 소란스럽지 않게 하면서 UR에서 어떻게 최종적 타결을 볼 것인가가 중요한 과제라고 생각함.

(김실장)

o 지금까지의 사무차관의 말씀을 정리하면, 본인은

① 일본은 현재 쌀시장 개방에 대한 기존입장에 변화가 없음.

② 그러나, 미.EC간 교섭결과에 대해 금후 어떻게 대처할 것인가 하는 것이 큰 과제임이라고 이해 하였는 바, 이를

달리 해석하면 일본은 일본 전체의 의견수렴 과정에 있어서 일본의 입장이 변화할 가능성도 있다고 생각되는 데 이에대한 사무차관의 견해는 어떠하신지?

(고야 사무차관)

- o 실로 어려운 질문임. 알고 계신바와 같이 일본은 쌀문제 관련, 국내 필요 쌀은 국내 생산분으로 충당해야 한다는 국회결의가 있는 바, 동 원칙을 벗어나는 시책은 취하기 어려우며, 이에 근거 지금까지 일본은 UR 교섭에서 동 입장을 견지하여 왔음.
- o 동 국회결의로 결정된 원칙을 인식하면서 금후 UR 대응책을 수립해 나가는 데에는 역시 정치적 판단이 개입될 가능성이 높다고 생각함.
- o 한편, UR의 쌀문제 처리에 있어 일본의 저항으로 UR 전체가 진전되지 않는 것이 과연 바람직할 것인가 하는 문제가 국내외적으로 제기되리라 보며, 아마도 일본의 전체적 입장에서 보아도 쌀시장 개방 반대입장을 주장하여 UR 전체가 파괴되는 방법 밖에는 없다는 논리를 미국.EC측에 말할 수도 없는 입장이라고 생각됨.
- o 따라서, 지금부터 국회결의 원칙을 지켜나가면서 UR을 원활하게 종결시키기 위한 해결책을 찾기위한 힘들고 머리아픈 검토 및 선택의 시기가 도래하고 있다고 봄.

ㅇ 단, 이러한 검토와 선택의 전제로서 미.EC간 현재의 대화 내용을 끝까지 지켜볼 필요가 있으며, 국내 보조금 삭감 및 수출 보조금 삭감 문제와 관련 던켈 페이퍼의 수정 가능성이 있다는 이야기를 듣고 있는 바, 관세화 문제도 이러한 방향으로 타결책을 찾는 것이 하나의 방법이 아닌가 하고 생가하고 있음.

ㅇ 어쨌든, 일본은 미.EC간 협의 진행상황을 관심을 갖고 지켜 보고 있으며, 제네바에서 다국간 교섭 과정이 어떻게 진전 될 것인가에 귀추가 주목 되는 바, 필요에 따라 한국과도 정보교환 및 상호 입장을 보면서 협력해 나가고자 함.

(김실장)

ㅇ 지금 말씀중에 국내 보조금 및 수출 보조금 관련 기존 던켈 페이퍼와 미.EC간 최종 타결안에 숫자변동 등의 차이가 생길 경우, 일본의 대응 방안으로 던켈 페이퍼의 관세화 부분 수정 안이 채택될 가능성에 대해 어떻게 전망하시는지?

(고야 사무차관)

ㅇ 동 가능성에 대해서는 간단히 생각할 수 없는 측면이 많은 바, 미.EC가 받아 들이기 어려운 측면이 있으며, 또한 던켈 페이퍼를 수정하지 않는 것이 바람직하다는 견해도 있어, 현재 동 방안은 희망적 관측에 불과하다고 보이나, 일본은 이를 하나의 방안으로 고려하고 있음.

(김실장)

o 사무차관의 한.일 양국의 정보교환 관련 말씀은 사실 본인이 더욱 강조해서 드리고 싶은 말씀이었으며, 오늘 시간을 내주셔서 감사함.

(교야 사무차관)

o 본인도 오늘 김실장과의 대화가 상당히 유익한 기회가 되었다고 생각함.

(김실장)

o 끝으로, 한국의 많은 농수산부 관계 직원의 방일에 대한 안내 및 자료협조 등을 해주시는데 대해 감사드리며, 당지 한국 농무관에게도 많은 협조를 제공해 주시고 계신데 대해 농수산부를 대신해서 감사의 말씀을 드림.

농림수산성 국제부장과의 면담기록

==============================

1. 일시 및 장소 : 92. 11. 19(목) 15:45 - 16:30

   농림수산성 국제부장실

2. 면 담 자 :

   (일측) 「아즈마」 농림수산성 국제부장

   (아측) 김광희 농수산부 기획관리실장

   (김종주 주일대사관 농무관, 황순택 주일대사관 1등서기관, 안광욱 농수산부 국제협력담당관실 사무관 배석)

3. 면담내용 :

   (아즈마 국제부장)

   o 방금전 사무차관과의 면담시 제기된 문제중 김실장께서 카라일 GATT 사무차장으로 부터 들은 일본의 Minimum Market Access 허용 이야기는 다음 사항이 와전된 것으로 생각함.

   o 「시와꾸」 농림수산성 심의관(차관급)은 자민당내 유력 정치인의 ① 쌀시장의 5% 부분시장 개방조치 수락 ② 단, 5%의 쌀을 미국으로 부터 수입하고, 이를 일본 국내에서

0230

사용치 않고 제3국에의 원조용으로 활용한다는 제안에 입각, 지난 10월 중순경 동 제안을 미국측에 제시한 바, 미측은 동 조치는 ① 사실상 시장 개방이 아니며, ② 미국의 대외 쌀원조 시책과도 배치됨을 이유로 거부한 바 있으며, 이를 던켈 사무총장에게도 전한 바 있었는 바, 동 이야기가 다소 와전된 것이 아닌가 하고 생각함.

(김실장)

ㅇ 현재 워싱톤에서 개최중인 미.EC 교섭에 대한 최신 보고는 있었는지요?

(아즈마 국제부장)

ㅇ 현재까지 받고 있는 보고로는 금일 3시간 협의가 있었으나, 회의결과 기자회견도 없었으므로 잘 알수 없으나, 안드리센 위원장은 "rather optimistic"이라는 코멘트를 한 바 있다고 함.

(김실장)

ㅇ 방금전 사무차관과의 대화를 정리하면, ① 일본의 기본적 입장에는 변화가 없음. ② 그러나, 미.EC간 교섭결과에 대해 금후 어떻게 대처할 것인가가 중요한 과제이므로 이해하고 있는 바, 이를 상황에 따라 일본의 입장이 변화할 수 있다는 이야기로 해석해도 되겠는지?

(아즈마 국제부장)

- In a sense, Yes. 그러나, 일본입장 반영을 위해 금후 다국간 교섭에 있어 최대한의 노력을 경주할 예정임.
- 던켈 페이퍼의 수정문제와 관련, 미국은 지난 9월까지는 전혀 수정을 인정치 않는다는 방침이었으나, 9월이후 부시정권이 선거운동에서 경제문제의 중요성을 인식하여 미국 교섭 실무자에게 전권을 부여, 수정할 수 있다는 입장을 취하게 된 바 있음.
- 일본은 금후 다국간 교섭에 있어 일본 수정안 제출을 검토할 예정이며, 미국과 EC가 6년간 수출보조금 삭감 문제를 유예하는 조치를 고려하고 있는 바, 일본도 비공식적으로 미측에 대해 6년간 유예기간을 거쳐 6년후 Minimum Market Access 문제를 협의할 수 있다는 수정 의견을 제시한 바 있음.(상기관련, 아즈마 부장은 미. EC간 수출보조금 및 국내보조금 삭감관련 교섭내용의 별첨 비밀 문서를 김실장에게 전달)

(김실장)

- 미.EC간 교섭진전 전망 및 금후 추이에 대한 국제부장의 견해는?

(아즈마 국제부장)

- 미측은 클린톤 신정권 취임 이전에 UR 종결을 희망하여 다음 3가지 시나리오를 상정하고 있는 것으로 보임. (별첨 도표로 설명)

- 10 -

0232

① 금번 워싱톤 회담에서 미.EC 교섭 타결로 12월 중순
까지 종결

② 미국 제재조치 기한인 12.5경 미.EC 교섭 타결로 12월말
까지 종결

③ X-mas 이전 미.EC 교섭 타결로 1월 중순경 종결

o 상기 시나리오에 대해 일측은 금후 무역교섭위(TNC)에서 미.
EC측에 대해 미.EC 농산물 협상은 10개월이상 기간이 걸렸
음에도 불구, 일본등의 쌀시장 개방문제에 대해 단 1주일
정도의 시간내에 종결을 서두르는 것은 Unfair 하다는 입장을
개진코자 함.

o 또한, EC측 계산은 부시정권이 아닌 신정권과의 교섭을 희망
하고 가급적 93.3. 프랑스 총선이후 타결을 원하고 있는
것으로 보여 가급적 조기 타결을 피하려고 하는 것으로 보임.
즉, EC측은 12.5. 직후에 개최예정인 EC 위원회의 승인이
필요함을 이유로 미측에 대해 제재조치 연기를 요청하는 등
가급적 타결을 지연코자 하는 의도가 있지않나 생각됨.

o 한편, EC 내부에는 12.11-13간 개최예정인 에딘버러 EC
정상회의에서는 가급적 UR관련 토의를 사전에 종결함으로써,
EC 통합 문제를 중심으로 논의코자 한다는 견해도 있는
것으로 알고 있음.

DRAFT TEXT

The following would replace Part B, paragraph 8 of the Draft Final Act:

Internal support commitments shall be expressed and implemented through Aggregate Measures of Support as defined in Annex 5, or through equivalent commitments as defined in Annex 6 where the calculation of an AMS is not practicable. The base period shall be the years 1986-88. A Total AMS shall be calculated as the sum of the value of all AMSs and equivalent commitments. The Total AMS shall be reduced during the period of implementation in equal annual installments and shall be bound, at the end of the period, at a level 20 percent below the base period level. Credit shall be allowed in respect of actions undertaken since the year 1986.

Direct payments under production limiting programs shall not be subject to the commitment to reduce internal support if:

- payments are based on fixed area and yields or
- payments are made on less than 85 percent of the base level of production;
- livestock payments are made on a fixed number of head

The exemption from the reduction commitment for direct payments meeting the above criteria shall be reflected by the exclusion of the value of those direct payments in a party's calculation of its current total AMS.

October 15, 1992

0234

EXPORT SUBSIDY OPTIONS

Option 1

24% Reduction with Swing and Aggregation

a) The aggregate categories of commodities in the attached Annex A will be reduced by 24% in volume terms. The reductions will be implemented in equal annual installments.

b) During the implementation period, lesser reductions are allowed for the individual commodities within each aggregate category provided greater reductions are made in other commodities within the category so that the reduction target for the aggregate category is met in each year. For each year of the implementation period, the swing allowed from the straight line 24% reduction, as described above, will be as follows - 10%, 10%, 7%, 7%, 3%, 0% (see attachment 1).

c) The commitment levels for the aggregate categories and individual commodities within the categories for each year of the implementation period will be specified in the schedules of export competition commitments.

d) For products not within aggregate categories, the volume reduction commitments will be as described in the Draft Final Act.

e) Export subsidy values will be reduced by 36% as described in the Draft Final Act.

f) The EC will refrain from applying export refunds or from introducing arrangements for sales out of intervention stocks at special conditions for the purpose of exports to the countries in East Asia to which the Community does not at present apply export refunds. A list of these countries is attached in Annex B.

Option 2

The U.S. proposed a clean 23% reduction in export subsidy quantities. The EC offered a clean reduction of 21%. The U.S. is willing to compromise at 22%.

The clean 22% reduction offer is subject to the following conditions:

a) The quantities of export subsidies will be reduced from

0235

the 1986-90 base period level by 22% in equal annual installments (see attachment)

b) The reduction commitment will be undertaken for each of the products or group of products in Annex 7 of the Draft Final Act.

c) The commitment levels for each year of the implementation period will be specified in the schedules of export competition commitments.

d) Export subsidy values will be reduced by 36% as described in the Draft Final Act.

e) The EC will refrain from applying export refunds or from introducing arrangements for sales out of intervention stocks at special conditions for the purpose of exports to the countries in East Asia to which the Community does not at present apply export refunds. A list of these countries is attached in Annex B.

October 13, 1992

0236

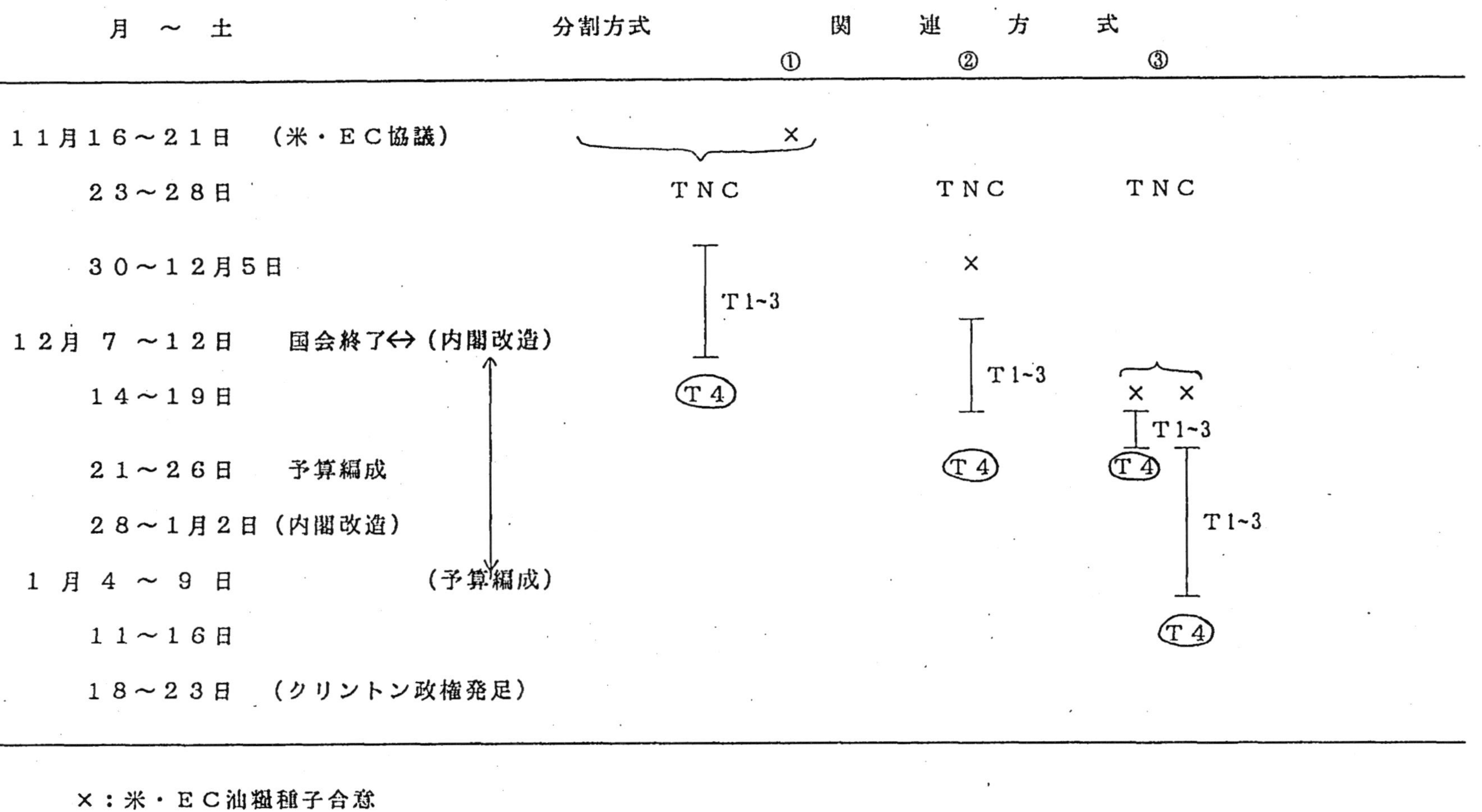

×：米・ＥＣ油糧種子合意
Ｔ１～３：トラック１～３
Ｔ４：トラック４

0237

報告畢

長官報告事項

1992. 11. 20.
通 商 局
通商機構課(71)

題 目 : 美.EC 閣僚會談 結果 및 UR 協商展望

1. 미.EC 각료회담 결과(92.11.18-19. 워싱턴)

o 미국과 EC는 92.11.18-19간 워싱턴에서 각료회담을 갖고 유지종자(oilseed) 및 UR 농산물 협상 문제에 대한 협상을 진행하였으나 구체적인 합의에 이르지 못함.

o 단, 양측은 회담종료후 "실질적인 진전이 있었으며 가능한한 빠른 시일안에 재협상 할 것"이라고 발표

공람	통상기구과	92년 11월 20일	담 당	과 장	심의관	국 장	차관보	차 관	장 관
			안명수	/	(서명)	(서명)			

2. UR 협상 전망

o 금번 워싱턴 각료회담에서 미국과 EC가 oilseed 분쟁 및 UR 농산물 협상 타결을 위한 돌파구 마련에는 실패하였으나 상당한 진전이 있었던 것으로 관측

o 따라서 미국과 EC는 무역전쟁의 위기는 일단 넘겼으며, 양측은 미국의 대 EC 무역 보복조치 발효시기인 12.5까지 협상을 계속하여 타결책을 모색할 것으로 보임.

o 미국과 EC가 12.5.이전에 유지작물 분쟁 및 UR 농산물 협상에서 돌파구를 마련하는 경우 UR 협상이 급진전하여 연말까지 최종 협정안이 마련되고 내년 2월말까지 UR 협상이 타결될 가능성도 상존

o 국회 및 언론대책 : 해당사항 없음. 끝.

0238

-20-

長官報告事項

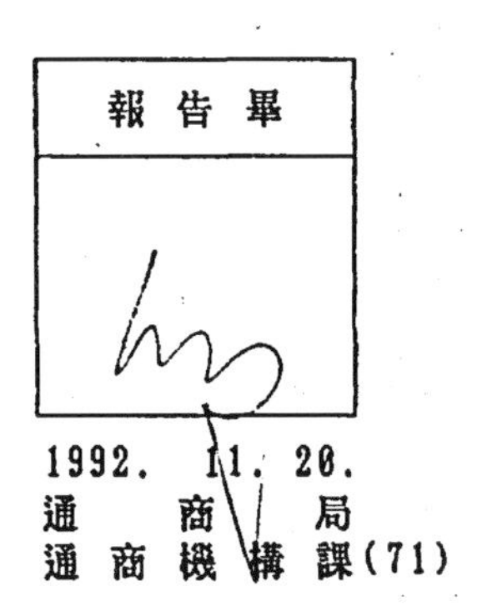

1992. 11. 20.
通 商 局
通商機構課(71)

題 目 : 美.EC 閣僚會談 結果 및 UR 協商展望

1. 미.EC 각료회담 결과(92.11.18-19. 워싱턴)

   o 미국과 EC는 92.11.18-19간 워싱턴에서 각료회담을 갖고 유지종자(oilseed) 및 UR 농산물 협상 문제에 대한 협상을 진행하였으나 구체적인 합의에 이르지 못함.

   o 단, 양측은 회담종료후 "실질적인 진전이 있었으며 가능한한 빠른 시일안에 재협상 할 것"이라고 발표

2. UR 협상 전망

   o 금번 워싱턴 각료회담에서 미국과 EC가 oilseed 분쟁 및 UR 농산물 협상 타결을 위한 돌파구 마련에는 실패하였으나 상당한 진전이 있었던 것으로 관측

   o 따라서 미국과 EC는 무역전쟁의 위기는 일단 넘겼으며, 양측은 미국의 대 EC 무역 보복조치 발효시기인 12.5까지 협상을 계속하여 타결책을 모색할 것으로 보임.

   o 미국과 EC가 12.5.이전에 유지작물 분쟁 및 UR 농산물 협상에서 돌파구를 마련하는 경우 UR 협상이 급진전하여 연말까지 최종 협정안이 마련되고 내년 2월말까지 UR 협상이 타결될 가능성도 상존

   o 국회 및 언론대책 : 해당사항 없음. 끝.

0239

원 본

외 무 부

종 별 : 긴 급

번 호 : ECW-1474 일 시 : 92 1120 2000

수 신 : 장 관(통기,통삼,경기원,농림수산부,상공부,기정동문)

발 신 : 주 EC 대사

제 목 : UR 협상

1. EC 집행위 ANDRIESSEN 부위원장 및 MACSHARRY 농업담당 집행위원은 당지시간 금 11.20. 18:15 기자회견을 갖고, UR 문제와 관련, 농업문제를 포함, 시장접근, 써비스등 제반문제에 대해 미국과 합의하였음을 발표하고 (동 합의문 별첨 FAX송부) 동 합의내용을 바탕으로 GENEVA 에서 곧 다자협상을 개시하여 연내 UR 협상을 마무리지을 예정이라고 설명함

2. ANDRIESSEN 부위원장 및 MACSHARRY집행위원은 미국과 UR 문제에 대해 합의하게 된것에 만족을 표시하고, 특히 OILSEED를 포함한 농업문제에 대해서는 공동농업정책(CAP) 개혁안의 범위에서 합의가 이루어졌음을 강조하면서, 상기 합의 내용을 곧 각료이사회 (구체적 시기 미정) 에 보고하게 될 것이며, 동 합의내용에 대한이사회의 승인을 얻는데 아무런 문제가 없을 것으로 기대한다고 말함

3. 또한 동 집행위원들은 기자들의 질문에 답하면서, 연내 UR 협상에대한 정치적인 타결이 이루어질수 있을 것으로 전망하고, 단세부 기술적인 사항들까지 완전히 마무리 되기는 어려울 것이라고 언급하였음

4. 동 EC-미국 합의사항의 구체 내용등에 관해서는 추보예정임.

첨부: 상기 발표문 2부. 끝

(대사 권동만-국장)

통상국 통상국 안기부 경기원 농수부 상공부

PAGE 1

92.11.21 06:58 GW

외신 1과 통제관

0240

IP(92)939

409-3-2

Brussels, 20 November 1992

JOINT PRESS STATEMENT

The Commission of the European Communities and
The United States of America
November 20, 1992

The United States and the Commission of the European Communities intend to pursue a successful conclusion to the Uruguay Round. As a result of our discussions, we believe that we have achieved the progress necessary to assure agreement on the major elements blocking progress in Geneva, notably in agriculture, services and market access. A successful outcome will be a positive factor for the trade and economic growth of the economies of the world.

Our negotiators are returning to Geneva to work together to build the comprehensive, global and balanced package we both seek from these negotiations. We intend to work with GATT Director General Arthur Dunkel in finalizing agreements in all areas outlined in the draft "Final Act," which he produced last December and in completing the access negotiations which we all agree are an integral part of the overall Uruguay Round result.

In agriculture we have resolved our differences on the main elements concerning domestic support, export subsidies and market access in a manner that should enable the Director General to move the negotiations to a successful conclusion. We shall inform Director General Dunkel of our progress and work with him to secure broad agreement in Geneva. For our part, we have instructed our negotiators to complete the detailed negotiations on our respective country schedules as rapidly as possible. We are in full accord that an effective agreement on agricultural reform requires the participation of all countries in the negotiations.

The United States and the Commission of the European Communities agreed on how to resolve the oilseeds dispute.

On market access, the United States and the Commission of the European Communities have found the basis to achieve an ambitious result that meets their respective objectives as follows: detailed negotiations will continue on specific sectors or products in order to make progress

0241

towards the completion of a substantial and balanced package. Tariff reductions will be maximized, with as few exceptions as possible, including the substantial reduction of high tariffs, the harmonization of tariffs at very low levels, and the elimination of tariffs in key sectors. The prospect exists that the Montreal target could be substantially exceeded. However, participation of third countries - not only the developing countries, but other industrialized countries - and elimination of non-tariff distortions are considered to be of essential importance, and both parties will continue efforts to achieve maximum results in this regard in Geneva during the coming weeks.

In addition, in the area of government procurement, substantial progres has been made with respect to the expansion of coverage. U.S. and EC negotiators are instructed to complete the details of the expansion of coverage and improvements of the Code.

In services, we are in strong agreement that the market access offers must form an integral part of the ambitious result we seek. We have now agreed to take a common approach on financial services. In addition, we discussed improvements in our respective offers, and have agreed to seek maximum liberalization and minimum exemptions, with the expectation that other participants in the negotiations will similarly improve their offers.

We have full expectations that the breakthrough we have achieved will unblock the negotiations and provide new impetus necessary to complete the Round. We encourage our trading partners to return to the negotiating table in Geneva, prepared to show the necessary flexibility to bring these negotiations to a close.

Earlier this year at the Munich Economic Summit, G-7 leaders called for conclusion of the Uruguay Round by the end of the year. Time is short, but negotiators are returning to Geneva confident that substantial progreess can be achieved to meet the intent of the G-7 leaders' commitment, provided other countries are prepared to work with us to secure an ambitious and far reaching result to these important talks.

0242

외 무 부

종 별 : 지 급

번 호 : ECW-1476 일 시 : 92 1120 2200

수 신 : 장 관(통삼,통기,경기원,재무부,농림수산부,상공부,기정동문)

발 신 : 주 EC 댓 사본:주미-중계망,주불,제네바-필 (필)

제 목 : 갓트/UR 협상

연: ECW-1474 (11.20)

연호 미.EC 간 금번 OILSEEDS 문제 및 UR협상의 주요 합의내용은 아래와 같은 것으로 파악됨

1. OILSEEDS 문제 가. EC 의 OILSEEDS 생산면적을 93년 15프로 휴경(SET-ASIDE) 토록하고, 이후 6년간 최소 10프로 추가 휴경함

나. 현재까지 미.EC 는 OILSEEDS 의 생산물량제한 방식에서 생산면적을 제한하는 방식을 도입하여 합의한바, EC 의 OILSEDDS총생산면적을 5.128천 HA 이내로 감축키로 함(단, 총생산량은 10.9백만톤 이내로 제한)

2. UR 협상

가. 농산물

0 보조수출물량은 DUNKEL 초안상의 24프로에서 21프로 감축하는 것으로 하향 조정함

0 11월초 시카고회담까지의 양측 합의사항 (EC/CAP개혁상의 직접소득보조는 감축대상에서 제외등) 을 재확인함

나. 시장접근

0 최대한의 관세인하와 비관세장벽의 철폐

0 정부조달협정의 적용대상 범위확대 및 내용개선

다. 서비스

0 금융분야에서의 공동입장 채택

0 서비스시장개방의 극대화및 예외의 극소화추구

라. 향후 UR 협상 추진방향

0 가급적 조속히 (빠르면 내주중) 제네바에서 다자협상을 재개함

통상국 통상국 안기부 경기원 재무부 농수부 상공부

PAGE 1 92.11.21 07:03 WG

외신 1과 통제관

0243

0 금번 미.EC 합의내용을 토대로 가능한 정치적 타결을 추진함. 끝

(대사 권동만-국장)

PAGE 2

0244

이시(이)

관리번호	92-859

원 본

외 무 부

19 . . . 에 예고문에 의거 일반문서로 재분류됨

종 별 : 지 급

번 호 : USW-5688 일 시 : 92 1120 1108

수 신 : 장관 (통기, 통이, 통삼, 미일, 경기원, 농수산부, 재무부, 상공부)

발 신 : 주 미 대사 주제네바, EC 대사 - 중계필

제 목 : 미.EC간 UR 협상 및 OILSEED 분규 타결

1. 미국과 EC 는 11.18-19 간 당지에서 개최된 UR 및 OILSEED 관련 각료회담결과, 주요 현안문제에 있어 큰 진전이 있었다는 내용의 공동성명을 11.20. 발표 하였음 (공동 성명문 별첨).

또한, 부쉬대통령도 11.20. 특별기자회견을 갖고, 미.EC 간 UR 농업분야에서의 일괄 타결로 UR 협상의 돌파구를 마련하였으며, OILSEED 문제의 타결로 무역 전쟁을 피하게 되었다고 언급하였음. (기자 회견문 별첨)

가. 미.EC 공동성명문 요지

0 농업분야

- 국내보조, 수출보조금, 시장접근에 관한 양자간 이견해소

- 농업분야에서 성공적인 개혁을 이루기 위해서는 모든 국가가 협상에 참여하여야 함을 인식

0 시장 접근

- 협상타결을 위해서는 분야별, 품목별로 구체협상을 지속할 필요

- 고관세 품목의 대폭관세인하, 저관세율로의 HARMONIZATION, 일부품목에 대한 무관세화등을 통해 최대의 관세 인하 노력

- 시장접근 분야의 목표달성을 위해서는 제 3 국의 적극적 참여와 비관세 장벽 철폐가 중요함을 인식

- 정부조달 부문에서도 COVERAGE 확대와 관련 상당한 진전이 있었음.

0 서비스

- MARKET ACCESS OFFER 가 서비스분야 협약안의 일부가 되어야 함에 합의

- 금융분야에서 공동보조를 취하기로 합의

- 기존의 양측 OFFER 를 개선키로 하고, 제 3 국이 개선된 OFFER 를 제출토록

통상국	장관	차관	2차보	미주국	통상국	통상국	분석관	청와대
안기부	경기원	재무부	농수부	상공부	중계			

PAGE 1 92.11.21 16:38

* 원본수령부서 승인없이 복사 금지 외신 2과 통제관 DI

0245

유도하기 위해 미.EC 양측은 최대의 시장개방과 최소의 예외를 추구 하기로 합의

0 여타국의 협상 적극 참여를 통해, G-7 정상회담에 합의한대로 금년말 까지의 UR 타결을 위해 노력

나. 백악관 기자회견 요지

0 OILSEED 문제 (MADIGAN 농무장관)

- EC 의 OILSEED 경작지를 향후 512 만 8 천헥타까지 감축 (1 차년도에는 15% 감축, 2 차년도부터 매년 10% 감축)

- 향후 EC 신규회원국 가입시는 OILSEED 생산량을 가입이전 3 개년도의 평균치로 산정

0 UR 협상 (HILLS 대표 및 MADIGAN 농무장관)

- 농업분야 협상의 난점은 농업분야에 관심이 큰 국가는 여타 분야에서 적극적 자세를 보이지 않는 점인바, 여타 분야에서의 협의를 병행 하여 이러한 국가들의 다자협상 참여를 유도 예정

- FAST TRACK 시한 (93.6.1)을 감안, 93.3.1 까지 협상을 종료하여야 할 것인바, 미 대표단을 11.23 부터 제네바에 파견, 크리스마스 이전 까지 적극적으로협상 추진 예정

- 국내보조는 총량기준 20% 감축에 합의

- 수출보조는 '86-'90 생산량을 기준으로 물량기준 21% 감축

- DUNKEL 사무총장이 내주중 TNC 회의 개최 전망

3. 상기관련 장기호 참사관이 USTR 의 DEWOSKIN UR 협상담당 부대표보와 국무부 KRISTOFF 동아태국 부차관보를 접촉한바, 동인들의 반응은 아래와 같음.

가. DEWOSKIN 부대표보

0 미.EC 양측은 끝까지 최선을 다해 협상을 진행, OILSEED 와 농산물 쟁점을 모두 타결한바, 양측이 합의할 수 있는 최선의 돌파구를 마련하였으며 금년중UR 타결이 가능할 것으로 봄.

0 EC 대표단 귀임후 EC 측으로 부터 동 타결안에 대한 EC 내부의 승인이 있었다는 MESSAGE 를 받았는바, 이제는 한국을 포함 각국이 제네바에서의 협상테이블로 돌아와 적극 협상에 임해야 할 시기임.

미국은 내주중 LAVOREL 대사를 제네바에 파견, 각 분야별로 구체적인 협상에 들어갈 것인바, 이제는 한국, 일본등 제 3 국의 협조가 긴요함.

나. KRISTOFF 부차관보

0 금번 미.EC 간 합의로 UR 협상의 전기를 마련하였는바, 금년 12 월의 3 주간이 UR 협상의 고비가 될 것으로 봄.

0 일본이 쌀시장개방에 계속 반대하고 있지만 이를 지키기는 어려울 것으로봄.

일본 관리들은 일본 스스로가 전면에 나서 쌀시장개방에 계속 반대하는 경우 국제사회에 좋지못한 인상을 주어, 고립되는 것이 바람직하지 않다는 것을 충분히 인식하고 있음.

4. 한편, 김중근 서기관은 농무부 GRUEFF MTN 과장을 접촉한바, 동인의 언급내용은 아래와 같음.

0 국내보조는 20% 감축으로 타결된바, 동 감축비율은 DUNKEL TEXT 와 동일하나, 감축방식에 있어서는 DUNKEL TEXT 가 개별 품목별로 20% 감축인데 반해 금번 합의는 총량감축방식 (AMS)인 점이 다름.

0 수출보조는 DUNKEL TEXT 의 품목별 24% 감축에서 21%로 감축되었을뿐 여타 사항은 DUNKEL TEXT 의 초안과 유사함.

0 PEACE CLAUSE 문제는 상계관세부과에 있어 품목예외를 주장하는 EC 측 입장이 많이 반영되었는바, 전체적으로 DUNKEL TEXT 의 내용과 유사함. (다만 보조금 지급의 경우는 예외가 인정되지 않음)

0 REBALANCING 문제도 합의되었는바, EC 의 비곡물류 사료작물 수입이 일정수준이상으로 증가하는 경우, 미.EC 간에 협의를 갖기로 함.

5. 상기에 비추어 앞으로 UR 협상이 급진전할 가능성이 높아지고 있는바, 우리로서는 농산물을 포함, 분야별 대비책을 시급히 강구해 나가는 것이 긴요하다고 사료되며, 특히 UR 협상과 관련한 과거의 경험에 비추어 한국이 UR 협상 타결을 전면에서 발대하고 있다는 인상을 주지않도록 대책수립에 신중을 기하여야 할 것임.

또한, 앞으로 여러 교역국들로 부터 쌀등 농산물문제에 대한 우리의 입장을문의하는 사례가 많아질 것으로 보이는바, 이들에 대해 일관되게 설명할 수 있는 우리의 기본 입장을 작성, 조속 회시 바람.

6. USTR 로 부터 입수한 농무부 발표문도 별첨 송부함.

첨부 : USWF - 7388 (16 매)

(대사 현홍주 - 국 장)

예고: 92.12.31 까지

92-11-20 ; 20:37 ; EMBASSY U.S. ;# 1

주 미 대 사 관

USW(F) : 7388 년월일 : 시간 :

수 신 : 장 관 (통기, 통이, 통상, 제이) 경기원

발 신 : 주 미 대 사 농수산부, 재무부, 상공부.

제 목 : 첨부 국제기구, EC 대사 (16매)

(출처 :)

보 통	안 제	

(7388 - 16 - 1)

외신 1과 통 제	

0248

Joint Press Statement
The Commission of the European Communities and
The United States of America
November 20, 1992

The United States and the Commission of the European Communities intend to pursue a successful conclusion to the Uruguay Round. As a result of our discussions, we believe that we have achieved the progress necessary to assure agreement on the major elements blocking progress in Geneva, notably in agriculture, services and market access. A successful outcome will be a positive factor for the trade and economic growth of the economies of the world.

Our negotiators are returning to Geneva to work together to build the comprehensive, global and balanced package we both seek from these negotiations. We intend to work with GATT Director General Arthur Dunkel in finalizing agreements in all areas outlined in the draft "Final Act," which he produced last December and in completing the access negotiations which we all agree are an integral part of the overall Uruguay Round result.

In agriculture we have resolved our differences on the main elements concerning domestic support, export subsidies and market access in a manner that should enable the Director General to move the negotiations to a successful conclusion. We shall inform Director General Dunkel of our progress and work with him to secure broad agreement in Geneva. For our part, we have instructed our negotiators to complete the detailed negotiations on our respective country schedules as rapidly as possible. We are in full accord that an effective agreement on agricultural reform requires the participation of all countries in the negotiations.

The United States and the EC Commission agreed how to resolve the oilseeds dispute.

On market access, the United States and EC Commission have found the basis to achieve an ambitious result that meets their respective objectives as follows: detailed negotiations will continue on specific sectors or products in order to make progress towards the completion of a substantial and balanced package. Tariff reductions will be maximized, with as few exceptions as possible, including the substantial reduction of high tariffs, the harmonization of tariffs at very low levels, and the elimination of tariffs in key sectors. The prospect exists that the Montreal target could be substantially exceeded. However, participation of third countries -- not only the developing countries, but other industrialized countries -- and elimination of non-tariff distortions are considered to be of essential importance, and both parties will continue efforts to achieve maximum results in this regard in Geneva during the coming weeks.

7388-16-2

0249

-2-

In addition, in the area of government procurement, substantial progress has been made with respect to the expansion of coverage. U.S. and EC negotiators are instructed to complete the details of the expansion of coverage and improvements of the Code.

In services, we are in strong agreement that the market access offers must form an integral part of the ambitious result we seek. We have now agreed to take a common approach on financial services. In addition, we discussed improvements in our respective offers, and have agreed to seek maximum liberalization and minimum exemptions, with the expectation that other participants in the negotiations will similarly improve their offers.

We have full expectations that the breakthrough we have achieved will unblock the negotiations and provide new impetus necessary to complete the Round. We encourage our trading partners to return to the negotiating table in Geneva, prepared to show the necessary flexibility to bring these negotiations to a close.

Earlier this year at the Munich Economic Summit, G-7 leaders called for conclusion of the Uruguay Round by the end of the year. Time is short, but negotiators are returning to Geneva confident that substantial progress can be achieved to meet the intent of the G-7 leaders' commitment, provided other countries are prepared to work with us to secure an ambitious and far reaching result to these important talks.

Contact: USTR 202/395-3350

7388-16-3

0250

USDA Backgrounder

Roger Runningen (202) 720-4623

November 20, 1992

News Division, Office of Public Affairs, Room 404-A, U.S. Department of Agriculture, Washington, D.C. 20250

U.S. - EC AGREEMENT ON OILSEEDS AND THE URUGUAY ROUND

The agreement reached today by the European Community and the United States paves the way for a speedier resolution of the remaining agricultural issues in the GATT Uruguay Round negotiations. This will free up negotiations to continue in other areas of the Round.

Today's agreement spells out the conditions for resolving the oilseeds dispute in a manner that is satisfactory to both the United States and the European Community. It will halt the dramatic increase in European Community oilseed production.

Today's agreement also clarifies the position the two parties will take on other issues contained in the Dunkel Agricultural Text, which was proposed nearly a year ago by Arthur Dunkel, director general of the General Agreement on Tariffs and Trade. The Dunkel Text is a general form of an agricultural agreement which has been the guideline for the GATT Uruguay Round discussions throughout 1992.

The agreement reached today by the European Community and the United States contains the following guidelines:

OILSEEDS

The agreement contains an acreage trigger for European Community oilseeds production. If EC acreage exceeds the trigger, oilseed producers in the EC will receive smaller EC subsidy payments on all oilseed plantings. This will restrain plantings and oilseed production.

The European Community will ensure that any oilseed byproducts produced from oilseed plantings on EC set-aside acres will not undermine the market for oilseed exports.

If the United States believes the agreement has been breached, the European Community agrees to undertake binding arbitration.

The European Community also agrees to provide a reduced tariff rate on 500,000 tons of corn to Portugal beginning in 1993/94.

GATT URUGUAY ROUND

7388-16-8

Internal Supports. The European Community and the United States agree to support a GATT Uruguay Round agreement that will require a 20% reduction from a 1986-88 base in the average level of farm supports across commodities as determined by the so-called Aggregate Measure of Support (AMS). These reductions are from a 1986-1988 base period and therefore have already been achieved in the United States so no further reductions are required for U.S. commodities.

- more -

0251

1073-92

- 2 -

Direct payments that are appropriately linked to production-limiting programs will not be subject to the reduction commitment if certain conditions are met (for crops: fixed acreage base/fixed yields or payments made on less than 85 percent of base level production; for livestock: fixed number of livestock head).

Export Subsidies. The United States and the European Community agree to support a GATT Uruguay Round agreement that reduces by 21% the volume of agricultural commodities that receive export subsidies and reduces subsidy outlays by 36%. These cuts are from a base period of 1986-90 as defined in the Dunkel Text.

Market Access. The United States and the European Community have agreed to instruct their negotiators to complete as quickly as possible their country lists of proposed reductions in agricultural tariffs (as well as farm subsidies).

Consultation on Non-grain Feed Ingredients. The United States and the European Community agree to consult if EC imports of non-grain feed ingredients increase to levels that undermine the implementation of the reform in EC farm programs.

GATT Rules. The European Community and the United States have agreed that during the six-year implementation period internal support measures and export subsidies that fully conform to reduction commitments and other criteria will not be subject to challenge under GATT rules on subsidies. However, countervailing duties will still apply if such subsidized imports cause or threaten injury.

OTHER BILATERAL ISSUES

The United States and the European Community have agreed on a resolution of current disputes between the two parties on corn gluten feed and malted barley sprouts.

The European Community also has agreed to extend into 1993 the agreement that permits the entry of 2 million tons of corn and 300,000 tons of sorghum into Spain under reduced import charges.

7388-16-5

0252

SPECIAL WHITE HOUSE BRIEFING RE: THE GATT AGREEMENT (WITH AN OPENING STATEMENT BY PRESIDENT BUSH) BRIEFERS: AMB. CARLA HILLS, USTR; EDWARD MADIGAN, SECRETARY OF AGRICULTURE THE WHITE HOUSE
Z-20-01 page# 1 FRIDAY, NOVEMBER 20, 1992

dest=svh,mvh,doa,ustr,fortr,trdpol,gatt,eurcom,trdwar,uk,fns13129
data

MR. FITZWATER: Ambassador Hills and Secretary Madigan have just arrived and they are with the President now. The President will be in the briefing room in just a few minutes, and he will have an opening statement concerning the GATT agreement. And he will then leave for Camp David as originally planned, and Ambassador Hills and Secretary Madigan will stay and give you a further briefing and take your questions.

So, Michael Bush will give you the two minute warning very soon. Thank you.

(Pause.)

PRESIDENT BUSH: Come, Carla, you and Ed come on up here.

Well, I want to salute Secretary Madigan and Ambassador Carla Hills. My announcement relates to their work, and I am exceptionally pleased to announce that the United States and the European Community's Commission have reached unanimous agreement on an agricultur package that should enable us to press forward the global trade negotiations to a successful conclusion.

These global trade negotiations, the so-called Uruguay Round under the GATT, are fundamental to spurring economic growth, creating jobs, here at home and, indeed, all around the world. And I am hopeful that the breakthrough that we achieved today will spur movement across the board in the ongoing negotiations among all the GATT parties in Geneva so that we can achieve this comprehensive, global, and balanced agreement that we've sought for so long.

In addition, by agreeing to solutions to our differences on oil seeds and other agricultural disputes, we've avoided a possible trade war. And that is very, very important.

I'm particularly pleased that Ambassador Hills and Secretary Madigan are here with us today because they've done extraordinary work to achieve this historic result. I salute their teammates who are with us here today as well. And also, because they will remain with you to answer your questions. Some of this is very, very technical. And they know how proud I am of their work. I've seen them in action, both here and abroad, hammering out this agreement.

It's taken a long time, but it was sound, and it's been a long and difficult course to the result that we have achieved today. I recall these extensive and frequently vigorous -- I've chosen the word carefully -- discussions on agriculture and other trade issues at the economic summit that we hosted in Houston in 1990 and at each of the summits that followed. But I am now absolutely convinced that the work was well worth it.

I talked to Prime Minister John Major this morning, had an opportunity

7388-16-6 0253

to thank him for his key role as the current president of the EC. And the next step then will be for the United States and the EC and all the other parties in the Uruguay Round to return to the negotiating table in Geneva prepared to show the flexibility necessary to bring these negotiations to a successful close.

So, once again, I salute our partners in all of this, and I certainly salute our extraordinarily effective team that has been able to bring this about. And, with no further ado, I will turn it over to them to take all your questions.

Q Mr. President, why didn't the White House stop the Clinton passport search?

AMB. HILLS: Are there any questions? Would you say who you want to direct your question to.

Q For Ms. Hills, Kathleen Tandy (sp), with Features World News. Does the US have retaliation proceedings in place if the enforcement mechanism on the -- (inaudible) -- oil seeds deal do not prove ironclad?

AMB. HILLS: We have a --

Q Would you repeat the question?

AMB. HILLS: The question is, do we have enforcement procedures in place in the event that the European Community breaches the agreement that we have entered into? And the answer is yes. We have a binding arbitration within the agreement. We also have dispute settlement procedures that we can resort to.

Q Mrs. Hills, how important do you think the threat of a trade war and the proposed tariffs on white wine were in concentrating the minds of those EC ministers to come to the agreement that the President announced today?

AMB. HILLS: I think, in fact, that it may have had a therapeutic effect. (Laughter.)

Q Mrs. Hills --

Q Can you spell out some details of --

Q -- could you please spell out some of the details of the agreement on oil seeds and on the broad agreement involving the Uruguay Round?

AMB. HILLS: Let me ask the Secretary of Agriculture to speak to the oil seeds arrangement, and then I will follow up with discussion on the Uruguay Round issues.

SEC. MADIGAN: The principal elements of the oil seed agreement are

7388-11-7 0254

that the European Community agrees to limit their oil seeds production in the future to 5.128 million hectares of land, to reduce or to set aside 15 percent of that land in the first year and a minimum of 10 percent of that land in all subsequent years. And this goes beyond the six years of the GATT accord. This is forever. And, as Ambassador Hills has pointed out, there is a dispute resolution procedure that includes binding arbitration. And, in addition to that, there is a provision with regard to any new countries that might join the European Community in the future. And that provision says that if new countries do join the European Community in the future, their oil seeds production in the future can only be the average of what it was for the three years prior to their joining. Those are the highlights of the agreement.

Q What kind of production would the EC -- would you anticipate the EC coming up with?

SEC. MADIGAN: That will always depend upon seed varieties, weather conditions, and other things. But we estimate that this agreement creates a range of 8.5 million tons to 9.7 million tons, depending upon weather, depending upon seed varieties, and also depending upon the effectiveness of the changes that they have made in the method of compensation for their oil seeds producers. Their production per hectare dropped considerably this year from about 2.35 million tons per hectare down to 2.08 million tons per hectare --

Q (Off mike.)

SEC. MADIGAN: -- 2.35 average in the past to 2.08 this year. Now --

Q Metric tons?

SEC. MADIGAN: Metric tons per hectare.

(MORE)

7388 - 16 - 8

0255

SPECIAL WHITE HOUSE BRIEFING RE: THE GATT AGREEMENT (WITH AN OPENING STATEMENT BY PRESIDENT BUSH) BRIEFERS: AMB. CARLA HILLS, USTR; EDWARD MADIGAN, SECRETARY OF AGRICULTURE THE WHITE HOUSE
Z-20-02 page# 1 FRIDAY, NOVEMBER 20, 1992

dest=swh,mwh,doa,ustr,fortr,trdpol,gatt,eurcom,trdwar,uk,fns13129,forag
data

And Mr. MacSharry, the European Commissioner, and others, say that is because of the initial effects of their CAP reform showing up in the decisions being made by oil seeds producers. And if that holds up in the future, then this will be, from a standpoint of total production, something that is very, very favorable to the US oil seeds producers. But if it goes to the high range of 9.7, that is still considerably below the 13 million tons that they are currently producing, or could produce in the future.

Q Ambassador Hills, for those of us who don't follow GATT on a regular basis, we've been given to understand over the months and years that agriculture was the big hang-up in getting a final agreement. So now that you have an agreement of some sort on that issue, where does that leave us in terms of finishing the round?

AMB. HILLS: It leaves us sending our negotiators to Geneva to bring the remaining of the 108 parties that are negotiating, into the process. But we did agree with Europe to achieve maximum liberalization on access for all sorts of goods, to try to harmonize the low tariffs, bring down the high tariffs, and to open markets on services, to move forward on procurement. So that I think we have a good path for trade liberalization in the future. And I do believe that there's a handout that gives you the agreed text on the issues that go beyond the agricultural sector.

Q Well, have we gone now --

Q What about --

Q If I can follow-up. Have we gone now from a questions of "if" to a question of "when"?

(Cross talk.)

Q Have we gone now from a question of "if" to a question of "when" -- it's just a matter of time before we complete an agreement now? There seemed to be some question in the preceding weeks as to whether there would be an agreement at all.

AMB. HILLS: We definitely have gone from -- to a positive posture. But keep in mind, we have to bring in other industrialized countries. They must make their contribution. Trade negotiations are reciprocal. We must also bring in developing countries. The problem we faced with the difficulty over agriculture is those who cared only about agriculture were not prepared to move in the other areas. Having cleared away the agricultural problems, and at least moving them into the multilateral forum of Geneva, we now have the optimum chance of securing a multilateral agreement that could have a considerable positive effect upon all of our economies in the world trading system.

Q But there's a question about the timing here, Mrs. Hills.

7388 -- 16 -- 9

0256

There's a deadline of March 1st on the negotiating authority from Congress. Isn't it likely that this next lap, round of negotiations on all these other issues will drag out through the spring, indeed, maybe the summer? There are people who say it could last nine months. And thus, the next administration is going to sign the actual Uruguay Round agreement?

AMB. HILLS: I hope that our negotiators can return to Geneva Monday. And that I -- having talked recently to Director General Arthur Dunkel, I would hope that there would be aggressive negotiations between Monday, the 23rd, and the Christmas break. Tremendous progress can be made in these three weeks with goodwill and energy on all sides. I have no perfect crystal ball.

Q What about the earliest you think you can possibly bring home a final deal?

AMB. HILLS: When we have an adequate package that presents trade liberalization across the trading system.

Yes, John?

Q Ambassador Hills --

Q Ambassador Hills, can we get some numbers on the overall deal?

Q Excuse me. Excuse me. Mrs. Hills, or Secretary Madigan, in the agriculture deal, can you tell us if there is some level of production at which the US would automatically have a right to arbitration or a right to retaliation? Or is it all tied to the acreage?

SEC. MADIGAN: Tied to the land area.

Q So there's no cap on production? They could go way above that if for some reason their efficiency went way, way up, and we have no recourse if they did?

SEC. MADIGAN: The fact of the matter is that the elements of their CAP reform package discourage the kind of activities that would cause the per hectare yields to increase considerably. I mean, the incentives to increase production per hectare are removed when you take away the payment per product and put in its place a payment per land area. And essentially, that's what they've done. So the desire on the part of the producer to use more fertilizer or a more expensive, higher-yielding seed, the incentive for that kind of thing has been removed by their CAP reform.

Q But they can --

Q Excuse me. If I can follow-up. Will they be able to grow oil seeds for industrial uses on their setaside lands?

SEC. MADIGAN: Only under certain very restricted circumstances.

7388--16-10 0257

SPECIAL WHITE HOUSE BRIEFING RE: THE GATT AGREEMENT (WITH AN OPENING STATEMENT BY PRESIDENT BUSH) BRIEFERS: AMB. CARLA HILLS, USTR; EDWARD MADIGAN, SECRETARY OF AGRICULTURE THE WHITE HOUSE
Z-20-02 page# 3 FRIDAY, NOVEMBER 20, 1992

Yes, you've had your hand up since we came in here.

Q Mr. Secretary, I'm afraid the question is for both you. I wish -- (inaudible). The President has pointed to -- giver very high visibility to a report that this agreement was delayed until after the election for political purposes.

(MORE)

7388 - 16 - 11

0258

SPECIAL WHITE HOUSE BRIEFING RE: THE GATT AGREEMENT (WITH AN OPENING STATEMENT BY PRESIDENT BUSH) BRIEFERS: AMB. CARLA HILLS, USTR; EDWARD MADIGAN, SECRETARY OF AGRICULTURE THE WHITE HOUSE

Z-20-03 page# 1 FRIDAY, NOVEMBER 20, 1992

dest=swh,mwh,doa,ustr,fortr,trdpol,gatt,eurcom,trdwar,uk,fhs13129,forag
dest+=agsub
data

What evidence do you have that that report was true or false? And could you tell us any more about it? The one that said that a Clinton intermediary had dealt with Delors on this issue prior to the election. And the President talked about that during the campaign.

SEC. MADIGAN: I have no personal knowledge about that other than what I have read in the newspapers.

Q Ambassador Hills, could you tell us what your estimate of that report was?

Q What is the compensation that US farmers will get out of this --

Q Excuse me. Ambassador Hills, could you tell me what your estimate of that report was and whether it had any truth?

AMB. HILLS: We do know that someone from the Democratic Party did contact the Europeans. I know nothing more than what has been in the press.

Q Could we go back to the unanswered question about the rest of the agriculture deal? (Inaudible) -- GATT that Mrs. Hills was going to take?

SEC. MADIGAN: On the question of internal supports, the agreement calls for a 20 percent reduction across the board in aggregate measures of internal support. Under the terms of our 1990 Farm Bill, we've already achieved that. So there is nothing in this agreement that requires any further reduction in internal supports for US agriculture producers.

On the question of export subsidies, this calls for a 36 percent reduction over six years in the amount of money spent to subsidize agriculture exports and a 21 percent reduction, a clean 21 percent reduction, in the volume of subsidized exports based on the '86 to '90 base period. That is an actual reduction of 36 percent from the European Community current level of activity, because their current level of activity for 1991 and 1992 is much higher than the level of activity during the '86 to '90 base period.

So, we think that provision will result over the six years of this agreement in our agriculture producers being able to regain many of the lost markets that they have experienced over the years as a result of this European subsidizing activity. And we think that it is a very, very good agreement for American agriculture producers.

Q (Off mike) -- when you'll be going back to Geneva?

SEC. MADIGAN: We won't be going back. [illegible]

0259

there that do that.

AMB. HILLS: We have people in Geneva now, but we will send our lead negotiators over at the earliest moment when the international community can be gathered. I would expect Arthur Dunkel to announce a trade negotiating committee meeting early sometime next week.

Q Mrs. Hills, when you said you wanted to get finished before the Christmas break, is December 20th the kind of date that you're shooting for to get the round done?

AMB. HILLS: I'd like to have it done tomorrow. Maybe that's incorrect. I'd like to have it done yesterday. It's up to Arthur Dunkel when he calls the break, but it's in that period of time where I think we could make substantial progress on access for services, for goods, and in the procurement area.

Q Mr. Madigan, if the arbitration part doesn't apply to production limits, what does it? I mean, what does the dispute resolution arbitration apply to? What could be the problems --

SEC. MADIGAN: If it was found at some point in the future that there was more than 5.128 million hectares in oil seeds production or less than the minimum set aside that is guaranteed by the agreement, it would apply to those kinds of things. And that is -- I might tell you, from our experience with running farm programs in the United States, those kinds of things do occur. In fact, it's necessary for our ASCS people frequently to -- with regard to certain producers, to frequently check on the amount of land that they have actually set aside by going out by measuring it because of people having a tendency to want to test how efficient we are.

Q How do you judge --

Q Was compensation for American farmers discussed in this breakthrough deal, Secretary Madigan?

SEC. MADIGAN: I'm sorry. I didn't hear.

Q Was any compensation discussed for American farmers that supposedly were losing hundreds of millions of dollars because of that European subsidy? Was that discussed at all?

SEC. MADIGAN: I think that the compensation question goes only to the oil seeds issue. And under the existing GATT agreement, it was not necessary for the European Community to address compensation to our oil seeds producers even though they are the people that the GATT panel found had been injured by the European practices. Under the present GATT terms, they could have offered us compensation on candy bars or iron bars or anything that they would have wanted to.

The challenge to Mrs. Hills and to myself was to try to keep the negotiations on compensation in the realm of oil seeds so that our oil

7388-16-13 0260

seeds producers would be made whole for the injury that they had sustained. We succeeded in doing that, and it took a lot of effort on the part of Ambassador Hills and Ambassador Katz and Mr. O'Mara (sp) and other people to do that. But, clearly, that was a victory to keep this discussion in oil seeds. And we did keep it in oil seeds, and we do have a result where they are going to reduce their production of oil seeds and are going to agree to a set aside provision, every year, ad infinitum.

(MORE)

-

2388-16-14 0261

3

SPECIAL WHITE HOUSE BRIEFING RE: THE GATT AGREEMENT WITH AN OPENING STATEMENT BY PRESIDENT BUSH. BRIEFERS: AMB. CARLA HILLS, USTR; EDWARD MADIGAN, SECRETARY OF AGRICULTURE THE WHITE HOUSE
2-20-04-E page# 1 FRIDAY, NOVEMBER 20, 1992

dest=swh,mwn,doa,ustr,fortr,trdpol,gatt,eurcom,trdwar,uk,fns13129,forag
dest+=agsub,corn
data

7388-16-15

These are things that they didn't want to do in the beginning that they ultimately agreed to do. And they certainly in the beginning did not want to agree to the binding arbitration provision. So, I think that we have done very, very well for the oil seeds producers under the circumstances to just keep the debate in oil seeds. And I -- just on behalf of American farmers, I would express my appreciation to the Ambassador and to her staff and to all the people at USDA who worked so hard on this.

0262

Q (Off mike) -- rebalancing allowed in the Uruguay Round agreement?

AMB. HILLS: No, there is no rebalancing.

And let me tell you that the Secretary of Agriculture is far too modest. This agreement would not have been reached without his really very creative and energetic efforts. And in addition to the agreement, because under the panel report what was called for was "fix the system," and through his efforts and other's -- efforts of Ambassador Katz and Joe O'Mara (sp), we have fixed the system, but also compensation will be paid in terms of some tonnage of corn, 500,000 tons of corn. We have fixed other agricultural disputes that have been between us. Corn gluten is one. The malted barley sprouts is another. And --

SEC. MADIGAN: Or sprouting barley malts.

AMB. HILLS: Or sprouting barley malts. (Laughs.) Or you can do it the other way around. (Laughter.) But it is a very good agreement, and it targets both the fix and the compensation on the industrial sector, the farm sector, that suffered the injury.

MR. FITZWATER: We'll take the final question, please.

Q Mr. Secretary, last week in talking to farm broadcasters, you made it clear that the EC production had increased by a large number of metric tons since the GATT case was brought. And you said the US wanted to restrict their production to a tonnage basis of eight million, I believe. We are now above that number, and it's not tonnage; it's acreage. Why did you shift?

SEC. MADIGAN: Well, let me make a couple of points because there are always details -- I mean, you cannot bore people to death in these interviews with details has been my experience. And Spain and Portugal have joined the EC in recent years, and they are oil seeds producers. And Germany has been reunited, and East Germany is a major oil seed producer. And those things all have to be factored into these calculations.

Thank you very much.

SPECIAL WHITE HOUSE BRIEFING RE: THE GATT AGREEMENT (WITH AN OPENING STATEMENT BY PRESIDENT BUSH) BRIEFERS: AMB. CARLA HILLS, USTR; EDWARD MADIGAN, SECRETARY OF AGRICULTURE THE WHITE HOUSE
Z-20-04-E page# 2 FRIDAY, NOVEMBER 20, 1992

END

7388-11-16

0263

관리번호	92-844

외 무 부

종 별 : 지 급

번 호 : GVW-2185 일 시 : 92 1120 1930

수 신 : 장관(통기,통이,통삼,경기원,재무부,농림수산부,상공부)

발 신 : 주 제네바 대사 사본: 주 미,EC,불,일대사-중계필

제 목 : UR 농산물 협상

당지 불대표부 METZGER 대표에 의하면 워싱턴 회의의 미.EC 간 합의 내용은다음과 같음.

1. OILSEED 분야에서 EC 의 OILSEED 경작 면적을 5,128 천 HA 제한키로 하고 별도의 생산물량 상한 설정은 없음.

이는 지난 10 월 BRUSSEL 협의시 미국이 잠정합의(AD REFERENDUM BASIS)하였다가 미국 대두협회의 반대로 최종합의에 도달하지 못하였던 수준임.

2. UR 분야

가. 수출 보조 물량 감축 수준은 21 % 로 함.

나. 국내 보조는 EC 의 CAP 개혁안 범위내에서 인정함.

다. REBALANCING 에서는 콘글루텐등 곡물 대체사료의 대 EC 수출 물량이 일정 수준에 도달할 경우 양자 협의키로 함.

라. PEACE CLAUSE 에 관하여는 원칙적인 합의만 보고 구체적인 문안 작업은계속할 것임.

(대사 박수길-국장)

예고 92.12.31. 까지

일반문서로 재분류 (1992 .12 .31)

통상국	장관	차관	2차보	통상국	통상국	분석관	청와대	안기부
경기원	재무부	농수부	상공부	중계				

PAGE 1 92.11.21 06:10

* 원본수령부서 승인없이 복사 금지 외신 2과 통제관 FK

0264

報告畢

長官報告事項

1992. 11. 21.
通 商 局
通商機構課(72)

1992.12.3 에 예고문에 의거 일반문서로 재분류됨

題目 : UR協商動向 및 對策

1. Oilseed 협의 및 UR 협상 동향

o 92.11.18-19. 미.EC 각료회담이후 양측간 전화회담 및 국내협의 과정을 거친후 양측은 11.20(금) 기자회견에서 oilseed 문제 및 UR 농업보조금 관련 협상이 타결되었다고 발표 (양측 합의내용 별첨(1))

o 이에 따라, UR 협상의 연내타결 가능성이 커진 것으로 평가

- 금년말까지 최종협정문안 확정
- 93.2월까지 시장접근, 서비스분야 양허협상을 마무리, 미국 Fast Track 시한내 협상종결 예상

o 내주초 제네바에서 TNC 회의를 개최, 향후 협상일정을 발표할 것으로 예상

- 실질협상도 내주중 개시 예상

2. 아국의 대책

o 11.20(금) 대조실장 주재 UR 대책실무위(관계부처 국장 참석) 회의에서 UR 협상 현황 및 대책 점검

- UR 협상이 급진전 될 경우에 결정을 요하는 사항 점검
  . 15개 NTC 품목조정문제, 관세화 예외 추진전략, 관세화 예외 확보 불가시 대안등

o 내주초 관계부처 회의에서 구체적 협상대책 마련 추진

- 상기 요 결정사항에 대한 세부대책
- 단계별 협상전략
- 본부 상주 협상대표단 파견 문제등

0265

3. 언론대책 : 별첨(2) 관계부처 공동언론 대책에 따라 대응

첨부 : 1. 미.EC간 농산물 부분 합의내용

2. 언론 대응안. 끝.

0266

오

원 본

관리번호	92-862

외 무 부

종 별 :

번 호 : ITW-1468 일 시 : 92 1123 1830

수 신 : 장관(통기,구일,기정,사본: EC 주재공관(필),주레바논대사(중계필)

발 신 : 주 이태리 대사

제 목 : 미.EC간 농산물 합의

1. 당관 김경석서기관은 11.23. MR. CRUDELE 주재국 외무성 UR 담당관을 접촉, 지난주 타결된 미.EC 간 농산물 협상합의에 대한 주재국의 견해및 앞으로의 전망을 문의한 바, 동인은 현재 주재국 정부는 동 합의가 이태리 농업 및 경제에미치는 영향을 분석중이라면서 아직 주재국의 견해나 입장이 수립되어 있지 않은 상태라고 답하고, 11.27. 브랏셀 각료회의시 각국의 입장이 표명될 예정이며,동 합의에 대한 EC 의 최종적인 승인여부는 12.16. 에딘버러 EC 정상회담에서 구체화 될 것으로 본다고 하였음.

2. 한편 금번 합의에 대해 주재국 농업연맹, 농민협회, 대기업인 FERUZZI 사등이 크게 반발, 불란서 입장 옹호를 주장하고, FONTANA 주재국 농상은 콩 경작 면적을 10% 감소시키기로 한것은 EC 콩생산의 많은 부분을 차지하고 있는 이태리에 피해가 큰점을 지적, EC 위임 협상 권한에 의문을 제기하고 있으나, 반면주재국 수상(" 금번 농업문제가 불란서만큼 심각하진 않음"), 무역장관("금번합의는 UR 협상 타결의 길을 열어줌"), 전경련등은 긍정적인 태도를 보이고 있는점이 주목되고 있음. 끝

(대사 이기주-국장)

예고:92.12.31. 까지

통상국	장관	차관	1차보	구주국	분석관	청와대	안기부	중계

PAGE 1

92.11.24 02:45

외신 2과 통제관 FK

0267

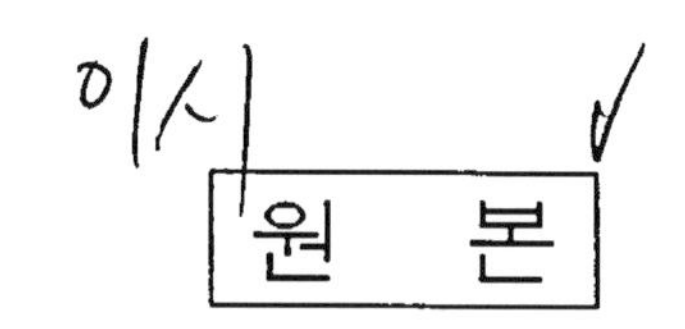

외 무 부

종 별 :

번 호 : USW-5738 일 시 : 92 1123 2030

수 신 : 장 관(통기,통이,통삼,미일,경기원,농수산부,재무부,상공부)

발 신 : 주 미 대사 사본: 주 GV,EC 대사(중계필)

제 목 : 미.EC 간 농산물 협상타결에 대한 각국 반응

연 : USW - 5688

1. 연호, 11.20. 미. EC 간 UR 및 OILSEED문제 타결과 관련, 당지 언론이 보도한 각국반응을 아래 요약 보고함.

가. 미국

(1) 클린튼 당선자

0 표면적으로는 평가에 유보적 자세 ('내용검토후 입장표명'하겠다고 언급)

0 내심으로는 금번 미.EC 간 타결을 긍정적으로 받아들이고 부쉬행정부 하에서 UR 협상이 매듭지어 지기를 희망

- UR 타결을 클린튼 행정부하에서 하게될경우, 현행 협상안에 노동 및 환경문제를 추가하여야 하는 부담과 철강업, 통신업, 섬유업,영화산업등 미 주요업계로부터의 압력을 감당하여야 하는 어려움.

- 금번 타결내용을 지지하지 않는다면 UR타결의 책임이 클린튼 행정부로 돌아올것이나, 이경우 아래와 같은 어려운 점이 있음. 농업분야이외에도 철강업, 통신업, 섬유업, 영화산업 등미 주요업계로 부터의 압력

. UR 은 NAFTA 와 달리 다수국 (108개국)이 관여하고 있어 현재 진행 중인 협상 내용에서 추가 수정이 어려움.

. 대내외적으로 보호무역주의자로 인식

(2) 의회

0 현재까지 공식적 입장표명을 보류하고 있으나, 일단 긍정적으로 받아 들이는 것으로 보임.

- GEPHARDT 의원 : 타결을 환영하며 부쉬행정부의 노력 평가

(3) 언론

통상국 미주국 통상국 통상국 경기원 재무부 농수부 상공부

PAGE 1

92.11.24 14:28 WG

외신 1과 통제관

0268

0 OILSEED 문제에서는 많은 양보가 있었으나 수출 보조금(특히, 곡물) 감축 문제에서는 미측입장이 많이 반영됨.

0 UR 타결의 전기를 마련한 데 대해, 일단긍정적으로 평가

0 타결 배경

- 부쉬대통령의 낙선으로 미 행정부는 미농업계의 압력에 반하여 보다 많은 양보가 가능

- BENTSEN 상원 재무위원장도 EC 측에 신행정부 출범후 FAST TRACK 연장을 보장할 수없을 것이라 경고

- EC 측으로서도 클린튼 신정부가 출범하게되는 경우, UR 협상을 무시하고, NAFTA 등 지역경제 통합에 주력할 가능성을 우려

(3) 농업계

0 농업총연맹 (AMERICAN FARM BUREAU FEDERATION)은 OILSEED 문제 타결에는 비판적 자세이나, 기타 UR 관련 합의에는 미온적 찬성

0 OILSEED 협회는 강한 비판을 표명하고 있으나, 동 합의내용을 결국 받아 들일수 밖에 없을 것이라는 반응

나. EC

0 EC 는 11.20. 미. EC 간 합의내용을 내부적으로 승인하였으나 프랑스가 이에 심한 반발

- EC 여타 11개국은 모두 찬성입장을 표명하였는 바, EC 각료 이사회의 가중 다수결표결 (WEIGHTED MAJORTY VOTE) 을 거쳐 공식적으로 인준 예정

- 다만 프랑스가 '국 익에 저해'를 이유로 거부권을 행사할 경우 혼란 예상

다. 프랑스

0 농업인구는 6퍼센트에 불과하나, 국민의농촌과의 전통적 연계의식으로 인해 심한 반발

0 내년 3월 총선을 앞두고 강경입장을 보이고 있으나, 거부권행사 여부에 대해서는 입장 표명유보

- BEREGOVOY 부총리 및 DUMAS 외상은 최종종합 협정안이 나온후 거부권 행사 여부를 결정하겠다고 한 바, 이는 여타 분야 협상에서 댓가를 찾겠다는 의도로 보임.

0 LE MONDE 지는 거부권 행사에 반대

- 프랑스의 고립은 유럽통합을 저해할 뿐 아니라, 독일과의 협력관계에 악영향초래

- UR 협상의 여타분야에서 농업분야의 손실보상이 가능

라. 일본

0 행정부는 쌀에 대한 예외를 인정하지않는다면 최종 협정안에 서명키 어렵다는 종전입장 반복

0 다만, 일본이 이러한 입장을 계속 견지 할수있을 것인지에 대해서는 의문 표명

- 자민당내의 정치 스캔들로 인한 자민당지도부의 동요

- 농업부문 이외의 여타업계로부터의 반발

. 특히 제조업 부문에서는 쌀문제로 인해 외국의 대일본 통상압력 강화 우려

- 자민당 수뇌는 TV 회견에서 쌀에 대한 예외인정 문제는 협상 전략 측면에서볼때 우선 ' NO' 로부터 출발해야 한다고 언급함으로써 양보 가능성 시사

2. 관련 기사 별첨 FAX 송부함.끝.

첨부 : USW(F)-7464 (33 매)

(대사 현홍주 - 국장)

이시 (외) ✓

원 본

관리 번호	92-874

외 무 부

종 별 :

번 호 : GVW-2201 일 시 : 92 1124 1930

수 신 : 장 관(통기,경기원,재무부,농수산부,상공부)

발 신 : 주 제네바 대사

제 목 : UR/농산물 협상

일반문서로 재분류(1992.12.31.)

당관 최농무관이 카나다 대표부 HANSEN 농무관과 접촉, 11.24 오전 개최된 CAIRNS 그룹회의 내용과 미.EC 협의 내용을 탐문한바, 동인 언급 내용 다음과 같음.

가. CAIRNS GROUP 회의

0 금일 회의는 정보 교환이 목적이었으나 당지 영국 대표부 MORLAND 대사가참석(EC 의장국) 지난 20 일의 미.EC 합의에 대하여 CAIRNS 그룹 국가들이 지지해 줄것과 농산물 협정 마무리 작업이 완료(FINALIZE)될 때까지 DFA 의 농산물이외 다른 부분은 EC 로서는 다루지(OPEN) 않을 것임을 언급하였다고 함.

나. 기타

0 지난 20 일의 미.EC 간 합의는 미.EC 간에 아직 정식으로 문서화되지는 않았는바, 동 문서화는 금주말 또는 내주초 완료될것이라함.

(EC 는 11.27(금) 113 회의에서 동 내용과 CAP 개혁안과의 양립 여부를 토의 예정이라고 함.

0 또한 EC 의 바나나 관련 포괄적 관세화 문제는 양측이 합의를 보지 못하였는바, DUNKEL 총장이 내주중 구체적인 타협안을 갖고 양측 중재에 나선다함. 끝

(대사 박수길-국장)

예고 92.12.31. 까지

통상국 경기원 재무부 농수부 상공부

PAGE 1 92.11.25 05:55

외신 2과 통제관 FL

0271

04(0141)

관리 번호	92-880

원 본

외 무 부

종 별 :

번 호 : USW-5807 1992.12.31. 에 예고문에 의거 일반문서로 재분류됨 일 시 : 92 1125 1830

수 신 : 장 관 (통기,통이,경기원,농림수산부,재무부,상공부)

발 신 : 주 미 대사대리 사본: 주미대사,주제네바,EC대사(중계필)

제 목 : UR/농산물 협상계획

당관 이영래 농무관은 11.25. 미 농무부 해외농업처 RICHARD B. SCHROETER 처장보와 USTR 의 NANCY ADAMS 부대표보를 면담, 표제관련 사항을 문의한바, 요지 하기 보고함.

1. 앞으로의 협상계획

- SCHROETER 처장보는 11.26. 제네바에서 TNC 회의 개최에 이어 내주부터는본격적인 협상이 시작되어 크리스마스 휴가이전인 12.22. 까지는 정치적, 기술적인 주요 쟁점 사항에 대한 협의가 마무리 될수 있을 것으로 본다고 말하면서 주요 부문이 연내에 합의되면 DUNKEL TEXT 의 수정에 다른 COUNTRY SCHEDULE 의 수정 제출은 내년 1-2 월중 끝낼수 있는 것으로 보고 있다고 말함.

- 동 처장보는 금번 협상을 위해서 미측에서는 USTR 과 농무부의 실무 협상팀 들이 조만간 제네바로 출장갈 예정이라고 하며 다자간 협상과 양자협상을 병행 추진하되 우리나라와의 양자협상은 12 월 2 째주경으로 예정하고 있다고 말하면서 제네바 대표부를 통하여 구체저긴 일정을 협의할 것이라고 말함.

2. 우리나라의 기존 입장에 대한 반응

- 이 농무관이 우리나라가 처해있는 농업여건을 설명하면서 쌀의 예외없는 관세화와 농산물에 대한 개도국 우대조항 적응 필요성을 강조하였는바, SCHROETER 처장보는 일본, 한국이 그동안 쌀에 대하여 예외없는 관세화를 주장해온 배경과 여건에 대해서는 충분히 이해한다고 말하면서도 UR 의 성공을 위해서 이제는 쌀의 예외없는 관세화도 수용할 것을 깊이 생각해야 할 시점이라고 말함.

- 또한 동 처장보는 개도국 우대조항 적용문제에 대해서 아직까지는 일정 기준을 정하여 나라별로 분류하는 작업은 구체적으로 하지 않았다고 말하였음. 그러나 동 개도국 우대조항과 관련하여 USTR 의 NANCY ADAMS 부대표보는 대외적으로 공표하지는

통상국	장관	차관	2차보	미주국	통상국	분석관	청와대	안기부
경기원	재무부	농수부	상공부	중계	미주국			

PAGE 1 92.11.26 10:32

* 원본수령부서 승인없이 복사 금지 외신 2과 통제관 CM

0272

않고 있으나 나라별로 상당한 작업을 진행중에 있으며 우리나라는 개도국 우대조항 적용 대상이 되지 않을 것이라고 말하였음을 참고바람. 끝.

(대사대리 반기문-국장)

예고: 92.12.31. 까지

안

관리번호	92-892

원 본

외 무 부

종 별 :

번 호 : GEW-2173 일 시 : 92 1127 1600

수 신 : 장 관 (통기, 통삼, 구일) 사본: 주 EC, GV 대사(직송필)

발 신 : 주 독대사

제 목 : UR 협상

1992.12.31. 에 예고문에 의거 일반문서로 재분류됨

대:WGE-1554

연:GEW-2059

1. 표제관련한 최근 주재국측의 반응및 평가에 관해 당관 정문수 참사관이 주재국 관계관과 접촉 파악한 내용및 언론 보도내용등을 종합, 아래 보고함

가. 독일정부 반응

0 독일정부는 불 의회가 11.26. 새벽 불 정부의 미.EC 간 워싱본합의에 대한 거부입장을 지지 결의한데 대해 상금 공식반응을 보이지 않고있음.

0 독일측은 11.20. 미.EC 간 워싱본 합의에 대해 즉각 VOGEL 정부대변인, MOELLEMANN 경제장관, KIECHLE 농업장관등의 대 언론발표를 통해 UR 협상 진전의기초가 되며, 미.EC 간 무역마찰이 해소된 점을 들어 적극 환영입장을 표명하고, 동 합의내용이 EC 의 CAP 개혁과 부합될 것으로 간주하며, EC 집행위의 조속한 검토를 요청한바 있음.

0 한편, KIECHLE 논업장관은 11.16-17. EC 농업장관 회의에서 그간 보다 소극적 입장과는 달리 불측의 대미 타협거부에 대해 매우 강경한 어조로 대립했다 함.

나. 워싱본 합의내용 평가

0 독일경제부 담당관은 불란서 입장관련, 아래와 같이 분석하고 있음.

불측은 BEREGOVOY 수상이 밝힌바와 같이 OILSEEDS 관련 합의사항등에는 수용가능 입장을 밝히고 있으나, 향후 6 년간 정부보조 농산물 수출의 21 프로 물량감축에는 절대 반대입장을 견지하고 있음.

- OILSEEKS 경작면적의 5,128 백만 헥타르 제한합의는, 미국츠이 당초의 생산물량 한도설정 주장을 양보한 결과이며,

- EC 농업경작면적의 10 프로 휴경합의는, EC 의 CAP 개혁이 대농 15 프로 의무적

통상국 장관 차관 2차보 구주국 통상국 대사실 분석관 청와대 안기부 상공부

PAGE 1 92.11.28 05:12

외신 2과 통제관 DI

* 원본수령부서 승인없이 복사 금지

0274

휴경, 소농 휴경의무 면제, 도합 9.94 프로 휴경을 규정하고 있음에 비추어 CAP 개혁과도 거의 합치되며 (EC 의 연간 OILSEEDS 생산능력 13 백만톤 기준 10프로 감축하는 경우, 당초 EC 주장 10 백만톤 생산한도를 상회할수 있다함)

- 농산물 수출보조 36 프로 감축역시, CAP 개혁으로 이미 93-96 기간중 농산물 가격의 33 프로 인하를 계획하고 있어, 정부보조지출 감축이 필연적인 때문에 반대할 이유가 없으며, 국내보조 20 프로 감축 또한 CAP 개혁의 농가소득 직접보조는 미측이 GREEN BOX 포함을 인정하기로 함에 따라 문제가 될수 없다함.

0 불측이 OILSEEDS 관련 합의사항에는 불만이 없다해도 미.EC 간 워싱톤합의가 UR 농산물분야를 함께 포함, 상호 양보교환의 결과로 얻어진 PACKAGE 타협산물의 성격임에 비추어 비록 미측이 워싱톤합의 직우 무역 보복조치 계획 철회를 밝혔으나, 11.26. 불 의회 반대결의에 대해 12.5. 부 무역 보복 발표등 강경입장을 시사하고 있어, OILSEEDS 관련 미.EC 간 무역마찰 확대위험은 여전상존하고 있는 것으로 봄.

다. EC 내 입장조정

0 금 11.27. 브랏셀 개최 EC 고위실물협의에서 동문제가 협의될 것이나, 불측의 반대입장을 극복한 켄센서스는 기대하기 어렵다 함. EC 일반 이사회, 농업장관회의는 월례 정기회의 이외 상금 별도의 긴급회의 소집일정은 정해진바 없다함.

0 불측이 미.EC 합의안에 EC 이사회 상정시 비토권 행사를 공언하고 있음과관련, 언론등은 UR 협상관련 EC 결의안은 시간상 금년말 이후에 상정될수 있을것으로 관측하고 있는데 반해, 미측이 12.5 보복조치 시한을 정한 OILSEEDS 분쟁관련 PACKAGE 합의안에 대한 EC 측 합의도출 전망및 미국측의 수용여부에 관해서는 예측이 어려움.

0 동문제는 불 미테랑 대통령의 12.3-4. 방독시 양국 정상간에 집중 협의될것으로 보며, 미측은 대 EC 무역 보복조치가 특히 독일경제에 위협이 되는 점을 고려, 독일측의 대불 압력을 기대하는 한편, 불측으로서는 EC 통합추진및 환율안정 노력에 독일의 협조가 긴요한 점에서 동 기회에 독일에 의한 모종의 중재가 이루어질 가능성도 있는 것으로 관측됨.

2. 표제관련, 주재국 동향등은 계속 추보하겠음. 끝

(대사-국장)

예고: 92.12.31. 까지

이시(이2)

원 본

암호수신

외 무 부

종 별 :

번 호 : ECW-1508 일 시 : 92 1127 1800

수 신 : 장 관 (통기, 통삼, 경기원, 재무부, 농수산부, 상공부, 기정)

발 신 : 주 EC 대사 사본: 주 제네바, 주미대사 - 중계필

제 목 : GATT/UR 협상

연: ECW-1500

1. 연호, EC 의 113 조 위원회는 11.27. 의 회의에서 EC 집행위로부터 UR 협상및 OILSEEDS 문제관련, 대미협상결과와 이것이 EC 의 CAP 개혁과 양립한다는보고를 듣고, 관련질의및 토의를 가졌으나, 어떤 결론은 보지 못했다 하는바, 앞으로 개최될 일반이사회에서 이문제가 다시 토의될 것으로 예상됨

2. 한편 불란서와 이에 동조하는 벨지움 정부가 함께 요구하고 있는 EC 외상과 농업상 긴급 합동회의의 소집여부는 의장국 영국의 소극적인 입장으로 개최가능 여부가 미상인바, 경우에따라 12.7 의 일반이사회전 상기 외상, 농무상들의합동회의가 개최될 가능성도 배제할수 없는 것으로 보임. 끝

(대사 권동만-국장)

통상국 장관 차관 2차보 통상국 분석관 청와대 안기부 경기원
재무부 농수산부 상공부 중계

PAGE 1 92.11.28 05:44

* 원본수령부서 승인없이 복사 금지 외신 2과 통제관 DI

0276

외 무 부

원 본

관리번호	92-897

종 별 : 긴 급

번 호 : GVW-2239 일 시 : 92 1130 1820

수 신 : 장관(통기,농림수산부)

발 신 : 주 제네바 대사

제 목 : UR 협상 동향 파악

1992.12.31. 에 예고문에 의거 일반문서로 재분류됨

1. 앞으로의 UR 협상은 농산물을 비롯하여 전분야에 걸쳐 빠른 속도로 진전될 것으로 판단됨.

2. 본직은 이와같이 급전하는 농산물 협상에 효율적으로 대처하기 위해 일본, 카나다등 아국과 입장을 같이 하는 국가들과 공동대처를 위한 협의를 추진하고 있으나 (본직 주관 명 12.2. 일본, 카나다, 스위스, 메시코대사와의 조찬회동등) 일본을 제외한 다른 국가들의 경우 아국과 입장이 차이가 있음.

3. 특히 최근 일본언론 보도나 일본관계관등과 접촉한 결과 일본의 입장이 종전보다 상당히 완화되는 듯한 인상을 주고있어 이와 같은 일본 입장의 변화는 아국 협상 대응에 중대한 영향을 미칠 우려가 있음.

4. 따라서 주일본대사로 하여금 직접 일 외무, 농림성의 고위간부와 접촉하여 일본정부 입장의 진의를 확인토록할 필요가 있는바 이를 건의하니 긴급 조치 회시 바람. 끝

(대사 박수길-장관)

예고:92.12.31. 까지

통상국	장관	차관	2차보	분석관	청와대	안기부	농수부	상황실

PAGE 1 92.12.01 04:22

* 원본수령부서 승인없이 복사 금지 외신 2과 통제관 FR

0277

아일(경제협력)

관리번호	92-896

원 본

외 무 부

종 별 : 지 급

번 호 : JAW-6323 일 시 : 92 1130 1156

수 신 : 장 관(통기,통일,아일,농수산부)(사본:주제네바대사-본부중계필)

발 신 : 주 일 대사(일경)

제 목 : UR 협상(주재국 쌀시장 관세화)

연 : JAW-6198

1. 금 11.30(월) 당지 아사히 신문은(기타 신문보도는 없음) 11.29. 주재국정부가 "쌀의 관세화"를 수락할 방침을 결정하였으며, 금번 제네바 다국간교섭의 장에서 일정부는 이를 전제로 쌀시장 관련 1) 관세화 도입을 연기, 2) 관세율의 삭감폭 완화의 조건을 포괄적 합의안에 포함시키는 노력을 경주할 것이라고 보도 하고, 이러한 일본정부의 종래방침 변경의 배경으로, 1) 원칙론적인 저항의계속은 일본의 고립을 초래하고, 2) 관세화 방침이 일본 쌀시장에 미치는 실질영향이 크지 않다는 판단에 근거한다고 기술함.

2. 상기 관련, 당관 황서기관은 주재국 외무성 국제기관 1 과 사또 과장보좌 를 접촉 동기사의 진위를 문의한 바, 동인은 동 기사는 추측에 근거한 기사로사실 무근이라고 하고, 그 이유로 11.29(일) 정부내 UR 관련 협의 사실이 없었음을 설명함.

3. 당관 판단으로는 연호 농림수산성 사무차관의 일측 입장 변화가능성 시사 및 주재국 외상이 11.27(금) 기자회견시 관세화를 통한 쌀시장 개방 수락을 전제로 관세화 조건의 완화를 요구하는 대응방안 모색 언급사실 등에 비추어, 아사히신문이 최근 일측동향을 추측하여 보도한 것으로 일단 생각되는 바, 주재국 정부의 특이 동향이 있을 시 수시파악 보고예정임. 끝.

(대사 오재희 - 국장)

예고 : 92.12.31. 까지

통상국	장관	차관	2차보	아주국	통상국	분석관	청와대	안기부
농수부	중계							

PAGE 1 92.11.30 12:27

* 원본수령부서 승인없이 복사 금지 외신 2과 통제관 FT

0278

외교문서 비밀해제: 우루과이라운드2 15

우루과이라운드 농산물 협상 5

초판인쇄 2024년 03월 15일
초판발행 2024년 03월 15일

지은이 한국학술정보(주)
펴낸이 채종준
펴낸곳 한국학술정보(주)
주 소 경기도 파주시 회동길 230(문발동)
전 화 031-908-3181(대표)
팩 스 031-908-3189
홈페이지 http://ebook.kstudy.com
E-mail 출판사업부 publish@kstudy.com
등 록 제일산-115호(2000. 6. 19)

ISBN 979-11-7217-117-9 94340
979-11-7217-102-5 94340 (set)

책에 대한 더 나은 생각, 끊임없는 고민, 독자를 생각하는 마음으로 보다 좋은 책을 만들어갑니다.